Architecture et technologie
des ordinateurs

Consultez nos catalogues sur le Web…

http://www.dunod.com

Bienvenue

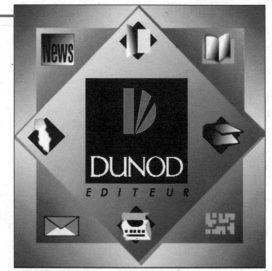

News

Catalogue général

Presse

Nouveautés

Contactez-nous

Où trouver nos ouvrages

Accueil Auteurs

Architecture et technologie des ordinateurs

Paolo Zanella

Professeur à l'Université de Genève
Responsable de l'Institut européen de bioinformatique (Cambridge, GB)

Yves Ligier

Dr. ès Sciences, MBA
Chef de projet en imagerie numérique
Hôpital universitaire de Genève

3ᵉ édition

Dans la collection « Sciences Sup »

Introduction à l'algorithmique, T. Cormen, C. Leiserson, R. Rivest
Concepts fondamentaux de l'informatique, A. Aho, J. Ullman
Unix, guide de l'étudiant, H. Hahn

© Dunod, Paris, 1998 - nouveau tirage 1999
ISBN 2 10 003801 X

Table des matières

Chapitre 12 : Systèmes d'exploitation   **307**

Chapitre 13 : Assembleur   361

Chapitre 14 : Développement de programmes   381

Avant-propos de la troisième édition

L'informatique a été l'une des disciplines marquantes du XXe siècle et elle sera certainement au premier plan de tout développement scientifique et technologique du XXIe siècle. L'impact sur la société a été déterminant, tous les secteurs de l'économie, de la science jusqu'à la vie de tous les jours au bureau, à la maison, dans la voiture ont subi d'importantes mutations.

L'évolution technologique très rapide de ces dernières années a réduit considérablement la durée de vie du matériel et logiciel informatiques, ce qui a rendu nécessaire la mise à jour de cet ouvrage dont la première édition est parue en 1989 et la deuxième en 1993. Bien que les concepts présentés dans les éditions précédentes soient toujours valides et présents, cette troisième édition a permis d'actualiser les informations relatives aux télécommunications, au codage et à l'encryptage des informations, aux réseaux d'ordinateurs, aux ordinateurs personnels et aux stations de travail. De nouveaux chapitres ont été ajoutés qui concernent les domaines du multimédia, d'Internet et du Web. Nous en avons aussi profité pour améliorer la présentation de l'ouvrage, notamment avec de nouvelles illustrations. Cet ouvrage peut être parcourue de manière non séquentielle. Le chapitre 2 sert de chapitre de référence à partir duquel il est possible de passer à n'importe quel autre chapitre. Ainsi, certains chapitres techniques, tel que le chapitre 4 sur les circuits logiques, ne doivent pas constituer un obstacle rédhibitoire pour le lecteur.

Comment fonctionnent les ordinateurs, tant au niveau matériel que logiciel ? Les pages qui suivent apportent une réponse à cette question en faisant la synthèse des éléments qui jouent un rôle important dans la structure matérielle et logicielle des ordinateurs.

L'informatique touche de plus en plus de personnes dans plus en plus de domaines, mais cette discipline ne fait pas encore partie des enseignements de base. On constate un manque flagrant de connaissance de la plupart des utilisateurs. Cet ouvrage permet à toute personne désireuse d'appréhender les connaissances de base indispensables pour interagir et maîtriser l'outil informatique.

Ce livre est suffisamment détaillé pour servir d'ouvrage de base aux informaticiens, mais il est aussi suffisamment progressif pour permettre à toute personne, sans connaissances préliminaires, de s'initier à l'informatique.

Est-il nécessaire de connaître les mécanismes essentiels du fonctionnement des ordinateurs ? Oui, si l'on désire être un spectateur privilégié et averti, capable d'apprécier pleinement l'évolution spectaculaire du monde informatique. En effet, il faut pour cela une bonne connaissance de l'architecture des ordinateurs, du matériel et de l'organisation logicielle puisque ces éléments, ainsi que leur évolution, sont intimement liés.

Cet ouvrage est utilisé pour l'enseignement dispensé au département d'informatique ainsi que dans diverses autres filières de l'Université de Genève. Il a été également adopté par d'autres écoles et universités, dans sa totalité pour des cours de base en informatique portant sur une année académique et en partie pour des enseignements donnés dans d'autres disciplines.

Ce livre se compose de trois parties. La première partie (chapitres 1 à 6) présente les notions de mathématique, de logique, de physique, d'électronique, d'informatique et son histoire qui, à notre avis, doivent faire partie de la culture de base de tous ceux qui se passionnent pour le monde des ordinateurs et de l'informatique. La deuxième partie (chapitres 7 à 11) montre l'architecture et la réalisation matérielle des ordinateurs depuis les microprocesseurs jusqu'aux superordinateurs et aux réseaux. La troisième partie (chapitres 12 à 17) décrit l'organisation logicielle des différents programmes nécessaires à l'exploitation des ordinateurs. Une liste d'ouvrages de référence permet d'approfondir les différentes notions. Un glossaire, donnant une explication claire et concise des termes les plus importants, ainsi qu'un index complètent cet ouvrage.

Toutes les notions présentées sont illustrées par de nombreuses figures. Plutôt que de se baser sur des machines hypothétiques ou sur une machine particulière, nous avons préféré montrer les principes concrets utilisés dans les machines actuelles et dans celles réalisées au cours de la brève histoire de l'ordinateur.

A la fin des chapitres (excepté les chapitres purement théoriques) se trouvent des exercices ainsi que leur solution détaillée. Ils permettent de mieux comprendre les problèmes pratiques que l'on rencontre aux différents niveaux de conception d'un système informatique. Ils seront, nous l'espérons, appréciés par les enseignants qui veulent intégrer des séries d'exercices à leurs cours théoriques.

Comme la langue anglaise est largement utilisée en informatique, nous mentionnons les termes les plus importants, entre crochets, lors de la première apparition du correspondant français (exemple: logiciel [software]).

Nous tenons à remercier les personnes qui ont aidé à l'élaboration de cet ouvrage et, en particulier, Mademoiselle Claudine Metral (première édition) et Monsieur Olivier Baujard (troisième édition). Nous adressons des remerciements tout particuliers à Mademoiselle Catherine Marti pour son active participation à toutes les éditions. Merci à Paola et à Dominique pour leur patience et leur compréhension. Nous remercions aussi les firmes Silicon Graphics Inc., IBM Deutschland, Motorola, Digital Equipment Corporation ainsi que le CERN pour leur autorisation de publier les photographies qu'ils nous ont aimablement prêtées.

Chapitre **1**

Histoire de l'ordinateur

1.1 Introduction

L'homme a toujours eu besoin de compter. Au cours de la Préhistoire, il ne savait calculer qu'à l'aide de cailloux (latin : *calculi*) ou de ses mains qui furent sans doute les premières calculatrices de poche... On trouve des traces de symboles et de chiffres dans certaines civilisations de l'Antiquité, quelques millénaires avant notre ère. Chinois, Égyptiens, Sumériens, Babyloniens, Grecs ou Romains, tous avaient des symboles numériques et des méthodes pour compter et calculer.

Ces systèmes de numération s'inspiraient naturellement du nombre de doigts ; c'est ainsi que les Romains, par exemple, établirent des symboles spéciaux pour indiquer 5 et 10 unités (V et X). Dans certaines civilisations pieds-nus utilisant les mains et les pieds pour compter, le nombre 20 était parfois choisi comme base de numération. Dans certaines régions asiatiques, on comptait en se servant des articulations des doigts ou des phalanges, d'où des numérations en base 12, 14, 15, 24, 30, 60, etc.

Les doigts ont servi à nos ancêtres pour compter et pour effectuer toutes sortes d'opérations arithmétiques. On retrouve des traditions de calcul digital chez les anciens Egyptiens, les Grecs et les Romains, mais aussi chez les Chinois, les Aztèques du Mexique précolombien, les Indiens, les Persans, les Arabes, etc.

Curieusement, on parle de calcul digital dans la nouvelle science informatique, le mot **digit** ayant le sens de chiffre d'une numération de position. Dans les ordinateurs, on utilise des **digits binaires** ou **bits** (par contraction de l'expression anglaise *binary digits*), l'écriture binaire des nombres ne comportant que les deux chiffres 0 et 1.

La plus naturelle et la plus répandue des numérations était celle qui comptait en base 10 et elle nous est parvenue à travers les siècles avec ses symboles introduits par les Indiens, modifiés et complétés par les Arabes. Notre système décimal actuel est le résultat de cette évolution et des moyens mis en œuvre pour lui donner des formes adaptées à l'expression écrite et orale et aux méthodes de calcul.

Si le système décimal est celui de l'immense majorité des hommes, il ne faut pas oublier que d'autres sont toujours utilisés, tel le système sexagésimal (base 60) pour exprimer les mesures du temps, tout comme celles des arcs et des angles. L'origine du système sexagésimal remonte aux Sumériens. Au cours de l'histoire on trouve aussi souvent le nombre 12 à la base de nombreux systèmes de comptage et de mesure, par exemple dans la division du jour en heures.

Parallèlement à cette évolution des signes, chiffres, calculs mentaux et manuels, on assistait au développement d'outils, de systèmes, de machines pour simplifier et accélérer les calculs nécessaires ; par exemple, pour garder la trace des transactions commerciales ou des cycles astraux et pour faire face aux besoins croissants des paysans, de l'armée et d'une société en pleine évolution.

1.2 Développement historique et conceptuel

Il y a 2'000 ans, les civilisations méditerranéennes utilisaient l'abaque pour leurs calculs. Bien avant l'ère chrétienne, les Chinois comptaient à l'aide de bouliers et dans certains pays (Russie, Chine, Japon, etc.) on en trouve encore plusieurs sortes couramment utilisées dans les commerces, les banques, etc. Mais il fallut attendre le XVIIe siècle, époque de grandes effervescences intellectuelles, pour voir apparaître des systèmes de calcul plus rapides et plus automatiques. Les débuts furent lents et difficiles.

La numération romaine, utilisée en Europe pendant le premier millénaire de notre ère, n'était pas une numération positionnelle ; c'est-à-dire que la position des chiffres dans la représentation d'un nombre n'était pas associée à des poids implicites (unités, dizaines, centaines, etc.) permettant une écriture des nombres plus compacte (MDCCCLXXIII = 1873) et une grande simplification des calculs. Les Romains ne connaissaient pas le zéro ! L'étonnante idée du zéro vint à l'esprit des Indiens et des Arabes quelques siècles après Jésus-Christ. Le chiffre zéro fît son apparition en Europe dans un manuscrit célèbre sur les chiffres indiens, écrit par le mathématicien Al-Khârezmi vers l'an 820 après J.-C. (les savants de Babylone connaissaient apparemment une numération en base 60, positionnelle, avec le chiffre zéro, déjà au IIIe siècle avant J.-C.). Les chiffres arabes sont adoptés en Europe au cours du XIe siècle, mais il faut attendre le milieu du XVIe siècle pour voir des ouvrages traitant de méthodes arithmétiques.

Au Moyen Âge, la culture était l'affaire des moines et la diffusion de l'arithmétique était limitée à quelques privilégiés ayant accès aux rares traités de l'époque. Les besoins en calcul augmentant sans cesse, des sociétés secrètes se chargeaient de résoudre les problèmes de comptabilité des commerçants et des paysans. Mais, à l'aube du XVIIe siècle, des savants commencèrent à s'intéresser aux systèmes d'aide au calcul.

En 1614, le mathématicien écossais **John Neper** présenta sa théorie des logarithmes. Les tables de Neper, qui transformaient des multiplications compliquées en de simples additions, donnèrent naissance à la règle à calcul, un outil pratique et efficace créé en 1620. Neper inventa aussi un système non logarithmique (pour simplifier les multiplications) basé sur le simple déplacement de tiges (Bâtons ou Os de Neper).

En 1623, **Wilhelm Schickard**, un génie universel, construit à Tuebingen en Allemagne, la première machine à calculer en appliquant le principe du déplacement de tiges développé par Neper. Sa machine se perd au cours de la guerre de Trente Ans; de ce fait, on ne sait pas exactement de quelle manière elle fonctionnait. Les quelques dessins qui nous sont parvenus semblent prouver que Schickard avait utilisé des roues chiffrées et s'était attaqué au problème de la retenue. Le grand problème de Schickard était celui de la mécanique. Bien que le principe des roues dentées et autres engrenages fût connu depuis des siècles (astrolabes, horloges des églises, etc.), les techniques de construction étaient primitives et la fiabilité résultante assez modeste. Schickard se plaint d'ailleurs de ses problèmes de mécanique dans ses lettres à Kepler, où l'on trouve de précieuses indications sur la conception de sa machine.

En 1642, à Paris, **Pascal** présente une machine qui peut additionner et même soustraire des nombres de six chiffres. En dix ans, il en construit plus de cinquante versions dont certaines peuvent calculer avec 8 chiffres. Des exemplaires sont conservés à Paris. Son système est basé sur une série de roues dentées figurant les colonnes décimales. Le problème de la retenue est résolu de la manière suivante : chaque roue peut dépasser le chiffre 9 en effectuant une rotation complète et en décalant d'un cran la roue immédiatement supérieure. Pascal a réalisé sa première machine, la Pascaline, alors qu'il n'avait que 19 ans.

La machine de Pascal pouvait en principe exécuter des opérations plus complexes, telle la multiplication, par des méthodes compliquées d'additions répétitives. Mais il faudra attendre 1673 pour voir apparaître une calculatrice capable d'exécuter automatiquement les quatre opérations arithmétiques. Ce sera l'œuvre d'un génie allemand, **Leibniz**, qui ajoutera aux mécanismes de la Pascaline un chariot mobile et une manivelle permettant d'accélérer et d'automatiser l'exécution des additions et des soustractions répétitives exigées par les multiplications et les divisions. Les principes des machines de Pascal et de Leibniz seront adoptés dans la conception des machines à calculer pendant près de trois siècles !

Leibniz, qui avec Newton est à l'origine du calcul différentiel et intégral, inventa aussi le système binaire sous sa forme moderne (des numérations base 2 existaient déjà en Chine dans l'Antiquité) avec ses deux chiffres 0 et 1, et souligna la puissance et la simplicité de l'arithmétique binaire, qui sera finalement adoptée par la plupart des ordinateurs contemporains. Des exemples de numérations utilisées au cours de l'histoire sont résumés dans la table suivante :

Table 1.1 : Différents systèmes de comptage

BASE 1 :	comptage avec les doigts, cailloux, entailles
BASE 2 :	système **binaire**: logique symbolique, ordinateurs
BASE 5 :	système **quinaire**: Aztèques, etc.
BASE 7 :	notes musicales, jours de la semaine
BASE 8 :	système **octal**: ordinateurs
BASE 10 :	système **décimal**: adopté par l'Homme
BASE 12 :	gamme des notes et demi-tons; monnaie et mesures anglaises; mois de l'année; heures (2x12)
BASE 16 :	système **hexadécimal**: ordinateurs
BASE 20 :	comptage sur les doigts des mains et des pieds; Mayas
BASE 24 :	heures du jour
BASE 60 :	degrés, minutes et secondes; savants de Babylone.

On peut à juste titre considérer le XVIIe siècle comme un tournant dans le développement de la connaissance scientifique. Des géants tels **Galilée**, **Newton** et **Leibniz** sont à l'origine d'une véritable révolution intellectuelle qui propulsa l'Europe au premier plan dans le développement des mathématiques et dans leur application aux sciences naturelles, dépassant ainsi les Arabes, les Indiens et les Chinois. C'est au XVIIe siècle qu'on a conceptualisé les bases de la Science moderne et c'est là qu'on trouve les racines de ce grand développement d'idées qui conduira à l'ordinateur.

1.3 Progrès au XIXe siècle

En 1728, le mécanicien français **Falcon** construit une commande pour métier à tisser à l'aide d'une planchette en bois munie de trous. C'est la première machine capable d'exécuter un programme externe. En 1805, **Joseph Jacquard** perfectionne le système de Falcon en remplaçant les planches en bois par des cartons troués articulés (les premières cartes perforées), qu'on peut encore voir de nos jours dans certains orgues de manège. Le système à bande de programmation de Jacquard permet de produire les dessins les plus compliqués en grande quantité et de qualité toujours égale. Il s'agit du premier pas de la révolution industrielle, mais aussi d'une étape très importante vers l'exécution automatique des calculs les plus complexes.

Au milieu du XIXe siècle, on s'approche conceptuellement et matériellement de l'ordinateur grâce aux idées et au travail exceptionnel d'un mathématicien anglais : **Charles Babbage**, considéré comme le père de l'ordinateur pour avoir fait le rapprochement entre les machines à calculer et les systèmes de commande automatique de Jacquard.

De 1822 à 1832, Babbage est totalement absorbé par la conception d'une machine capable de calculer et d'imprimer des tables de tir selon la méthode des différences. Il construit un prototype, basé sur des roues dentées glissant sur des arbres actionnés par une manivelle. Avec l'aide de l'Etat et le soutien de la Royal Society il entreprend la construction d'un modèle utilisable. Il se heurte alors à des problèmes techniques et son projet prend du retard. Après dix ans de travail acharné, les subventions sont suspendues et il doit abandonner sa machine à différences.

En 1833, Babbage se lance dans la réalisation d'une machine encore plus ambitieuse, la Machine Analytique. Elle était conçue pour faire des séquences d'opérations arithmétiques en fonction d'instructions données par l'utilisateur. Ce serait donc une machine aux applications les plus variées : le premier calculateur programmable ! On trouve dans sa Machine Analytique des idées très avancées pour l'époque, qui seront adoptées ou réinventées par les constructeurs d'ordinateurs une centaine d'années plus tard, comme la notion de processeur, de mémoire, de programme ou de techniques d'entrées/sorties par cartes perforées, etc.

Babbage pouvait compter sur l'aide et le soutien d'un autre personnage de son temps, **Ada Augusta** comtesse de Lovelace (fille du célèbre poète anglais Lord Byron) qui laissa à la postérité des dessins et des descriptions de la Machine Analytique. Elle laissa aussi des programmes qui constituent une véritable première dans l'histoire de l'ordinateur. Malheureusement ces programmes ne seront jamais exécutés.

La machine de Babbage était irréalisable avec les techniques et les outils de son temps. Elle devait fonctionner comme une locomotive à vapeur et était beaucoup trop complexe et ambitieuse. Elle ne sera jamais complétée. Babbage passa sa vie sur ce projet et y dépensa toute sa fortune. Il ne nous reste que des dessins et quelques parties nous montrant quelles difficultés Babbage avait rencontrées dans la réalisation de son invention. Sa machine à différences, en revanche, devait connaître un meilleur sort. Reprise en main par un inventeur suédois, P.G. Scheutz, elle sera réalisée, avec l'aide de Babbage, et présentée à Londres en 1854.

C'est précisément en 1854 qu'un mathématicien anglais, **George Boole**, publie un essai intitulé *Une étude des lois de la pensée*, où il expose ses idées sur la formulation mathématique des propositions logiques. Reprenant les spéculations de Leibniz, Boole conçoit un système de logique symbolique, appelé algèbre booléenne qui révolutionnera la science de la logique. Un siècle plus tard, ses formules appliquées au système de numération binaire rendront possible l'ordinateur numérique électronique.

Avant la fin du XIXe siècle, l'Américain **Hermann Hollerith** construit un calculateur de statistiques fonctionnant avec des cartes perforées pour accélérer le traitement des données du recensement américain de 1890. Inspiré par les travaux de Babbage et par les applications des cartons troués dans la commande des métiers à tisser, il inventa la carte perforée et un système de codage des informations qui porte son nom. La carte de Hollerith comprenait douze rangées de vingt positions à perforer pour figurer les données du recensement de l a population des Etats-Unis (âge, profession, situation de famille, etc.).

Une fois perforées, les cartes étaient placées dans des lecteurs qui détectaient les trous. Ceci à l'aide d'aiguilles qui traversaient les trous et établissaient un circuit électrique en trempant dans des petits pots de mercure placés de l'autre coté de l a carte. Le système de Hollerith était si rapide qu'un premier décompte fut établi en quelques semaines et une analyse statistique complète en deux ans et demi. La population était passée en dix ans de 50 à 63 millions d'individus, mais le recensement de 1890 avait été fait en trois fois moins de temps qu'en 1880 ! Hollerith fonda la *Tabulating Machines Company* pour produire ses systèmes à cartes perforées. Sa compagnie rencontra un succès de longue durée. En 1924, cinq ans avant la mort de son fondateur, elle devint l'*International Business Machines Corporation*, ou IBM.

1.4 XXe siècle

Les machines à cartes perforées continuent à se développer pendant la première moitié du siècle. Dans cette période on assiste aussi à la naissance d'une véritable industrie des calculatrices de table.

En ce qui concerne les calculs scientifiques, dès 1930 on voit apparaître des machines analogiques, où les fonctions mathématiques sont représentées par des signaux électriques. Parmi les pionniers du calcul analogique, il faut citer **Vannevar Bush**, qui construisit au MIT un analyseur différentiel capable d'aider à la résolution d'équations différentielles complexes. Il s'agissait d'une machine énorme, assez rudimentaire et d'utilisation difficile. D'autres machines de ce type suivront et seront utilisées jusqu'aux années 60.

Les années 30 sont riches en développements et il faut souligner les contributions fondamentales de Shannon et Turing. Dans sa thèse publiée au MIT (Massachusetts Institute of Technology) en 1938, **Claude Shannon**, reprenant les idées de Leibniz et de Boole, fit le rapprochement entre les nombres binaires, l'algèbre booléenne et les circuits électriques. Dix ans plus tard, il publiera une théorie mathématique de la communication, qui expose ce que l'on appelle aujourd'hui la **théorie de l'information**. Shannon prouva que les chiffres binaires conviennent également pour les relations logiques et que tous les calculs logiques et arithmétiques peuvent être réalisés à l'aide des trois opérations logiques de base : ET, OU et NON. Ses brillantes conceptions influencèrent le développement des télécommunications ainsi que celui des ordinateurs.

Alan Turing, jeune théoricien de l'Université de Cambridge, publie en 1936 son essai fondamental *A propos des nombres calculables*, où il traite de problèmes théoriquement impossibles à résoudre. Il énonce le principe d'une machine universelle, purement imaginaire, la **Machine de Turing**, qui préfigure les caractéristiques de l'ordinateur moderne. Ses idées étaient directement applicables à la logique mathématique, mais Turing cherchait à établir une description rigoureuse de toute opération mentale. Il traitera aussi de l'art de programmer. L'évolution de sa pensée et l'entrée en guerre de son pays l'amèneront à s'occuper de la conception de machines *intelligentes* capables, par exemple, de traduire des messages codés.

Vers la fin des années trente, d'autres chercheurs parvinrent à la conclusion que l a logique booléenne pouvait être employée efficacement dans la conception des calculateurs. L'adoption du système binaire au lieu du décimal était aussi dans l'esprit de certains pionniers. **Konrad Zuse** à Berlin, **John Atanasoff** à l'université de l'Etat de Iowa et **George Stibitz** aux Laboratoires Bell, travaillant indépendamment, construisirent des prototypes de machines binaires. Dès 1936 Zuse fabrique avec des moyens très modestes des machines électromécaniques, qu'il appelle Z1 et Z2, fonctionnant selon le système binaire. En 1938, il propose la construction d'un calculateur électronique comportant 1'500 tubes à vide, mais le gouvernement allemand juge le projet irréalisable. Zuse construit alors un calculateur binaire universel avec 2'600 relais de téléphone, le Z3. Les programmes sont introduits au moyen d'un film perforé. Une multiplication dure environ 5 secondes. Le Z3 sera terminé en 1941 et comme d'ailleurs son successeur, le Z4, sera effectivement utilisé pour résoudre des problèmes de conception aéronautique et de missiles.

Parmi les derniers précurseurs de l'ordinateur il faut citer Mark 1, une énorme machine électromécanique construite entre 1939 et 1944 par IBM et l'Université de Harvard, sous la direction de **Howard Aiken**. Ce calculateur, capable de multiplier deux nombres de 23 chiffres décimaux en 6 secondes et d'effectuer des additions ou soustractions en trois dixièmes de seconde, était conçu sur la base du système décimal. Avec ses milliers de roulements à billes et ses 760'000 pièces électromécaniques, le Mark 1 était une sorte de Machine Analytique du XXe siècle; en fait, il se révéla obsolète avant même d'être terminé.

1.5 Naissance de l'ordinateur : 1945

Toutes les machines de la période 1935-1945 recevaient les instructions à l'aide de cartes, bandes ou films perforés et pouvaient faire des opérations arithmétiques en quelques secondes. Elle réalisaient les idées de Babbage un siècle après ses efforts. Z3 avait été la première à fonctionner en 1941 avec trois ans d'avance sur les machines américaines de Stibitz et Aiken. On pouvait faire des calculs complexes dix fois plus vite qu'avec des calculatrices de table. Mais la gloire de ces machines électromécaniques sera de courte durée. L'ère de l'électronique allait commencer.

C'est en 1945 que **John Eckert** et **John Mauchly** terminent à l'Université de Pennsylvanie la construction de l'**ENIAC** (*Electronic Numerical Integrator And Calculator*), machine universelle, programmable, numérique, basée sur le système décimal, et entièrement électronique. Avec ses 18'000 tubes et ses 30 tonnes, l'ENIAC pouvait multiplier deux nombres de 10 chiffres en 3 millisecondes ! C'était la fin des calculatrices électromécaniques dépassées par une technologie mille fois plus rapide.

L'ENIAC fonctionnait admirablement, traitant des millions de cartes perforées déjà au cours de son premier essai. Mais l'inconvénient résidait dans la difficulté de modifier ses programmes. La mémoire interne était très petite et les programmes étaient câblés sur des fiches interchangeables. Pour passer d'un calcul à l'autre, il fallait brancher et débrancher des centaines de câbles. Pour cette raison l'ENIAC, bien qu'étant le premier calculateur électronique, n'est pas considéré comme le premier ordinateur, selon le sens donné aujourd'hui à ce terme.

Avant la fin de 1945, **John von Neumann**, un mathématicien d'origine hongroise, associé comme consultant au projet ENIAC, franchit le dernier obstacle et proposa la construction de l'**EDVAC** (*Electronic Discrete Variable Automatic Computer*), machine modèle de l'ordinateur tel qu'on le conçoit à présent. Il accomplit une abstraction géniale du système de commande de la machine, en proposant d'enregistrer le programme en mémoire. La machine gagne ainsi en souplesse et en vitesse. Instructions et données sont stockées dans la mémoire même de la machine. Le programme peut décider quels calculs exécuter, quel chemin choisir pour la suite des opérations, sur la base des résultats intermédiaires. Le déroulement du programme peut être commandé par des décisions logiques, ce qui permet des sauts et des branchements conditionnels dans le programme. L'ordinateur est né, c'est la **Machine de von Neumann**.

On peut ainsi résumer les caractéristiques de l'ordinateur selon von Neumann:

- une machine **universelle** contrôlée par **programme**,
- les instructions du programme sont codées sous forme numérique (binaire) et **enregistrées en mémoire**,
- le programme peut modifier ses propres instructions, qui sont normalement **exécutées en séquence**,
- des instructions existent permettant les **ruptures de séquence**.

Dans une communication qui fera date, von Neumann décrit en 1945 les cinq composants essentiels de ce qui allait désormais être appelé **l'architecture de von Neumann**:

- l'**unité arithmétique et logique (UAL)**,
- l'**unité de commande**,
- la **mémoire centrale**,
- l'**unité d'entrée**,
- l'**unité de sortie**.

Von Neumann fait aussi remarquer qu'un tel système, pour être vraiment efficace et performant, doit fonctionner électroniquement et selon la numération binaire. Les principes de von Neumann guideront la conception des ordinateurs jusqu'à nos jours.

De 1945 à 1950 on construit des prototypes partout, aux Etats-Unis comme en Europe. Paradoxalement, ce ne sera pas von Neumann qui réalisera, le premier, une machine selon ses principes. L'EDVAC prend du retard à cause de querelles entre les protagonistes de cette grande réalisation, notamment Eckert, Mauchly, Goldstine et von Neumann. Querelles de conception mais aussi querelles de brevets et de paternité de l'invention. Ce sera enfin un scientifique britannique, **Maurice Wilkes**, qui, à Cambridge en 1949, achèvera le premier ordinateur obéissant aux principes dictés par von Neumann, l'EDSAC, avec deux ans d'avance sur l'EDVAC. L'**EDSAC** (*Electronic Delay Storage Automatic Calculator*) est donc le premier calculateur électronique à haute performance, stockant programmes et données dans sa mémoire centrale. L'arbre généalogique de l'ordinateur peut désormais être esquissé. Il est présenté dans la figure 1.1.

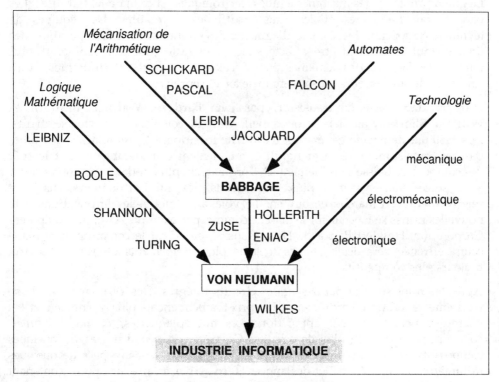

Figure 1.1 : Racines de l'ordinateur

1.6 Naissance de l'industrie informatique

Eckert et Mauchly quittent l'Université de Pennsylvanie vers la fin des années quarante et s'installent à leur compte pour travailler à la création d'un ordinateur universel à usage commercial, l'UNIVAC (*UNIVersal Automatic Computer*), une machine électronique à programme enregistré, recevant ses données via une bande magnétique à haute vitesse plutôt que par des cartes perforées. Mais en 1950, un an avant que l'UNIVAC ne devienne opérationnel, Eckert et Mauchly font faillite et cèdent leur firme à Remington Rand. L'UNIVAC fut néanmoins achevé en 1951 et construit en petite série.

IBM fait son entrée en 1953 avec l'IBM 701, suivi par une machine à plus grande diffusion, l'IBM 650 utilisant un codage biquinaire (qui a pour base les nombres 5 et 2) des informations. Cette machine sera vendue à 1'500 exemplaires. Tous ces ordinateurs de la **première génération** sont basés sur la technologie des tubes à vide. En 1957, Control Data se lance sur le marché avec son 1604 où apparaissent aussi les premiers transistors.

Le grand problème des machines à tubes électroniques est celui de la fiabilité. Les pannes sont fréquentes et les causes difficiles à établir. Des équipes de techniciens, spécialisées dans le diagnostic des erreurs et dans la réparation des organes fautifs, doivent être affectées au service de chaque machine. Il faut parfois des jours ou des semaines pour déceler des pannes intermittentes et la confiance des utilisateurs est souvent mise à rude épreuve.

Mais la découverte du transistor, par **John Bardeen**, **Walther Brattain** et **William Shockley** aux laboratoires Bell, en 1948, commence à porter ses fruits. Dès 1960 une **deuxième génération** d'ordinateurs apparaît, remplaçant les tubes par des transistors. Vitesse et fiabilité augmentent considérablement et le coût des composants baisse sensiblement. Des ordinateurs plus petits viennent s'ajouter avec succès aux systèmes plus performants, les mini-ordinateurs. Ils sont relativement bon marché et ouvrent la voie à de nouvelles applications. De nouvelles firmes se lancent sur le marché comme, par exemple, Digital Equipment Corporation, Hewlett-Packard, Data General, etc. C'est le commencement d'une course effrénée vers des systèmes toujours plus performants offerts à des prix toujours plus compétitifs.

Après les transistors apparaissent les **circuits intégrés**. Dès 1970 on parle d'une **troisième génération** d'ordinateurs. Les prix tombent encore plus rapidement et les microprocesseurs font leur apparition. Les microplaquettes, ou **puces** [*chips*], contiennent de plus en plus de circuits. On passe en peu d'années de quelques composants à plusieurs milliers de transistors intégrés sur une puce de quelques millimètres carrés. Au début des années 80 on arrive à faire des puces contenant des centaines de milliers de transistors et vers la fin de la décade on dépasse largement le million. On parle de **quatrième génération**. Elle couvre un intervalle énorme de performances allant des ordinateurs personnels aux supercomputers. La technologie des circuits intégrés fait des pas de géant et les ordinateurs deviennent de plus en plus compacts et fiables. L'apparence même des circuits montés sur leur support, avec des connexions complexes (calculées par ordinateur) et des systèmes d'évacuation de la chaleur (essentiels pour l'électronique des machines les plus puissantes), est totalement changée.

Avec les systèmes de la quatrième génération, des unités périphériques de grande capacité font leur apparition, notamment des unités de disques magnétiques et optiques, des cassettes, des imprimantes laser de haute qualité, des écrans couleur pour les applications graphiques, etc. Mais surtout c'est la génération qui fait le rapprochement entre traitement, stockage et transmission des informations. Les ordinateurs sont connectés aux réseaux de communication; les données sont transmises à grande vitesse par câble, fibre optique, ligne téléphonique ou satellite, d'un ordinateur à l'autre à travers frontières et continents. Au niveau local de l'entreprise on réalise des systèmes informatiques distribués où les communications jouent un rôle fondamental.

Que sera la **cinquième génération** ? Si les générations se succèdent au rythme des décades on est en pleine cinquième génération déjà depuis longtemps! Si, par contre, il faut un saut technologique au niveau des composants de base pour justifier le passage à la génération suivante, nous ne pouvons que spéculer sur le nombre ou la densité des transistors intégrés dans une puce. Un milliard de transistors c'est pour bientôt. Le silicium ne risque pas d'être remplacé par d'autres semi-conducteurs. Cent ans après leur découverte et cinquante après avoir animé l'ENIAC les électrons restent solidement à la base de tout calcul automatique, pendant que les photons se chargent de plus en plus de transporter les informations. La **loi de Moore** qui stipule une croissance exponentielle permettant d'intégrer, sur une surface donnée, quatre fois plus de transistors tous les trois ans, va vraisemblablement être suivie encore pendant des années. Cette progression va permettre de construire des ordinateurs toujours plus performants, ouvrant ainsi la voie à des innovations technologiques et à des applications nouvelles.

Américains, Japonais et Européens sont engagés dans une course effrénée vers ce qu'on appelle en Europe la Société de l'Information. Elle aura besoin de télécommunications et de réseaux beaucoup plus performants, de systèmes de stockage et de traitement capables de faire face à des quantités de données dépassant toute imagination. Partout on essaie de repousser les limites physiques, d'introduire de nouvelles technologies pour accroître les performances et les capacités, de réduire les coûts et de rendre l'utilisation des systèmes modernes plus simple et plus naturelle. On étudie des architectures sophistiquées qui s'éloignent des principes de von Neumann; on essaie d'augmenter la densité des circuits intégrés ainsi que la densité d'information stockée sur support magnétique ou optique; on cherche à transmettre les données plus rapidement en développant la technologie des fibres optiques; on étudie la possibilité d'exploiter de grands nombres d'unités de traitement travaillant simultanément sur le même problème; on développe des logiciels adaptés aux systèmes modernes et permettant de tirer profit du progrès continu réalisé du côté des architectures et des technologies.

Peut-être devrait-on mettre l'accent sur les innovations aussi inattendues que spectaculaires telles l'arrivée de l'ordinateur personnel vite devenu portable, ou l'explosion du **World Wide Web** et d'**Internet**.

L'ordinateur a une cinquantaine d'années. Depuis sa naissance ses performances ont augmenté de façon impressionnante. Vitesse d'exécution, capacité de mémoire, rapport performance/prix ont été multipliés par plusieurs millions, pendant que le volume et la consommation énergétique baissaient considérablement. Ce progrès spectaculaire devrait continuer encore pendant de longues années. Il est soutenu par une technologie qui avance rapidement. Les adeptes trouvent sans cesse des nouvelles idées à exploiter. Des projets ambitieux sont lancés partout dans le monde, financés par les pouvoirs publiques ou par le secteur privé. Les enjeux économiques et sociaux sont énormes.

Pendant que de nombreuses sociétés informatiques disparaissent, victime du marché et du changement sans répit, d'autres s'affirment, telles Microsoft et Intel, Sun et Silicon Graphics, Oracle et Netscape. D'autres, comme Apple, apportent des contributions remarquables. Les anciens IBM, HP, Fujitsu, NEC, Hitachi s'adaptent et restent en jeu au tournant du siècle.

Le grand succès de l'ordinateur est dû à son universalité et à son extraordinaire rapidité. Une nouvelle discipline a été consacrée, l'**informatique**, qui s'occupe des problèmes associés à la conception, à l'exploitation et à l'évolution des ordinateurs. L'Académie Française, qui avait discuté de machines arithmétiques il y a trois siècles, publia en 1965 cette définition de l'informatique :

> La science du traitement rationnel de l'information, considérée comme le support des connaissances dans les domaines scientifiques, économiques et sociaux, notamment à l'aide de machines automatiques.

Depuis on continue à associer cette science à la technologie [*IT : Information Technology*] qui y est étroitement liée. A l'aube du XXIe siècle le rapprochement entre l'informatique et les télécommunications va apporter des modifications profondes dans notre vie quotidienne et dans l'organisation de notre société. L'ère digitale, l'âge de l'information, la multimédialité, les inforoutes, la réalité virtuelle et l'espace des cybernautes vont offrir aux habitants de notre planète de nouvelles occasions de changer, de se développer, de s'enrichir culturellement et matériellement. Si le XXe siècle à été surtout le siècle de la physique et de la chimie, le XXIe siècle promet d'être celui de la science et de la technologie de l'information. La biologie et les sciences de la vie, qui au niveau moléculaire sont si concernées par l'information, sont prêtes à saisir leur moment de gloire. Nous venons de vivre un siècle scientifiquement exceptionnel et nous nous attendons à ce que le suivant soit aussi riche en découvertes et toujours capable de nous étonner.

Chapitre **2**

Présentation générale

2.1 Ordinateur et informatique

Le terme anglais **computer** signifiait au départ : calculateur numérique électronique. En effet, les premières machines étaient surtout utilisées pour effectuer des suites d'opérations arithmétiques. Le terme français **ordinateur** est mieux adapté à la réalité d'aujourd'hui car il s'éloigne de la connotation numérique. L'ordinateur se définit maintenant comme une machine de traitement de l'information. La signification du terme anglais a évolué; elle est désormais équivalente à celle du terme français.

Un **ordinateur** [*computer*] est normalement capable d'acquérir et de conserver des informations, d'effectuer des traitements et de restituer les informations stockées.

Nous utilisons librement le terme **information** en lui attribuant le sens de données. Un ordinateur peut traiter divers types d'informations (valeurs numériques, textes, images, sons) mais de manière interne toutes ces informations sont converties sous forme numérique. On peut donc utiliser l'ordinateur pour traiter des textes, des dessins ou des images, etc. Par exemple, une image en noir et blanc peut être décomposée en un certain nombre de points horizontalement et verticalement. A chaque point correspond un certain niveau de gris qui est codé par une valeur numérique entière (c'est le cas des images de télévision). Une image peut être décrite par un tableau de valeurs numériques.

L'**informatique** [*computer science*, *informatics*] (terme issu de la contraction de information et automatique) est la science du traitement de l'information.

Système informatique

Un **système informatique** est l'ensemble des moyens logiciels [*software*] et matériels [*hardware*] nécessaires pour satisfaire les besoins informatiques des utilisateurs. La notion de logiciel correspond à une généralisation de celle de programme (un programme est une suite d'instructions exécutables par la machine).

Cet ensemble de moyens peut être très simple, par exemple la gestion d'une petite entreprise ne nécessite bien souvent qu'un micro-ordinateur, mais il peut aussi devenir très complexe. Les grands laboratoires de calcul scientifique tels que le CERN (laboratoire européen pour la physique des particules), les industries, les banques, les hôpitaux, etc. ont besoin d'un grand nombre d'ordinateurs puissants reliés entre eux par des réseaux.

 Nous avons pris l'habitude de parler d'ordinateurs au sens matériel du terme, mais il faut bien se rendre compte qu'un ordinateur sans logiciel est totalement inutile. Les notions de matériel et logiciel sont indissociables.

2.2 Principaux éléments d'un ordinateur

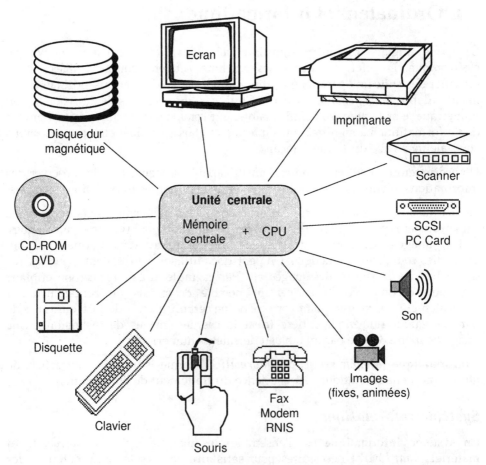

Figure 2.1 : Configuration d'une station de travail

La **configuration** d'un ordinateur correspond à l'organisation adoptée pour mettre ensemble et faire fonctionner les divers éléments matériels (processeurs, mémoire, terminaux, imprimantes, unités de disque, etc.) de l'ordinateur. Les configurations possibles sont fonction de l'importance et de la finalité du système mis en œuvre. Une configuration simple et habituelle est celle d'une station de travail, telle qu'illustrée dans la figure 2.1.

Le processeur central ou **CPU** correspond au moteur de la machine : il exécute les instructions des programmes; la mémoire centrale contient les programmes en exécution ou prêts à s'exécuter et les données à traiter. Le clavier, la souris et l'écran permettent l'interaction avec les utilisateurs. Le disque dur et l'unité de disquettes permettent le stockage permanent des informations.

Le **modem** (modulateur démodulateur) permet de communiquer avec d'autres ordinateurs éloignés en utilisant une ligne téléphonique. Un exemple important d'une telle utilisation est celui du Minitel en France (Videotext en Allemagne et en Angleterre) qui permet d'accéder à des bases de données volumineuses. La sortie standardisée est une connexion qui permet de brancher un appareil auxiliaire pouvant être soit une imprimante, un écran, un modem, soit un autre ordinateur. Le **SCSI** [*Small Computer System Interface*] est un exemple de sortie standardisée que l'on trouve principalement sur les ordinateurs personnels. La **souris** est un dispositif qui permet une interaction plus aisée que le clavier pour tout ce qui concerne le positionnement du curseur (correspondant au point d'insertion) sur l'écran. Le **fax** permet d'envoyer une image numérique de documents par l'intermédiaire d'une ligne téléphonique. Le **numériseur** ou **scanner** [*scanner*] permet de digitaliser des documents c'est-à-dire de transformer une image en une forme numérique. Alors que le fax et le modem permettent de transformer et de transmettre de l'information numérique sur une ligne analogique, la sortie **RNIS** (Réseau Numérique à Intégration de Services) utilise directement une ligne numérique.

L'avènement des **réseaux** [*networks*] a permis de relier différents ordinateurs. Ces ordinateurs peuvent être soit groupés dans une même région, par exemple le même bâtiment (figure 2.2), c'est ce qu'on appelle un réseau local, soit dispersés de par le monde.

La notion de **réseau** est importante car un réseau permet de relier un grand nombre d'ordinateurs entre eux et ainsi d'offrir aux utilisateurs des fonctionnalités de communication (accès à distance à d'autres ordinateurs, partage de fichiers, courrier électronique...) et de mise à disposition d'un énorme potentiel d'informations. Ainsi, depuis un ordinateur personnel, il est possible d'exécuter un programme sur un super-ordinateur ou de chercher des informations se trouvant sur un autre ordinateur distant de plusieurs milliers de kilomètres. Il suffit que ceux-ci soient connectés au réseau et que l'on connaisse leur adresse.

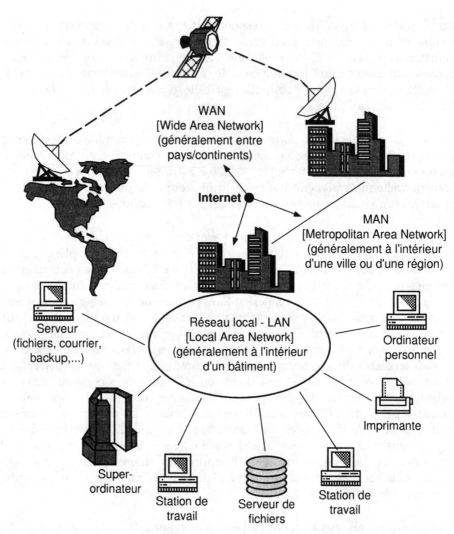

Figure 2.2 : Différents types de réseaux

La notion de réseau est devenue primordiale avec la croissance phénoménale de tout ce qui se rapporte à **Internet** qui est l'ensemble de tous les réseaux interconnectés. Sont apparus de nouvelles professions, de nouveaux langages (html, Java), de nouvelles applications (navigateur Internet), de nouveaux services (courrier électronique, échanges d'information, accès à des informations telles que météo, cinémas, bibliothèques, finances, etc.). La communication devient le moteur de l'informatique. Un certain nombre d'éléments tels que le graphisme, la carte son, le lecteur de CD-Rom, la reconnaissance vocale ont amené les fabricants à parler d'ordinateur **multimédia**. Un ordinateur actuel est capable de traiter différents types d'informations tels que texte, sons, musique, images fixes, images animées (vidéo).

2.3 Valeurs et acteurs de référence

Ce paragraphe a pour but de donner un cadre de référence du monde de l'informatique. Pour cela nous décrirons quels sont les ordres de grandeur des principales unités utilisées dans le monde de l'informatique (vitesse de transmission, taille d'une mémoire, etc.).

La grande majorité des valeurs utilisées en informatique sont des puissances (positives ou négatives) de 2 pour tout ce qui touche aux mesures de capacité et des puissances de 10 pour ce qui se rapporte aux mesures de temps. Il est donc important de maîtriser quelques valeurs de référence (tables 2.1 et 2.2).

Table 2.1 : Unités de mesure de capacité

1 K	(Kilo)	=	10^3	≈	2^{10}	=	1'024
1 M	(Méga)	=	10^6	≈	2^{20}	=	1'048'576
1 G	(Giga)	=	10^9	≈	2^{30}	=	1'073'741'824
1 T	(Tera)	=	10^{12}	≈	2^{40}	=	1'099'511'627'776
1 P	(Peta)	=	10^{15}	≈	2^{50}	=	...

Table 2.2 : Unités de mesure de temps

1 ms	(milliseconde)	=	10^{-3}	=	0,001 s
1 μs	(microseconde)	=	10^{-6}	=	0,000 001 s
1 ns	(nanoseconde)	=	10^{-9}	=	0,000 000 001 s
1 ps	(picoseconde)	=	10^{-12}	=	0,000 000 000 001 s

 Il y a autant de nanosecondes dans une seconde que de secondes dans une trentaine d'années.

L'informatique est un système complexe impliquant un grand nombre d'acteurs et de composants. Nous allons présenter un rapide survol de l'état de l'art en ce qui concerne les valeurs typiques de ordinateurs d'aujourd'hui ainsi que des principaux acteurs. N'oubliez surtout pas que c'est un système dynamique qui évolue sans cesse. Ce qui est vrai aujourd'hui ne le sera peut-être plus demain !

Il est à parier qu'avec l'avènement des télécommunications, l'ordinateur d'aujourd'hui va évoluer vers la notion de **communicateur**. L'ordinateur de demain sera une machine multimédia (textes, sons, images, vidéo, etc.) qui permettra :
- de traiter de l'information,
- d'accéder à des informations disséminées dans le monde,
- de communiquer avec d'autres correspondants (visioconférence, courrier électronique, etc.).

La figure 2.3 permet d'appréhender l'ordre de grandeur des caractéristiques numériques des principaux constituants d'un ordinateur personnel.

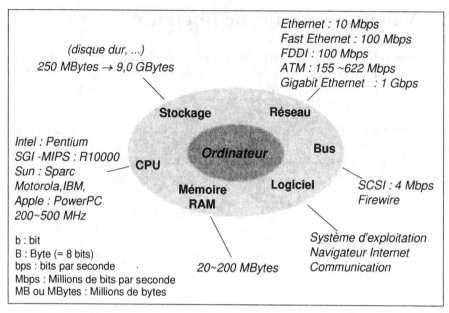

Figure 2.3 : Quelques éléments typiques d'un ordinateur personnel

Loi de Moore

En 1965, **Gordon Moore**, l'un des fondateurs de la société Intel, remarqua que la densité des transistors dans un circuit intégré doublait tous les 18 à 24 mois. Cette observation est devenue une loi [*Moore law*] après qu'elle s'est révélée exacte pendant de nombreuses années. Elle est utilisée dans un contexte plus général pour indiquer que la puissance d'un microprocesseur ou la capacité d'une mémoire double presque tous les 18 mois (figure 2.4).

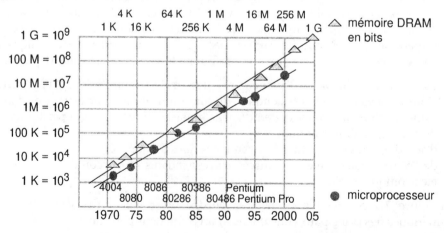

Figure 2.4 : Illustration de la Loi de Moore

Table 2.3 : Evolution de la famille des microprocesseurs Intel

Date	Micro-processeur	Transistors	Largeur trait	Bus	Fréquence
1971	4004	2'300	10,00 μm	4 bits	108 KHz
1974	8080	6'000	6,00 μm	8 bits	2 MHz
1978	8086	29'000	3,00 μm	16 bits	8 MHz
1982	80286	134'000	1,50 μm	16 bits	10 MHz
1985	80386	275'000	1,00 μm	32 bits	25 MHz
1989	80486	1'200'000	0,80 μm	32 bits	33 MHz
1993	Pentium	3'100'000	0,80 μm	32 bits	100 MHz
1996	Pentium Pro	5'500'000	0,32 μm	64 bits	180 MHz
2000			0,15 μm	128 bits	500 MHz

On peut certainement prédire l'informatique dans un futur proche de quelques années, mais il serait hasardeux de s'aventurer à décrire ce qui nous attend dans 10 ou 20 ans. Un certain nombre d'acteurs jouent un rôle essentiel dans le monde de l'informatique d'aujourd'hui. Ils sont présentés dans la figure 2.5. Evidemment, cette liste n'est pas exhaustive, mais elle permet de se familiariser avec les noms de quelques grands acteurs actuels.

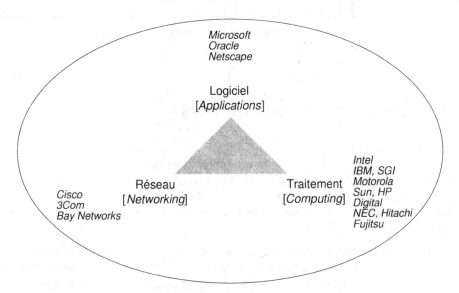

Figure 2.5 : Les principaux acteurs du monde de l'informatique

Le monde de l'informatique est un système dynamique qui se renouvelle sans cesse. Qui peut dire ce que sera l'informatique de demain ? Quel rôle vont jouer les **NC** [*Network Computer*], ces machines très bon marché que l'on connecte sur un poste de télévision et qui permettent de surfer sur le réseau Internet ? On peut parier que l'ordinateur va devenir une commodité dont la majorité des services sera liée au monde des loisirs et de la vie courante.

La problématique des ordinateurs a longtemps été celle du matériel. Depuis la fin des années 70, le logiciel a pris plus d'importance avec les systèmes d'exploitation et les environnements de développement (ou de programmation). Aujourd'hui, Internet a ouvert une nouvelle voie, celle des services qui n'en est qu'à son début. La figure 2.6 résume l'évolution de l'importance des disciplines du monde de l'informatique.

Avant-hier	Hier	Aujourd'hui	Demain
Programmation	Logiciels applicatifs	Services	Loisirs / Vie courante
Logiciel système	Réseau	Logiciels applicatifs	
	Programmation	Plateforme logicielle	Services
		Plateforme matérielle	Matériel / Logiciel
Matériel	Logiciel système	Réseau Intranet	
	Matériel	Réseau Internet	Réseau Intranet et Internet

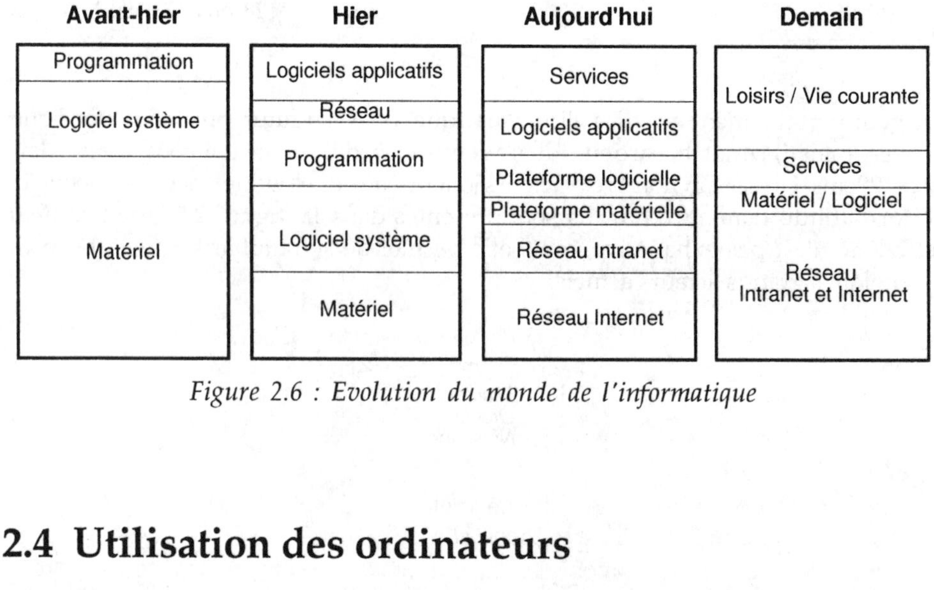

Figure 2.6 : Evolution du monde de l'informatique

2.4 Utilisation des ordinateurs

L'utilisation d'un ordinateur sous-entend l'exécution d'un programme par celui-ci, c'est pourquoi toute application (par exemple, réservation de billets de voyages, gestion des comptes bancaires ou simplement un traitement de texte) nécessite du matériel, en l'occurrence un ordinateur, et du logiciel qui est exécuté par cet ordinateur. Le logiciel se décompose en deux familles, les programmes système et les programmes d'application.

Les utilisateurs se servent des programmes pour effectuer différentes tâches. Les fonctions de base d'un ordinateur sont réalisées au moyen de **programmes système**. Les **programmes d'application** sont des programmes développés généralement par des entreprises de logiciel ou par les utilisateurs eux-mêmes. Ce sont soit des programmes généraux, tels que les traitements de texte et les tableurs, soit des programmes spécifiques aux besoins d'un client.

Le **système d'exploitation** [*operating system*], le plus important des programmes système, s'occupe de gérer les différentes ressources de la machine, il est généralement spécifique à une famille d'ordinateurs compatibles alors qu'un programme d'application s'occupe de réaliser une application désirée. Le système d'exploitation gère les travaux des utilisateurs, c'est-à-dire qu'il enchaîne les différentes étapes nécessaires à l'exécution d'un programme. Il facilite la tâche du programmeur en lui offrant un accès simplifié aux ressources de la machine.

Il est possible de programmer des applications variées sur un même ordinateur, mais chaque type d'application a des exigences qui lui sont propres, ce qui a conduit à une certaine spécialisation des ordinateurs. On distingue trois grands types d'applications qui demandent des systèmes informatiques particuliers :

- le **calcul scientifique**, qui nécessite des ordinateurs ayant des possibilités de calcul très importantes sur les nombres à virgule flottante ou sur les vecteurs. C'est ce que l'on appelle des super-ordinateurs. Ces calculateurs utilisent de grandes bibliothèques de sous-programmes pour les calculs mathématiques usuels (statistique, calcul matriciel, transformée de Fourier, calcul intégral et différentiel, etc.),

- la **gestion**, qui nécessite des capacités de stockage et de traitement d'un très grand nombre d'informations, structurées en enregistrements. Par exemple, un système qui gère des listes d'adresses a des enregistrements du type *nom-personne, prénom, date de naissance, adresse, téléphone...* Ces enregistrements se trouvent dans des fichiers qui sont stockés sur des disques ou des bandes magnétiques. Une approche plus sophistiquée de la gestion d'informations consiste à utiliser des systèmes de bases de données, qui s'occupent du stockage des enregistrements et de l'accès à ces enregistrements en permettant des interrogations assez complexes. Les ordinateurs appropriés sont ceux qui sont dotés d'importantes mémoires de masse et qui facilitent les opérations d'entrées/sorties,

- la **conduite de processus**, qui requiert généralement des ordinateurs ou des processeurs spécialisés dans l'acquisition de données et le contrôle en temps réel d'appareils plus ou moins complexes (par exemple, unités de production industrielle, fusées, machines à laver, carburateurs de voitures, etc.). Tous les contrôles mécaniques et électro-mécaniques du passé sont en en train d'être remplacés par des micro-ordinateurs programmés.

2.5 Développement de logiciel

Le développement de logiciel, activité plus communément appelée **programmation**, consiste à écrire une suite d'instructions dans un langage compréhensible par un ordinateur. Mais, de façon plus générale, nous dirons que la programmation consiste, à partir d'un problème donné, à réaliser un programme dont l'exécution apporte une solution satisfaisante au problème posé. C'est une activité intellectuelle ayant des aspects créatifs, artistiques et des aspects techniques, systématiques et mathématiques.

L'activité de programmation, ou plus généralement le développement de projets, se décompose en plusieurs phases qui constituent le **cycle de vie du logiciel** :

- compréhension du problème (discussion avec le client);
- spécification (description des fonctionnalités du système, on dit ce qu'on veut faire mais pas comment on veut le faire);
- conception (décomposition modulaire du problème en sous-problèmes, recherche et développement d'algorithmes);
- programmation (phase de codage du programme);
- tests et validation (on vérifie que le programme réalise bien les fonctionnalités définies dans les spécifications et ceci sans erreur);
- maintenance ou entretien (activité qui dure tant que le programme est exploité et qui consiste à mettre à jour et modifier le programme).

Une phase importante est celle de la documentation; elle s'effectue en parallèle avec toutes les autres phases.

D'un point de vue pratique, un **programme** est une suite d'instructions, écrites dans un langage donné, définissant un traitement exécutable sur un ordinateur. D'un point de vue logique, un programme est généralement composé de modules, chaque module ayant une fonction précise à remplir en utilisant des algorithmes appropriés.

Un **algorithme** est une succession d'actions (instructions) destinées à résoudre un problème en un nombre fini d'opérations. On pourrait comparer un algorithme à une recette de cuisine.

Langages de programmation

Les premiers programmes étaient écrits en **langage machine** (code binaire pur), puis en **langage assembleur** qui avait l'avantage d'utiliser des mnémoniques et des symboles. Ces derniers permettent de remplacer des séquences de 0 et de 1 par des caractères alphabétiques ou des noms plus faciles à mémoriser.

Ensuite sont apparus des **langages évolués** tels que Fortran, Pascal, Cobol, PL/I, Ada, C, C++, Java, etc. Les langages Lisp et Prolog sont des langages d'intelligence artificielle qui permettent de réaliser, entre autres, des systèmes experts, et dont la principale caractéristique est de se prêter mieux à la simulation de l'intelligence humaine.

Un programme en cours d'exécution est un **processus**. On remarque que, si plusieurs utilisateurs exécutent un même programme, par exemple un éditeur de textes, il y a alors plusieurs processus simultanés exécutant le même programme.

A l'intérieur d'un programme, on trouve différents types d'instructions commandant les opérations suivantes :

- opérations d'**entrée/sortie** [*I/O : Input/Output*] : par exemple, envoi de caractères sur une imprimante, sur un écran, dans un fichier stocké sur disque ou lecture de données enregistrées sur un support magnétique;
- opérations de **calcul arithmétique** : +, -, ×, / ...;
- opérations de **calcul logique** : ET, OU, NON;
- opérations de **branchement** : soit conditionnel, tel que l'instruction classique IF... THEN... ELSE... (ces opérations sont importantes car elles permettent de prendre des chemins différents suivant le résultat des comparaisons et en quelque sorte de simuler une certaine intelligence), soit inconditionnel, par exemple, appel d'un sous-programme;
- opérations de **boucle** : répéter une ou plusieurs opérations un certain nombre de fois ou jusqu'à ce qu'une condition soit satisfaite.

Compilation, édition de liens et chargement

Un programme écrit en langage évolué existe sous forme de code source indépendant de la machine qui l'exécutera. Pour pouvoir être exécuté par un ordinateur, ce code source doit subir les étapes suivantes : **compilation**, **édition de liens** et **chargement** dans la mémoire centrale.

Le **compilateur** est un programme qui traduit et transforme un module en code source en un module en code objet (code machine).

L'**éditeur de liens** (lui-même un programme) s'occupe de rassembler les différents modules d'un programme tels que les sous-programmes, procédures, etc.

Le **chargeur** s'occupe d'amener en mémoire centrale, depuis une mémoire auxiliaire, un programme complet et prêt à être exécuté.

2.6 Principes de fonctionnement

Un ordinateur se compose d'une **mémoire centrale**, qui contient programmes et données, d'une **unité centrale de traitement** qui exécute un programme chargé en mémoire centrale, et d'**unités d'entrée/sortie** permettant l'échange d'informations avec des unités périphériques (figure 2.7). On appelle unité centrale, l'ensemble composé de l'unité centrale de traitement et de la mémoire centrale.

L'exécution d'un programme se déroule selon le modèle suivant :
- le programme et les données sont chargés en mémoire centrale (d'où le nom de machine à programme enregistré);
- les instructions du programme sont amenées séquentiellement (une par une) à l'unité de contrôle qui les analyse et déclenche le traitement approprié en envoyant des signaux à l'unité arithmétique et logique. Le passage à l'instruction suivante est automatique;

- le traitement peut nécessiter de faire appel aux unités d'entrée/sortie ou à la mémoire centrale. Une antémémoire rapide, appelée cache est normalement placée entre la mémoire centrale et le CPU.

  Si l'on compare le fonctionnement d'un ordinateur avec celui d'une calculatrice de poche, on voit que celle-ci reçoit les données et les instructions au fur et à mesure de l'utilisateur. Alors que dans un ordinateur elles sont enregistrées toutes ensemble dans la mémoire centrale et les opérations s'enchaînent automatiquement grâce à l'unité de commande.

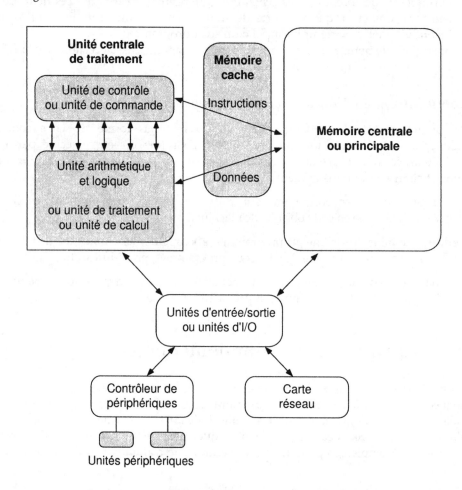

Figure 2.7 : Schéma général d'un ordinateur

Un ordinateur traite des informations numériques (les informations sont codées sous forme binaire), par opposition aux calculateurs analogiques qui traitent des informations analogiques (qui peuvent prendre un ensemble infini de valeurs; par exemple, les tensions ou les intensités électriques). Un ordinateur comporte un grand nombre de circuits électroniques s'envoyant des signaux, mais ces signaux ne peuvent prendre que deux valeurs possibles correspondant aux valeurs logiques 0 et 1.

 On fait correspondre la valeur logique 0 à une tension nulle (0 volt) et la valeur logique 1 à une tension de quelques volts (typiquement entre 3 et 5 volts).

Mémoire centrale

La mémoire centrale contient principalement deux types d'informations :
- les **instructions** de différents programmes,
- les **données** nécessaires à l'exécution des programmes.

Les instructions sont stockées sous forme de code machine. Par exemple, une instruction d'addition, dans un micro-processeur Intel 8086, est codée : 10000001. Les données sont stockées selon d'autres codes. Par exemple, dans le code **ASCII** [*American Standard Code for Information Interchange*] le caractère Y est codé ainsi : 1011001. Chaque caractère est défini sur 7 bits mais on utilise généralement une version étendue sur 8 bits ce qui permet de définir les caractères accentués et d'autres caractères spéciaux.

On remarque qu'au niveau physique, la mémoire centrale ne contient que des **bits** qui constituent l'unité élémentaire d'information. Un bit peut prendre soit la valeur 0, soit la valeur 1. Les bits sont regroupés par 6, 7 ou 8 pour constituer un caractère. Ainsi chaque caractère contenu dans les données d'un programme occupe en mémoire centrale 8 bits (qu'on appelle **octet** [*byte*]).

Pourquoi ce nombre de 8 bits pour coder un caractère ? Car avec 8 bits il est possible de coder $2^8 = 256$ informations différentes (chaque bit peut prendre 2 valeurs, donc les 8 bits peuvent prendre 2^8 valeurs), ce qui est suffisant pour coder tous les caractères alphanumériques et tous les caractères spéciaux (~, !, @, #, $, %, &, *, (,), +, =, {, }, [,], ", :, ?...).

Parallèlement aux caractères, qui constituent une unité logique d'information, la mémoire centrale est divisée physiquement en cellules. Chaque cellule correspond à un mot-mémoire et possède une adresse qui lui est propre. Ainsi les cellules peuvent être adressées séparément pour une opération de lecture ou d'écriture.

La longueur d'un mot-mémoire a beaucoup variée d'une machine à l'autre, par exemple, 1, 4, 8, 12, 16, 24, 32, 48, 60, 64 bits. A présent, les valeurs 32 et 64 tendent à se généraliser dans la plupart des ordinateurs. La longueur du mot-mémoire est une caractéristique importante de l'architecture d'un ordinateur et reflète la structure des différents composants fonctionnels (principalement de l'unité centrale).

Le **mot-mémoire** [*word*] est l'unité d'information adressable, c'est-à-dire que toute opération de lecture ou d'écriture porte sur un mot-mémoire.

A chaque mot-mémoire est associé :
- une **adresse** (unique) indiquant la position en mémoire;
- un **contenu** (instruction ou donnée).

La **capacité d'une mémoire** s'exprime en fonction du nombre de mots-mémoire ainsi que du nombre de bits par mot. On dira, par exemple, qu'une machine X a 256 Mmots de mémoire centrale avec des mots de 64 bits. Aujourd'hui, on a plutôt tendance à compter les bytes qui sont à la base de toute architecture moderne. On dira donc que la machine X a une mémoire de 2 GBytes.

Un **registre** est une cellule mémoire ayant une fonction particulière. Dans la mémoire centrale on trouve deux types de registres, le registre d'adresse qui contient l'adresse d'un mot-mémoire et le registre mot qui contient le contenu d'un mot-mémoire. Un registre mot a la même taille qu'un mot-mémoire, alors qu'un registre d'adresse doit permettre d'adresser tous les mots de la mémoire.

    Si la mémoire comporte 256 mots, le registre d'adresse doit avoir $\log_2 (256)$ = $\log_2 (2^8)$ = 8 bits. Un registre d'adresse de 32 bits permet d'adresser 2^{32} = 4'294'967'296 mots différents (4 Gmots).

Les opérations possibles dans la mémoire centrale sont la lecture et l'écriture de mots-mémoire :

- **lecture** : le registre d'adresse contient l'adresse du mot à lire, le dispositif de sélection et d'accès permet de transférer une copie du contenu de ce mot dans le registre mot;
- **écriture** : le registre d'adresse contient l'adresse d'un mot dans lequel on va écrire le contenu du registre mot. L'écriture implique l'effacement du précédent contenu du mot.

Le temps nécessaire à l'écriture ou à la lecture d'un mot-mémoire est appelé le temps d'accès. Il varie entre quelques nanosecondes et quelques centaines de nanosecondes.

Si le temps d'accès est identique pour chaque mot de la mémoire centrale, c'est une mémoire **RAM** [*Random Access Memory*], c'est-à-dire une mémoire à accès aléatoire ou accès direct.

    Comment différencier les instructions des données à l'intérieur de la mémoire ?

Si l'on examine le contenu d'un mot-mémoire, on ne peut pas déterminer quel est le type d'informations contenues (on ne voit que des bits !). C'est le CPU qui sait, quand il demande un mot-mémoire (en donnant l'adresse de ce mot), s'il contient une instruction ou une donnée.

Unité centrale de traitement (CPU)

L'**unité centrale de traitement**, ou **CPU** [*Central Processing Unit*], contient deux unités :
- l'**unité de commande**,
- l'**unité de calcul**.

L'unité de commande s'occupe de gérer l'exécution des instructions d'un programme. Elle contient deux registres importants :

- le **registre d'instruction** (**RI**) qui contient l'instruction en cours d'exécution (une instruction comporte plusieurs champs : un champ code-opération et entre 0 et 3 champs-opérande);
- le **compteur ordinal** (**CO**) qui contient l'adresse de la prochaine instruction à exécuter (qu'il faut aller chercher en mémoire). Généralement, les instructions se suivent de manière séquentielle, il suffit alors d'incrémenter le CO de 1 à chaque cycle du CPU pour obtenir l'adresse de l'instruction suivante. Quelquefois on est obligé de forcer sa valeur, lors de branchements par exemple.

Les registres de l'unité de commande ne sont pas accessibles aux programmeurs. L'unité de commande contient aussi un dispositif de décodage des instructions (décodeur) et un séquenceur de commandes qui active les circuits nécessaires à l'exécution de l'instruction en cours. Cette unité a besoin des signaux d'une horloge pour enchaîner les commandes. L'horloge est généralement externe à l'unité.

L'unité de calcul ou arithmétique et logique (UAL) contient tous les circuits électroniques qui réalisent effectivement les opérations désirées. Ces opérations sont principalement l'addition, la soustraction, la multiplication, la division, la négation (inversion des bits), les opérations logiques (ET, OU, OU exclusif). Les opérandes nécessaires pour ces opérations se trouvent dans des registres contenus dans cette unité. Ces registres sont accessibles aux programmeurs.

La figure 2.8 illustre le fonctionnement du CPU et de la mémoire centrale.

Les registres de l'UAL se divisent en différents groupes :
- les registres arithmétiques : ils servent aux opérations arithmétiques;
- les registres de base et d'index : ils permettent le calcul d'adresses par rapport à une valeur de base ou d'un index;
- les registres banalisés : registres généraux pouvant servir à diverses opérations telles que le stockage des résultats intermédiaires;
- le registre d'état [*PSW : Program Status Word*] : il indique l'état du système (si il y a une retenue lors d'opérations arithmétiques, un dépassement de capacité...).

Temps d'accès

Le temps d'accès aux registres est beaucoup plus court ($\approx$ 10 fois) que le temps d'accès aux mots-mémoire (qui se trouvent en mémoire centrale). Les ordinateurs essayent de compenser cette lenteur (relative !) de la mémoire centrale par différents mécanismes, généralement en augmentant le nombre de registres du CPU et en ajoutant une mémoire très rapide, la mémoire cache ou **antémémoire**, près du CPU. Elle sert de zone tampon entre le CPU et la mémoire.

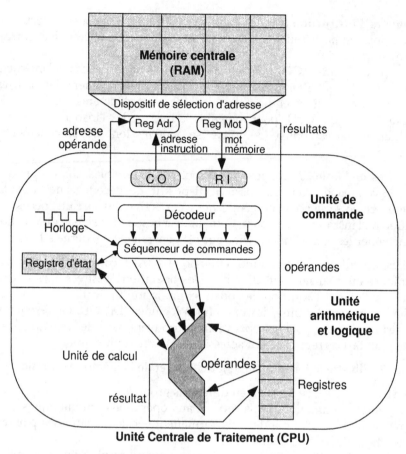

Figure 2.8 : Schéma général du fonctionnement de l'unité centrale

Unités d'entrée/sortie

Les unités d'entrée/sortie, ou unités d'échange, sont des éléments qui permettent de transférer des informations entre l'unité centrale et les unités périphériques. Les unités d'E/S [I/O] les plus courantes sont le bus, l'accès direct à la mémoire [DMA : Direct Memory Access] et le canal.

Plus on s'éloigne du CPU, plus les vitesses de transfert d'informations sont lentes; le CPU travaille donc plus vite que toutes les unités périphériques. Si le CPU devait lui-même s'occuper de toutes les opérations d'E/S, il passerait son temps à attendre; c'est pourquoi on utilise des processeurs spécialisés tels que les DMA et les canaux pour gérer ces E/S.

Unités périphériques

Les unités périphériques se répartissent en deux classes :
* les unités qui permettent à l'ordinateur d'échanger des données avec l'extérieur (écran, clavier, imprimante, modem...);
* les mémoires auxiliaires (disques, bandes, cartouches magnétiques...) qui permettent de stocker de façon permanente beaucoup d'informations à un moindre coût. On les appelle aussi mémoire de masse. Elles sont utiles car la mémoire centrale est volatile et les informations s'effacent quand on éteint la machine, tandis que les supports magnétiques sont des mémoires permanentes.

A chaque catégorie d'unités périphériques est associé un contrôleur de périphériques qui s'occupe de la gestion de ces unités et de l'interface avec les unités d'E/S.

2.7 Conclusion

Comparaison cerveau humain - ordinateur

Les ordinateurs arrivent à des vitesses de l'ordre de plusieurs milliards d'opérations arithmétiques par seconde alors que le cerveau humain est beaucoup plus lent (combien de temps vous faut-il pour effectuer le simple calcul suivant : $524 \times 389 = ?$). Pourtant, certaines opérations complexes, telles que la reconnaissance d'objets, sont réalisées beaucoup plus rapidement par le cerveau que par un ordinateur.

Ceci est dû à une différence fondamentale de structure entre le cerveau et un ordinateur. En effet, on estime actuellement qu'un cerveau se compose de 10^{12} neurones et que chaque neurone est relié à 10^4 autres neurones, ce qui en fait un réseau extrêmement complexe. Les neurones jouent le rôle d'agents de traitement de l'information, alors que la fonction de mémoire est réalisée par l'ensemble des neurones et de leurs connexions. On se rend compte que cette structure diffère totalement de celle d'un ordinateur classique basé sur l'architecture dite de von Neumann. De nombreuses études ont été réalisées pour modéliser le fonctionnement d'un ordinateur sur celui d'un cerveau humain. On peut mentionner les réseaux neuronaux qui simulent le fonctionnement du cerveau, notamment dans les problèmes de reconnaissance d'objets.

Avec l'âge, le cerveau perd des neurones, mais il est capable de se réorganiser pour ne pas perdre d'informations. La perte d'un seul neurone n'a pas de grandes conséquences, alors que la perte d'un bit dans la mémoire d'un ordinateur peut être *fatale*. Le cerveau tolère plus facilement les fautes. Alors que les ordinateurs doivent être programmés avec une grande précision, le cerveau est capable d'apprendre, de mémoriser des informations. Il a aussi des pouvoirs d'abstraction, de raisonnement, de généralisation et d'intuition qui n'ont pas d'analogue dans les machines contemporaines.

En pratique

Les deux règles suivantes, très schématiques, servent à rappeler qu'un ordinateur est une machine qui ne sait faire, à la base, que des opérations élémentaires. Mais la vitesse de traitement de ces opérations permet d'en effectuer un très grand nombre rapidement, ce qui permet de réaliser des opérations plus complexes.

- **Règle 1.** Tous les ordinateurs (de l'ordinateur personnel au super-ordinateur) se composent principalement de millions voire de milliards de transistors qui ne peuvent effectuer que des opérations élémentaires très rapidement. En effet un transistor peut commuter plusieurs centaines de milliards de fois en une seconde.

- **Règle 2.** Un ordinateur est une machine qui doit être programmée, c'est-à-dire qu'il faut prévoir absolument tout ce qu'il doit faire et le lui expliquer très précisément ! C'est le rôle des informaticiens. Mais quand un ordinateur est programmé correctement pour un travail, il le fait très vite et très bien. Ainsi il peut jouer aux échecs et rivaliser avec les plus grands maîtres.

Evolution rapide des techniques informatiques

L'informatique, bien que n'ayant qu'un demi-siècle d'existence, doit être considérée comme une science à part entière. Cette science comporte des aspects théoriques (tels que la logique, l'algorithmique, la modélisation, la théorie de l'information, les mathématiques, la théorie des automates finis, la linguistique) et des aspects pratiques (tels que la technologie des composants, le développement de programmes, la gestion des systèmes informatiques). Cet ensemble de connaissances et de techniques est certainement la discipline qui évolue le plus rapidement. De nouvelles applications apparaissent continuellement, la demande de matériels et de logiciels toujours plus performants ne cesse d'augmenter. En conséquence les modèles d'ordinateurs se succèdent rapidement. Le cycle de conception-réalisation-commercialisation est plus long que la durée de vie des machines. Lors de leur commercialisation, de nouvelles machines plus performantes sont déjà annoncées, ce qui réduit d'autant leur durée de vie. On arrive ainsi souvent à une situation où un ordinateur est déjà dépassé par un nouveau modèle, avant même d'arriver à son utilisation optimale.

L'avènement du réseau des réseaux, appelé **Internet** ou plus communément **le Net**, est une révolution dans le monde de l'informatique. De nouvelles possibilités d'utilisation ont vu le jour et de nouvelles professions liées à la conception et à la maintenance de sites Internet ont été créées. On peut affirmer qu'Internet révolutionne le monde de l'informatique autant que le transistor l'a fait.

Chapitre 3

Représentation interne des informations

3.1 Introduction

Les informations traitées par l'ordinateur sont de différents types (nombres, instructions, images, séquences d'images animées, sons) mais elles sont toujours représentées, à la base, sous forme binaire. Une information élémentaire correspond donc à un chiffre binaire (0 ou 1) appelé **bit**. Une information plus complexe, telle qu'un caractère ou un nombre se ramène à un ensemble de bits. Le codage d'une information consiste à établir une correspondance entre la représentation externe de l'information (le caractère A ou le nombre 36, par exemple) et sa représentation interne qui est une suite de bits.

Quelles sont les avantages de la représentation binaire ? Elle est facile à réaliser techniquement, à l'aide de bistables (systèmes à deux états d'équilibre). Les opérations fondamentales sont relativement simples à effectuer, sous forme de circuits logiques. En effet, l'arithmétique binaire peut être réalisée à partir de la logique symbolique à deux états (0, 1).

Quels types d'information sont traités par l'ordinateur ? On distingue les **instructions** des **données**.

Instructions

Ecrites en langage machine, les instructions représentent les opérations (addition, par exemple) effectuées par un ordinateur. Elles sont composées de plusieurs champs, qui sont les suivants (figure 3.1) :

- le **code de l'opération** à effectuer;
- les **opérandes** impliqués dans l'opération.

Le code de l'opération doit subir un décodage (transformation inverse du codage) pour que l'opération puisse effectivement être exécutée.

Données

Les **données** sont les opérandes sur lesquels portent les opérations (traitements), ou produits par celles-ci. Une addition, par exemple, peut s'appliquer à deux opérandes, donnant un résultat qui est la somme des deux opérandes. On distingue les données numériques, pouvant être l'objet d'une opération arithmétique, des données non numériques, par exemple, les symboles constituant un texte.

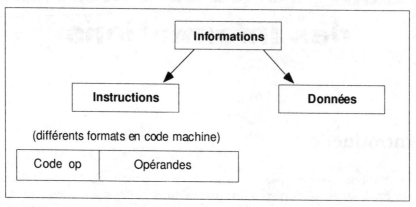

Figure 3.1 : Types d'informations

3.2 Données non numériques

Les données non numériques correspondent aux caractères alphanumériques : A, B, C...Z, a, b, c...z, 0, 1, 2...9 et aux caractères spéciaux : ?, !, ", $, ;...

Table 3.1 : Correspondance entre différents codes

caractère	BCD	ASCII	EBCDIC
0	000000	0110000	11110000
1	000001	0110001	11110001
2	000010	0110010	11110010
...	...	...	...
9	001001	0111001	11111001
A	010001	1000001	11000001
B	010010	1000010	11000010
C	010011	1000011	11000011
	(6 bits)	(7 bits)	(8 bits)

Le codage est réalisé par une table de correspondance, propre à chaque code utilisé.

Parmi les plus connus, on peut citer les codes :

- **BCD** [*Binary Coded Decimal*], un caractère est codé sur 6 bits;
- **ASCII** [*American Standard Code for Information Interchange*] (7 bits);
- **EBCDIC** [*Extended Binary Coded Decimal Internal Code*] (8 bits);
- **UNICODE** (16 bits);
- **ISO/IEC 10646** (32 bits).

Les deux derniers codes ont été créés récemment (début des années 90). En effet, 128 ou 256 valeurs ne suffisent pas pour représenter l'ensemble de tous les caractères de toutes les langues de la planète. Ainsi, le code UNICODE permet de coder 65'536 caractères différents.

L'opération permettant de passer d'un code A à un code B est appelée **transcodage**.

Endianisme

Une différence importante entre différents processeurs réside dans la manière de stocker les données en mémoire. L'**endianisme** [*endianism*] concerne la façon d'ordonner les bytes (octets) des valeurs multibytes. Ainsi, le nombre 62'090 (F28A en hexadécimal) est codé sur 16 bits ou 2 bytes. Deux alternatives sont possibles, appelées *little-endian* et *big-endian*. Suivant les machines, ce nombre est stocké comme F28A (big-endian) ou 8AF2 (little-endian) où le byte de poids faible est stocké en premier.

En terme de performance les deux systèmes sont équivalents, mais ils doivent être pris en compte par les programmeurs qui manipulent des données sur ces machines. Les microprocesseurs Intel sont "little-endian" alors que ceux de Motorola sont "big-endian".

3.3 Données numériques

Les **données numériques** sont de différents types :

- nombres entiers positifs ou nuls   :   0 ; 1 ; 315...
- nombres entiers négatifs   :   −1 ; −1'255...
- nombres fractionnaires   :   3,1415 ; −0,5...
- nombres en notation scientifique   : $4,9 \times 10^7$; 10^{23}...

Le codage est réalisé à l'aide de l'algorithme de conversion associé au type de la donnée. Les opérations arithmétiques (addition, soustraction, multiplication, division) que peuvent ensuite subir ces données sont effectuées, le plus souvent, en arithmétique binaire.

Table 3.2 : Addition et multiplication binaires

```
0 + 0 = 0                          0 × 0 = 0
0 + 1 = 1                          0 × 1 = 0
1 + 0 = 1                          1 × 0 = 0
1 + 1 = 0    avec une retenue      1 × 1 = 1
```

3.3.1 Entiers positifs ou nuls

Les entiers positifs ou nuls se composent des nombres : 0, 1, 2 ..., N, N+1...

Systèmes de numération

Les systèmes de numération font correspondre, à un nombre N, un certain symbolisme écrit et oral. Dans un système de base $p>1$ les nombres 0, 1, 2 ... $p-1$ sont appelés chiffres. Tout nombre entier positif peut être représenté par une expression de la forme :

$$N = a_n p^n + a_{n-1} p^{n-1} + ... + a_1 p + a_0 = \sum_{i=0}^{n} a_i p^i$$

avec $a_i \in \{0, 1, ... p-1\}$ et $a_n \neq 0$.

La notation condensée : $N = a_n a_{n-1} ... a_1 a_0$ est équivalente.

Table 3.3 : Correspondance entres les systèmes les plus usités

décimal	binaire	octal	hexadécimal
0	0	0	0
1	1	1	1
2	10	2	2
3	11	3	3
4	100	4	4
5	101	5	5
6	110	6	6
7	111	7	7
8	1000	10	8
9	1001	11	9
10	1010	12	A
11	1011	13	B
12	1100	14	C
13	1101	15	D
14	1110	16	E
15	1111	17	F
16	10000	20	10

Le nombre décimal 21 ($p = 10$, $21 = 2 \times 10^1 + 1 \times 10^0$) est représenté en binaire ($p = 2$) par 10101 soit $1 \times 2^4 + 0 \times 2^3 + 1 \times 2^2 + 0 \times 2^1 + 1 \times 2^0$, ce qui s'écrit : $21_{10} = 10101_2$.

Les nombres binaires obtenus sont souvent composés d'un grand nombre de bits. On préfère généralement les exprimer dans les systèmes octal ($p=8$) et hexadécimal ($p=16$), car la conversion avec le système binaire est simple.

Changements de base

- *binaire* $\Rightarrow$ *décimal*

La conversion se fait simplement en additionnant les puissances de 2 correspondant aux bits de valeur 1 :

 $10101_2 = 2^4 + 2^2 + 2^0 = 16 + 4 + 1 = 21_{10}$.

- *décimal* $\Rightarrow$ *binaire*

La conversion s'effectue, ici, par des divisions entières successives par 2. Le test d'arrêt correspond à un quotient nul. Le nombre binaire est obtenu en lisant les restes du dernier vers le premier.

 Conversion de 25

$$25 : 2 = \quad 12 \text{ reste } 1$$
$$12 : 2 = \quad 6 \text{ reste } 0$$
$$6 : 2 = \quad 3 \text{ reste } 0$$
$$3 : 2 = \quad 1 \text{ reste } 1$$
$$1 : 2 = \quad 0 \text{ reste } 1$$

On obtient (de bas en haut) : $25_{10} = 11001_2$.

- *octal (hexadécimal)* $\Rightarrow$ *décimal*

La conversion se réduit à une addition de puissances de 8 (16).

- *décimal* $\Rightarrow$ *octal (hexadécimal)*

La conversion correspond à des divisions entières successives par 8 (16). Le nombre octal (hexadécimal) est obtenu en prenant les différents restes du dernier vers le premier.

- *octal (hexadécimal)* $\Rightarrow$ *binaire*

La conversion correspond à un *éclatement* de chaque chiffre octal (hexadécimal) en son équivalent binaire sur 3 (4) bits.

 $17_8 = 001'111_2$ car $1_8 = 001_2$ et $7_8 = 111_2$.

$2A_{16} = 0010'1010_2$ car $2_{16} = 0010_2$ et $A_{16} = 1010_2$.

- *binaire* $\Rightarrow$ *octal (hexadécimal)*

On effectue un remplacement, de droite à gauche, de 3 (4) bits par le chiffre octal (hexadécimal) correspondant. Si le nombre de bits n'est pas un multiple de 3 (4), compléter à gauche avec des zéros.

   $101101_2 = 55_8 = 2D_{16}$.

Champ fixe

La représentation des entiers ≥ 0 est dite en **champ fixe** car le nombre de chiffres utilisés pour représenter un entier positif $a_{k-1}\, a_{k-2}...a_2\, a_1\, a_0$ est fixe, égal à k. On peut donc écrire un tel nombre dans un registre ou mot-mémoire de k positions.

Dans un registre de k positions et pour une base p, seuls les nombres entiers positifs N tels que : $0 \leq N \leq p^k - 1$ peuvent être représentés. On parle alors d'un registre de longueur k et de capacité $c = p^k - 1$. Pour k assez grand, on peut écrire $c \approx p^k$ et donc $k \approx \log_p (c)$. Cette relation approximée permet d'estimer la longueur d'un registre capable de contenir un nombre donné.

C'est le constructeur qui fixe la longueur des registres ou des mots-mémoire et donc, implicitement, le plus grand nombre positif représentable sur une machine. On peut cependant représenter des nombres qui dépassent cette valeur maximale en les codant sur plusieurs mots et non pas sur un seul mot (par exemple, deux mots $\rightarrow$ double précision). Mais il faut bien voir que le problème fondamental demeure : les valeurs manipulées par un ordinateur ne peuvent comporter qu'un nombre fixe et limité de chiffres, puisqu'elles sont représentées par un nombre limité de bits.

Cela peut induire des problèmes au niveau des opérations arithmétiques : une addition, par exemple, peut donner un résultat dépassant la valeur maximale possible.

   Addition binaire entre 2 nombres sur 6 bits :

```
        X               111001
        Y               010010
                        -------
        X + Y           1001011
                        ?
```

La valeur obtenue ne peut être représentée sur six bits ! On parle alors de dépassement de capacité.

Quand il se produit un **dépassement de capacité** [*overflow*], un indicateur de dépassement est mis à 1. Dans certains ordinateurs, les calculs continuent. Dans d'autres, une erreur est signalée, d'une façon différente d'un constructeur à l'autre.

Il existe encore d'autres problèmes : comment représenter des valeurs négatives (< 0) ou des nombres fractionnaires ? Il faut employer des codages plus élaborés.

3.3.2 Entiers négatifs

Les entiers négatifs peuvent être codés selon trois méthodes : signe et valeur absolue, complément logique, ou restreint, ou à 1 et complément arithmétique, ou vrai, ou à 2 (10_2).

Signe et valeur absolue

Les nombres sont codés de la façon suivante : $\pm$ **valeur absolue**. On sacrifie un bit pour représenter le signe. Normalement, 0 est le code du signe +, 1 celui du signe –. On peut ainsi, avec un mot de k bits, coder les entiers positifs ou négatifs N tels que : $-(2^{k-1} - 1) \leq N \leq +(2^{k-1} - 1)$.

Cette méthode présente des inconvénients :
* le zéro a deux représentations distinctes 000...0 et 100...0, soit +0 et –0;
* les tables d'addition et de multiplication sont compliquées, à cause du bit de signe qui doit être traité à part.

On préfère d'habitude la complémentation.

Compléments logique et arithmétique

On calcule le complément logique (complément à 1) en remplaçant, pour les valeurs négatives, chaque bit à 0 par 1 et vice-versa. Le complément arithmétique (complément à 2) est obtenu en additionnant + 1 à la valeur du complément à 1.

☞   Calcul de (–6) sur 4 bits :   +6   = 0110
en signe et valeur absolue :   –6   = 1110
en complément à 1 :   –6   = 1001
en complément à 2 :   –6   = 1001 + 1 $\Rightarrow$ –6 = 1010

Table 3.4 : Représentation d'entiers signés sur 16 bits

16 bits $\Rightarrow 2^{16} = 65'536 = 2 \times 32'768$ valeurs possibles			
décimal	valeur absolue et signe	complément à 2	complément à 1
+32767	0111...1...1111	0111...1...1111	0111...1...1111
+32766	0111...1...1110	0111...1...1110	0111...1...1110
...	...	...	...
+1	0000...0...0001	0000...0...0001	0000...0...0001
+0	0000...0...0000	0000...0...0000	0000...0...0000
–0	1000...0...0000	---------------	1111...1...1111
–1	1000...0...0001	1111...1...1111	1111...1...1110
...		...	...
–32766	1111...1...1110	1000...0...0010	1000...0...0001
–32767	1111...1...1111	1000...0...0001	1000...0...0000
–32768	---------------	1000...0...0000	---------------

On peut constater, sur la table 3.4, que l'intervalle des entiers N que l'on peut représenter en complément à 1 est le même que pour la représentation signe + valeur absolue. Pour k bits, on a l'intervalle suivant : $-(2^{k-1} - 1) \le N \le +(2^{k-1} - 1)$. Pour la représentation en complément à 2, on a une valeur de plus, soit : $-(2^{k-1}) \le N \le +(2^{k-1} - 1)$.

On peut aussi remarquer que le bit tout à gauche (= bit de signe) est toujours à 0 pour un nombre positif ou nul (≥ 0), et à 1 pour un nombre négatif (< 0), et ce pour chacune des trois représentations. La représentation en complément à 1 a toujours deux zéros (+0 et –0) mais est symétrique, c'est-à-dire que les mêmes nombres positifs et négatifs sont représentables. Elle est facile à réaliser électroniquement. La représentation en complément à 2 évite le problème des deux zéros.

La raison fondamentale de tous ces problèmes est qu'une représentation idéale, n'ayant qu'un seul zéro et un nombre égal de nombres positifs et négatifs, aurait forcément un nombre impair de membres. Or un mot de k bits donne lieu à un nombre pair (2^k) de représentations. Il y a donc toujours une configuration de trop (double zéro, valeur négative en plus...). Certains constructeurs l'utilisent comme valeur réservée.

En complément à 1 ou à 2, les opérations arithmétiques sont avantageuses. En effet, la soustraction d'un nombre se réduit à l'addition de son complément. Des circuits réalisant des soustractions sont inutiles et il n'y a pas de traitement particulier pour le bit de signe.

Dans une addition, en complément à 1, une retenue générée par le bit de signe (bit tout à gauche) doit être ajoutée au résultat obtenu. Par contre, en complément à 2, on ignore simplement cette retenue.

   Soustraction de nombres sur 4 bits.

décimal	signe + val. absolue	compl. à 1	compl. à 2
+7	0111	0111	0111
- 6	+1110	+1001	+1010
---	-----	-----	-----
+1	?101	10000	10001
		1	⇓
		-----	0001
		0001	
	(a)	(b)	(c)

–   la représentation (a) est la plus facile à lire, mais le bit de signe doit être traité à part;

–   dans (b) on effectue l'addition du complément, y compris le bit de signe, avec report de la retenue;

–   dans (c) on effectue une addition, y compris le bit de signe, mais on peut laisser tomber la retenue.

En complément à 1 ou à 2, un dépassement de capacité ne se produit que si les retenues générées juste avant le bit de signe et par le bit de signe lui-même sont différentes.

☞   Addition, en complément à 2, de nombres sur 3 bits :

$$\begin{array}{ll} (-4) & 100 \\ + (-1) & 111 \\ \hline 1011 & \neq -5 \rightarrow \text{faux} \end{array}$$

Il se produit un dépassement de capacité : il n'y a pas de retenue générée juste avant le bit de signe alors que le bit de signe en génère une. Le résultat obtenu est donc faux !

En conclusion, si l'on trouve presque toujours la complémentation pour les nombres négatifs, le choix entre complément à 1 ou à 2, chaque méthode ayant ses avantages et ses inconvénients, est une question de compromis et dépend du constructeur.

3.3.3 Nombres fractionnaires

Les nombres fractionnaires sont les nombres qui comportent une partie inférieure à 1. Les changements de base s'effectuent comme suit :

Changements de base

- *binaire* $\Rightarrow$ *décimal*

La conversion se fait en additionnant les puissances de 2.

☞ $0,01_2 = 0 \times 2^{-1} + 1 \times 2^{-2} = 0,25_{10}$.

- *décimal* $\Rightarrow$ *binaire*

La conversion s'effectue par des multiplications successives par 2 de nombres purement fractionnaires. Cet algorithme doit s'arrêter dès qu'on obtient une partie fractionnaire nulle ou bien quand le nombre de bits obtenus correspond à la taille du registre ou du mot-mémoire dans lequel on va stocker la valeur. Le nombre binaire cherché s'obtient en lisant les parties entières, de la première vers la dernière obtenue.

☞
$$\begin{array}{llllll} 0,125 & \times & 2 & = & 0,250 & = & 0 & + & 0,250 \\ 0,25 & \times & 2 & = & 0,50 & = & 0 & + & 0,50 \\ 0,5 & \times & 2 & = & 1,0 & = & 1 & + & 0,0 \end{array}$$

On considère les parties entières de haut en bas, donc $0,125_{10} = 0,001_2$.

Dans les nombres fractionnaires, on distingue la représentation en virgule fixe de celle en virgule flottante.

Virgule fixe

Les ordinateurs n'ont pas de virgule au niveau de la machine. On traite donc ces nombres comme des entiers, avec une virgule virtuelle gérée par le programmeur. Ce dernier doit donc connaître et faire évoluer, au cours des opérations, la place de la virgule. S'il veut calculer avec le maximum de précision, il doit apprécier les ordres de grandeur des résultats intermédiaires, pour les cadrer de façon à conserver le maximum de chiffres significatifs.

Le programmeur doit aussi faire attention aux débordements de capacité. En effet, et quelle que soit la base, le produit de deux nombres, de k chiffres chacun, peut contenir $2k$ chiffres. Leur quotient peut contenir un nombre infini de chiffres. Mais la taille des registres et mots-mémoire étant limitée, on peut être amené à tronquer une partie du nombre. En règle générale, on ne retient que les k bits les plus à gauche. La gestion de la virgule par programme n'étant pas facile, on préfère, en général, avoir recours à l'arithmétique en virgule flottante [*floating point*].

Virgule flottante

Malgré quelques précurseurs (idées de Torres-y-Quevedo dès 1919, premières réalisations de Zuse en 1936), la **virgule flottante** n'est apparue que tardivement dans les ordinateurs.

En effet, les premiers ordinateurs n'effectuaient des opérations arithmétiques qu'en virgule fixe. Puis, au milieu des années 50, on utilisa la virgule flottante, mais les opérations étaient exécutées par programme.

Ce n'est que vers 1957 qu'est apparue la logique câblée correspondante (IBM 704). Par la suite, il y eut même des ordinateurs n'ayant pas, pour certaines opérations $(\times, \div)$, de virgule fixe câblée.

En fait, l'expérience montre que les deux méthodes sont fort utiles. C'est pourquoi virgule fixe et virgule flottante coexistent dans la plupart des grands ordinateurs à applications scientifiques.

La représentation à virgule flottante consiste à représenter les nombres sous la forme suivante :

$$N = M \times B^E$$

avec B = base (2, 8, 10, 16 ...), M = mantisse, E = exposant.

L'exposant est un entier, la mantisse un nombre purement fractionnaire (n'ayant pas de chiffres significatifs à gauche de la virgule). Celle-ci est **normalisée**, c'est-à-dire qu'elle comporte le maximum de chiffres significatifs : le premier bit à droite de la virgule est à 1 (par exemple, 0,10110). A l'exception de la valeur 0 (qui est en général représentée par le mot 00...0), on a donc toujours : $0,1_2 \le |M| < 1_2$ soit $0,5_{10} \le |M| < 1_{10}$.

Exposant et mantisse doivent pouvoir représenter des nombres positifs et négatifs. Ils pourraient être codés sous la forme signe+valeur absolue, complément à 1 ou complément à 2. Souvent, la mantisse est de la forme signe + valeur absolue et l'exposant est sans signe, mais **biaisé** (ou **décalé**).

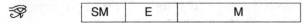

où SM est le signe de la mantisse, E l'exposant biaisé et M la mantisse.

Avec 4 bits, par exemple, on peut représenter $2^4 = 16$ valeurs de E, qui vont de 0 à 15. On peut faire correspondre les 8 premières valeurs (de 0 à 7) à un exposant < 0, et les 8 suivantes (de 8 à 15) à un exposant ≥ 0. Un exposant nul est ainsi représenté par la valeur 8, un exposant égal à +1 par la valeur 9, un exposant égal à –1 par la valeur 7. On dit que le biais est égal à 8. C'est la valeur qu'il faut soustraire à l'exposant biaisé (de 0 à 15) pour obtenir l'exposant effectif (de –8 à +7).

On peut remarquer, sur la table suivante, que la représentation biaisée est identique au complément à 2, à l'exception du bit de signe, qui est inversé (représentation biaisée : bit de signe à 1 $\Rightarrow$ valeur ≥ 0, bit à 0 $\Rightarrow$ valeur < 0).

L'exposant détermine l'intervalle des nombres représentables dans la machine. Les nombres, trop grands pour être représentés, correspondent à un dépassement de capacité [*overflow*], ceux trop petits à un "sous-passement" de capacité [*underflow*]. La taille de la mantisse donne la précision (qui est donc finie) de ces nombres. Les nombres représentables en virgule flottante ne correspondent donc pas aux nombres réels. Un nombre réel ne pouvant être représenté exactement doit être approximé par la représentation la plus proche. La distance entre deux nombres représentables adjacents n'est pas toujours la même (plus les deux nombres adjacents sont grands, plus la distance est grande), mais les erreurs relatives introduites par les approximations, et donc la précision, sont les mêmes partout.

Table 3.5 : Représentations d'entiers sur 3 bits

décimal	Exposant codé sur 3 bits $\Rightarrow$ 8 valeurs possibles entre 0 et 7		
	signe et valeur abs.	complément à 2	représentation biaisée
+3	011	011	111
+2	010	010	110
+1	001	001	101
0	000/100	000	100
−1	101	111	011
−2	110	110	010
−3	111	101	001
−4	---	100	000

L'avantage de la virgule flottante par rapport à la virgule fixe est que l'intervalle des valeurs possibles est plus étendu. En effet, un mot de k bits peut contenir des valeurs beaucoup plus grandes que 2^k. On peut, bien évidemment, travailler en double précision, avec une représentation sur deux mots. Si la taille de la mantisse augmente, la précision devient plus grande. Si c'est l'exposant qui augmente, alors c'est l'intervalle des valeurs possibles qui grandit.

Regardons maintenant comment s'effectuent les opérations arithmétiques en virgule flottante.

Pour la multiplication, il suffit d'additionner les exposants, de multiplier les mantisses et de renormaliser le résultat si nécessaire.

☞ $(0,2 \times 10^{-3}) \times (0,3 \times 10^{7)} = ?$

– addition des exposants	:	$-3 + 7 = 4$
– multiplication des mantisses	:	$0,2 \times 0,3 = 0,06$
– résultat avant normalisation	:	$0,06 \times 10^4$
– résultat normalisé	:	$0,6 \times 10^3$.

Pour la division, il faut soustraire les exposants et diviser les mantisses, puis normaliser si nécessaire.

L'addition exige que les exposants aient la même valeur; on est donc obligé de dénormaliser la plus petite valeur pour amener son exposant à la même valeur que celui du plus grand nombre. Après avoir additionné les mantisses, une renormalisation peut s'avérer nécessaire.

☞ $(0,300 \times 10^4) + (0,998 \times 10^6) = ?$

– dénormaliser	:	$0,300 \times 10^4 \rightarrow 0,003 \times 10^6$
– additionner les mantisses	:	$0,003 + 0,998 = 1,001$
– normaliser le résultat	:	$1,001 \times 10^6 \rightarrow 0,1001 \times 10^7$.

La soustraction s'effectue comme l'addition, sauf que l'on doit effectuer la soustraction et non plus l'addition des mantisses.

Pour chacune des opérations arithmétiques précédentes, il peut être nécessaire de tronquer ou d'arrondir la mantisse, du fait que l'on dispose d'une taille fixe pour la stocker. Dans les deux cas, on perd des chiffres significatifs. Arrondir n'est possible que si l'on a pu conserver, pendant le calcul, des bits supplémentaires. C'est presque toujours le cas, en pratique, les ordinateurs possédant un chiffre de garde. Ce dernier permet de n'avoir qu'une erreur plus petite que l'unité, dans la dernière position de la mantisse.

Si des pertes de précision se produisent par troncation ou par arrondi de la mantisse, des dépassements de capacité [*overflow*] se produisent quand on obtient une valeur en dehors de l'intervalle des valeurs représentables (i.e. exposant trop grand en valeur absolue). D'une façon analogue, une valeur avec un exposant trop petit provoque un *sous-passement* de capacité [*underflow*]. Souvent, une valeur trop petite est approchée par la valeur zéro.

Standard IEEE 754

Chaque ordinateur avait sa propre représentation des nombres en virgule flottante, jusqu'à ce que la norme IEEE 754 soit établie par le comité IEEE [*Institute of Electrical and Electronics Engineers*].

Le standard IEEE définit trois formats de représentations de nombres en virgule flottante :

- la simple précision sur 32 bits (1 bit de signe de la mantisse, 8 bits pour l'exposant, et 23 bits pour la mantisse);
- la double précision sur 64 bits (1 bit de signe de la mantisse, 11 bits pour l'exposant, et 52 bits pour la mantisse);
- la précision étendue sur 80 bits.

L'exposant est biaisé à 127 pour la simple précision et à 1023 pour la double précision. La mantisse étant normalisée, on est sûr que le premier bit est à 1, ce qui permet de se passer de le représenter, donc on l'enlève. Cette technique permet d'avoir un bit de plus de précision. Par contre, elle complique le traitement. On dit que la mantisse a un **bit caché**.

3.3.4 Décimaux codés en binaire

Si l'arithmétique des ordinateurs est le plus souvent binaire, elle peut aussi être décimale. En effet, dans les calculatrices de poche et de bureau, dans les ordinateurs à applications commerciales, on évite la conversion en binaire et on fait les opérations directement sur les représentations décimales des nombres.

Un nombre décimal, qui est composé d'un ou plusieurs chiffres (de 0 à 9), est toujours codé à l'aide de bits. Il existe un certain nombre de codes; nous en verrons 4 exemples récapitulés dans la table 3.6.

Table 3.6 : Correspondance entre les différents codes

décimal	BCD	excédent–3	2 dans 5	biquinaire
0	0000	0011	00011	01 00001
1	0001	0100	00101	01 00010
2	0010	0101	00110	01 00100
3	0011	0110	01001	01 01000
4	0100	0111	01010	01 10000
5	0101	1000	01100	10 00001
6	0110	1001	10001	10 00010
7	0111	1010	10010	10 00100
8	1000	1011	10100	10 01000
9	1001	1100	11000	10 10000

décimal   :   129
       binaire   :   10000001 = $2^7 + 2^0$ = 128 + 1
       BCD   :   0001'0010'1001

Code BCD

L'un des plus répandus est le code **BCD** [*Binary Coded Decimal*] qui signifie décimal codé en binaire. Chaque chiffre est codé individuellement en son équivalent binaire sur quatre bits.

On a besoin de quatre bits pour coder les dix chiffres décimaux. Mais les valeurs représentables sur quatre bits sont au nombre de $2^4 = 16$. Il y a donc 6 configurations inutilisées. Il faut en tenir compte pour les opérations arithmétiques.

Pour l'addition, il faut ajouter 6 chaque fois que le résultat est > 9.

   Comparaison des différents systèmes dans le cas d'une addition

```
    décimal       binaire          BCD
        15          01111        0001'0101
     +  18        + 10010      + 0001'1000
     ----         -------      -----------
        33         100001        0010'1101   >9
                    (=33)      +      0110   +6
                                -----------
                               0011'0011  (=33)
```

Pour la soustraction, il faut retrancher la valeur 6 chaque fois que le résultat est négatif. Les opérations arithmétiques sont donc assez compliquées.

Par contre, les opérations d'entrées/sorties sont faciles : chaque entité BCD est directement associée à un caractère. C'est pour cela que le code BCD se trouve dans les ordinateurs orientés vers la gestion, où les opérations arithmétiques sont beaucoup moins nombreuses que les opérations d'entrées/sorties.

Le code BCD est un code **pondéré 8-4-2-1**. En effet, les 4 bits nécessaires pour coder 1 chiffre décimal reçoivent des poids selon leur position, respectivement $8 = 2^3$ pour le bit n° 3, $4 = 2^2$ pour le bit n° 2, $2 = 2^1$ pour le bit n° 1 et $1 = 2^0$ pour le bit n° 0. Il existe d'autres codes, pondérés ou non, permettant de représenter un nombre décimal.

Code excédent-3

Le code **excédent-3** n'est pas un code pondéré : chaque chiffre décimal est codé séparément en son équivalent binaire + 3.

   129 décimal = 0100'0101'1100 excédent-3.

L'avantage de ce code sur le code BCD est que les opérations arithmétiques sont plus simples. Par exemple, la complémentation à 9 (semblable, pour le système décimal, à la complémentation à 1 du système binaire) est directe : il suffit d'inverser chaque bit.

☞ Le complément à 9 de 1_{10} est $8_{10} \rightarrow 0100$ et 1011 (excédent-3).

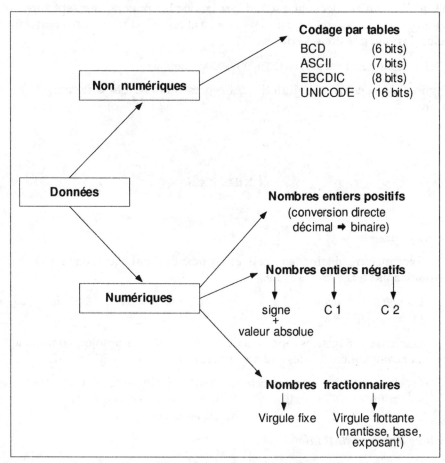

Figure 3.2 : Récapitulatif des différentes représentations relatives aux données

Code 2 dans 5

Un autre code non pondéré est le **code 2 dans 5**. Sa particularité est que chaque chiffre décimal est codé sur 5 bits, avec 2 et seulement 2 bits ayant la valeur 1.

☞ 129 décimal = 00101'00110'11000 code 2 dans 5.

L'avantage de ce code est de permettre la détection (et non la correction) d'une erreur ou d'un nombre impair d'erreurs. Il est donc pratique si l'on craint une modification intempestive de l'information.

Code biquinaire

Un autre code permettant la détection d'erreurs est le code **biquinaire**, pondéré 50'43210. Un chiffre décimal est codé en un nombre binaire, sur sept bits, avec toujours un (et un seul) bit à 1 dans les deux positions de gauche et un (et un seul) bit à 1 dans les cinq positions de droite.

     129 décimal = 0100010'0100100'1010000 biquinaire.

La figure 3.2 donne un récapitulatif des représentations des différents types de données.

Exercices

Nombres entiers

1. Exprimer en binaire, en octal et en hexadécimal les nombres décimaux suivants : 32,625 et 128,75.

2. Convertir en décimal les nombres suivants, la base étant indiquée en indice : $DADA,C_{16}$ $270,14_8$ $11011,01111_2$.

3. Donner, sur 8 bits, les représentations signe + valeur absolue, complément à 1 et complément à 2 des valeurs entières suivantes : –32 et –128.

4. En supposant les nombres représentés sur 8 bits, effectuer les opérations suivantes : $377_8 + 001_8$ et $177_8 + 200_8$, en complément à 1 et en complément à 2. Convertir le résultat en décimal.

Nombres à virgule flottante

5. On dispose d'une machine où les valeurs numériques réelles sont représentées sur 32 bits (numérotés de droite à gauche de 0 à 31) avec :
- une quantité fractionnaire sur 23 bits (0 à 22) correspondant à la mantisse m normalisée ($0,5 \leq m < 1$);
- un exposant biaisé, représentant une puissance de 2, codé sur 8 bits (23 à 30);
- un bit pour le signe de la mantisse (0 si $m \geq 0$, 1 si $m < 0$).

Donner, sous la forme $\pm a \times 2^b$ (a et b décimaux), la valeur qui correspond aux 32 bits suivants (sous forme octale) : 27632000000.

6. La représentation des nombres réels correspond à celle décrite précédemment, sauf que le premier bit de la mantisse normalisée, premier bit qui est donc toujours à 1, n'est pas représenté sur la machine. Cet artifice complique un petit peu les manipulations mais permet de gagner en précision.

Donner, sous forme octale, la représentation, sur une telle machine, des nombres décimaux suivants : 278 et –6,53125.

7. Soit une machine où les nombres réels sont représentés sur 12 bits, numérotés de droite à gauche de 0 à 11, avec :
- une mantisse m normalisée ($0,5 \leq m < 1$) sur 7 bits (les bits 0 à 6);
- un exposant biaisé, représentant une puissance de 2, codé sur 4 bits (les bits 7 à 10);
- un bit pour le signe de la mantisse (le bit 11).

a) Trouver l'intervalle fermé des valeurs strictement positives représentables sur cette machine. Les bornes seront mises sous la forme $\pm a \times 2^b$, a et b étant des entiers décimaux. Simplifier autant que possible.

b) Mettre sous la forme $\pm a \times 2^b$, où a et b sont des entiers décimaux, les 2 nombres réels suivants donnés sous forme hexadécimale :
$$X = AE8 \quad \text{et} \quad Y = 9D0.$$

c) Calculer $Z = Y - X$. Mettre le résultat sous la forme $\pm a \times 2^b$, entiers décimaux, en simplifiant au maximum.

d) Donner, sous forme octale, la représentation correspondant au nombre décimal suivant : –32,625.

8. Soient les 32 bits suivants, écrits sous forme octale : 37724000000. Que représente en décimal cette information si on la considère comme un nombre entier, en complément à 1, en complément à 2 et comme un nombre réel, avec une représentation analogue à celle décrite dans l'exercice 7 ?

Solutions

Nombres entiers

1. $32,625_{10}$ $= 100000,101_2$ $= 40,5_8$ (100'000,101)
$= 20,A_{16}$ (0010'0000,1010)

$128,75_{10}$ $= 10000000,11_2$ $= 200,6_8$ (010'000'000,110)
$= 80,C_{16}$ (1000'0000,1100)

2 .   La conversion s'effectue par des multiplications de puissances de 16, de 8 ou de 2 selon la base :

$DADA,C_{16}$ $= 13 \times 16^3 + 10 \times 16^2 + 13 \times 16 + 10 + 12 \times 16^{-1}$
$= 53248 + 2560 + 208 + 10 + 0,75$
$= 56026,75_{10}$

$270,14_8$ $= 2 \times 8^2 + 7 \times 8 + 0 + 1 \times 8^{-1} + 4 \times 8^{-2} = 184,1875_{10}$
$11011,01111_2$ $= 27,46875_{10}$

3 .   Avant de donner la représentation de –32, il faut déterminer celle de +32 :
$32_{10} = 00100000_2$
En signe+valeur absolue, il suffit de mettre à 1 le bit le plus à gauche, d'où :
–32 = 10100000
En complément à 1, il suffit d'inverser chaque bit :   –32 = 11011111
En complément à 2, on ajoute 1 au complément à 1 :   11011111
                                                              +   1

                                                      –32 = 11100000

On refait les mêmes opérations pour la valeur 128 : $128_{10} = 10000000_2$

Cette représentation, sur 8 bits, a été obtenue en considérant 128 comme un nombre non signé. Elle ne correspond pas à une représentation signe et valeur absolue, sur 8 bits. En effet, dans une telle représentation, le bit le plus à gauche indique le signe du nombre, selon la convention : bit à 0 pour un signe +, bit à 0 pour un signe –; la valeur absolue du nombre n'occupe que les 7 bits restants. Cela signifie que la plus grande valeur absolue possible est 1111111 soit 127. On ne peut donc représenter +128 ou –128, sur 8 bits, sous la forme signe+valeur absolue.

En complément à 1, on ne peut pas non plus représenter –128, sur 8 bits, car l'intervalle des valeurs représentables est le même que pour la représentation signe + valeur absolue.

En complément à 2, c'est possible. Comme il n'y a qu'une seule représentation de 0, il existe une représentation pour –128, alors qu'il n'y en a pas pour +128 (asymétrie de l'intervalle des valeurs représentables). –128 = 10000000, en complément à 2, sur 8 bits.

4 .   Il est souvent plus facile d'effectuer des opérations arithmétiques sur des nombres signés en binaire plutôt qu'en octal ou en hexadécimal, car on voit directement la valeur du bit de signe.

$377_8 = 11111111_2$ $001_8 = 00000001_2$
$177_8 = 01111111_2$ $200_8 = 10000000_2$

– calcul de $377_8 + 001_8 = ?$

complément à 1   **complément à 2**
    11111111   11111111
+ 00000001   + 00000001
  ----------   ----------   on laisse tomber
   100000000   on reporte   100000000   la retenue
   |_____1   la retenue
  ----------   ----------
   00000001   00000000
on obtient donc +1.   on obtient donc 0.

– calcul de $177_8 + 200_8 = ?$

complément à 1	complément à 2
01111111	01111111
+ 10000000	+ 10000000
----------	----------
11111111	11111111
on obtient –0	on obtient –1

Nombres à virgule flottante

5. On convertit la valeur d'octal en binaire, sur 32 bits :
$$27632000000_8 = 10'111'110'011'010'000'000'000'000'000'000_2$$
$$= 1'01111100'11010000000000000000000_2$$

On détermine la mantisse a : signe de la mantisse = 1 $\Rightarrow$ mantisse négative, mantisse en valeur absolue = 11010...0 soit
$$0,1101_2 = 2^{-1} + 2^{-2} + 2^{-4} = 0,5 + 0,25 + 0,0625 \Rightarrow a = 0,8125_{10}$$
On calcule maintenant l'exposant b. Pour un exposant biaisé sur 8 bits, le biais (sauf indication contraire) est $2^{(8-1)} = 2^7 = 128_{10}$.

Exposant biaisé $= 01111100_2 = 2^6 + 2^5 + 2^4 + 2^3 + 2^2$
$$= 64 + 32 + 16 + 8 + 4 = 124_{10}$$
Exposant réel = exposant biaisé – biais = $124_{10} - 128_{10} = -4_{10}$.

Le nombre, sous la forme demandée, est : $-0,8185 \times 2^{-4}$.

6. • $278_{10} = 100010110_2 = 0,100010110_2 \times 2^9$

La mantisse est positive $\Rightarrow$ bit 31 = 0
Mantisse sur 23 bits, sans le premier bit à 1 = 00010110...0
Exposant réel = 9
Exposant biaisé = 9 + 128 (biais) = $137_{10} = 10001001_2$
On obtient :
$0'10001001'00010110...0_2 = 01'000'100'100'010'110'0...0_2$
$$= 10442600000_8.$$

• On suit le même raisonnement pour l'autre valeur :
$$-6,53125_{10} = -110,10001_2 = -0,11010001_2 \times 2^3.$$

La mantisse est négative $\Rightarrow$ bit 31 = 1
Mantisse, sur 23 bits, sans le premier bit à 1 = 1010010...0
Exposant réel = 3
Exposant biaisé = 3 + 128 = $131_{10} = 10000011_2$
On obtient :
$1'10000011'101000100...0_2 = 11'000'001'110'100'010'0...0_2$
$$= 30164200000_2.$$

7. a) Le plus petit nombre positif correspond à la plus petite mantisse positive et au plus petit exposant :
- la plus petite mantisse : 1000000 soit $0,1_2$;
- le plus petit exposant biaisé : 0000 = 0;
- le plus petit exposant réel = $0 - 2^3$(biais) = -8_{10}.

Le plus petit nombre réel positif est $0,1_2 \times 2^{-8} = 2^{-1} \times 2^{-8} = 2^{-9}$.
Le plus grand nombre réel positif correspond à la plus grande mantisse positive et au plus grand exposant :

- la plus grande mantisse $= 1111111$ soit $0,1111111_2$

$$= 1,0000000_2 - 0,0000001_2 = 1 - 2^{-7}$$

- le plus grand exposant biaisé : $1111_2 = 10000_2 - 1 = 16_{10} - 1 = 15_{10}$
- le plus grand exposant réel : $15_{10} - 8_{10}(\text{biais}) = 7_{10}$

Le plus grand nombre réel positif est donc : $+ (1 - 2^{-7}) \times 2^7$,

soit $2^7 - 2^0 = 128 - 1 = 127_{10}$.

L'intervalle fermé à déterminer est, sous la forme demandée :
$$[1 \times 2^{-9}, 127 \times 2^0] = [2^{-9}, 127].$$

b)   On passe d'hexadécimal en binaire :
- $X = AE8_{16} = 1010'1110'1000_2 = 1'0101'1101000$

Bit de signe de la mantisse $= 1 \Rightarrow$ mantisse négative
Exposant biaisé $= 0101_2 = 5_{10}$
Exposant réel $= 5 - 8$ (biais) $= -3_{10}$
Mantisse $= 1101000$ soit $0,1101_2$

$X = -0,1101_2 \times 2^{-3} = -1101_2 \times 2^{-7} = -13_{10} \times 2^{-7}$.

- $Y = 9D0_{16} = 1'0011'1010000_2$

Bit de signe de la mantisse $= 1 \Rightarrow$ mantisse négative
Exposant biaisé $= 0011 = 3_{10}$
Exposant réel $= 3 - 8$ (biais) $= -5_{10}$

$Y = -0,101_2 \times 2^{-5} = -101_2 \times 2^{-8} = -5_{10} \times 2^{-8}$.

c)   Calcul de : $Z = Y - X$:
$$Z = (-5 \times 2^{-8}) - (-13 \times 2^{-7}) \text{ on normalise les exposants}$$
$$= (-5 \times 2^{-8}) - (-26 \times 2^{-8}) = 21 \times 2^{-8}.$$

d)   On fait une conversion décimal $\Rightarrow$ binaire :
$$-32,625_{10} = -100000,101_2 = -0,100000101_2 \times 2^6$$

Signe $- \Rightarrow$ bit 11 à 1
Mantisse normalisée $= 0,100000101$, ne peut tenir sur 7 bits et doit être tronquée à $0,1000001$
Exposant réel $= 6$, exposant biaisé $= 6 + 8$ (biais) $= 14_{10} = 1110_2$.

Le nombre $-32,625_{10}$ est représenté par :
$1'1110'1000001_2 = 111'101'000'001_2 = 7501_8$.

Il faut bien remarquer que cette valeur octale ne correspond pas exactement à $32,625_{10}$, mais en est la représentation obtenue par troncation sur la machine considérée.

8 . 37724000000_8 considéré comme un entier :
- en complément à 1 : -11534335_{10}
- en complément à 2 : -11534336_{10}

37724000000_8 pris comme un réel :
- bit de signe à 1
- exposant biaisé $= 11111110_2 = 254_{10}$
- exposant réel $= 254_{10} - 128_{10} = 126_{10}$
- mantisse normalisée $= 1010..0$ soit $0,101_2$
- la valeur absolue est : $0,101_2 \times 2^{126}$ soit $0,625_{10} \times 2^{126}$

Le nombre est donc : $-0,625 \times 2^{126}$.

Chapitre **4**

Encodage de l'information

L'encodage de l'information consiste à utiliser des codes pour représenter l'information afin de résoudre trois types de problèmes :

- assurer l'**intégrité** de l'information (détection et correction d'erreurs),
- minimiser la **taille** de l'information (compression),
- garantir la **sécurité** de l'information (encryptage).

Ces codes peuvent être combinés entre eux si nécessaire. Les codes assurant l'intégrité sont des codes de base toujours utilisés, alors que les deux autres types de code sont plus spécifiques et utilisés à la demande.

Les informations sont stockées sous forme binaire dans un ordinateur. Il arrive que des données se corrompent un peu sous l'effet d'un quelconque dysfonctionnement. Pour de petits problèmes, portant sur quelques bits isolés, l'intégrité des données est assurée par l'utilisation de **codes détecteurs et correcteurs d'erreurs**.

La **compression** a pour but de diminuer la taille nécessaire à la représentation d'une information, afin de réduire l'espace utilisé pour son stockage ou pour abréger le temps de transmission de l'information lors d'une communication.

L'**encryptage** permet de garantir la sécurité des informations en empêchant tout accès non autorisé. La **cryptographie** consiste à coder des messages confidentiels avant de les transmettre grâce à la technique du chiffrement.

Toutes ces techniques d'encodage reposent sur l'utilisation d'algorithmes plus ou moins complexes dont les plus représentatifs sont décrits dans ce chapitre.

4.1 Codes détecteurs et correcteurs d'erreurs

Une information peut subir des modifications involontaires lors de sa transmission ou lors de son stockage en mémoire. Il faut donc utiliser des codes permettant de **détecter** ou même de **corriger** les erreurs dues à ces modifications. Ces codes portent sur un nombre de bits supérieur à celui strictement nécessaire pour coder l'information. Aux m bits de données, on ajoute k bits de contrôle. Ce sont les $n = m + k$ bits qui vont être transmis ou stockés en mémoire. On parle de codes redondants.

Certains codes ne permettent que la détection des erreurs (codes **autovérificateurs**), d'autres permettent la détection et la correction d'une ou plusieurs erreurs (codes **autocorrecteurs**).

4.1.1 Codes autovérificateurs

Le **contrôle de parité** est le code autovérificateur le plus simple. Il se compose de $m + 1$ bits : les m bits d'information auxquels on ajoute un $(m+1)$-ème bit, dit de **parité**. Sa valeur est telle que le nombre total de bits à 1, calculé sur les $m + 1$ bits, est pair (dans le cas d'une parité paire) ou impair (parité impaire).

☞ Transmission entre un ordinateur et un terminal de caractères codés en ASCII (7 bits) + 1 bit de parité.

$$
\begin{array}{ccll}
A & \rightarrow & 1 & 100\ 0001 \\
B & \rightarrow & 1 & 100\ 0010 \\
C & \rightarrow & 0 & 100\ 0011 \\
D & \rightarrow & 1 & 100\ 0100 \\
E & \rightarrow & 0 & 100\ 0101 \\
\end{array}
$$

↑ bit de parité impaire

Le bit de parité force le nombre total de bits à 1 à être impair, dans le cas d'une parité impaire.

Si un bit est changé par erreur pendant le transfert, la parité n'est plus vérifiée. L'erreur est détectée : il faut alors retransmettre l'information. S'il y a une double erreur dans le même caractère, la parité est vérifiée et la détection est alors impossible. D'une façon générale, le contrôle de parité ne permet de détecter qu'un nombre impair d'erreurs. Dans le cas d'un nombre pair d'erreurs, les effets s'annulent.

Les contrôles de parité de ce type ne peuvent être utilisés que pour des transmissions où le taux d'erreur est très faible (comme, par exemple, à l'intérieur d'un ordinateur ou entre un ordinateur et ses périphériques).

4.1.2 Codes autocorrecteurs

Double parité

C'est le code obtenu en effectuant un double contrôle de parité.

Codage : prenons l'exemple d'un nombre codé en ASCII (7 bits) :
- chaque caractère est codé sur une ligne du tableau;
- un code de parité impaire est effectué sur chaque ligne (contrôle transversal);

- un code de parité impaire est effectué sur chaque colonne (contrôle longitudinal).

Décodage :

- le contrôle transversal permet de détecter une erreur sur la première ligne (= le premier caractère);
- le contrôle longitudinal permet de détecter une erreur sur la quatrième colonne (bit numéro 4);
- le bit numéro 4 du premier caractère est faux, on peut le corriger.

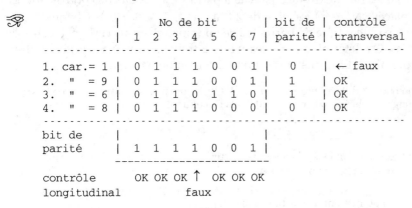

```
            |    No de bit      | bit de | contrôle
            | 1  2  3  4  5  6  7 | parité | transversal
    -----------------------------------------------------
    1. car.= 1 | 0  1  1  1  0  0  1 |   0    | ← faux
    2.   "  = 9 | 0  1  1  1  0  0  1 |   1    | OK
    3.   "  = 6 | 0  1  1  0  1  1  0 |   1    | OK
    4.   "  = 8 | 0  1  1  1  0  0  0 |   0    | OK
    -----------------------------------------------------
    bit de     |                    |
    parité     | 1  1  1  1  0  0  1 |
               -----------------------
    contrôle      OK OK OK ↑  OK OK OK
    longitudinal        faux
```

La double parité permet donc de corriger une erreur ou même, dans certains cas, un nombre impair d'erreurs (comme, par exemple, trois bits en erreur sur une même colonne). Cependant, dans la plupart des cas, seule la détection d'un nombre impair d'erreurs est possible (comme, par exemple, trois bits répartis sur des lignes et des colonnes différentes).

Le principe de la double parité est souvent utilisé dans le stockage sur bande magnétique. Pour une bande à n pistes :

- chaque caractère est stocké transversalement sur $(n - 1)$ pistes;
- 1 bit de parité transversale est stocké sur la énième piste;
- tous les m caractères (= 1 bloc), on effectue un contrôle de parité longitudinale un peu plus poussé [*checksum*].

Code de Hamming

Le **code de Hamming** est un code autocorrecteur, basé sur les tests de parité. La version la plus simple permet de corriger un bit en erreur.

Aux m bits d'information on ajoute k bits de contrôle de parité. On a donc $m + k = n$ bits. Puisque les k bits de contrôle doivent indiquer les $n + 1$ possibilités d'erreur (dont l'absence d'erreur, ce qui explique le + 1), il faut que : $2^k \geq n + 1$. Les 2^k possibilités de codage sur les k bits servent à coder la position de l'erreur. Dès que cette position est calculée, on peut corriger le bit en erreur.

Le tableau suivant permet de déterminer k quand on connaît n :

m	0	0	1	1	2	3	4	4	5	6	7	8	9	10	...	120	...
k	1	2	2	3	3	3	3	4	4	4	4	4	4	4		8	...
n	1	2	3	4	5	6	7	8	9	10	11	12	13	14	...	128	...

On a intérêt à choisir les codes à redondance minimale qui donnent un maximum de positions d'information, c'est-à-dire à prendre $n = 2^k - 1$ au lieu de $n < 2^k - 1$.

Si l'on numérote les bits de droite à gauche à partir de 1, les bits de contrôle (ou de parité) sont placés sur les puissances de 2 (bits n° 1, 2, 4, 8, 16...). Chaque bit de contrôle effectue un contrôle de parité (paire ou impaire) sur un certain nombre de bits de données. On détermine ainsi les n bits à transmettre ou à stocker. Il faut noter que le premier bit à droite porte le numéro 1 et non pas 0.

 Si le nombre de bits d'information est 4 ($m=4$), on peut construire un code de Hamming sur 7 bits ($n=7$) en ajoutant 3 bits de contrôle ($k=3$).

7	6	5	4	3	2	1
m_4	m_3	m_2	k_3	m_1	k_2	k_1

Les 3 bits de contrôle k_3, k_2, k_1 sont placés sur les puissances de 2 : k_1 en position 1, k_2 en position 2 et k_3 en position 4.

Nous allons voir maintenant, pour chaque bit du message, quels sont les bits de contrôle qui permettent de vérifier sa parité.

$\quad$ 7 (0111) = 4 + 2 + 1 $\rightarrow$ 7 est contrôlé par k_3, k_2, k_1

$\quad$ 6 (0110) = 4 + 2 $\quad\quad \rightarrow$ 6 " " " k_3, k_2

$\quad$ 5 (0101) = 4 $\quad$ + 1 $\rightarrow$ 5 " " " k_3, k_1

$\quad$ 4 (0100) est le bit de contrôle k_3

$\quad$ 3 (0011) = $\quad\quad$ 2 + 1 $\rightarrow$ 3 est contrôlé par k_2, k_1

$\quad$ 2 (0010) est le bit de contrôle k_2

$\quad$ 1 (0001) est le bit de contrôle k_1

Ou inversement : qui contrôle qui?
$\quad k_1$ contrôle les bits 1, 3, 5, 7
$\quad k_2$ $\quad$ " $\quad$ " $\quad$ " $\quad$ 2, 3, 6, 7
$\quad k_3$ $\quad$ " $\quad$ " $\quad$ " $\quad$ 4, 5, 6, 7

Avec une parité paire, par exemple, k_1 doit être tel que le nombre de bits à 1, compté sur les bits 1, 3, 5, 7 soit pair.

Quand on reçoit ou que l'on relit l'information, on effectue à nouveau le contrôle de la parité. Pour chacun des bits de contrôle, on compare la valeur reçue, ou relue, à celle recalculée : si elles sont identiques, on assigne la valeur 0 à la variable binaire A_i associée au bit de contrôle k_i, sinon on lui assigne la valeur 1.

 Reprenons l'exemple précédent
$\quad$ - supposons que la valeur associée à k_1 soit $A_1 = 1$;
$\quad$ - supposons que la valeur associée à k_2 soit $A_2 = 1$;
$\quad$ - supposons que la valeur associée à k_3 soit $A_3 = 0$.
On sait alors qu'une erreur se trouve dans la position $A_3 A_2 A_1 = 011$.

En effet, une erreur détectée en faisant intervenir k_1 ne peut venir que des bits dont l'adresse binaire se termine par 1 c'est-à-dire les bits 1,3,5,7. De même le test k_2 porte sur les bits 2,3,6,7. Enfin, le contrôle k_3 porte sur les bits 4,5,6,7. Une erreur détectée par k_1 et k_2, mais pas par k_3, ne peut donc provenir que du bit 3 = 011_2.

   La valeur $A_3\ A_2\ A_1$ = 000 indique une absence d'erreur;
la valeur 001 indique une erreur sur le bit numéro 1;
la valeur110 indique une erreur sur le bit numéro 6.

   Réception d'un message

Supposons que l'on reçoive le message suivant : 1011100.
Sachant que le code utilise une parité paire, retrouver le message initial.

Le nombre n de bits transmis est égal à 7. On a donc k = 3 bits de contrôle et m = 4 bits d'information.

numéro	7	6	5	4	3	2	1
type	m_4	m_3	m_2	k_3	m_1	k_2	k_1
valeur	1	0	1	1	1	0	0

k_1 = 0, (bits 1, 3, 5, 7) est donc faux $\rightarrow A_1 = 1$

k_2 = 0, (bits 2, 3, 6, 7) est juste $\rightarrow A_2 = 0$

k_3 = 1, (bits 4, 5, 6, 7) est donc faux $\rightarrow A_3 = 1$

L'adresse binaire de l'erreur est : $A_3\ A_2\ A_1$ = 1 0 1 = 5. Le bit 5, qui vaut 1, est faux. Le message initial corrigé est : 1001100 et si l'on ôte les bits de parité, on obtient les données initiales : 1001.

Calcul simplifié du code de Hamming

Dans la méthode de Hamming pour la détection et la correction d'une seule erreur, on peut simplifier le calcul des bits de contrôle.

   Transmission d'un message

Coder 10101011001 avec une parité paire : m = 11, donc k = 4.
Le message à transmettre contient n = 15 bits.

numéro	15	14	13	12	11	10	9	8	7	6	5	4	3	2	1
type	m_{11}	m_{10}	m_9	m_8	m_7	m_6	m_5	k_4	m_4	m_3	m_2	k_3	m_1	k_2	k_1
valeur	1	0	1	0	1	0	1	?	1	0	0	?	1	?	?

Dans le message à transmettre, on a des bits à 1 dans les positions suivantes : 15, 13, 11, 9, 7, 3.
On transforme ces positions en leur valeur binaire et on les additionne modulo 2 : on met 1 lorsque l'on a un nombre impair de 1 et 0 pour un nombre pair de 1.

$$
\begin{array}{rcllll}
15 & = & 1 & 1 & 1 & 1 \\
13 & = & 1 & 1 & 0 & 1 \\
11 & = & 1 & 0 & 1 & 1 \\
9 & = & 1 & 0 & 0 & 1 \\
7 & = & 0 & 1 & 1 & 1 \\
3 & = & 0 & 0 & 1 & 1 \\
\hline
& & 0 & 1 & 0 & 0 \rightarrow \text{bits de parité} \\
& & k_4 & k_3 & k_2 & k_1
\end{array}
$$

Le message codé est donc : 101010101001100.

Dans le cas d'une parité paire, on fait simplement une addition modulo 2. Pour une parité impaire, il faut faire une addition modulo 2 inversée :

• nombre impair de $1 \rightarrow 0$;

• nombre pair de $1 \rightarrow 1$.

    Réception d'un message

On a reçu le message suivant : 101000101001100. La parité utilisée est impaire. On a des bits à 1 dans les positions :

$$
\begin{array}{rcllll}
15 & = & 1 & 1 & 1 & 1 \\
13 & = & 1 & 1 & 0 & 1 \\
9 & = & 1 & 0 & 0 & 1 \\
7 & = & 0 & 1 & 1 & 1 \\
4 & = & 0 & 1 & 0 & 0 \\
3 & = & 0 & 0 & 1 & 1 \\
\end{array}
$$

------------   addition modulo 2 inversée

$$
\begin{array}{cccc}
0 & 1 & 0 & 0 \\
A_4 & A_3 & A_2 & A_1
\end{array} \quad \rightarrow \text{erreur à la position 4}
$$

Après correction du bit en position 4, on a le message suivant : 101000101000100. Ce message corrigé a des bits à 1 dans les positions :

$$
\begin{array}{rcllll}
15 & = & 1 & 1 & 1 & 1 \\
13 & = & 1 & 1 & 0 & 1 \\
9 & = & 1 & 0 & 0 & 1 \\
7 & = & 0 & 1 & 1 & 1 \\
3 & = & 0 & 0 & 1 & 1 \\
\end{array}
$$

----------   addition modulo 2 inversée

$$
\begin{array}{cccc}
0 & 0 & 0 & 0
\end{array} \quad \rightarrow \text{aucune erreur détectée}
$$

Les données originales, après avoir éliminé les bits redondants, sont alors : 10100011001.

Code de Hamming et les erreurs groupées

La méthode de Hamming peut seulement corriger une erreur. Mais on peut l'utiliser dans le cas d'erreurs multiples sur une séquence de bits en arrangeant le message de façon matricielle.

    Arrangement matriciel du code de Hamming :

ASCII		code de Hamming (pour chaque lettre)									
		11	10	9	8	7	6	5	4	3	2	1	(numéros)
H ->	1001000	1	0	0	1	1	0	0	1	0	0	0
a ->	1100001	1	1	0	0	0	0	0	0	1	1	0
m ->	1101101	1	1	0	0	1	1	0	0	1	1	1
m ->	1101101	1	1	0	0	1	1	0	0	1	1	1
i ->	1101001	1	1	0	0	1	0	0	1	1	0	1
n ->	1101110	1	1	0	0	1	1	1	1	0	0	1
g ->	1100111	1	1	0	0	0	1	1	0	1	0	1

On effectue le codage ligne par ligne et on transmet les bits colonne par colonne. S'il se produit des erreurs groupées (sur une séquence de bits assez courte, ≤ 7 pour cet exemple), alors, en effectuant la transmission par colonne, on aura un seul bit erroné par ligne. On peut le corriger grâce aux bits de contrôle ajoutés selon l a méthode de Hamming.

Utilisation des codes autocorrecteurs

Ces dernières années, les codes autocorrecteurs ont été de plus en plus utilisés pour accroître l'intégrité des informations stockées dans les mémoires à semi-conducteurs. En effet, un code autocorrecteur permet d'augmenter considérablement le temps moyen entre deux pannes : des erreurs n'apparaissent que lorsque leur nombre excède la capacité de correction d'erreurs du code. Il faut aussi que l a plupart des erreurs, qui ne peuvent pas être automatiquement corrigées par l e code, soient détectées. Pour cela, des codes, analogues dans leur principe à celui de Hamming, mais plus performants, ont été développés.

4.1.3 Détection d'erreurs groupées

Dans les communications à distance, les erreurs sont beaucoup plus fréquentes qu'à l'intérieur des ordinateurs. Les erreurs consécutives à un bruit, par exemple, portent souvent sur tout un bloc de bits.

☞ Sur une ligne téléphonique, un bruit, un *click*, d'une durée de $\approx 1/100^e$ de seconde, passe presque inaperçu pendant une conversation, mais ce bruit peut détruire un bloc de 96 bits dans une transmission de données à 9'600 bps!

On va donc utiliser des codes qui permettent la détection d'erreurs groupées, l a correction étant trop coûteuse (en bits de contrôle, calculs de parité...).

CRC [Cyclic Redondant Coding]

Le **CRC** (ou méthode des **codes polynômiaux**) est la méthode la plus utilisée pour détecter des erreurs groupées. Avant la transmission, on ajoute des bits de contrôle. Si des erreurs sont détectées à la réception, il faut retransmettre le message.

Une information de n bits peut être considérée comme la liste des coefficients binaires d'un polynôme de n termes, donc de degré $n - 1$.

☞ $1101 \rightarrow x^3 + x^2 + 1$
$110001 \rightarrow x^5 + x^4 + 1$

Pour calculer les bits de contrôle, on va effectuer un certain nombre d'opérations avec ces polynômes à coefficients binaires. Toutes ces opérations seront effectuées modulo 2. C'est ainsi que, dans les additions et dans les soustractions, on ne tiendra pas compte de la retenue : toute addition et toute soustraction sont donc identiques à une opération logique *XOR*.

☞
Somme modulo 2	*Soustraction modulo 2*

```
    Somme modulo 2          Soustraction modulo 2
      10011011                  11110000
  +   11001010              -   10100110
    ----------                ----------
      01010001                  01010110
```

La source et la destination choisissent un même polynôme $G(x)$ dit générateur car il est utilisé pour générer les bits de contrôle [*checksum*].

L'algorithme pour calculer le message à envoyer est le suivant. Soit $M(x)$ le polynôme correspondant au message original, et soit r le degré du polynôme générateur $G(x)$ choisi :

- multiplier $M(x)$ par x^r, ce qui revient à ajouter r zéros à la fin du message original;

- effectuer la division suivante modulo 2 : $\dfrac{M(x)\,x^r}{G(x)} = Q(x) + R(x);$

- le quotient $Q(x)$ est ignoré. Le reste $R(x)$ [*checksum*] contient r bits (degré du reste $r-1$). On effectue alors la soustraction modulo 2 : $M(x)\,x^r - R(x) = T(x)$. Le polynôme $T(x)$ est le polynôme cyclique : c'est le message prêt à être envoyé. Le polynôme cyclique est un multiple du polynôme générateur $T(x) = Q(x)\,G(x)$.

A la réception, on effectue la division suivante : $\dfrac{T(x)}{G(x)}$

- si le reste = 0, il n'y a pas d'erreur;
- si le reste ≠ 0, il y a erreur, donc on doit retransmettre.

En choisissant judicieusement $G(x)$ on peut détecter toute erreur sur 1 bit, 2 bits consécutifs, une séquence de n bits et au-delà de n bits avec une très grande probabilité.

☞ *Transmission d'un message*

On doit transmettre le message :   101101 (6 bits) $\rightarrow M(x) = x^5 + x^3 + x^2 + 1$.

Le polynôme générateur choisi est : 1011 (4 bits) $\rightarrow G(x) = x^3 + x + 1$ de degré $r = 3$.

1) Effectuons la multiplication : $M(x)\,x^r = 101101000$.
   On a ajouté $r = 3$ zéros à $M(x)$.

2) Division modulo 2 de $\dfrac{M(x)\,x^r}{G(x)}$

```
1 0 1 1 0 1 0 0 0  |  1 0 1 1
1 0 1 1               ---------------
-------                1 0 0 0 0 1         → quotient Q(x)
0 0 0 0 0 1 0 0 0
        1 0 1 1
        -------
        0 0 1 1    →   R(x) = 0 1 1
```

3) Le quotient $Q(x)$ est ignoré.
   Pour soustraire, modulo 2, le reste $R(x)$ de $M(x)\,x^r$, il suffit d'ajouter les r bits de $R(x)$ à la fin de $M(x)$ → message à transmettre : $T(x) = 101101011$.

Les polynômes générateurs $G(x)$ les plus utilisés sont les suivants :

- CRC–12 $= x^{12} + x^{11} + x^3 + x^2 + x + 1;$
- CRC–16 $= x^{16} + x^{15} + x^2 + 1;$
- CRC–CCITT $= x^{16} + x^{12} + x^5 + 1.$

Le CRC–CCITT, recommandé pour les caractères de 8 bits, détecte toutes les erreurs groupées en blocs ≤ 16 bits et presque toutes les erreurs sur des blocs ≥ 17 bits.

☞ *Réception d'un message*

On a reçu le message suivant : 11010101. $G(x) = 1011 \rightarrow$ degré $r = 3$.

On effectue la division $\frac{T(x)}{G(x)}$:

```
1 1 0 1 0 1 0 1  | 1 0 1 1
1 0 1 1           ------------
-------             1 1 1 1 0
0 1 1 0 0
  1 0 1 1
  -------
  0 1 1 1 1
  1 0 1 1
  -------
  0 1 0 0 0
  1 0 1 1
  -------
  0 0 1 1 1  →  R(x) = 1 1 1
```

Des erreurs de transmission ont été détectées, il faut retransmettre le message.

Lorsqu'il n'y a pas d'erreur de transmission, le reste est 0 car on a soustrait le reste du dividende.

Ces calculs peuvent être effectués rapidement à l'aide d'un registre à décalage [*shift register*] et de portes *XOR*. La division se fait par soustractions successives (voir figure 4.1). Au départ, le registre à décalage contient 16 bits à 0; à la fin il contient le CRC. Pour chaque bit en entrée, on effectue un décalage de gauche à droite en tenant compte des sorties des différents *XOR*.

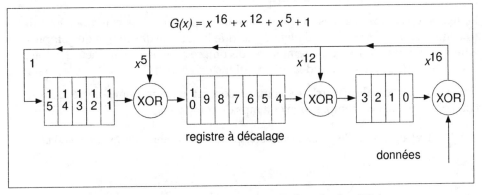

Figure 4.1 : Circuits permettant de calculer R(x)

4.2 Compression

L'objectif de la compression est de diminuer le nombre de bits utilisés pour le stockage et la transmission d'informations. Il existe une grande variété d'algorithmes de compression. Ils se caractérisent par les facteurs suivants :

- le **taux** de compression,
- la **qualité** de compression (avec ou sans perte d'informations),
- le **temps** de compression.

Certaines informations peuvent supporter d'être comprimées avec des algorithmes entraînant une perte d'information. Cela signifie que les informations restituées après décodage sont à peu près équivalentes aux informations originales. Ce type de compression, dit **avec perte** ou **irréversible** [*lossy*], ne s'adresse qu'à des informations comme les images ou le son. Par contre d'autres types d'informations, comme le numéro de carte de crédit ou le nom d'un client, ne supportent pas une telle compression. Elles doivent être comprimées avec des algorithmes, dits **sans perte** ou **réversibles** [*lossless*], qui restituent exactement les informations originales.

     Algorithmes sans perte (réversibles)   : RLE, Huffman, LZW.

Algorithmes avec perte (irréversibles)   : JPEG, ondelettes.

Le **taux de compression** est le rapport de la taille originale à la taille compressée. Il est de l'ordre de 2:1 ou 3:1 pour les algorithmes sans perte, alors qu'il peut atteindre 10:1 ou 100:1 pour des algorithmes avec perte. En général, plus le taux est élevé plus la perte d'informations est importante et moins bonne est la qualité. La **qualité** requise varie en fonction des besoins. Par exemple, on peut se permettre de comprimer fortement une image animée qui ne s'affiche qu'une fraction de seconde, ce qui n'est pas le cas pour une image fixe. Le taux de compression dépend grandement de la nature des informations à comprimer.

Le **temps de compression** est aussi un facteur important. Par exemple, lors de l a transmission d'informations, il ne faut pas que la somme des temps de compression + temps de transmission + temps de décompression soit supérieure au temps nécessaire à la transmission des informations originales.

En résumé, un bon algorithme de compression est un compromis entre qualité de compression, taux de compression et temps de compression.

     A tout algorithme de compression correspond un algorithme de décompression.

4.2.1 Codage de Huffman

Le codage de **Huffman**, datant des années 50, réduit le nombre de bits utilisés pour représenter les caractères (ou les bytes) les plus fréquents et augmente le nombre de bits pour les caractères peu fréquents. Chaque caractère est remplacé par un code dont la longueur dépend de la fréquence du caractère encodé (les occurrences les plus élevées ont les codes les plus courts). L'algorithme de Huffman est une technique simple et élégante et c'est l'une des plus connues.

Cet algorithme s'applique à différents types de données, en particulier les textes. On commence par compter la fréquence de chaque caractère dans le texte. On trie les caractères par ordre décroissant de leur fréquence et on construit un arbre binaire qui donne le code à utiliser pour chaque caractère. Les deux valeurs ayant la fréquence la plus basse sont liées par un nœud auquel on affecte la somme des deux fréquences correspondantes. On répète cette procédure jusqu'à ce que l'arbre binaire construit relie toutes les lettres. On affecte le bit 0 aux segments de chaque noeud sur les branches de gauche et le bit 1 aux branches de droite. Le code de Huffman de chaque lettre est constitué par la suite des bits constituant le chemin de la racine de l'arbre jusqu'à la lettre en question. Ce codage donne un nombre de bits optimal sur l'ensemble du texte à traiter.

 Exemple d'encodage de Huffman

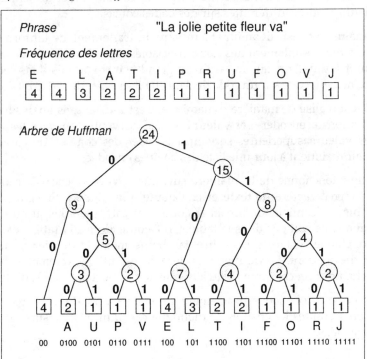

Le fichier compressé se compose de la suite des codes. Il n'y a pas de séparateur entre les codes, bien que ceux-ci comportent un nombre variable de bits. En effet, chaque code a une propriété d'unicité de chaque préfixe. Si le code *100* représente la lettre *E* dans un texte (voir exemple précédent), il n'y a aucun autre code qui commence par cette même séquence. De par la nature de l'algorithme on est sûr que les codes *1000* ou *1001* ne sont pas utilisés. Pour le décodage, on utilise la table de codage transmise avec les informations.

C'est une excellente méthode de compression dans le cas où l'on ne peut pas préjuger d'éventuelles répétitions. Toutefois, elle impose d'analyser les informations à encoder (comptage des fréquences) afin de déterminer le code optimal. De plus, la table de codage doit être ajoutée aux données pour permettre le décodage.

4.2.2 Codage de Lempel-Ziv-Welch (LZW)

L'algorithme développé par Lempel, Ziv et Welch, communément référencé comme **LZW**, est certainement l'algorithme réversible le plus connu. Il est utilisé par la plupart des logiciels de compression. LZW fonctionne grâce à une extension de l'alphabet. Il utilise des caractères additionnels pour représenter des chaînes de caractères récurrentes. Au lieu des 256 codes possibles sur 8 bits, cet algorithme stocke l'information dans des codes de 9 à 16 bits, ce qui permet de représenter des milliers d'informations différentes sur des codes courts.

Le dictionnaire est construit au fur et à mesure du traitement de l'information. On ne considère plus simplement des caractères isolés mais des chaînes de caractères. Ainsi, le mot ordinateur, qui apparaît un grand nombre de fois dans cet ouvrage, serait certainement codé sur un code de 9 ou 10 bits au lieu des 10×8 bits originaux.

Ce codage est réalisé de manière dynamique, c'est-à-dire sans analyse préalable des informations à encoder. Les valeurs 0 à 255 servent à encoder les caractères ASCII, les valeurs supérieures servent à encoder des chaînes de caractères. Le compresseur maintient à jour une liste des chaînes encodées.

L'algorithme fonctionne de la manière suivante : on commence avec une chaîne vide. On lit un caractère du texte et on l'ajoute à la chaîne. Si cette chaîne est dans la table, on continue de lire et d'ajouter les caractères lus jusqu'à ce que la chaîne obtenue ne soit pas dans la table. On l'ajoute alors à la table. On remplace la dernière chaîne connue (c'est-à-dire la chaîne moins le dernier caractère) par le code correspondant. Le dernier caractère lu est utilisé comme la base d'une nouvelle chaîne et on continue jusqu'à ce que tout le texte original soit traité.

Le décompresseur fonctionne exactement de la même manière, il reconstruit la table contenant toutes les chaînes (le dictionnaire) au fur et à mesure de la lecture du texte encodé.

La plupart des algorithmes sans perte sont des algorithmes statistiques basés sur l'emploi d'un dictionnaire. Ils sont bien adaptés à la compression des données conventionnelles stockées comme des chaînes de caractères.

4.2.3 Run Length Encoding (RLE)

Le **RLE** [*Run Length Encoding*] est un codage des répétitions qui supprime les séquences de caractères (ou octets) identiques. Sa mise en œuvre est aisée : si le nombre de répétitions d'un caractère est supérieur à un seuil fixé (environ 3 répétitions), la séquence originale est remplacée par un caractère spécial indiquant la compression , suivi du caractère répété et du nombre d'occurrences de ce caractère. Si la séquence est supérieure à 255 (valeur maximale représentable sur 8 bits), il suffit de comprimer par paquets de 255. La décompression est aussi aisée, il suffit de surveiller l'apparition du caractère spécial de compression dans l'information codée et de le remplacer par la répétition du caractère considéré.

Pour que cet algorithme fonctionne de manière satisfaisante, il faut choisir le caractère spécial de compression avec soin. L'idéal serait qu'il n'apparaisse pas dans les informations à encoder. Si tel n'est pas le cas, il suffit de prendre une valeur quelconque comme indicateur de compression. Quand on rencontre ce caractère spécial dans les informations originales, on le code de manière à l'identifier lors de la décompression. On peut, par exemple, l'encoder comme une répétition de 1 fois ce caractère.

  Exemple d'encodage en utilisant K comme caractère de compression
- Information à encoder   :   BGAAAAAARTZKLMWWWWWWPPPPPPPPPPPPPQ
- Information encodée   :   BGK6ARTZK1KLMK6WK13PQ

La chaîne à encoder contient 34 caractères alors que celle encodée est réduite à 20 (la valeur 13 est codée sur un caractère).

Cet algorithme de compression réversible est assez simple à mettre en œuvre et est surtout destiné au codage des images. Le taux de compression est relativement faible (2:1).

4.2.4 JPEG

Un groupe d'experts du monde de la photographie [*Joint Photographic Expert Group*] a défini la norme internationale **JPEG** de compression des images fixes ou statiques. Cette norme reste ouverte et comporte plusieurs variantes dont la plus connue est la compression irréversible (avec perte) présentée ci-après :

Une image est découpée en carrés de 8 points par 8 points (64 valeurs). Ensuite, on transforme chaque petite image du domaine spatial au domaine fréquentiel. Chaque carré est représenté par une somme de fonctions cosinus de fréquence et d'amplitude appropriées (d'où le nom DCT [*Discrete Cosine Transform*]). Cette technique est similaire à la transformée de Fourier qui transforme une image en une somme de fonctions sinus et cosinus de différentes fréquences et amplitudes. La DCT se contente des cosinus. On limite la somme à 64 termes. Pour cela, on classe les termes par ordre de fréquence croissante. Les hautes fréquences proches de zéro ou en dehors du spectre de la lumière visible sont éliminées, on ne garde que les plus basses fréquences (on supprime les fréquences les moins informatives). Chaque terme de la série est décrit par les coefficients définissant sa fréquence et son amplitude. Ces coefficients sont ensuite encodés à l'aide du codage de Huffman.

Les opérations de compression/décompression sont rapides. La qualité restituée reste bonne tant que l'on se limite à des taux de compression de l'ordre de 10 ou 20. Ce format présente aussi quelques inconvénients. L'image étant divisée en petits carrés qui sont traités séparément, si l'on utilise un facteur de compression trop grand on peut avoir un effet de mosaïque qui se traduit par l'apparition de bords entre les différents carrés restitués.

La compression JPEG est avant tout destinée à des images de type photographique. Elle essaye de supprimer principalement les informations invisibles à l'œil humain.

4.2.5 Ondelettes

La compression par **ondelettes** [*wavelets*] est une technique récente qui donne de très bons résultats même avec des taux de compression élevés supérieurs à 100.

Ce type de compression repose sur la décomposition d'un signal en ondelettes appelée aussi analyse multirésolution. Cette technique consiste à diviser un signal en sous-signaux, chaque sous-signal ne contenant que les détails à une échelle donnée.

On peut comparer ce principe de décomposition à l'observation d'un objet à l'aide d'un microscope : pour un grossissement donné on observe les détails dont la taille est comprise entre la largeur du champ du microscope et la résolution de l'appareil. Avec un grossissement plus fort, on voit des détails plus fins mais sur un champ plus limité. A chaque valeur de grossissement correspond une échelle d'observation. L'analyse multi-résolution permet de manipuler une image à différentes échelles.

La décomposition en ondelettes utilise deux filtres : un filtre passe-bas (B) et un filtre passe-haut (H). Ces filtres laissent passer soit les basses fréquences, soit les hautes fréquences (qui correspondent à des variations abruptes d'intensité dans une image). La combinaison de ces filtres résulte en quatre sous-images obtenues en appliquant les filtres selon les deux axes : horizontal et vertical (ou longueur et largeur).

Ensuite, on répète cette opération sur chaque image jusqu'à ce que le contenu soit négligeable ou qu'il puisse être codé sur un minimum de bits, ce qui arrive rapidement pour les images obtenues après l'application du filtre passe-haut. En général, seule la sous-image résultante de l'application du filtre passe-bas dans les deux axes contient encore suffisamment d'informations pour nécessiter une nouvelle étape tel qu'illustré sur la figure 4.2.

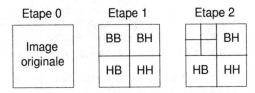

Figure 4.2 : Décomposition en ondelettes

Cette technique s'emploie pour la compression des images mais aussi pour leur segmentation (détection et reconnaissance d'éléments ou d'objets dans une image).

4.3 Encryptage

La **cryptologie** n'est pas une science nouvelle, elle existe depuis plus de deux mille ans. Elle consiste à transformer des messages sous une forme secrète impossible à déchiffrer. Les premiers systèmes connus remontent à l'an 1900 avant Jésus-Christ lorsqu'un scribe égyptien utilisa des hiéroglyphes autres que ceux normalement utilisés. Plus tard, Jules César utilisa des messages codés par une simple substitution de lettres pour communiquer avec ses troupes.

Les premiers systèmes étaient basés soit sur la substitution d'un symbole par un autre, soit par insertion du texte à protéger dans un autre en utilisant un masque de lecture.

☞ On peut remplacer chaque lettre d'un message par la lettre suivante de l'alphabet. Ainsi, le mot *ordinateur* devient *psejobufvs*.

La cryptologie a surtout été l'apanage des militaires, les guerres ont favorisé son développement. En particulier, lors de la dernière guerre mondiale, les Allemands utilisaient une machine appelée Enigma pour coder leurs messages. Les alliés ont investi beaucoup de ressources pour pouvoir casser le code de cette machine. Ils ont pour cela largement favorisé le développement des ordinateurs. Plus récemment, les communications par Internet, réputées non sécurisées, ont aussi contribué à l'utilisation des techniques d'encryptage.

La cryptologie se divise en deux catégories : la **cryptographie** qui consiste à concevoir des algorithmes d'encryptage (appelée aussi technique du chiffrement), et la **cryptoanalyse** qui consiste à casser ces algorithmes d'encryptage.

Les systèmes actuels sont basés sur des algorithmes complexes qui utilisent des clés. Une clé est comme un mot de passe qui permet de déchiffrer les messages transmis. La longueur d'une clé se mesure en bits. Plus la clé est longue plus elle est difficile à casser.

Il existe deux types d'algorithmes basés sur des clés : les systèmes à **clé privée** et les systèmes à **clé publique**.

Les systèmes à **clé privée**, dits aussi **symétriques**, utilisent une clé unique pour l'encryptage et le décryptage. Ces systèmes présentent l'inconvénient de devoir communiquer sa clé à tous les destinataires avec lesquels on veut communiquer.

Les systèmes à **clé publique**, **asymétriques**, utilisent deux clés : une clé publique qui permet d'encrypter les messages et une clé secrète utilisée pour le décryptage. La clé publique peut être diffusée sans problème, alors que la clé privée n'est connue que du seul destinataire. Ces derniers types d'algorithmes sont aussi utilisés pour générer des **signatures digitales** qui permettent d'authentifier l'auteur d'un message. Dans ce cas la clé secrète est utilisée pour encoder la signature (un petit bloc de données) et la clé publique pour le valider.

La qualité ou la force des algorithmes d'encryptage est directement fonction du nombre de bits utilisés pour les clés. Les systèmes symétriques (une seule clé privée) utilisent des clés ayant une longueur variant de 40 à 128 bits. Casser ces clés par une approche force brute nécessite de tester toutes les combinaisons possibles, c'est-à-dire 2^{40} pour les clés à 40 bits (relativement peu sûr) et 2^{128} pour les clés à 128 bits (difficile à casser). Les systèmes asymétriques (ou à clé publique, qui utilisent en fait deux clés) utilisent des clés ayant une longueur variant entre 256 et 2'048 bits.

4.3.1 Data Encryption Standard (DES)

DES [*Data Encryption Standard*] est un des premiers systèmes symétriques développés dans les années 70. C'est un code de 56 bits qui encrypte des blocs de 64 bits. Cet algorithme utilise deux techniques de base relativement simples : la diffusion et la confusion. La diffusion consiste à répartir l'information et la confusion à permuter les données. Le codage DES s'effectue en 16 étapes identiques. Les données originales sont réparties en blocs de 64 bits. Chaque bloc est ensuite divisé en deux blocs de 32 bits qui sont manipulés 16 fois de suite. Les données finales sont recombinées pour former le message à transmettre. Une partie de la clé (48 bits qui varient à chaque étape) est utilisée pour modifier les données (combinaison de décalage et substitution des bits). Ce code n'est plus jugé très fiable aujourd'hui.

4.3.2 Algorithme RSA

L'algorithme **RSA** (nom dérivé des initiales de ses auteurs : Rivest, Shamir, Adelman) est un système asymétrique qui utilise donc deux clés.

Il est basé sur la formule mathématique suivante :

$$d = e^{-1} \ (\text{mod} \ (p - 1) \times (q - 1))$$

où p, q sont deux grands nombres premiers,

 e est la clé d'encryptage, un autre nombre premier,

 d est la clé de décryptage, dérivée des quatre autres nombres,

 n est le produit de p et q .

Cet algorithme est le plus connu et utilisé des algorithmes asymétriques.

La force de cet algorithme repose sur l'utilisation de grands nombres premiers codés sur plusieurs centaines de bits. Les codes actuels utilisent 384, 512 ou 1'024 bits, mais seule la dernière valeur garantit une sécurité absolue et bientôt il faudra passer à des codes ayant 2'048 bits. Pour **casser** le code utilisé, c'est-à-dire pour trouver les clés utilisées, il faut trouver quels sont les deux nombres premiers dont le produit est égal à n , ce qui encore pratiquement impossible de nos jours !

4.3.3 Pretty Good Privacy (PGP)

PGP [*Pretty Good Privacy*] est un système très répandu basé sur l'utilisation des deux systèmes de clés.

Les systèmes symétriques sont beaucoup plus rapides que les systèmes asymétriques, mais ils nécessitent de connaître la clé utilisée. Les systèmes asymétriques offrent une plus grande souplesse puisque l'encryptage est effectuée à l'aide de la clé publique du destinataire. PGP utilise les avantages des deux systèmes :

- le message à encrypter est encodé à l'aide d'une clé privée générée aléatoirement,
- la clé privée est encryptée à l'aide d'une clé publique,
- ce dernier code est inséré dans le message transmis.

Lors de la réception du message codé, PGP commence par décrypter la clé privée utilisée pour encoder le message (à l'aide de la clé secrète du receveur). Il utilise ensuite cette clé privée pour décoder le message. PGP utilise l'algorithme **RSA** pour encoder la clé privée.

Exercices

1. Soit une transmission utilisant le code de Hamming avec une parité impaire :
    a) trouver le message transmis (représentation octale), sachant que la représentation octale des données à transmettre (composées de 16 bits) est : 116570_8;
    b) retrouver le message initial en ayant soin de corriger une éventuelle erreur, si le message reçu (sur 21 bits) est : 6130014_8.

2. Supposons que l'on transmette des données codées par la méthode du CRC, dont le polynôme générateur est : $G(x) = x^5 + x + 1$.
    a) Si l'on désire envoyer les données (9 bits) dont la représentation octale est la suivante : 456_8 quel sera le message envoyé ?
    b) Si l'on reçoit le message suivant de 15 bits dont la forme octale est : 76543_8, que peut-on dire du message initial ?

3. Le CRC est calculé avec le polynôme générateur suivant : $G(x) = x^2 + x + 1$. Le message reçu (données + CRC) est : $T(x) = x^{10} + x^7 + x^6 + x^4 + x^3 + x$. Dire si des erreurs de transmission se sont produites et, sinon, donner, sous forme de polynôme $M(x)$, les données initiales transmises.

Solutions

1. Code de Hamming utilisant une parité impaire :
    a) le message à transmettre est : $116570_8 = 1'001'110'101'111'000_2$.
    Nombre de bits d'information : $m = 16$, donc on ajoute $k = 5$ bits de contrôle. On transmettra $n = 16 + 5 = 21$ bits.

    Le bit 16 contrôle les bits 16,17,18,19,20,21 : il vaut 0;
    le bit 8 contrôle les bits 8,9,10,11,12,13,14,15 : il vaut 0;
    le bit 4 contrôle les bits 4,5,6,7,12,13,14,15,20,21 : il vaut 1;
    le bit 2 contrôle les bits 2,3,6,7,10,11,14,15,18,19 : il vaut 0;
    le bit 1 contrôle les bits 1,3,5,7,9,11,13,15,17,19,21 : il vaut 0.
    Le message codé à transmettre est : $100'110'101'011'101'001'000_2 = 4653510_8$.

    On veut toujours transmettre le message 116570_8, mais en employant la méthode de Hamming simplifié. On a des bits à 1 dans les positions suivantes :

21	→	1	0	1	0	1
18	→	1	0	0	1	0
17	→	1	0	0	0	1
15	→	0	1	1	1	1
13	→	0	1	1	0	1
11	→	0	1	0	1	1
10	→	0	1	0	1	0
9	→	0	1	0	0	1
7	→	0	0	1	1	1
		0	0	1	0	0

    On fait l'addition modulo 2, pour une parité impaire, on met :
    1 pour un nombre pair de 1
    0 pour un nombre impair de 1

    On retrouve bien les mêmes valeurs que précédemment.

b) On a reçu le message : 6130014_8 = 110'001'011'000'000'001'100$_2$.

Sachant que le code utilise une parité impaire, retrouver le message initial.
Nombre de bits transmis : $n = 21$, on a donc $k = 5$ bits de contrôle et $m = 16$ bits d'information.

$k_1 = 0$, il contrôle les bits 1,3,5,7,9,11,13,15,17,19,21; il est juste $\quad \to A_1 = 0$

$k_2 = 0$, il contrôle les bits 2,3,6,7,10,11,14,15,18,19; il est donc faux $\quad \to A_2 = 1$

$k_3 = 1$, il contrôle les bits 4,5,6,7,12,13,14,15,20,21; il est juste $\quad \to A_3 = 0$

$k_4 = 0$, il contrôle les bits 8,9,10,11,12,13,14,15; il est donc faux $\quad \to A_4 = 1$

$k_5 = 1$, il contrôle les bits 16,17,18,19,20,21; il est juste $\quad \to A_5 = 0$.

L'adresse binaire de l'erreur est : $A_5\,A_4\,A_3\,A_2\,A_1 = 0\,1\,0\,1\,0 = 10$.

Le bit 10, qui vaut 0, est faux.

Le message initial corrigé est : 1'100'001'100'100'001$_2$ = 141441$_8$.

On veut toujours décoder le message 613004$_8$, mais en employant la méthode de Hamming simplifié. On a des bits à 1 dans les positions suivantes :

$$
\begin{array}{lll}
21 & \to & 1\ 0\ 1\ 0\ 1 \\
20 & \to & 1\ 0\ 1\ 0\ 0 \\
16 & \to & 1\ 0\ 0\ 0\ 0 \\
14 & \to & 0\ 1\ 1\ 1\ 0 \\
13 & \to & 0\ 1\ 1\ 0\ 1 \\
4 & \to & 0\ 0\ 1\ 0\ 0 \\
3 & \to & 0\ 0\ 0\ 1\ 1 \\
\end{array}
$$

On fait l'addition modulo 2, pour une parité impaire, on met :

1 pour un nombre pair de 1
0 pour un nombre impair de 1

$$0\ 1\ 0\ 1\ 0 \quad (A_5\,A_4\,A_3\,A_2\,A_1)$$

L'adresse binaire de l'erreur est : $A_5\,A_4\,A_3\,A_2\,A_1 = 0\,1\,0\,1\,0 = 10$.
Le bit 10, qui vaut 0, est faux.

2. $G(x) = x^5 + x + 1 \to 100011$. Le degré de $G(x)$ est $r = 5$.

a) Données à transmettre $M(x)$: 456_8 = 100'101'110$_2$.

On multiplie $M(x)$ par $x^r \to$ 100101110'00000.

On divise (modulo 2) $\dfrac{M(x)\,x^r}{G(x)}$:

```
1 0 0 1 0 1 1 1 0 0 0 0 0 0 | 1 0 0 0 1 1
1 0 0 0 1 1                  -----------------------
-----------                   1 0 0 1 1 0 1 0 0
0 0 0 1 1 0 1 1 0
      1 0 0 0 1 1
      -----------
      0 1 0 1 0 1 0
        1 0 0 0 1 1
        -----------
        0 0 1 0 0 1 0 0
            1 0 0 0 1 1
            -----------
            0 0 0 1 1 1 0 0
```

reste $R(x)$ de $r = 5$ bits $\to$ 1 1 1 0 0
Le message à envoyer $T(x)$ est : 100101110'11100$_2$ = 22734$_8$.

b)   On a reçu le message $T(x)$: 76543_8 = 111'110'101'100'011$_2$.

On effectue la division $\dfrac{T(x)}{G(x)}$:

```
1 1 1 1 1 0 1 0 1 1 0 0 0 1 1 | 1 0 0 0 1 1
1 0 0 0 1 1                     -----------------------
-----------                     1 1 1 1 0 0 1 0 0 1
0 1 1 1 0 1 1
  1 0 0 0 1 1
  -----------
  0 1 1 0 0 0 0
    1 0 0 0 1 1
    -----------
    0 1 0 0 1 1 1
      1 0 0 0 1 1
      -----------
      0 0 0 1 0 0 1 0 0
            1 0 0 0 1 1
            -----------
            0 0 0 1 1 1 0 1 1
                  1 0 0 0 1 1
                  -----------
                  0 1 1 0 0 0
```

Le reste est différent de zéro, il y a eu une erreur (sur un ou plusieurs bits) dans la transmission. Il faut retransmettre le message.

3. $G(x) = x^2 + x + 1$ → 111.
Le degré de $G(x)$ est $r = 2$.
Le message reçu est : $T(x) = x^{10} + x^7 + x^6 + x^4 + x^3 + x$ → 10011011010.

On effectue la division $\dfrac{T(x)}{G(x)}$:

```
1 0 0 1 1 0 1 1 0 1 0 | 1 1 1
1 1 1                   -----------------------
-----                   1 1 0 0 1 1 1 1 0
0 1 1 1
  1 1 1
  -----
  0 0 0 1 0 1
        1 1 1
        -----
        0 1 0 1
          1 1 1
          -----
          0 1 0 0
            1 1 1
            -----
            0 1 1 1
              1 1 1
              -----
              0 0 0 0
```

Le reste est égal à zéro, il n'y a pas eu d'erreur de transmission. Les données transmises sont :
100110110   → $M(x) = x^8 + x^5 + x^4 + x^2 + x$.

Chapitre 5

Circuits logiques

5.1 Notion de circuit logique

Les circuits des machines électroniques modernes ont deux états d'équilibre 0 et 1. Ils sont caractérisés par deux niveaux de tension ou de courant qui définissent un signal logique. Une ligne permet de transporter un signal logique d'un point à un autre. L'état de cette ligne est une variable logique à deux valeurs : 0 et 1.

Pour l'instant, nous n'allons pas nous intéresser au courant, à la tension, au signal électrique... mais à l'état d'une ligne, à la valeur d'un signal logique, à la valeur d'une variable logique. Pour cela, nous allons utiliser des **circuits logiques**. Les circuits logiques exécutent des opérations sur des variables logiques, transportent et traitent des signaux logiques.

On distingue deux types de circuits logiques :

* les circuits **combinatoires** qui sont des circuits idéalisés où le temps de propagation des signaux n'est pas pris en considération. Les signaux de sortie ne dépendent que des signaux d'entrée, appliqués à l'instant considéré;

* les circuits **séquentiels** qui sont des circuits où il faut tenir compte du temps de propagation des signaux et de la mémoire du circuit. Les signaux de sortie dépendent des signaux d'entrée appliqués antérieurement.

5.2 Circuits combinatoires

La **fonction logique** d'un circuit combinatoire peut se définir par le tableau de correspondance entre les états d'entrée et les états de sortie. Un état d'entrée (de sortie) est la combinaison des valeurs prises par les entrées (les sorties). Un tel tableau est appelé : **table de vérité**. Les fonctions logiques peuvent aussi être représentées sous forme de diagrammes ou d'expressions algébriques.

5.2.1 Algèbre de Boole

George Boole a défini, vers 1847, une algèbre qui s'applique à des fonctions logiques de variables logiques (variables booléennes). Toute fonction logique peut être réalisée à l'aide d'un petit nombre de fonctions logiques de base appelées aussi **opérateurs logiques** ou **portes** [*gates*].

La table de vérité d'une fonction de n variables a autant de lignes que d'états d'entrée, soit 2^n. Pour chacun de ces états, la sortie peut prendre la valeur 0 ou 1.

Ainsi, pour n variables on a 2^{2^n} fonctions possibles :
- pour 1 variable, on peut avoir   4 fonctions;
- pour 2 variables, on peut avoir   16 fonctions;
- pour 3 variables, on peut avoir   256 fonctions;
- pour 4 variables, on peut avoir   65'536 fonctions;
- pour 5 variables, on peut avoir   4'294'967'296 fonctions.

5.2.2 Fonctions d'une variable

La table de vérité des fonctions d'une variable a donc deux états d'entrée. On définit ainsi un ensemble de $2^2 = 4$ fonctions d'une variable.

Table 5.1 : Fonctions logiques d'une variable a

a	Z_0	Z_1	Z_2	Z_3		
					$Z_0 = 0$	constante
					$Z_1 = a$	identité
0	0	0	1	1	$Z_2 = \bar{a}$	complémentation
1	0	1	0	1	$Z_3 = 1$	constante

L'opérateur NON [NOT]

La seule fonction non triviale est la fonction Z_2, dite de **complémentation**, qui est réalisée par l'opérateur NON ou **inverseur** ($Z = \bar{a}$). On dit : a-barre ou non-a [*not-a*]. La table de vérité de cette fonction nous est donnée dans la table précédente par la fonction Z_2 et le symbole de ce circuit est donné dans la figure 5.1.

5.2.3 Fonctions de deux variables

La table de vérité des fonctions de deux variables a et b indique qu'il y a 16 fonctions possibles pour ces deux variables. Deux d'entre elles jouent un rôle très important. Ce sont la fonction ET [*AND*] et la fonction OU [*OR*].

Table 5.2 : Fonctions logiques de 2 variables a et b

```
  00 01 10 11  |     ab

-----------------------------------
   0  0  0  0  |   F₀ = 0             (constante nulle)
   0  0  0  1  |   F₁ = ab            (fonction ET)
   0  0  1  0  |   F₂ = ab̄
   0  0  1  1  |   F₃ = a
   0  1  0  0  |   F₄ = āb
   0  1  0  1  |   F₅ = b
   0  1  1  0  |   F₆ = a ⊕ b         (fonction XOR)
   0  1  1  1  |   F₇ = a + b         (fonction OU)
   1  0  0  0  |   F₈ = a+b = ā b̄     (fonction NOR)
   1  0  0  1  |   F₉ = a ⊕ b
   1  0  1  0  |   F₁₀ = b̄
   1  0  1  1  |   F₁₁ = a + b̄
   1  1  0  0  |   F₁₂ = ā
   1  1  0  1  |   F₁₃ = ā + b
   1  1  1  0  |   F₁₄ = ab = ā + b̄   (fonction NAND)
   1  1  1  1  |   F₁₅ = 1            (constante 1)
```

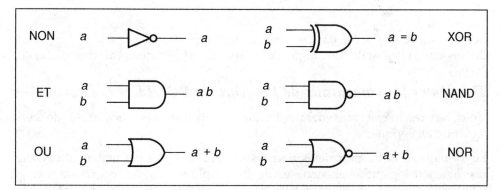

Figure 5.1 : Symboles des principaux opérateurs logiques

Les opérateurs ET [AND] et OU [OR]

La fonction intersection ou produit logique $Z = a \times b = ab = a \cap b$ est réalisée par l'opérateur ET. Z vaut 1 si et seulement si a et b valent 1.

La fonction réunion ou somme logique $Z = a + b = a \cup b$ est réalisée par l'opérateur OU. Z vaut 1 si a ou b ou les deux valent 1.

Table 5.3 : Table de vérité des fonctions ET et OU

```
        a   b   |   ab   |   a+b
        -------------------------
        0   0   |   0    |   0
        0   1   |   0    |   1
        1   0   |   0    |   1
        1   1   |   1    |   1
```

Les symboles, associés à ces deux circuits de base, sont donnés dans la figure 5.1. La figure 5.2 illustre le fonctionnement de ces deux portes. La lampe Z s'allume, dans le premier cas, si et seulement si les interrupteurs a ET b sont fermés, et, dans le deuxième cas, si a OU b est fermé (ou les deux).

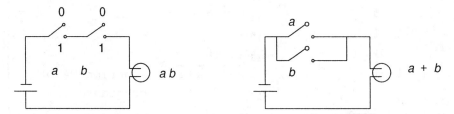

Figure 5.2 : Exemple de fonctionnement des portes ET et OU

Les trois fonctions NON, ET, OU sont souvent appelées *opérateurs de base*; elles définissent à elles seules une importante structure algébrique : l'algèbre de Boole.

Théorèmes fondamentaux de l'algèbre de BOOLE

Voici, en résumé et sans démonstration, les principales propriétés de cette structure algébrique.

Le formalisme et les propriétés décrites dans la table 5.4 permettent de générer une fonction logique quelconque et de la simplifier ou de la transformer en n'utilisant que les opérateurs de base ET, OU et NON. Pour cela, on introduit les notions de minterm et de maxterm.

Un **minterm** est le produit logique de toutes les variables d'entrée apparaissant chacune sous la forme vraie (la variable vaut 1) ou sous la forme complémentée (la variable vaut 0). De manière analogue, un **maxterm** est une somme logique de ces variables. Nous allons utiliser les minterms et les maxterms dans une autre fonction de 2 variables appelée OU exclusif.

 On écrira indifféremment $a \times b$ ou ab.

Table 5.4 : Théorèmes fondamentaux de l'algèbre de Boole

Théorème des constantes	$a + 0 = a$	$a \times 0 = 0$
	$a + 1 = 1$	$a \times 1 = a$
Idempotence	$a + a = a$	$a \times a = a$
Complémentation	$a + \bar{a} = 1$	$a \times \bar{a} = 0$
Commutativité	$a + b = b + a$	$a \times b = b \times a$
Distributivité	$a + (bc) = (a + b)(a + c)$	
	$a\ (b + c) = (ab) + (ac)$	
Associativité	$a + (b + c) = (a + b) + c = a + b + c$	
	$a\ (bc) = (ab)\ c = abc$	
Théorèmes de De Morgan	$\overline{ab} = \bar{a} + \bar{b}$	$\overline{a + b} = \bar{a}\ \bar{b}$
Autres relations	$\bar{\bar{a}} = a$	$a + (ab) = a$
	$a + (\bar{a}b) = a + b$	$a\ (a + b) = a$
	$(a + b)\ (a + \bar{b}) = a$	

L'opérateur XOR

L'opérateur XOR, appelé aussi **OU exclusif** [*eXclusive OR*] réalise une fonction de deux variables où z vaut 1 si et seulement si une seule des deux variables vaut 1.

Le symbole associé à cet opérateur est donné dans la figure 5.1. On l'écrit : $z = a \oplus b$.

On peut exprimer la fonction XOR en n'utilisant que les fonctions ET, OU, NON selon la méthode dite des minterms (somme logique de produits logiques) ou selon la méthode des maxterms (produit logique de sommes logiques) :

- dans la méthode des minterms on considère que la fonction peut être exprimée comme étant la somme logique des minterms correspondant à chaque sortie valant 1 dans la table de vérité. Chaque variable d'entrée est prise telle quelle si elle a la valeur 1, sinon elle est remplacée par son complément. Ainsi, pour la fonction OU exclusif, $Z = a \oplus b = \overline{a}b + a\overline{b}$;

* dans la méthode des maxterms, on considère que la fonction peut être exprimée comme étant le produit logique des maxterms. Ceux-ci correspondent aux sorties valant 0 dans la table de vérité. A chaque fois, la variable d'entrée est prise telle quelle si elle a la valeur 0, sinon elle est remplacée par son complément. Ainsi, pour la fonction OU exclusif, $Z = a \oplus b = (a + b) \, (\overline{a} + \overline{b})$.

Table 5.5 : Table de vérité du XOR ($Z = a \oplus b$)

a	b	$a \oplus b$
0	0	0
0	1	1
1	0	1
1	1	0

L'expression algébrique dérivée de la table de vérité selon l'une des deux méthodes minterm ou maxterm est dite **forme normale** (ou canonique). Comme elle contient souvent beaucoup de termes, elle peut être simplifiée en appliquant les formules, les propriétés et les théorèmes de l'algèbre de Boole.

Propriétés du XOR

Table 5.6 : Propriétés du XOR

$a \oplus b = \overline{a}b + a\overline{b}$	$\overline{a \oplus b} = ab + \overline{a}\ \overline{b}$
$a \oplus 0 = a$	$a \oplus a = 0$
$a \oplus 1 = \overline{a}$	$a \oplus \overline{a} = 1$
$a \oplus b = b \oplus a$	$(a \oplus b) \oplus c = a \oplus (b \oplus c)$
$a \oplus b = \overline{\overline{a}\ \overline{b} + ab} = (a + b)\ (\overline{a} + \overline{b}) = (a + b)\overline{ab}$	

La figure 5.3 montre comment réaliser les opérateurs ET et OU.

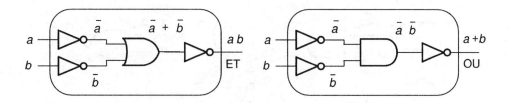

Figure 5.3 : Exemple de réalisation des opérateurs ET et OU

Les opérateurs complets

L'ensemble {ET, OU, NON} est suffisant pour synthétiser toute autre fonction logique, mais est-il minimal ? Non, il n'est pas minimal car il est possible de réaliser la fonction ET avec des OU et des NON, ainsi que la fonction OU avec des ET et des NON.

Or, on peut démontrer que ces ensembles {OU, NON} et {ET, NON} ne sont pas minimaux. Il existe des opérateurs complets tels que différents assemblages d'un même opérateur (complet) permettent de réaliser les trois fonctions ET, OU et NON. Ces opérateurs complets sont les opérateurs NAND et NOR.

Les opérateurs NAND et NOR

L'opérateur NAND (NON ET) [*NOT AND*] correspond à la fonction : $Z = \overline{ab} = \overline{a} + \overline{b}$. L'opérateur NOR (NON OU) [*NOT OR*] correspond à la fonction suivante : $Z = \overline{a+b} = \overline{a}\ \overline{b}$. Leurs symboles sont donnés sur la figure 5.1.

On constate, dans la figure 5.4, que différents assemblages de portes NAND, respectivement de NOR, permettent de réaliser les fonctions de base NON, ET et OU. Donc, les opérateurs NAND et NOR sont des opérateurs complets.

Table 5.7 : Table de vérité du NAND et du NOR

NAND	($Z = \overline{ab} = \overline{a} + \overline{b}$)	NOR	($Z = \overline{a+b} = \overline{a}\ \overline{b}$)
a	b	a NAND b	a NOR b
0	0	1	1
0	1	1	0
1	0	1	0
1	1	0	0

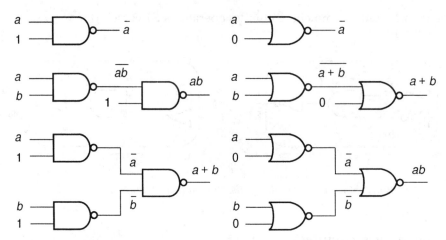

Figure 5.4 : Réalisation de ET, OU, NON avec des NAND et des NOR

Les fonctions logiques que l'on cherche à réaliser s'expriment généralement à l'aide des opérateurs NON, ET et OU. On peut aussi les exprimer à partir d'un seul opérateur, soit NAND, soit NOR. A la place de l'algèbre de Boole, on utilise ainsi une logique NAND ou une logique NOR.

De telles logiques sont intéressantes d'un point de vue pratique car les opérateurs complets NAND et NOR peuvent souvent conduire à des performances techniques et économiques meilleures que les opérateurs de base.

5.2.4 Synthèse d'un circuit combinatoire

Le problème est le suivant : à partir de la définition d'une fonction logique, par exemple sa table de vérité, il faut déterminer un **logigramme** (représentation graphique d'un circuit logique) qui réalise cette fonction.

Pour cela, à partir du grand nombre d'expressions algébriques équivalentes qui correspondent à la fonction, il faut en choisir une et la simplifier. Il faut ensuite choisir un logigramme parmi ceux qui conviennent.

La **synthèse** implique donc le choix délicat d'un bon chemin parmi tous ceux qui conduisent de la fonction logique aux logigrammes qui la réalisent. Le critère retenu est, en général, le coût du circuit obtenu; le circuit le meilleur étant le plus simple donc le moins coûteux (en portes, connexions...).

La marche à suivre pour faire la **synthèse** d'un circuit combinatoire est la suivante :

- construire la **table de vérité** de la fonction logique;
- en dériver une **expression algébrique** (par exemple, somme logique des minterms);

- simplifier cette expression en la transformant en une expression équivalente plus simple (par exemple, par passage de la forme canonique à un polynôme contenant un nombre minimal d'opérateurs). Il existe plusieurs méthodes de simplification : tables de **Karnaugh**, théorèmes de l'algèbre de Boole;

- réaliser la fonction logique à l'aide d'opérateurs divers (NON, ET, OU, XOR, NAND, NOR, etc). Il existe de nombreuses solutions.

Il est toujours possible de passer d'un logigramme (NON, ET, OU, XOR) à un logigramme NAND ou NOR par des méthodes de transformations systématiques. Le logigramme est l'aboutissement de la procédure de synthèse.

Tables de Karnaugh

Les tables (ou diagrammes) de **Karnaugh** permettent de simplifier des fonctions logiques. La méthode est basée sur l'inspection visuelle de tables judicieusement construites. Cette méthode est particulièrement utile avec un nombre de variables inférieur à 6.

On l'illustrera d'abord avec un exemple à deux variables. Soit une fonction définie par sa table de vérité (figure 5.5). Sa forme canonique est : $Z(a, b) = \bar{a}b + a\bar{b} + ab$. On pourrait simplifier par voie algébrique. Selon le théorème d'idempotence on peut écrire : $Z = \bar{a}b + a\bar{b} + ab + ab$, d'où : $Z = a\ (b + \bar{b}) + b\ (a + \bar{a}) = a + b$.

Mais nous voulons simplifier par la méthode de Karnaugh (figure 5.5).

On peut considérer cette table comme une transformation de la table de vérité. Aux quatre cases de la table de Karnaugh correspondent les quatre lignes de la table de vérité :

- chaque variable remplit un ensemble de deux cases (dans cet exemple : la variable a remplit la deuxième colonne de la table alors que la variable b remplit la deuxième ligne). Un produit de variables se traduit par l'intersection des cases affectées à chacune des variables;

- un produit de deux variables remplit une case. Les minterms remplissent donc chacun une seule case (par exemple : ab deuxième colonne et deuxième ligne).

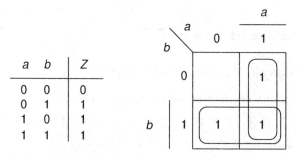

Figure 5.5 : Table de Karnaugh à deux variables

Pour remplir la table de Karnaugh à partir de la table de vérité, on attribue la valeur 1 aux cases correspondantes aux états d'entrée où la fonction est vraie.

La méthode de simplification consiste à encercler tout ensemble de cases occupées, adjacentes sur la même ligne ou sur la même colonne. Les recouvrements sont permis.

Dans l'exemple précédent, on trouve deux ensembles de cases qui recouvrent complètement les parties affectées aux variables a et b. Donc on peut en déduire que $Z = a + b$.

Table de Karnaugh avec 3 variables (figure 5.6)

Soit la fonction Z suivante, exprimée sous sa forme canonique :

$$Z(a,b,c) = \overline{a}\ \overline{b}\ \overline{c} + a\ \overline{b}\ c + a\ \overline{b}\ \overline{c} + a\ b\ c.$$

Il faut faire attention à l'ordre des variables dans la table : une seule variable doit changer d'une colonne (ou d'une ligne) à la suivante ! Dans cet exemple, on passe de 00 ($a = 0$ et $c = 0$) à 01, 11, 10. De plus, il faut considérer cette table comme enveloppée autour d'un cylindre : la case 100 ($a = 1, c = 0, b = 0$) est adjacente à la case 000 ($a = 0, c = 0, b = 0$).

Avec trois variables : chaque variable remplit un bloc de quatre cases; un produit de deux variables remplit un bloc de deux cases; un produit de trois variables (minterm) remplit une case.

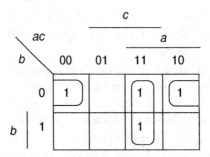

Figure 5.6 : Table de Karnaugh à trois variables

L'expression simplifiée est $Z = a\ c + \overline{b}\ \overline{c}$.

Table de Karnaugh avec 4 variables (figure 5.7)

Soit la fonction Z suivante, donnée sous sa forme canonique :

$$Z(a,b,c,d) = \overline{a}\ \overline{b}\ \overline{c}\ \overline{d} + \overline{a}\ \overline{b}\ \overline{c}\ d + \overline{a}\ \overline{b}\ c\ d + \overline{a}\ b\ \overline{c}\ d + a\ b\ \overline{c}\ d + a\ \overline{b}\ \overline{c}\ d$$
$$+ a\ \overline{b}\ \overline{c}\ \overline{d} + \overline{a}\ b\ c\ d + a\ b\ c\ d + a\ \overline{b}\ c\ d + \overline{a}\ b\ c\ \overline{d}.$$

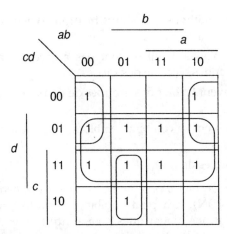

Figure 5.7 : Table de Karnaugh à quatre variables

Ici, il faut faire attention à l'ordre (00 01 11 10) pour les colonnes et pour les lignes et il faut considérer cette table comme enroulée autour d'un cylindre horizontalement et verticalement. Avec quatre variables : chaque variable remplit un bloc de huit cases; un produit de deux variables remplit un bloc de quatre cases; un produit de trois variables remplit un bloc de deux cases; un produit de quatre variables remplit une case.

L'expression simplifiée est $Z = d + \overline{b}\ \overline{c} + \overline{a}\ b\ c$.

Dans une table de Karnaugh, les 4 coins sont des cases adjacentes (figure 5.8). Par exemple, avec la forme canonique suivante :

$$Z(a,b,c,d) = \overline{a}\ \overline{b}\ \overline{c}\ \overline{d} + a\ \overline{b}\ \overline{c}\ \overline{d} + \overline{a}\ \overline{b}\ c\ \overline{d} + a\ \overline{b}\ c\ \overline{d}.$$

Les quatre coins peuvent être regroupés. L'expression simplifiée est donc la suivante : $Z = \overline{b}\ \overline{d}$.

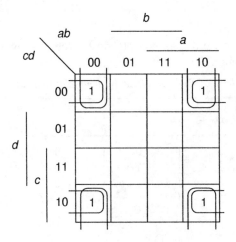

Figure 5.8 : Table de Karnaugh avec les quatre coins occupés

D'une façon générale, la méthode de simplification d'une fonction de quatre variables par Karnaugh est la suivante :

- encercler d'abord les cases à 1 qui ne sont pas adjacentes à d'autres 1 et ne peuvent donc pas former des blocs de deux cases;
- encercler celles qui peuvent former des groupes de deux cases mais pas de quatre cases;
- encercler celles qui peuvent se combiner en blocs de quatre cases mais pas de huit cases;
- enfin, encercler les groupes de huit.

La méthode de Karnaugh permet d'obtenir l'expression booléenne la plus simple (composée de ET, OU, NON). On peut combiner l'emploi de la méthode de Karnaugh et les manipulations algébriques pour simplifier encore plus (à l'aide de portes XOR, NAND, NOR). Pour plus de quatre variables, il faut créer plusieurs tables de Karnaugh.

Synthèse d'un additionneur binaire

L'**additionneur binaire** est un circuit logique capable de faire la somme de deux nombres binaires selon le principe de la table d'addition suivante :

Table 5.8 : Table d'addition

```
       a   +   b   =   Somme
       -------------------
       0   +   0   =     0
       0   +   1   =     1
       1   +   0   =     1
       1   +   1   =     0        ⇒ avec une retenue = 1
```

Le **demi-additionneur** ne tient pas compte de la retenue éventuelle provenant d'une opération précédente.

Table 5.9 : Table de vérité du demi-additionneur

```
       a    b    |    S    |    R
       ------------------------------
       0    0    |    0    |    0        S = Somme
       0    1    |    1    |    0        R = Retenue
       1    0    |    1    |    0
       1    1    |    0    |    1
```

Par la méthode des minterms on peut dériver les expressions algébriques de S et de R : $S = \bar{a}\,b + a\,\bar{b} = a \oplus b$ et $R = a\,b$. Le circuit final nous est donné dans l a figure 5.9.

L'**étage d'additionneur** est composé de deux demi-additionneurs et d'une porte OU. Il fait la somme de deux bits en tenant compte d'une éventuelle retenue. Le circuit est donné dans la figure 5.9.

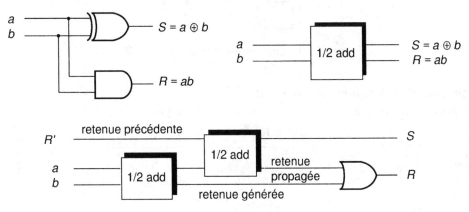

Figure 5.9 : *Demi-additionneur et étage d'additionneur*

L'additionneur complet est obtenu en utilisant en parallèle plusieurs étages additionneurs (il faut autant d'étages que de bits composant les nombres binaires). Ces étages doivent être connectés : il suffit de connecter chaque sortie R à l'entrée R' de l'étage suivant.

 Il faut attendre que la retenue se propage dans les étages pour pouvoir activer ceux-ci.

5.2.5 Analyse d'un circuit combinatoire

L'**analyse** consiste à retrouver la fonction d'un circuit dont on connaît uniquement le logigramme. Cette fonction est unique.

La marche à suivre pour faire l'analyse d'un circuit combinatoire est la suivante :
- en procédant des entrées vers les sorties, donner, pour chaque opérateur l'**expression de sa sortie** en fonction de ses entrées, jusqu'à obtention d'une expression pour chaque fonction (sortie) réalisée par le circuit;
- donner la **table de vérité** correspondante;
- en déduire le **rôle du circuit**.

Exemple d'analyse d'un circuit

Etant donné le logigramme présenté dans la figure 5.10, déterminer la fonction X.

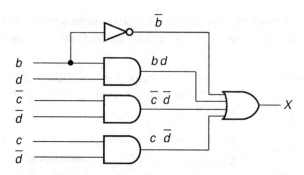

Figure 5.10 : Logigramme de la fonction X

Expression de la fonction : $X = \overline{b} + b \quad d + \overline{c} \quad \overline{d} + c \quad \overline{d}$.
On peut simplifier : $X = \overline{b} + b \quad d + \overline{d}(c + \overline{c}) = \overline{b} + b \quad d + \overline{d}$.

Table 5.10 : Table de vérité

b	d		$\overline{b}$		bd		$\overline{d}$		X
0	0		1		0		1		1
0	1		1		0		0		1
1	0		0		0		1		1
1	1		0		1		0		1

On peut obtenir le résultat par la voie algébrique. En effet, sachant que : $\overline{b} + b \quad d = \overline{b} + d$, on obtient : $X = \overline{b} + d + \overline{d} = \overline{b} + 1 = 1$.

Le rôle de ce circuit (peu réaliste) est de produire la constante 1.

5.2.6 Multiplexeurs et démultiplexeurs

Mis à part l'additionneur, d'autres circuits combinatoires jouent un rôle important dans l'ordinateur, en particulier les multiplexeurs et les démultiplexeurs. Le **multiplexeur** (MUX) est un circuit qui accepte plusieurs signaux logiques (données) en entrée et n'autorise qu'un seul d'entre eux en sortie, alors que le **démultiplexeur** (DEMUX) a une seule ligne d'entrée et de nombreuses lignes en sortie. Il transmet l'entrée sur une seule ligne en sortie. Le choix est commandé par des lignes de sélection, dites aussi : lignes d'adresse ou de commande.

Démultiplexeur

On appelle **démultiplexeur** (DEMUX) tout système combinatoire réalisant les 2^n minterms de n variables qui correspondent aux n lignes de sélection. Dans le cas illustré de la figure 5.11, la variable logique J est aiguillée sur l'une des quatre sorties selon la valeur des variables de sélection a et b.

Par exemple, si $a = 0$ et $b = 0$ l'entrée J se retrouve sur la sortie $\bar{a}\,\bar{b}$. Un démultiplexeur à deux variables, a et b, réalise donc les quatre minterms suivants : $\bar{a}\,\bar{b}$, $\bar{a}\,b$, $a\,\bar{b}$, $a\,b$.

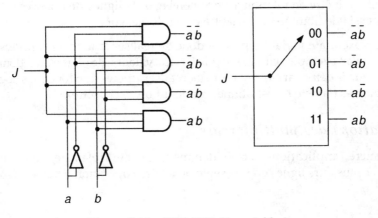

Figure 5.11 : DEMUX (2 variables)

Multiplexeur

On appelle **multiplexeur** (MUX) tout système combinatoire réalisant la fonction universelle de n variables qui correspondent aux n lignes de sélection. Dans le cas de deux variables, la fonction universelle est définie de la manière suivante :
$Z(a,b) = K_0\bar{a}\,\bar{b} + K_1\bar{a}\,b + K_2a\,\bar{b} + K_3a\,b$.

Par exemple, dans la figure 5.12, la sortie Z sélectionne l'une des quatre entrées selon la valeur de (a,b).

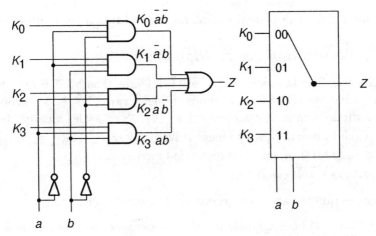

Figure 5.12 : MUX (2 variables)

On appelle a et b les lignes de commande et K_0, K_1, K_2 et K_3 les lignes de données [*data lines*]. Les lignes de commande déterminent quelle entrée se retrouve en sortie. Le MUX est donc un sélecteur de données. Le nombre n de lignes de commande doit être en relation avec le nombre p de lignes de données : $2^n \geq p$. On appelle aussi n le nombre de variables du multiplexeur.

Un multiplexeur à n variables permet donc de réaliser la fonction universelle de n variables. Par exemple, en faisant varier les valeurs des lignes de données d'un multiplexeur à deux variables, on peut réaliser toutes les fonctions logiques de deux variables (la liste en est donnée au début de ce chapitre).

Applications des multiplexeurs

La première application est évidemment le multiplexage, qui consiste à concentrer plusieurs lignes en une seule ou à faire l'opération inverse (figure 5.13).

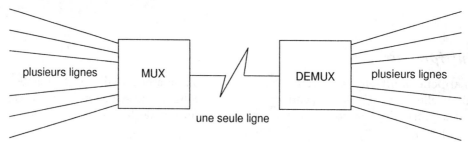

Figure 5.13 : Multiplexage

On peut aussi réaliser des circuits combinatoires à l'aide d'assemblages de MUX.

Exemple d'utilisation des multiplexeurs

On cherche à réaliser la fonction $F_9 = \overline{a \oplus b}$ à l'aide d'un MUX à deux variables (revoir la table de vérité des fonctions de deux variables et les propriétés du XOR). Il suffit de donner aux paramètres K_0, K_1, K_2 et K_3 les valeurs de la table de vérité. On introduit donc les données suivantes : $K_0 = 1$, $K_1 = 0$, $K_2 = 0$ et $K_3 = 1$ dans le MUX et, ainsi, on réalise la fonction F_9 :
$$Z(a,b,1,0,0,1) = \overline{a}\ \overline{b} + a\ b = F_9$$

Ce codage des quatre paramètres reproduit la table de vérité de F_9.

La réalisation de n'importe quelle fonction de deux variables est immédiate, sitôt donnée sa table de vérité. De la même façon, on peut réaliser les opérateurs de base (figure 5.14).

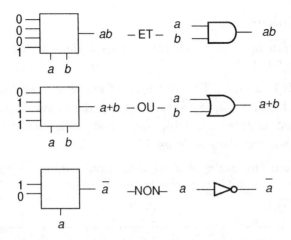

Figure 5.14 : Circuits combinatoires (opérateurs de base)

On peut aussi réaliser des opérations de codage, décodage ou transcodage à l'aide d'assemblages de MUX.

5.2.7 Décodeurs - Codeurs - Transcodeurs

Le **décodeur** fait correspondre à un code en entrée (sur n lignes) une seule sortie active (=1) parmi les 2^n sorties possibles (figure 5.15). Le **codeur** réalise l'opération inverse : à une entrée active (=1), parmi les 2^n entrées, il fait correspondre en sortie un code sur n lignes (figure 5.15). Le **transcodeur** fait correspondre à un code A en entrée sur n lignes, un code B en sortie sur m lignes.

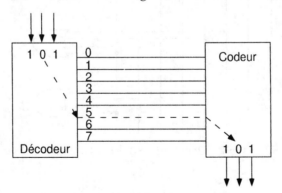

Figure 5.15 : Décodeur - Codeur

Le décodeur est un DEMUX dont l'état d'entrée est la constante logique 1.

Exemple de codeur

Réaliser le codeur de la figure 5.15 exprimant les digits 0 à 7 du système octal en leurs équivalents binaires.

Les lignes d'entrée E_0 E_1 E_2 ... E_7 sont toujours dans l'état 0 sauf une d'entre elles (activée : état=1). Les sorties S_1 S_2 S_3 sont toujours dans l'état 0 sauf si une entrée (autre que E_0) est activée. La table de vérité et la réalisation du circuit équivalent sont illustrées dans la figure 5.16.

Si le décodeur peut être assimilé à un démultiplexeur, on ne peut pas faire le même rapprochement entre le codeur et le multiplexeur.

	E_0	E_1	E_2	E_3	E_4	E_5	E_6	E_7	S_1	S_2	S_3
0	1								0	0	0
1		1							0	0	1
2			1						0	1	0
3				1					0	1	1
4					1				1	0	0
5						1			1	1	0
6							1		1	1	0
7								1	1	1	1

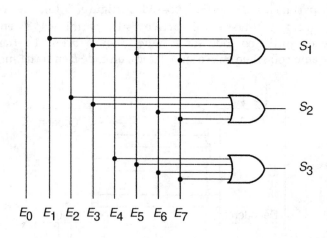

Figure 5.16 : Codeur à 8 entrées

Exemple de transcodeur

Réaliser un transcodeur qui transforme un code excédent 3 en un code 2-4-2-1 (donné sur la table de vérité 5.11 par les variables X Y Z T), pour les valeurs décimales de 0 à 9. Ce circuit comporte théoriquement quatre variables d'entrée et quatre variables de sortie.

Mais on veut tenir compte des cas interdits, c'est-à-dire des valeurs possibles sur les 4 bits d'entrée qui ne forment pas un code excédent 3. On rajoute une cinquième sortie I qui prend la valeur 0 si le code rentré est un code excédent 3, et la valeur 1 sinon. Dans le cas où cette sortie est à 1 on ne regarde pas les quatre premières sorties : elles pourront donc prendre les valeurs 0 ou 1 de façon à obtenir le circuit le plus simple.

Table 5.11 : Table de vérité

	A	B	C	D	X	Y	Z	T	I
	Entrées				**Sorties**				
0	0	0	1	1	0	0	0	0	0
1	0	1	0	0	0	0	0	1	0
2	0	1	0	1	0	0	1	0	0
3	0	1	1	0	0	0	1	1	0
4	0	1	1	1	0	1	0	0	0
5	1	0	0	0	1	0	1	1	0
6	1	0	0	1	1	1	0	0	0
7	1	0	1	0	1	1	0	1	0
8	1	0	1	1	1	1	1	0	0
9	1	1	0	0	1	1	1	1	0
	1	1	0	1					1
	1	1	1	0					1
	1	1	1	1					1
	0	0	0	0					1
	0	0	0	1					1
	0	0	1	0					1

Les différentes tables de Karnaugh sont données dans la figure 5.17 et le circuit logique est illustré sur la figure 5.18.

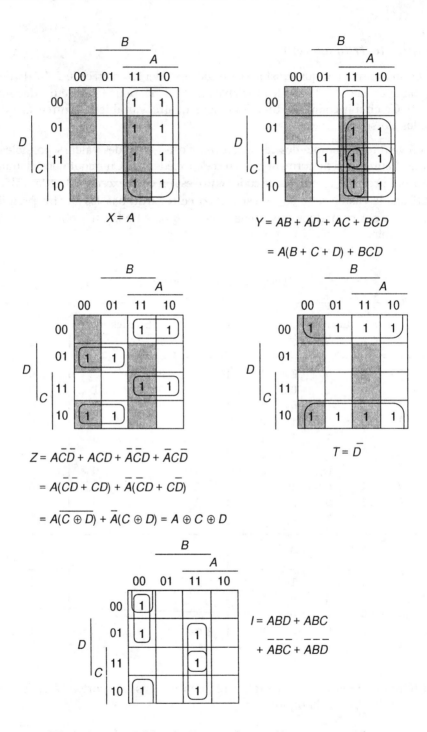

Figure 5.17 : Tables de Karnaugh associées au transcodeur

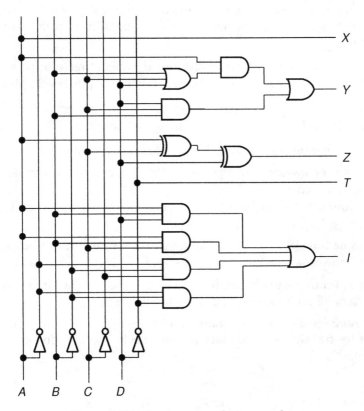

Figure 5.18 : Logigramme du transcodeur

5.3 Circuits séquentiels

Les circuits combinatoires étudiés jusqu'à présent sont des circuits idéaux (sans délais) dépourvus de rétroactions (de retours des sorties dans les entrées). Les signaux de sortie ne dépendent donc que des signaux d'entrée au même instant.

Les circuits séquentiels possèdent des rétroactions : les signaux de sortie ne dépendent pas uniquement des entrées mais aussi de leur séquence. Le circuit se rappelle des entrées et des états précédents : il a une mémoire du passé.

Si l'étude des circuits combinatoires repose sur l'algèbre de Boole, celle des circuits séquentiels repose sur la théorie des automates finis.

5.3.1 Concept d'automate fini

Les automates finis sont des êtres mathématiques composés d'un nombre fini d'éléments et notamment de mémoires. On peut les utiliser pour mémoriser des informations.

L'automate ne peut prendre qu'un nombre fini de valeurs qu'on appelle ses états internes. Par exemple, s'il n'a que n mémoires binaires, il possède au plus 2^n états.

Un automate fini est caractérisé par : sa réponse (sortie) S, son entrée E, son état Q. Il faut tenir compte des temps $(t, t+1)$ dans sa description.

Le comportement d'un automate est déterminé si l'on connaît soit :

- ses **fonctions de transfert** : sa réponse S à l'instant $t+1$ en fonction de l'entrée E à l'instant t et son état Q à l'instant t : $S(t+1) = f [Q(t), E(t)]$ et son état Q à l'instant $t+1$ en fonction de son état Q à l'instant t et de l'entrée E à l'instant t : $Q(t+1) = g [Q(t), E(t)]$;

- les **tables de transition** ou *d'états* qui donnent les valeurs des fonctions f et g. Elles doivent contenir : l'état Q (ou les états si l'on a plusieurs bistables) à l'instant t, l'entrée E (ou les entrées), $Q(t+1)$ ou Q^+ : l'état futur (ou les états futurs), l'entrée ou les entrées des bistables, les sorties S_i;

- les **diagrammes d'états** ou **de transition**, où les états sont représentés par des ronds et les transitions entre états par des flèches allant de l'état initial à l'état final.

⚫ *Mémoire binaire :*   - Entrée : $e(0,1)$
                                 - Sortie : $s(0,1)$
                                 - Etat : $q(0,1)$

Dans un tel automate, la sortie à l'instant $t+1$ ne dépend que de l'état à l'instant t (lecture). L'état à l'instant $t+1$ ne dépend que de l'entrée à l'instant t (écriture).

Table 5.12 : Table de transition de $s(t+1)$ et $q(t+1)$

```
        e(t)  0   1                    e(t)  0   1
  q(t) |----------            q(t) |----------
    0  |     0   0               0  |     0   1
    1  |     1   1               1  |     0   1

          s(t+1)                        q(t+1)
    indépendant des entrées      indépendant des états
```

Fonctions de transfert : $s(t+1) = q(t)$ et $q(t+1) = e(t)$.
Le diagramme d'états est donné dans la figure 5.19.

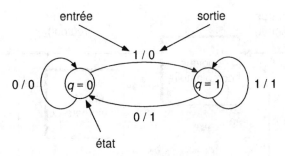

Figure 5.19 : Diagramme d'états

Il existe encore d'autres modèles d'automates finis, par exemple :

- l'automate de **Moore** (figure 5.20), où les sorties à l'instant $t+1$ tiennent compte des états à l'instant $t+1$, c'est-à-dire que l'on commence par calculer les nouveaux états et à partir de ceux-ci on calcule les sorties. C'est le modèle adapté à la description des bistables (sans circuit combinatoire avant la sortie);

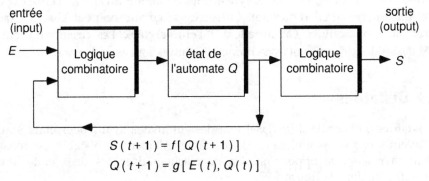

$$S(t+1) = f[Q(t+1)]$$
$$Q(t+1) = g[E(t), Q(t)]$$

Figure 5.20 : Automate de Moore

- l'automate de **Mealy** (figure 5.21), où les sorties à l'instant $t+1$ tiennent compte des états à l'instant t, c'est-à-dire que l'on calcule en parallèle les nouveaux états et les sorties. Ce modèle est le plus général. C'est celui que l'on va utiliser pour les exemples et les exercices de ce chapitre (à moins qu'un autre modèle ne soit spécifié).

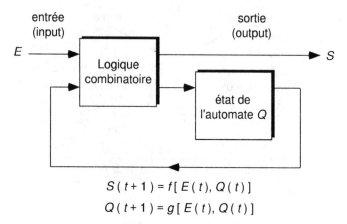

$$S(t+1) = f[E(t), Q(t)]$$
$$Q(t+1) = g[E(t), Q(t)]$$

Figure 5.21 : Automate de Mealy

5.3.2 Circuits asynchrones et synchrones

Dans les circuits **asynchrones**, la réponse (sortie) est évaluée dès qu'il y a un signal d'entrée, alors que dans les circuits **synchrones** on définit un signal d'entrée spécial [*clock*] qui est le signal d'horloge. La sortie du circuit ne peut changer que si l'entrée **clock** est activée. On appellera C l'entrée **clock**. Les circuits qui ont une entrée C sont donc des circuits synchrones, les autres sont asynchrones.

5.3.3 Bistables

Les **bistables** ou bascules [*flip-flops*] sont des automates ayant deux états stables. Ils peuvent servir de mémoire (1 bit). Fondamentalement, le bistable est constitué de deux inverseurs en opposition. On peut schématiser les deux états stables comme illustré dans la figure 5.22.

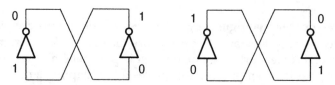

Figure 5.22 : Les deux états stables d'un bistable

Il existe plusieurs types de bistables : D, T, R-S, J-K, etc. Les symboles associés à ces différents bistables sont donnés dans la figure 5.23.

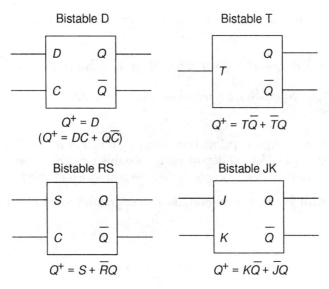

Figure 5.23 : Symboles des différents bistables

Le bistable D

Le bistable D [*Delay*] recopie, sur sa sortie Q, l'unique signal appliqué à son entrée D, avec un retard d'une période d'horloge :

- si $C = 1$ $\Rightarrow$ les données D passent $\Rightarrow Q^+$ $(=Q(t+1)) = D$;
- si $C = 0$ $\Rightarrow$ Q ne change pas.

Table 5.13 : Table de transition (d'états) du bistable D

```
      D    C    Q   |   Q+          Version condensée (C = 1)
    ---------------------
      0    0    0   |   0                  Q    Q+   Q+
      0    0    1   |   1           D  \----------
      0    1    0   |   0           0  |   0    1
      0    1    1   |   0           1  |   1    0
      1    0    0   |   0
      1    0    1   |   1
      1    1    0   |   1
      1    1    1   |   1
```

Dans la version condensée, on ne tient compte que des cas où le signal d'horloge est à 1 ($C=1$), car dans le cas contraire l'état n'est pas modifié.

Par la méthode des minterms on peut dériver une expression algébrique pour $Q(t+1)$:

$$Q^+ = \overline{D}\ \overline{C}\ Q + D\ \overline{C}\ Q + D\ C\ \overline{Q} + D\ C\ Q = \overline{C}\ Q\ (D + \overline{D}) + D\ C\ (Q + \overline{Q})$$

$$Q^+ = D\ C + Q\ \overline{C}\ \text{(équation caractéristique du bistable D)}.$$

L'équation caractéristique exprime l'état futur en fonction de l'état présent et des entrées. Le bistable D décrit ci-dessus est un bistable synchrone, car il a une entrée d'horloge C. On ne tient donc compte de l'entrée D que lorsque $C=1$.

Voici maintenant la représentation du **chronogramme** d'un bistable D (figure 5.24).

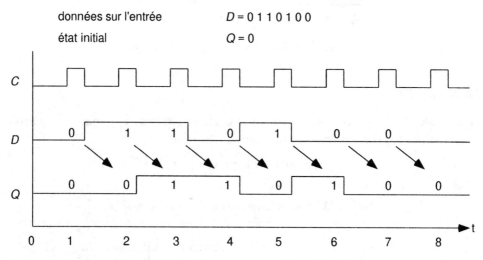

Figure 5.24 : Chronogramme d'un bistable D

Le bistable T

Le bistable T [*Trigger flip-flop*](= bascule à déclenchement) a une seule entrée T. Chaque fois qu'une impulsion arrive, les états/sorties sont inversés (complémentés) (figure 5.23) :

- si $T = 0$ ⇒ pas de changement,
- si $T = 1$ ⇒ complémentation des sorties.

Par la méthode des minterms on obtient l'équation caractéristique du bistable T :

$$Q^+ = T\ \overline{Q} + \overline{T}\ Q = T \oplus Q.$$

Table 5.14 : Table de transition (d'états) du bistable T

```
    T   Q  |  Q⁺                      Q    Q⁺   Q̄⁺
   ----------------              T  \------------
    0   0  |  0                  0  |   Q    Q̄
    0   1  |  1                  1  |   Q̄    Q
    1   0  |  1
    1   1  |  0
```

Le bistable R-S

Le bistable R-S [*Reset-Set*] a deux entrées : R et S (figure 5.23) :

- si $S = 0$ et $R = 0$ $\Rightarrow$ $Q^+ = Q$;
- si $S = 1$ et $R = 0$ $\Rightarrow$ $Q^+ = 1$ mise à 1 (SET);
- si $S = 0$ et $R = 1$ $\Rightarrow$ $Q^+ = 0$ effacement (RESET);
- si $S = 1$ et $R = 1$ $\Rightarrow$ $Q^+ = ?$ indéterminé.

Table 5.15 : Table de transition (d'états) du bistable R-S

```
 R   S   Q  |  Q⁺                              Q   Q⁺   Q̄⁺
 -----------------------------------      RS \---------
 0   0   0  |  0    |Q⁺ = Q               00  |  Q   Q̄
 0   0   1  |  1    |Q⁺ = Q               01  |  1   0
 0   1   0  |  1    |mise à 1             10  |  0   1
 0   1   1  |  1    |mise à 1             11  |  ?   ?
 1   0   0  |  0    |effacement
 1   0   1  |  0    |effacement
 1   1   0  |  ?    |indéterminé
 1   1   1  |  ?    |indéterminé
```

En simplifiant par la méthode de Karnaugh et en donnant, par défaut, les valeurs 1 aux cas indéterminés, on obtient l'équation caractéristique du bistable R-S :

$$Q^+ = S + \overline{R}\ Q.$$

Le bistable J-K

Le bistable J-K (J-K ne veut rien dire...) diffère du bistable R-S en ce sens qu'il ne présente pas d'indétermination dans le cas où $R=S=1$. En effet, si $J=K=1$, on obtient la complémentation de la sortie : $Q^+ = \overline{Q}$.

Table 5.16 : Table de transition (d'états) du bistable J-K

```
    J    K    Q   |   Q+                                        Q    Q+   Q+
                                                                       ‾‾
    ---------------------------------------------    JK   \---------

    0    0    0   |   0    |   Q+ = Q                 00    |    Q    Q
                                                                     ‾
    0    0    1   |   1    |   Q+ = Q                 01    |    1    0
    0    1    0   |   1    |   mise à 1               10    |    0    1
    0    1    1   |   1    |   mise à 1               11    |    Q    Q
                                                                 ‾
    1    0    0   |   0    |effacement
    1    0    1   |   0    |effacement

    1    1    0   |   1    |complémentation  Q+ = Q
                                                   ‾
    1    1    1   |   0    |complémentation  Q+ = Q
                                                   ‾
```

En simplifiant par la méthode de Karnaugh, on obtient l'équation caractéristique du bistable J-K : $Q^+ = K\,\overline{Q} + \overline{J}\,Q$.

On peut réaliser un bistable R-S à l'aide de deux portes NOR connectés selon le schéma de la figure 5.25. On peut réaliser des bistables synchrones D, T, J-K à l'aide de bistables R-S (figure 5.25).

Applications des bistables

On a considéré des mémoires d'un seul bit, réalisées par un seul flip-flop. On peut monter plusieurs bistables en parallèle et mémoriser plusieurs bits d'informations : ces circuits s'appellent **registres** (figure 5.26).

Parmi les opérations les plus fréquentes sur les registres, il y a les transferts en parallèle de registre à registre. Par exemple, le transfert du contenu du registre A dans B s'écrit : $(A) \rightarrow B$. On peut aussi procéder à des décalages (figure 5.27). Un registre peut avoir des entrées en série et des sorties en parallèle (figure 5.27).

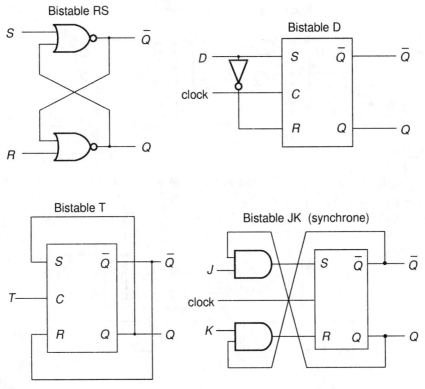

Figure 5.25 : Réalisations de bistables

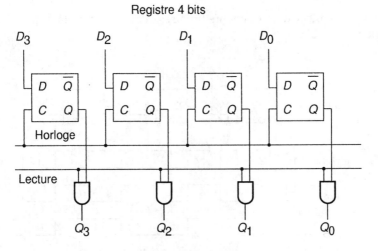

Figure 5.26 : Applications des bistables : les registres

Registre à décalage (à droite)

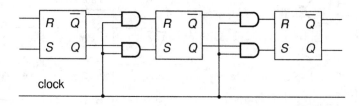

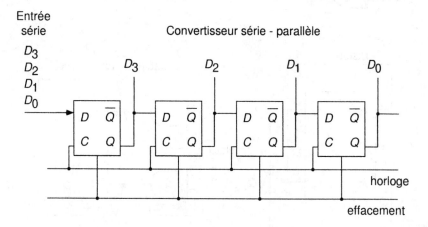

Figure 5.27 : Opérations sur les registres

On peut aussi réaliser des compteurs binaires. Par exemple, la figure 5.28 montre un compteur trois bits.

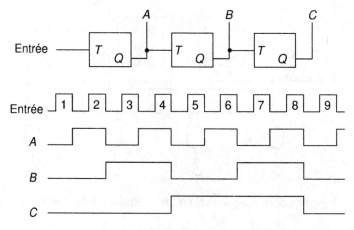

Figure 5.28 : Compteur binaire (3 bits)

5.3.4 Synthèse d'un circuit séquentiel

Pour faire la **synthèse** d'un circuit séquentiel il faut :

- décrire la fonction du circuit (sa réponse) pour toute entrée valable, à l'aide d'un diagramme de transition;

- construire la table d'états en indiquant toutes les entrées et toutes les sorties;

- réaliser les circuits combinatoires associés à chaque flip-flop;

- réaliser les circuits combinatoires associés aux sorties;

- dessiner le circuit dans sa forme normale (les différentes parties seront représentées comme sur la figure 5.30 : de haut en bas : les mémoires (flips-flops), la logique combinatoire associée aux flips-flops, les entrées et les états présents, la logique combinatoire associée aux sorties et les sorties).

Exemple de synthèse

Réaliser un **compteur cyclique 2 bits**, c'est-à-dire un circuit logique séquentiel (synchrone) capable de produire en sortie la séquence (00, 01, 10, 11, 00, 01, 10, 11...), les transitions à la valeur suivante étant contrôlées par une entrée X ($X = 0$ → pas de changement, $X = 1$ → avancer le compteur). La sortie est égale à la valeur générée (état futur). Ce circuit correspond à un modèle de Moore.

Le diagramme de transition est donné dans la figure 5.29.

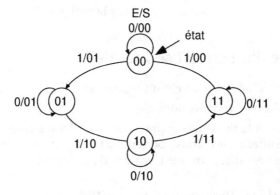

Figure 5.29 : Diagramme de transition d'un compteur 2 bits

Table 5.17 : Table de transition du compteur

états présents		entrée	états futurs		entrées des bistables		sorties	
Q_1	Q_0	X	Q^+_1	Q^+_0	T_1	T_0	S_1	S_0
0	0	0	0	0	0	0	0	0
0	0	1	0	1	0	1	0	1
0	1	0	0	1	0	0	0	1
0	1	1	1	0	1	1	1	0
1	0	0	1	0	0	0	1	0
1	0	1	1	1	0	1	1	1
1	1	0	1	1	0	0	1	1
1	1	1	0	0	1	1	0	0

$T_1 = 1$ si Q_1 change

$T_0 = 1$ si Q_0 change

Réalisation des circuits combinatoires associés à chaque flip-flop : on dérive les expressions de T_1 et T_0 et on les simplifie :

$T_1 = \overline{Q_1}\ Q_0\ X + Q_1\ Q_0\ X = X\ (\overline{Q_1}\ Q_0 + Q_1\ Q_0) = X\ (Q_0\ (\overline{Q_1} + Q_1)) = X\ Q_0$

$T_0 = \overline{Q_1}\ \overline{Q_0}\ X + \overline{Q_1}\ Q_0\ X + Q_1\ \overline{Q_0}\ X + Q_1\ Q_0\ X$

$T_0 = X\ (\overline{Q_1}\ (\overline{Q_0} + Q_0) + Q_1\ (\overline{Q_0} + Q_0))$

$T_0 = X$

Les sorties se déduisent directement des états futurs : $S_1 = Q^+_1$ et $S_0 = Q^+_0$.

Le circuit dans sa forme normale est donné par la figure 5.30.

5.3.5 Analyse d'un circuit séquentiel

Marche à suivre pour analyser un circuit séquentiel :

• mettre le circuit sous sa forme normale,

• déterminer soit sa table d'états en mettant dans chaque case les états futurs et les sorties résultant des états présents et des entrées possibles, soit son diagramme de transition, soit ses fonctions de transfert.

Exemple d'analyse d'un circuit séquentiel

On donne le circuit suivant (figure 5.31) et on commence par le mettre sous sa forme normale.

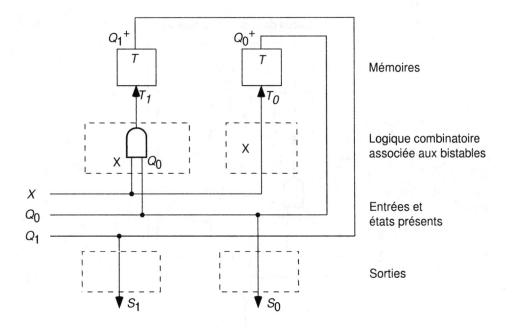

Figure 5.30 : Logigramme du circuit dans sa forme normale

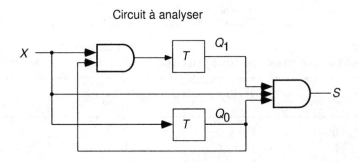

Figure 5.31a : Circuit à analyser et forme normale

Circuit dans sa forme normale

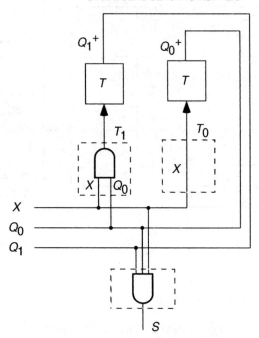

Figure 5.31b : Circuit à analyser et forme normale

On détermine ensuite sa table d'états

Table 5.18 : Table d'états

états présents		entrée	états futurs		entrées des bistables		sortie
Q_1	Q_0	X	Q^+_1	Q^+_0	T_1	T_0	S
0	0	0	0	0	0	0	0
0	0	1	0	1	0	1	0
0	1	0	0	1	0	0	0
0	1	1	1	0	1	1	0
1	0	0	1	0	0	0	0
1	0	1	1	1	0	1	0
1	1	0	1	1	0	0	0
1	1	1	0	0	1	1	1

A partir de la table, on calcule les expressions algébriques des variables logiques suivantes :

$$Q^+_1 = Q_1 \oplus T_1 \qquad Q^+_0 = Q_0 \oplus T_0$$

$$T_1 = X\, Q_0 \qquad\qquad T_0 = X \qquad\qquad S = Q_1 Q_0 X$$

On dérive ensuite le diagramme de transition (figure 5.32).

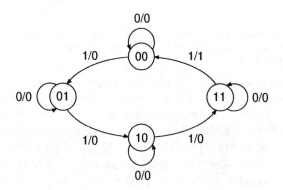

Figure 5.32 : Diagramme de transition

Rôle de ce circuit : diviseur par quatre. La sortie est à 1 dès qu'il y eu quatre impulsions ($X=1$) sur l'entrée X.

Exercices

Circuits combinatoires

1. Synthèse d'un additionneur binaire : un additionneur binaire est un dispositif effectuant la somme S_i de deux bits A_i et B_i d'ordre i et d'une retenue C_{i-1} d'ordre $i-1$ immédiatement inférieur. On le symbolise de l a façon suivante (figure 5.33) :

Figure 5.33 : Additionneur symbolisé

a) Donner la table de vérité.

b) Déduire et simplifier les expressions booléennes pour les variables de sortie.

c) Réaliser le circuit équivalent.

2 . Construire un circuit logique susceptible de comparer entre eux deux nombres binaires. En entrée, on dispose de deux nombres de trois bits chacun : A_2 A_1 A_0 et B_2 B_1 B_0. En sortie, on aimerait avoir : 1 si A_2 A_1 A_0 = B_2 B_1 B_0, 0 sinon.

☞ On demande un circuit optimisé, c'est-à-dire avec un nombre minimum d'opérateurs logiques choisis parmi les opérateurs NON, ET, OU, OU EXCLUSIF.

3 . Réaliser un transcodeur qui transforme un code BCD en un code 5-4-2-1, pour les valeurs décimales de 0 à 9. Ce circuit comporte théoriquement quatre variables d'entrée et quatre variables de sortie. Mais on veut tenir compte des cas interdits, c'est-à-dire des valeurs possibles sur les quatre bits d'entrée qui ne forment pas un code BCD. On rajoute une 5-ème sortie qui prend la valeur 0 si le code rentré est un code BCD, et la valeur 1 sinon. Dans le cas où cette sortie est à 1 on ne regarde pas les quatre premières sorties : elles pourront donc prendre les valeurs 0 ou 1 de façon à obtenir le circuit le plus simple possible.

4 . Analyser le circuit logique de la figure 5.34.

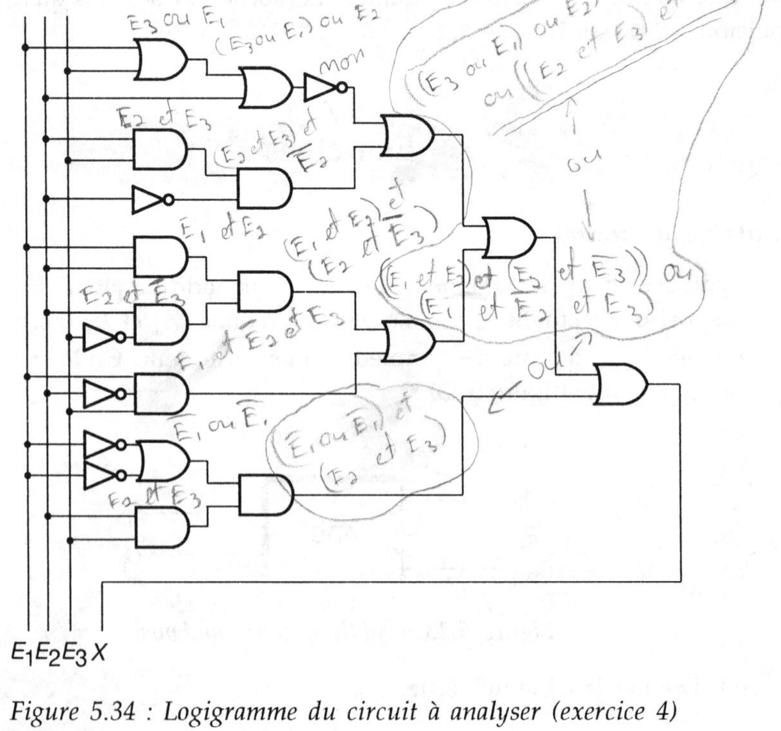

Figure 5.34 : Logigramme du circuit à analyser (exercice 4)

Donner :

a) l'expression booléenne correspondant à la sortie X,
b) l'expression simplifiée et le circuit correspondant en n'utilisant que des opérateurs logiques à deux entrées choisis parmi les suivants : ET, OU, OU EXCLUSIF, ainsi que l'opérateur NON,
c) la table de vérité,
d) le rôle de ce circuit.

5. Analyser le circuit de la figure 5.35.

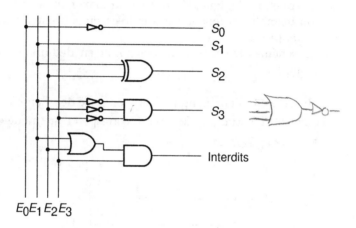

Figure 5.35 : Logigramme du circuit à analyser (exercice 5)

Donner :
a) les expressions logiques des sorties;
b) la table de vérité;
c) le rôle du circuit.

Circuits séquentiels

6. Synthèse d'un soustracteur série : ce circuit doit avoir :
- deux entrées externes A_i et B_i (= 2 digits de même poids à soustraire),
- 1 bistable de type R-S dont l'état correspond à la retenue précédente C_{i-1},
- 1 sortie $X_i = A_i - (B_i + C_{i-1})$

Déterminer :
a) le diagramme de transition;
b) la table d'états;
c) le circuit sous sa forme normale.

7. Registres : on veut effectuer la somme logique (OU) du contenu de deux registres A et B de 4 bits chacun, et obtenir le résultat dans le registre B, soit $(A) + (B) \rightarrow B$ où ( ) désigne le contenu d'un registre et $\rightarrow$ le sens du transfert. Le circuit doit effectuer cette somme en parallèle sur tous les bits. Soit $(A)_i$ le i-ème bit $(i = 0,1,2,3)$ du registre A (idem pour B). En n'utilisant que des bistables asynchrones R-S, effectuer la synthèse du sous-circuit réalisant la somme logique au niveau du bit.

Donner :

a) la table d'états complète comprenant : $(A)_i$ et $(B)_i$ au temps t (avant le transfert), $(B)_i$ au temps $t+1$ (après le transfert) et les entrées du bistable R-S,

b) l'expression logique, simplifiée au maximum, exprimant chaque entrée du bistable en fonction des entrées du sous-circuit (entrées externes + états présents),

c) le schéma du sous-circuit obtenu, et en déduire le schéma du circuit complet.

8. Analyser le circuit de la figure 5.36, composé de : 1 entrée X, 3 bistables (T_0, T_1, T_2) et 1 sortie S. Ce circuit correspond au modèle de Mealy, donc $S = f (X, Q_2, Q_1, Q_0)$.

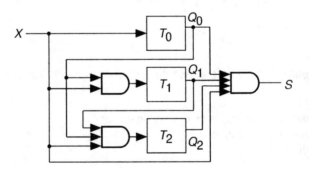

Figure 5.36 : Circuit à analyser

a) Mettre le circuit sous la forme normale,
b) remplir la table d'états complète,
c) déduire le diagramme de transition,
d) spécifier le rôle de ce circuit.

Solutions

Circuits combinatoires

1. Synthèse d'un additionneur binaire.

a) Table de vérité

A_i	B_i	C_{i-1}	S_i	C_i
0	0	0	0	0
0	0	1	1	0
0	1	0	1	0
0	1	1	0	1
1	0	0	1	0
1	0	1	0	1
1	1	0	0	1
1	1	1	1	1

b) Expressions logiques simplifiées

L'expression logique de la sortie S_i est simplifiée en utilisant l'algèbre de Boole.
On utilise les minterms, c'est-à-dire les lignes où la sortie vaut 1.

$$S_i = \overline{A_i}\ \overline{B_i}\ C_{i-1} + \overline{A_i}\ B_i\ \overline{C_{i-1}} + A_i\ \overline{B_i}\ \overline{C_{i-1}} + A_i\ B_i\ C_{i-1}$$
$$= \overline{A_i}\ (\overline{B_i}\ C_{i-1} + B_i\ \overline{C_{i-1}}) + A_i\ (\overline{B_i}\ \overline{C_{i-1}} + B_i\ C_{i-1})$$
$$= \overline{A_i}\ (B_i \oplus C_{i-1}) + A_i\ (\overline{B_i \oplus C_{i-1}})$$
$$S_i = A_i \oplus (B_i \oplus C_{i-1})$$

La sortie C_i est simplifiée au moyen des tables de Karnaugh (voir la figure 5.37),
d'où : $C_i = A_i\ B_i + B_i\ C_{i-1} + A_i\ C_{i-1}$.

c) Réalisation du circuit : voir la figure 5.37.

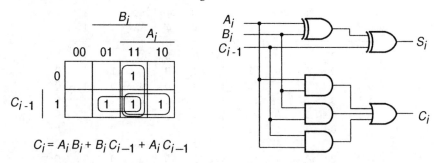

$$C_i = A_i B_i + B_i C_{i-1} + A_i C_{i-1}$$

Figure 5.37 : Additionneur binaire : sortie C_i et logigramme

2 . Comparateur. La table de vérité du circuit global serait très longue à établir, il vaut mieux comparer d'abord les entrées 2 à 2. En effet : $A_2\ A_1\ A_0 = B_2\ B_1\ B_0$ si et seulement si : $A_2 = B_2$, $A_1 = B_1$ et $A_0 = B_0$. On va donc effectuer la synthèse du sous-circuit comparant A_i et B_i et en déduire le circuit global.

a) Table de vérité

A_i	B_i	X_i
0	0	1
0	1	0
1	0	0
1	1	1

b)   Simplification : $X_i = \overline{A_i} \ \overline{B_i} + A_i \ B_i = \overline{A_i \oplus B_i}$

c)   Réalisation du comparateur : figure 5.38.

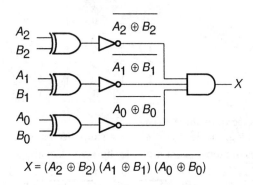

$$X = \overline{(A_2 \oplus B_2)} \ \overline{(A_1 \oplus B_1)} \ \overline{(A_0 \oplus B_0)}$$

Figure 5.38 : Logigramme du comparateur

3 .   Transcodeur BCD → 5-4-2-1.

a)   Table de vérité

	A	B	C	D	|	X	Y	Z	T	|	I
0	0	0	0	0	|	0	0	0	0	|	0
1	0	0	0	1	|	0	0	0	1	|	0
2	0	0	1	0	|	0	0	1	0	|	0
3	0	0	1	1	|	0	0	1	1	|	0
4	0	1	0	0	|	0	1	0	0	|	0
5	0	1	0	1	|	1	0	0	0	|	0
6	0	1	1	0	|	1	0	0	1	|	0
7	0	1	1	1	|	1	0	1	0	|	0
8	1	0	0	0	|	1	0	1	1	|	0
9	1	0	0	1	|	1	1	0	0	|	0
	1	0	1	0	|					|	1
	1	0	1	1	|					|	1
	1	1	0	0	|					|	1
	1	1	0	1	|					|	1
	1	1	1	0	|					|	1
	1	1	1	1	|					|	1

entrées : A B C D   sorties : X Y Z T   I

Simplification par Karnaugh : figure 5.39.

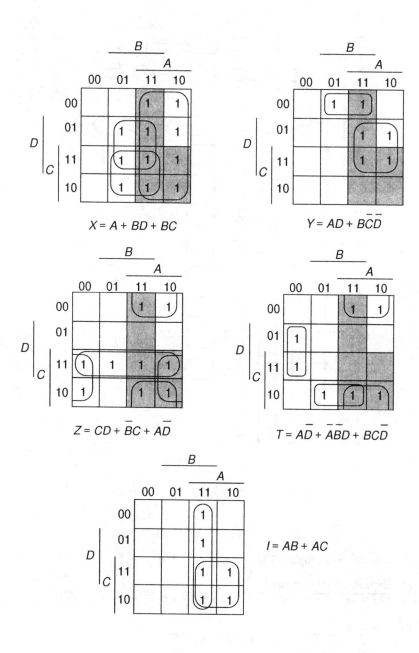

Figure 5.39 : Simplification du transcodeur

Réalisation du transcodeur : figure 5.40.

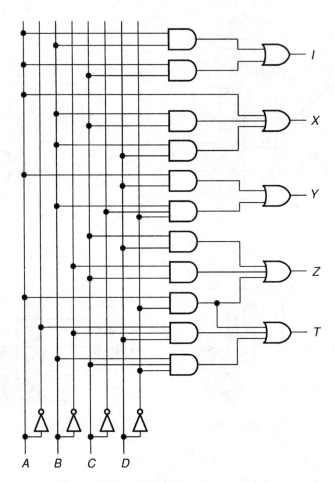

Figure 5.40 : Réalisation du transcodeur

4.   Analyse du circuit (figure 5.34).

a)   Expression de la sortie X
$$X = \overline{(E_1 + E_3) + \overline{E_2}} + E_2 E_3 \overline{E_2} + (E_1 E_2 E_2 \overline{E_3} + E_1 \overline{E_2} E_3) + (\overline{E_1} + \overline{E_1}) E_2 E_3$$

b)   Simplification
$$X = \overline{E_1}\ \overline{E_2}\ \overline{E_3} + 0 + E_1\ E_2\ \overline{E_3} + E_1\ \overline{E_2}\ E_3 + \overline{E_1}\ E_2\ E_3$$
$$= \overline{E_1}\ (\overline{E_2}\ \overline{E_3} + E_2\ E_3) + E_1\ (E_2\ \overline{E_3} + \overline{E_2}\ E_3)$$
$$= \overline{E_1}\ (\overline{E_2 \oplus E_3}) + E_1\ (E_2 \oplus E_3)$$
$$= \overline{E_1 \oplus (E_2 \oplus E_3)} = \overline{(E_1 \oplus E_2) \oplus E_3}$$

Circuit simplifié correspondant : figure 5.41.

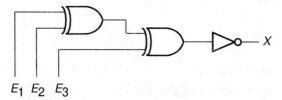

Figure 5.41 : Circuit correspondant

c)   Table de vérité

E_1	E_2	E_3	E
0	0	0	1
0	0	1	0
0	1	0	0
0	1	1	1
1	0	0	0
1	0	1	1
1	1	0	1
1	1	1	0

d)   Rôle : ce circuit est un générateur de parité impaire.

5.   Analyse du circuit (figure 5.35).

a)   Expressions logiques des sorties

$$S_0 = \overline{E_0} \qquad\qquad S_1 = E_1 \qquad\qquad S_2 = E_1 \oplus E_2$$

$$S_3 = \overline{E_1}\ \overline{E_2}\ \overline{E_3} \qquad\qquad I = (E_1 + E_2)E_3$$

b)   Table de vérité

E_3	E_2	E_1	E_0	S_3	S_2	S_1	S_0	I
0	0	0	0	1	0	0	1	0
0	0	0	1	1	0	0	0	0
0	0	1	0	0	1	1	1	0
0	0	1	1	0	1	1	0	0
0	1	0	0	0	1	0	1	0
0	1	0	1	0	1	0	0	0
0	1	1	0	0	0	1	1	0
0	1	1	1	0	0	1	0	0
1	0	0	0	0	0	0	1	0
1	0	0	1	0	0	0	0	0
1	0	1	0					1
1	0	1	1					1
1	1	0	0					1
1	1	0	1					1
1	1	1	0					1
1	1	1	1					1

c) Ce circuit est un transcodeur qui produit le complément à 9 d'un nombre décimal codé en BCD.

Circuits séquentiels

6 .   Synthèse du soustracteur série.

a)   Diagramme de transition : figure 5.42.

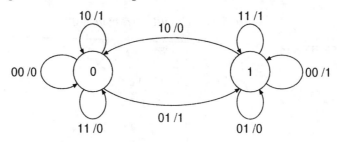

Figure 5.42 : Diagramme de transition du soustracteur

b)   Table d'états

entrées		état présent	état futur	bistable		sortie
A_i	B_i	C_{i-1}	C_i	R	S	X_i
0	0	0	0	0/1	0	0
0	0	1	1	0	0/1	1
0	1	0	1	0	1	1
0	1	1	1	0	0/1	0
1	0	0	0	0/1	0	1
1	0	1	0	1	0	0
1	1	0	0	0/1	0	0
1	1	1	1	0	0/1	1

Chaque fois qu'il y a 2 possibilités pour R et S, on choisira celle qui donne la plus grande simplification (figure 5.43).

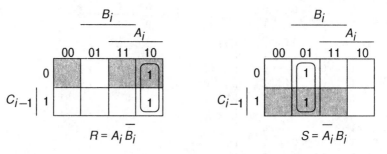

Figure 5.43 (première partie) : Simplifications

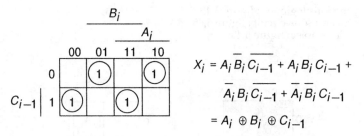

$$X_i = A_i \overline{B_i} \, \overline{C_{i-1}} + A_i B_i C_{i-1} +$$
$$\overline{A_i} B_i \overline{C_{i-1}} + \overline{A_i} \, \overline{B_i} C_{i-1}$$
$$= A_i \oplus B_i \oplus C_{i-1}$$

Figure 5.43 (deuxième partie) : Simplifications

Circuit sous sa forme normale : figure 5.44.

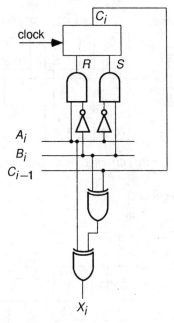

Figure 5.44 : Soustracteur sous sa forme normale

7. a) Table d'états :

entrée	état présent		état futur	bistable	
$(A)_i$	$(B)_i$		$(B)_{i+1}$	R_i	S_i
0	0		0	0/1	0
0	1		1	0	0/1
1	0		1	0	1
1	1		1	0	0/1

Le résultat de $(A)_i$ + $(B)_i$ est dans le registre B.

b)   Expressions logiques : figure 5.45.
c)   Schéma du sous-circuit : figure 5.45.
d)   Circuit complet : figure 5.45.

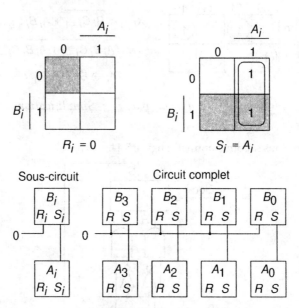

Figure 5.45 : Circuit effectuant une somme logique

8 .   Analyse d'un circuit séquentiel

a)   Forme normale : figure 5.46.

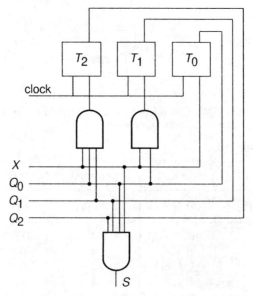

Figure 5.46 : Forme normale

b) Table d'états

états présents			entrée	états futurs			bistables			sortie
Q_2	Q_1	Q_0	X	Q^+_2	Q^+_1	Q^+_0	T_2	T_1	T_0	S
0	0	0	0	0	0	0	0	0	0	0
0	0	0	1	0	0	1	0	0	1	0
0	0	1	0	0	0	1	0	0	0	0
0	0	1	1	0	1	0	0	1	1	0
0	1	0	0	0	1	0	0	0	0	0
0	1	0	1	0	1	1	0	0	1	0
0	1	1	0	0	1	1	0	0	0	0
0	1	1	1	1	0	0	1	1	1	0
1	0	0	0	1	0	0	0	0	0	0
1	0	0	1	1	0	1	0	0	1	0
1	0	1	0	1	0	1	0	0	0	0
1	0	1	1	1	1	0	0	1	1	0
1	1	0	0	1	1	0	0	0	0	0
1	1	0	1	1	1	1	0	0	1	0
1	1	1	0	1	1	1	0	0	0	0
1	1	1	1	0	0	0	1	1	1	1

c) Diagramme de transition : figure 5.47.

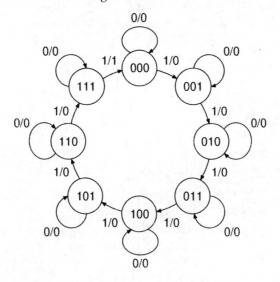

Figure 5.47 : Diagramme de transition

d) Ce circuit est un diviseur de fréquence par 8, c'est-à-dire un circuit dont la sortie S est à 1 seulement si l'entrée X a été comptée 8 fois à 1.

Chapitre **6**

Composants électroniques

6.1 Electrons dans la matière

Nous allons maintenant expliquer comment l'on peut fabriquer des circuits physiques capables de réaliser les fonctions des circuits logiques introduits dans le précédent chapitre. A cette fin, nous aborderons notre sujet par un bref rappel des quelques notions d'électronique et de structure de la matière qui nous concernent.

L'**électronique** est l'étude des interactions des porteurs de charge électrique, entre eux ou avec la matière. Les porteurs sont principalement des électrons, à charge négative, et des porteurs positifs.

En électronique, toute information est transformée en un signal électrique. Il suffit de moduler ce signal pour avoir plusieurs valeurs qui correspondent chacune à un élément d'information. Les codes les plus simples sont les codes binaires, car il suffit de deux valeurs différentes. Un exemple simple de code binaire est le fait qu'une lampe soit allumée ou éteinte.

Dans un ordinateur, pour définir les deux états correspondant au code binaire, on utilise :
• soit le passage ou non d'un courant;
• soit deux valeurs seuil de la tension.

Un des éléments de base de la matière est l'**atome**. Un atome a un diamètre d'environ 1 Å (ångström) c'est-à-dire 10^{-10} m. Dans cet atome, on trouve un noyau et des électrons qui tournent autour de ce noyau.

Le noyau a un diamètre dix mille fois plus petit que celui de l'atome et un électron est encore beaucoup plus petit que le noyau. Dans un millimètre, on pourrait aligner entre 2 et 10 millions d'atomes.

Un atome (figure 6.1) est, en fin de compte, un espace vide avec, au milieu, un tout petit noyau et des électrons qui s'agitent autour. Le noyau est lui-même composé de plusieurs éléments : des particules neutres (les neutrons) et des particules positives (les protons) d'où il résulte que le noyau a une charge positive qui exerce une force d'attraction sur les électrons.

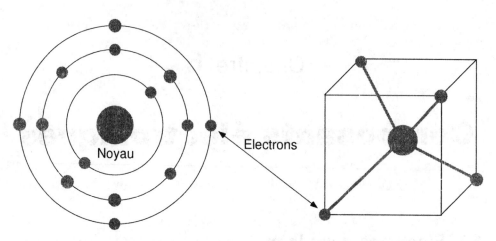

Figure 6.1 : Structure d'un atome de silicium

Les électrons se répartissent en couches autour du noyau. Pour chaque couche, il y a un nombre optimal d'électrons qui assure la plus grande stabilité de l'atome. Pour la dernière couche, que l'on appelle la couche périphérique, le nombre optimal est de huit électrons. Mais, comme les forces électromagnétiques sont plus grandes lorsque que l'on s'approche du noyau, la couche périphérique contient les électrons restant après le remplissage optimal des couches précédentes.

La nature recherche la stabilité et l'équilibre, ce qui implique que les atomes à l'intérieur d'un corps s'arrangent pour compléter à huit le nombre d'électrons sur leur couche périphérique ou pour la faire disparaître.

Les **métaux**, par exemple, qui ont moins de quatre électrons sur leur couche périphérique, vont avoir tendance à les perdre : ce sont de bons conducteurs, car ces électrons de la couche extérieure peuvent former un courant électrique (par exemple : le cuivre, largement utilisé dans la fabrication des fils électriques). Au contraire, un atome qui a six électrons sur sa couche périphérique va avoir tendance à en absorber deux pour la compléter : c'est un isolant.

L'électron est une particule très légère; sa masse est de 9×10^{-31} kg. Il n'a pratiquement pas d'inertie et on peut le faire bouger très vite, dans tous les sens, sans avoir besoin d'exercer sur lui des forces importantes. Un exemple d'application connue est la télévision. Un poste de télévision comporte un tube électronique garni d'une substance luminescente qui s'éclaire aux endroits où elle est touchée par un faisceau d'électrons que l'on dirige facilement par des champs magnétiques. Une autre caractéristique de l'électron est sa charge électrique qui est de $1,6 \times 10^{-19}$ coulomb, ce qui est aussi une valeur minuscule.

 L'intensité d'un courant électrique se mesure en ampères. Un ampère est l'intensité d'un courant électrique provoqué par le passage de 1 coulomb pendant une seconde. C'est l'ordre de grandeur du courant qui circule dans une ampoule électrique. Or, un coulomb est environ égal à la charge de 10^{18} électrons, soit un milliard de milliards d'électrons !

Donc, en tant que support d'information, l'électron est relativement facile à manipuler, et il existe en très grande quantité.

6.2 Electrons dans le vide

Les premiers ordinateurs furent réalisés à l'aide de **tubes à vide** ou **tubes électroniques**. Un tube à vide est une sorte d'ampoule dans laquelle on a fait un vide poussé. A l'intérieur on insère deux électrodes, l'anode et la cathode. Selon les conditions externes (application d'un champ électrique entre les deux électrodes) on peut faire circuler un courant d'électrons entre ces deux électrodes.

Pour pouvoir utiliser les électrons, il faut d'abord les extraire de la matière à laquelle ils sont liés par des contraintes (attraction par le noyau). On y parvient dans les tubes électroniques par l'action conjuguée de la chaleur (énergie thermique), qui projette des électrons hors d'un filament chauffé à blanc, et d'un champ électrique, qui les attire ailleurs, les empêchant ainsi de retomber dans la matière.

Parmi les premières réalisations de tubes à vide, on peut citer l'invention de la **diode** par Fleming, en 1904. Dans une diode, on applique une différence de potentiel entre les deux électrodes et selon le sens de cette différence de potentiel, les électrons vont être attirés ou non par l'anode. Le rôle de la diode est donc de laisser passer le courant dans un sens et pas dans l'autre.

Un perfectionnement de la diode a consisté à introduire une grille dans le tube entre l'anode et la cathode (triode). Cette grille contrôle, par la simple valeur de son potentiel, l'intensité du courant circulant entre l'anode et la cathode. Avec une petite tension sur cette grille, on peut contrôler un grand courant. Ce sont de tels tubes qui étaient utilisés dans les ordinateurs.

Les tubes ont été remplacés ensuite par des circuits à base de semi-conducteurs qui sont nettement plus avantageux pour le traitement de petits signaux. Mais chaque fois qu'il est question de très grande puissance, de très grande énergie (par exemple, émetteur de radiodiffusion qui émet des signaux avec des puissances de plusieurs centaines de KiloWatts ou encore des tubes de télévision), alors les tubes électroniques sont irremplaçables.

6.3 Conductivité

Après avoir vu le comportement de l'électron dans l'atome et dans le vide, nous allons nous intéresser à son comportement dans la matière et plus particulièrement dans certains solides.

Selon leur comportement en présence d'un champ électrique, les corps solides peuvent être classés dans les catégories suivantes : **conducteur, isolant** et **semi-conducteur**.

6.3.1 Conducteurs

Les corps **conducteurs** sont, pour la plupart, des métaux. Leurs atomes peuvent perdre facilement un ou plusieurs électrons qui seront remplacés par d'autres.

Par exemple, un fil de cuivre laisse passer un courant électrique quand ses deux extrémités sont reliées aux bornes d'une source d'électricité : c'est un bon conducteur. Le champ électrique créé par la différence de potentiel entre source et sortie pousse les électrons vers le pôle positif (la sortie), alors que la source fournit les électrons. Il y a autant d'électrons qui sortent que d'électrons qui entrent, et le fil de cuivre contient toujours le même nombre d'électrons.

Les bons conducteurs sont essentiellement le cuivre, l'argent, l'aluminium et l'or. Tous les métaux ne laissent pas passer le courant de la même façon, ils sont tous plus ou moins résistants. La résistance d'un métal dépend de sa nature, mais aussi de la forme et des dimensions du morceau considéré. Elle dépend aussi de la température. En effet, plus on s'approche du zéro absolu (-273°C), plus la résistance diminue. Un conducteur peut devenir un supraconducteur (résistance nulle) à une certaine température, généralement très basse et caractéristique de sa composition chimique. La fabrication d'une résistance est donc assez simple à réaliser.

6.3.2 Isolants

Les corps **isolants**, par opposition aux corps conducteurs, ne laissent pas passer le courant électrique. Il en existe beaucoup, dont entre autres : le papier, le verre, les matières plastiques. Leur rôle essentiel est de protéger les conducteurs des interactions qu'ils peuvent avoir entre eux. La gaine de plastique des fils électriques en est un bon exemple. Les isolants servent aussi à fabriquer des composants tels que les condensateurs.

Un **condensateur** est constitué d'une plaquette isolante placée entre deux plaques conductrices. Quand on applique une différence de potentiel entre les deux plaques conductrices, aucun électron ne passe de l'une à l'autre puisqu'elles sont séparées par la plaque isolante. Les charges électriques viennent pourtant s'accumuler en grande quantité dans les deux plaques conductrices car les charges s'attirent à travers l'isolant. On dit que le condensateur se charge. Les condensateurs peuvent être utilisés comme des réservoirs d'énergie que l'on charge lentement et que l'on décharge rapidement. Pensez, par exemple, à un flash d'appareil photo. On doit le charger pendant quelques secondes puis on le décharge en un millième de seconde. Nous verrons dans le chapitre sur les mémoires que les condensateurs sont aussi utilisés dans certaines mémoires à semi-conducteurs.

6.3.3 Semi-conducteurs

Les corps **semi-conducteurs** constituent une catégorie intermédiaire entre les conducteurs et les isolants. Les semi-conducteurs sont des éléments isolants à très basse température, au voisinage du zéro absolu; cependant, à la température ambiante, ils sont un peu conducteurs d'électricité. Ce ne sont pas des métaux. Les plus utilisés sont le germanium et le silicium.

Ces éléments ont tous quatre électrons sur leur couche périphérique et s'organisent entre eux sous forme de structure cristalline où chaque atome met en commun un électron avec chacun de ses quatre voisins pour ainsi compléter sa couche périphérique.

Cette structure est très stable à très basse température, mais dès que la température s'élève certains liens, dits de covalence, se rompent et des électrons sont libérés (on les appelle électrons libres) et laissent des espaces vacants appelés trous. Ces électrons libres et ces trous vont permettre la circulation d'un courant électrique. Un électron libre se déplace jusqu'à ce qu'il retombe dans un trou.

Il est possible de provoquer artificiellement la création de ces électrons libres et de ces trous en ajoutant au silicium des impuretés, lesquelles sont constituées d'atomes étrangers. C'est ce qu'on appelle le **dopage** du silicium.

Le dopage s'effectue à très petites doses. Le cristal de silicium pur contient à peu près 10^{22} atomes de silicium par centimètre cube de matière. Le dopage y introduit entre 10^{15} et 10^{16} atomes d'impuretés (bore, phosphore...). Il y a donc un atome étranger pour 1 million d'atomes de silicium. Cette valeur est une valeur moyenne, on peut aussi avoir des dopages plus poussés.

Le dopage peut s'effectuer par diffusion en chauffant les composants (silicium + impuretés) à 1'100°C. A cette température, il règne une grande agitation entre les atomes et la diffusion des atomes impurs s'effectue naturellement dans le silicium.

Une méthode plus récente est l'implantation ionique. Elle consiste à projeter des atomes d'impuretés dans le silicium à l'aide de grandes différences de potentiel de l'ordre de plusieurs centaines de milliers de volts. Selon la valeur de la différence de potentiel, l'atome va plus ou moins loin dans la structure cristalline. Cette méthode permet de mieux contrôler l'insertion des atomes d'impuretés.

Les impuretés sont de deux types :
* soit des atomes de phosphore ou d'arsenic dont la couche périphérique comporte cinq électrons. L'insertion de tels atomes dans le réseau cristallin va libérer un électron qui devient disponible pour le transport de courant. On dit que ces semi-conducteurs sont du type *n* (il y a abondance d'électrons libres);
* soit des atomes de bore ou de gallium dont la couche périphérique comporte trois électrons. Leur insertion va créer un trou (charge positive) dans la

structure cristalline. Un trou est le manque d'un électron. Ce sont des semi-conducteurs de type *p* (il y a abondance de trous libres).

Les atomes d'impureté ne prennent pas la place d'atomes de la structure cristalline, car celle-ci n'est jamais parfaite; elle contient un certain nombre de places libres (il lui manque un certain nombre d'atomes) qui sont comblées par des atomes dopants.

Les semi-conducteurs de type *n* et de type *p* peuvent être schématisés comme le montre la figure 6.2.

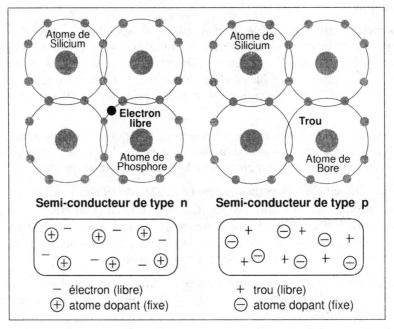

Figure 6.2 : Structure et schématisation des semi-conducteurs

Il faut bien se rendre compte que les atomes dopants sont figés dans la structure, alors que les électrons, dans le cas d'un semi-conducteur de type *n*, et les trous, dans le cas d'un semi-conducteur de type *p*, sont libres de se déplacer dans cette structure. Les trous se déplacent de la manière suivante : la place vacante laissée par un manque d'électron (un trou) peut être prise par un électron provenant d'un atome voisin. Mais alors, cet électron laisse un trou, qui peut à son tour être pris par un électron d'un atome voisin, et ainsi de suite... On a finalement l'impression que c'est un trou qui se déplace !

On pourrait croire alors que ces porteurs libres sont balayés dès qu'un champ électrique est placé en travers du cristal. En fait cela n'arrive pas, car les atomes dopants, fixes au sein du cristal, ont un certain nombre de protons qui attirent les charges électriques (électrons ou trous) dont ils ont besoin pour arriver à une charge électrique totale nulle. L'ensemble du cristal est neutre, il y a toujours autant de protons que d'électrons. L'établissement d'une tension aux bornes d'un semi-conducteur provoque le passage d'un courant dans le semi-conducteur.

Nous allons maintenant étudier le comportement de différents assemblages de semi-conducteurs.

6.4 Diode

La **diode** se compose de deux régions adjacentes, l'une de type *p*, l'autre de type *n*, créées dans le même morceau de cristal. La région de contact entre ces deux régions de types différents s'appelle une **jonction *p-n***.

Quand cette jonction est établie (figure 6.3), la situation change au voisinage de la frontière. Il y a une certaine tendance à la diffusion d'électrons de la région de type *n* vers la région de type *p* et de trous dans l'autre sens.

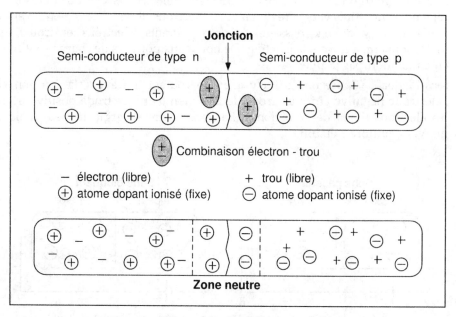

Figure 6.3 : Jonction p-n

Lorsqu'un électron rencontre un trou, ils se recombinent. Il ne reste alors que les atomes d'impuretés ionisés (car ils ont un électron soit en moins, soit en plus) qui créent un champ électrique dans le voisinage de la jonction et qui assurent un certain état d'équilibre.

Finalement, dans le voisinage de la jonction il n'y a plus de porteurs libres (schéma de la figure 6.3). Une zone neutre se forme des deux côtés de la frontière. La charge totale du morceau de silicium reste naturellement nulle, les deux régions s'équilibrent.

La diode, à base de semi-conducteur, est constituée par une jonction. Elle laisse passer le courant dans un sens et pas dans l'autre. On la schématise ainsi (figure 6.4) :

Figure 6.4 : Symbole d'une diode

Elle est conductrice dans le sens $p \to n$ quand la zone p est à un potentiel plus positif que la zone n et elle s'oppose au passage du courant quand on applique une différence de potentiel dans l'autre sens :

- sens passant (figure 6.5) : la pile crée un champ électrique, les trous libres de la région p sont attirés vers la région n et les électrons libres de la région n vers la région p. Il y a donc passage de deux courants (électrons et trous), qui s'additionnent, à travers la jonction. De nouveaux porteurs de charge sont remis en circulation par la pile;

- sens bloquant (figure 6.5) : il n'y a aucun courant à travers la jonction car l'électrode négative attire les trous de la région p et l'électrode positive attire les électrons libres de la région n. La zone neutre s'élargit un peu, mais un nouvel équilibre s'établit.

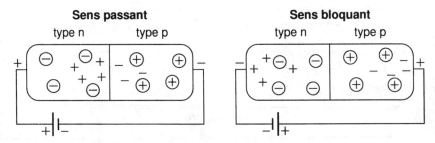

Figure 6.5 : Sens passant et bloquant d'une diode

6.5 Transistors

Les **transistors** peuvent être réalisés selon deux techniques différentes qui sont : la technologie **bipolaire** et la technologie **unipolaire** (à effet de champ).

Le transistor est devenu l'élément de base de tout circuit électronique moderne. Grâce à ses propriétés, il peut être utilisé comme élément amplificateur, comme élément commutateur ou remplacer des éléments tels que diodes et résistances.

6.5.1 Transistor bipolaire

Le transistor bipolaire est composé de 3 zones appelées : **émetteur, base** et **collecteur**.

La figure 6.6 donne les schémas et les symboles associés aux transistors bipolaires.

Par convention historique, le sens du courant est opposé à celui du déplacement des électrons.

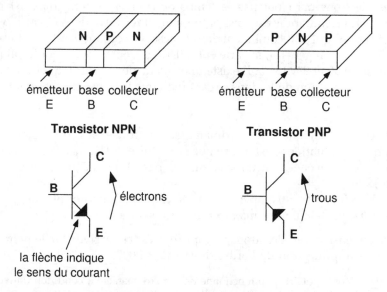

Figure 6.6 : Représentation schématique des transistors bipolaires

Principe de fonctionnement d'un transistor bipolaire npn

L'émetteur envoie des charges électriques qui sont récupérées par le collecteur après avoir traversé la base. Comme pour la diode, le passage d'un courant à travers un transistor exige l'application d'une différence de potentiel entre émetteur et collecteur. Mais il faut aussi que la base soit convenablement polarisée.

Définition de quelques symboles :

- E = Emetteur, B = Base, C = Collecteur;
- Ie, Ib et Ic = courants circulant dans E , B et C;
- Ve, Vb et Vc = potentiels appliqués à chacune de ces bornes.

On suppose que $Vc = +$ et $Ve = 0$ volt (+ indique que l'on a un potentiel positif appliqué à la borne, – indique de la même manière un potentiel négatif) :

- si $Vb = 0$ volt, il n'y a aucun courant à travers la jonction EB (Emetteur Base), car les deux cotés de cette jonction ont le même potentiel. Il n'y a donc pas non plus de courant entre B et C car $Vc > Vb$, ce qui est le sens bloquant de la jonction BC. Le transistor se trouve à l'état *bloqué*;

- si l'on applique progressivement un potentiel en B (mais de valeur toujours inférieure à celui de C), un courant s'établit entre E et B, puisque cette jonction EB est dans le sens passant. Les électrons vont de E dans B et les trous dans l'autre sens. A cause de la minceur de B, les électrons traversent B et sont attirés par le collecteur qui a un potentiel positif. La jonction BC est alimentée dans le sens bloquant mais la faible épaisseur de cette zone permet sa traversée par les électrons qui n'ont pas le temps de trouver un trou (dans B) pour se recombiner. Le courant Ie est ainsi pratiquement retrouvé dans C, car il y a très peu d'électrons qui se recombinent dans la base. Le courant Ib est très faible. On a $Ie = Ib + Ic$ et en général, Ic varie entre 0,99 et $0,9999 \times Ie$, ce qui implique que Ic varie entre 99 et $9999 \times Ib$. Il existe une valeur de Ib pour laquelle on obtient une valeur maximum de Ic, dans ce cas on dit que le transistor est *saturé*.

Dans les circuits logiques des ordinateurs, on utilise les transistors comme éléments de commutation, c'est-à-dire que l'on utilise le fait que l'on a deux états extrêmes : l'état bloqué (aucun courant ne passe) et l'état saturé (courant maximum) :

- si $Vb = Ve = 0$ volt, $Ic = 0$ ampère $\rightarrow$ pas de courant, transistor bloqué;
- si $Ve < Vb < Vc$ tel que $Ic = $ max $\rightarrow$ transistor saturé.

Avec des dimensions et des dopages appropriés on arrive facilement à des coefficients d'amplification de l'ordre de $Ic / Ib \approx 1'000$.

 Le transistor bipolaire pnp fonctionne de la même manière à condition d'inverser les polarités. Le courant émetteur - collecteur est alors un courant de trous.

Le transistor bipolaire fait intervenir les deux porteurs de charge : n et p, d'où son appellation bipolaire.

Le transistor bipolaire est un amplificateur de courant car le courant Ic est contrôlé par Ib (qui est beaucoup plus petit).

Fabrication des transistors bipolaires

La technologie **planaire** [*planar technology*] est le procédé le plus utilisé pour fabriquer des transistors bipolaires en grande quantité. Avant d'utiliser cette technologie, le procédé de fabrication employé consistait à prendre des couches de germanium de type différent et à les empiler. Mais cette technique ne permettait pas l'intégration. En effet, les premiers transistors étaient fabriqués séparément et il fallait les connecter les uns avec les autres. La technologie planaire consiste à modifier en surface les caractéristiques d'une plaque de silicium.

On part d'une plaque de silicium dopée *n*, par exemple. On modifie ensuite, par diffusion ou par implantation, sur une certaine profondeur, les caractéristiques de la plaque pour lui faire acquérir un dopage local de type *p*. Dans cette parcelle de type *p*, on modifie une nouvelle zone (plus petite que celle modifiée la première fois) en la dopant *n*. Ceci termine la construction d'un transistor *npn*, tout en laissant intacte et plane la surface de la plaque. Pour parvenir à modifier la plaque localement (par zones de plus en plus petites), on utilise un masque, c'est-à-dire un écran qui ne laisse s'effectuer la diffusion ou l'implantation qu'en correspondance d'un trou percé dans le masque (figure 6.7).

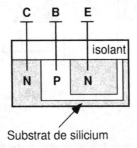

Figure 6.7 : Coupe d'un transistor bipolaire

Réalisation d'un circuit intégré

Un **circuit intégré** [*integrated circuit, chip*] est une plaquette dans laquelle existent un grand nombre de transistors interconnectés. La fabrication de ces circuits suit le même principe que celle d'un transistor. On part d'une seule plaque de silicium dans laquelle on implante tous les transistors à l'aide de masques à plusieurs trous. Ensuite, les connexions sont déposées sur la plaque par vaporisation d'aluminium à travers un masque.

L'intégration à grande échelle consiste à réduire les tailles des différentes zones des transistors et à résoudre le problème des connexions en les répartissant sur plusieurs niveaux.

6.5.2 Transistor unipolaire

Le transistor unipolaire est réalisé maintenant en structure **MOS** (Metal-Oxide-Semiconductor) en utilisant un effet de champ, d'où les diverses appellations FET [*Field Effect Transistor*], MOS ou MOSFET. En fait, les premiers transistors unipolaires étaient simplement des FET qui posaient quelques problèmes. La technologie MOS consiste à isoler la grille du canal pour augmenter la résistance entre les deux et ainsi réaliser un système isolé.

Contrairement au transistor bipolaire qui doit son nom au fait qu'il utilise les deux porteurs de charge (électrons et trous), le transistor unipolaire n'utilise qu'un seul porteur de charge.

Principe de fonctionnement

Un transistor unipolaire (figure 6.8) comporte différents éléments qui sont une source S, un drain D, et une grille G qui va permettre l'établissement d'un canal entre la source et le drain.

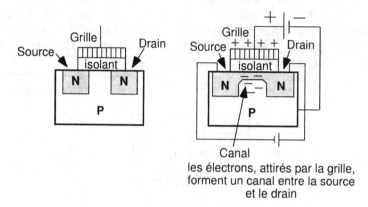

Figure 6.8 : Transistor unipolaire

Si la tension de la grille Vg est supérieure ou égale à la tension seuil Vt, la grille induit une petite zone n au-delà de l'isolant. En effet, la grille devient positive à cause de la batterie qui lui enlève des électrons. Elle fait fonction de condensateur avec le substrat (zone p de la figure 6.8) et attire un nombre suffisant d'électrons (porteurs minoritaires) pour créer un petit canal n qui met ainsi en communication la source et le drain. Si l'on applique une différence de potentiel entre la source et le drain, on obtient un courant entre ces deux bornes. Plus grand est le canal n créé par la grille, plus petite est sa résistance, donc plus petite est la différence de potentiel entre le drain et la source.

Il suffit d'une petite tension appliquée à la grille pour contrôler une tension beaucoup plus grande entre source et drain. Le transistor unipolaire est un **amplificateur de tension** (tandis que qu'un transistor bipolaire est un amplificateur de courant). La technique MOS nécessite une moins grande consommation d'énergie que la technologie bipolaire.

Le transistor représenté sur la figure 6.8 est un transistor unipolaire à canal n, qu'on appelle *N-MOS*. On peut de la même manière fabriquer des transistors à canal p, des *P-MOS*. Ce type de transistor fonctionne en créant un canal d'électrons, c'est un *N-MOS* à enrichissement.

On peut également envisager une structure qui fonctionne à appauvrissement, c'est-à-dire qu'un canal existe quand il n'y a pas de tension sur la grille, mais il est détruit quand on en applique une, c'est un *N-MOS* à appauvrissement.

Il y a donc quatre types de transistors *MOS* :

	canal-*n*	canal-*p*
enrichissement	*N-MOS* à enrichissement	*P-MOS* à enrichissement
appauvrissement	*N-MOS* à appauvrissement	*P-MOS* à appauvrissement

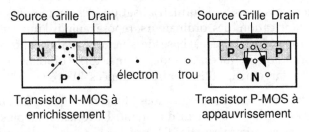

Figure 6.9 : Transistors unipolaires

Les transistors unipolaires sont connus depuis plus longtemps que les transistors bipolaires, mais leur fabrication a posé de nombreux problèmes. C'est à partir des années 70 que l'on a commencé à les fabriquer industriellement et ils ont largement dépassé en volume de production la technologie bipolaire. Leur fabrication suit un peu le principe de celle des transistors bipolaires, on part d'une plaque de silicium d'un certain type dans laquelle on réalise, par dopage, deux zones de type opposé à la plaque. Sur l'ensemble on dépose une mince couche d'oxyde de silicium (quartz) et, par dessus, un métal qui fait office de grille. La fabrication des transistors unipolaires nécessite moins de couches et moins d'étapes que celle des transistors bipolaires.

6.6 Circuits intégrés

Un **circuit intégré** est une plaquette de silicium contenant un certain nombre d'éléments. Généralement cette plaquette est mise dans un boîtier (figure 6.10) duquel sortent des broches ou des pattes [*pins*].

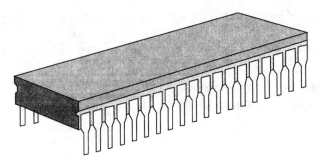

Figure 6.10 : Circuit intégré dans son boîtier

Un circuit intégré contient des éléments de deux types :

- des **éléments actifs** : transistors (qui sont capables d'amplifier un courant ou une tension);
- des **éléments passifs** : résistances, condensateurs, diodes...

Tous les éléments ne s'intègrent pas facilement dans une plaque de silicium, en particulier les éléments passifs. L'industrialisation des composants électroniques utilisés dans la fabrication des ordinateurs repose aujourd'hui sur les circuits intégrés unipolaires et bipolaires à base de silicium, mais d'autres composants (relais électromécaniques, tubes à vide, transistors bipolaires à base de germanium) ont été largement utilisés entre les années 40 et 60.

Un circuit intégré doit réaliser certaines fonctions qui sont définies par l'agencement des éléments à l'intérieur du circuit. La fonction la plus courante est celle de mémoire, les circuits permettant le stockage d'informations binaires. Les microprocesseurs sont aussi un type particulier de circuit intégré : ils intègrent, dans un seul circuit, toutes les fonctions d'une unité centrale de traitement.

La plaquette de silicium d'un circuit intégré a une surface de 5 à 500 mm^2, elle peut contenir plusieurs millions d'éléments. La largeur des connexions entre les éléments est de l'ordre du micromètre.

La fabrication d'un circuit intégré suit plusieurs étapes (figure 6.11) :

- réalisation d'un cylindre de cristal de silicium très pur (il reste toujours quelques impuretés) d'environ 20 à 30 cm de diamètre;
- découpage en tranches [*wafers*] de 0,5 mm d'épaisseur;
- implantation sur une tranche d'une centaine de plaquettes, appelées communément **puces** [*chips*], contenant chacune des centaines de milliers, voire des millions de transistors que l'on réalise en insérant différents types d'ions dans la plaquette. Les surfaces à traiter sont délimitées par des masques;
- test des puces pour vérifier si elles répondent bien aux spécifications. Plus le circuit réalisé est complexe, plus sa taille augmente et plus grand est le nombre de circuits défectueux;
- découpage des tranches en plaquettes;
- insertion dans un boîtier que l'on met sur un circuit imprimé.

Un **circuit imprimé** [*printed circuit*] est un support plastique (quelques centaines de centimètres carrés) qui supporte des circuits intégrés ainsi que d'autres éléments électroniques, mais surtout qui établit des connexions physiques entre tous ces éléments.

On appelle **carte** un circuit imprimé avec tous ses éléments (par exemple : une carte mémoire, qui contient tous les circuits de mémoire d'un ordinateur).

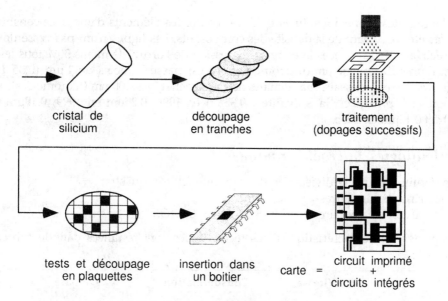

cristal de silicium   découpage en tranches   traitement (dopages successifs)

tests et découpage en plaquettes   insertion dans un boitier   carte = circuit imprimé + circuits intégrés

Figure 6.11 : Schéma des étapes de fabrication d'un circuit intégré

Intégration

Les premiers circuits intégrés, apparus dans les années 60, n'intégraient que quelques transistors. Mais l'évolution a été initialement très rapide car tous les ans la capacité doublait. Dans les années 80, le rythme de croissance s'est ralenti quelque peu, mais on a dépassé largement le but de placer 1 million de transistors dans une seule puce. Des chips intégrant des milliards de transistors seront disponibles au début du XXIe siècle.

L'évolution de la technologie peut être classée selon de grandes étapes, correspondant au nombre de transistors intégrés dans une seule puce, qui sont :

SSI	[*Small Scale Integration*]	de 1	à	10^2 transistors ($\approx$1960)
MSI	[*Medium Scale Integration*]	de 10^2	à	10^3 transistors ($\approx$1966)
LSI	[*Large Scale Integration*]	de 10^3	à	10^5 transistors ($\approx$1970)
VLSI	[*Very Large SI*]	de 10^5	à	10^7 transistors ($\approx$1977)
ULSI	[*Ultra Large SI*]	de 10^7	à	? transistors.

Ces valeurs sont des valeurs de laboratoire; l'industrialisation suit avec quelques années de retard. Les dates entre parenthèses indiquent le début de la période. La taille des puces joue aussi un rôle non négligeable : en 1960, elles mesuraient 1,4 mm/côté et en 1980, 8 mm/côté, pour arriver à quelques centimètres dans les années 90.

La largeur des connexions (finesse du trait) entre les éléments d'une puce constitue un facteur important de la densité des composants. Les lignes n'ont pas cessé de se rétrécir au fil des années avec une progression de l'ordre de moins 30% tous les 3 ans. D'une dizaine de μm (micromètres), on est passé à moins de 1 μm (0,35 μm aujourd'hui) et on essaie maintenant de s'approcher des 100 nm (nanomètres). La progression prévue est la suivante : 0,35μm en 1996, 0,25μm en 1999, 0,18μm en 2002 et 0,13μm en 2005.

Technologies microélectroniques

Les circuits intégrés se divisent en deux grandes classes qui sont :
- les circuits bipolaires   : *TTL, ECL...*
- les circuits unipolaires : *P-MOS, N-MOS, C-MOS...*

Les principales caractéristiques des technologies sont résumées dans le tableau suivant :

	Vitesse	Consommation	Densité
TTL	grande	grande	petite
ECL	très grande	très grande	petite
N-MOS	moyenne	grande	très grande
P-MOS	petite	grande	grande
C-MOS	grande	très petite	grande

La notion de vitesse correspond à la vitesse de commutation des portes [*gate delay*]. La consommation courante varie entre 10^{-4} et 50 milliwatts/porte. On exprime la densité en portes/puce ou en nombre de transistors/puce.

La technologie bipolaire s'est développée selon plusieurs familles :
- famille *RTL* [*Resistor Transistor Logic*] dont les composants de base sont des résistances et des transistors;
- famille *DTL* [*Diode Transistor Logic*] dont les composants de base sont des diodes et des transistors;
- famille *TTL* ou T^2L [*Transistor Transistor Logic*] dont les composants de base sont les transistors et dont l'élément logique de base est la porte *NAND*;
- famille *ECL* [*Emitter Coupled Logic*] qui utilise des transistors non saturés, couplés par les émetteurs, autorisant de grandes performances.

Les familles *RTL* et *DTL* sont désormais dépassées, alors que les familles *TTL* et *ECL* sont les plus utilisées.

Evolution

De nouvelles technologies ont été mises en oeuvre ces dernières années pour dépasser les performances actuelles; elles reposent principalement sur l'utilisation de nouveaux semi-conducteurs tels que l'arséniure de gallium (*GaAs*) ou encore un composé d'arséniure de gallium avec de l'aluminium (*AlGaAs*) qui ont l'avantage de permettre une plus grande vitesse de déplacement des électrons (environ 3 à 5 fois plus vite que dans le silicium). Ces matériaux ont été utilisés pour le développement des composants destinés à certains super-ordinateurs.

 Un signal électrique se déplace dans un conducteur à une vitesse d'environ 200'000 km/s (≈ 2/3 de celle de la lumière), alors que dans un semi-conducteur, la vitesse est considérablement inférieure, de l'ordre de 2 km/s.

Chips et tendances

Le silicium est le semi-conducteur le plus utilisé dans la fabrication des chips. Dans les familles de circuits utilisant des transistors bipolaires, on trouve toujours en tête les ECL, très rapides mais consommant le double d'énergie que les TTL. Parmi les transistors unipolaires ou MOSFET, les circuits CMOS ont la préférence grâce à leur consommation réduite. La technologie mixte (biCMOS) offre un bon compromis (consommation, refroidissement, vitesse, densité).

La densité continue d'augmenter en raison de la diminution de la taille des objets. Les lignes se sont rétrécies à 0,35µm et les techniques actuelles (basées sur l'utilisation des rayons ultra-violets) devraient permettre de descendre aux environs de 0,2µm. Vers la fin du siècle, on fera confiance aux rayons X pour descendre en dessous de 0,1µm. La taille des chips augmentera, permettant une fonctionnalité accrue. Le nombre de transistors/chip-mémoire passera le cap du milliard après l'an 2'000.

La technologie des semi-conducteurs continue à vivre une vie exponentielle. La miniaturisation [*feature size*] se rétrécie de moitié tous les six ans. Il en va de même pour la charge électrique nécessaire à distinguer deux états : elle a été réduite de 5'000'000 à 100'000 électrons en trente ans.

La densité des bits DRAM, quadruple tous les trois ans. Le nombre de transistors dans les *logic chips* (micro-processeurs) double tous les trois ans. Il y en aura 50 millions au commencement du troisième millénaire.

La distance des limites physiques se rapproche, mais cette croissance exponentielle peut encore continuer pendant la prochaine décennie et probablement au-delà. Malheureusement les investissements nécessaires suivent eux aussi une courbe exponentielle !

Arséniure de gallium (GaAs)

En 1992, on a produit près de 10^{16} transistors en silicium, c'est-à-dire deux millions de pièces par habitant de la Terre. Le remplacement du silicium n'est donc pas pour demain.

Toutefois, le GaAs commence à être utilisé pour des circuits dont la performance est critique, grâce à sa mobilité électronique (double de celle du Si) et à sa rapidité de commutation. Les électrons GaAs accélèrent plus vite et atteignent une plus grande vitesse en réponse à la tension appliquée (électrons balistiques). Les problèmes du GaAs sont son coût, sa fragilité et une densité inférieure au Si. Le

GaAs est un semi-conducteur de synthèse qui n'existe pas dans la nature. Contrairement au Si, il produit un oxyde poudreux qui n'est pas utilisable pour protéger la surface du chip. On peut utiliser le dioxyde de Si, mais cela complique le procédé de fabrication. Des composés plus complexes peuvent accroître l a rapidité de réaction. Une couche de AlGaAs fortement dopée et intercalée entre l'oxyde et le substrat de GaAs donne un transistor MOSFET capable de commuter 250 milliards de fois par seconde (temps de commutation = 4 picosec).

Technologies futures

Les recherches les plus avancées concernent le WSI [*Wafer Scale Integration*]. Le diamètre du *wafer* est entre temps passé de 20 à 30 cm et la taille des chips de 10 mm^2 à 200 mm^2. Le nombre de défauts / mm^2 continue de diminuer très rapidement. Le problème est de savoir comment exploiter l'énorme quantité de circuits logiques que nous pourrons installer sur un *wafer*.

Supraconducteurs

La supraconductivité est un phénomène qui concerne certains matériaux. Ceux-ci présentent une résistance électrique nulle à des températures proches du zéro absolu. La supraconductivité pourrait être exploitée pour obtenir une commutation ultra-rapide avec une consommation de puissance quasiment nulle. Le problème reste le mode de refroidissement pour atteindre de très basses températures.

Les Laboratoires de Recherche IBM, près de Zürich (Suisse), ont découvert en 1986 certains matériaux capables de se montrer supraconducteurs à des températures moins extrêmes (le record est maintenant à -148 degrés Celsius). Cette découverte permet d'utiliser l'azote liquide (+77 Kelvin) à la place de l'hélium liquide beaucoup plus cher et difficile à manipuler (+4 Kelvin). On espère pouvoir exploiter ces caractéristiques pour fabriquer des transistors supraconducteurs.

Composants optiques

Les interrupteurs qui sont la clé du fonctionnement des ordinateurs ont toujours été basés sur le contrôle d'un flot d'électrons. Pour gagner en vitesse de commutation, on essaie de remplacer les électrons par des photons, ces particules composant l a lumière. Des prototypes d'interrupteurs photoniques, capables de transmettre ou de bloquer un faisceau de lumière, ont été fabriqués. Leur vitesse de commutation s'approche de celle des transistors GaAs.

Théoriquement, on devrait pouvoir gagner un facteur mille. Pour l'instant le problème est la consommation énergétique. Un interrupteur optique commutant mille fois plus vite consommerait mille fois plus d'énergie et dégagerait mille fois plus de chaleur. Les chercheurs devront donc construire des interrupteurs optiques plus petits, plus efficaces et dissipant moins d'énergie.

Dispositifs quantiques

Aujourd'hui, les atomes peuvent être manipulés presque individuellement. Avec le Scanning Tunneling Microscope, on peut visualiser les atomes formant la surface d'un matériau. On peut faire des films dont l'épaisseur est de deux ou trois couches d'atomes et on réussit à programmer les caractéristiques électroniques des composés chimiques. On est donc capable de contrôler les mécanismes qui sont à la base de la formation de la matière. À ce niveau le comportement des électrons change. On peut les enfermer individuellement dans des puits quantiques et les maintenir dans des états énergétiques non naturels.

Ces recherches ouvrent la voie à la création de dispositifs électroniques minuscules et ultrarapides qui pourraient être à la base d'une nouvelle génération d'interrupteurs multiples activables en parallèle. On pourrait ainsi développer des microlasers capables d'envoyer d'énormes quantités de bits dans des réseaux à fibres optiques.

Le rêve serait l'intégration des électrons et des photons. L'opto-électronique permettra, un jour, la construction de dispositifs très puissants capables d'augmenter les performances des ordinateurs et des réseaux de communication.

6.7 Circuits de base

Nous allons voir comment il est possible de réaliser certaines fonctions logiques simples à l'aide de composants tels que diodes, résistances et transistors.

Inverseur (NON) (à l'aide d'un transistor bipolaire pnp)

L'émetteur est relié à la masse alors qu'une tension négative est appliquée au collecteur. Le symbole A désigne l'entrée alors que S désigne la sortie (figure 6.12).

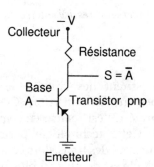

Figure 6.12 : Circuit de complémentation (transistor bipolaire pnp)

Le fonctionnement est le suivant :
- si $A = 0$ volt   alors $S = -v$ volts;
- si $A = -v$ volts   alors $S = 0$ volt;

- donc $S = \overline{A}$.

Si on n'applique aucune tension en *A* (base), il n'y a pas de tension entre la base et l'émetteur, aucun courant ne circule entre ces deux régions. Aucun courant ne circule dans le transistor, il se comporte donc comme une résistance infinie. La sortie est au même potentiel que le collecteur (malgré une petite chute de tension causée par la résistance).

Si on applique en *A* une tension négative adéquate, alors la jonction émetteur-base est alimentée dans le sens passant, le transistor laisse passer le courant entre émetteur et collecteur, sa résistance est négligeable. La sortie est ainsi reliée directement à la terre ce qui donne une tension de sortie nulle.

Inverseur en technologie C-MOS

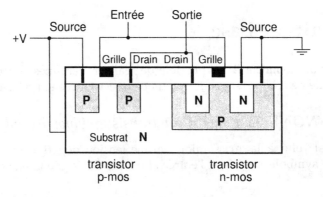

Figure 6.13 : Inverseur réalisé en technologie C-MOS

Certaines applications nécessitent des circuits ne consommant que très peu d'énergie, d'où le développement des transistors **C-MOS**. Un transistor *C-MOS* [*Complementary MOS*] (figure 6.13) est réalisé en combinant un transistor *P-MOS* avec un transistor *N-MOS*. Cette technologie permet d'avoir une très faible consommation d'énergie car un seul des transistors conduit le courant (sauf pendant les transitions). Cette technologie est de plus en plus utilisée pour les mémoires et pour les microprocesseurs.

Circuit OU avec des diodes (figure 6.14)

Fonctionnement :
- si *A* = *B* = 0 volt   alors *S* = 0 volt;
- si *A* ou/et *B* = –*v* volts   alors *S* = –*v* volts;
- donc *S* = *A* + *B*.

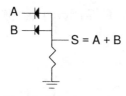

Figure 6.14 : Circuit OU implanté avec des diodes

Si en *A* et en *B* sont appliquées des tensions positives ou nulles, les deux diodes sont alimentées dans le sens bloquant et la sortie est à un potentiel nul.

Si au moins une des deux entrées est à un potentiel négatif, alors, au moins une des deux diodes est alimentée dans le sens passant et la sortie se retrouve à ce même potentiel négatif.

Circuit OU réalisé avec des transistors *(figure 6.15)*

Fonctionnement :
* si $A = B = 0$ volt   alors $S = 0$ volt;
* si *A* ou/et $B = -v$ volts   alors $S = -v$ volts;
* donc $S = A + B$.

Si $A = B = 0$ volt, les deux transistors sont bloqués, ils ne laissent passer aucun courant (ils se comportent comme une résistance infinie) et la sortie $S = 0$ volt.

Si *A* ou/et $B = -v$ volts, un au moins des deux transistors se trouve dans l'état saturé et se comporte comme une résistance négligeable. La sortie se trouve au même potentiel que l'entrée, c'est-à-dire $-v$ volts.

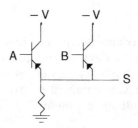

Figure 6.15 : Circuit OU implanté avec des transistors bipolaires pnp

☞ Ce circuit est un circuit *OU* si l'on considère que l'état 0 correspond à une tension nulle et l'état 1 à une tension négative. Mais si l'on considère que l'état 0 correspond à une tension négative et que l'état 1 correspond à une tension nulle, alors ce circuit est un circuit *ET*, car :
  • si $A = B = 0$ volt (état 1) alors $S = 0$ volt (état 1);
  • si *A* ou/et $B = -v$ volts (état 0) alors $S = -v$ volts (état 0);
  • donc $S = AB$.

☞ Il ne faut donc pas oublier de préciser quelle convention on adopte pour la représentation des états.

Circuit basculeur : bistable R-S (figure 6.16)

Convention   - Etat 0   : –v volts,
                 - Etat 1   : 0 volt.

Ce circuit a deux positions stables :
* *T1* saturé et *T2* bloqué;
* *T1* bloqué et *T2* saturé.

On se place dans le second cas : *T2* est saturé et *T1* est bloqué. Le potentiel en *S2* est égal à 0 volt (car *T2* saturé exerce une résistance négligeable). Le potentiel en *B1* est aussi égal à 0 volt. *T1* est bloqué, le potentiel en *S1* est de –v volts donnant ainsi un potentiel suffisamment négatif en *B2* pour saturer *T2*. Les résistances ne sont là que pour calibrer les tensions appliquées à la base des transistors. La position est stable.

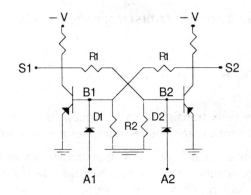

Figure 6.16 : Circuit basculeur bistable R-S

On bascule le circuit sur la deuxième position en reliant *A2* à la masse. *B2* est à un potentiel négatif donc la diode *D2* devient passante, *B2* vient à un potentiel nul et le transistor *T2* se bloque. Le potentiel en *S2* décroît jusqu'à –v volts et porte ainsi le potentiel de *B1* à une valeur suffisamment négative pour que *T1* soit saturé. Le potentiel en *S1* croît vers 0 volt et le potentiel de *B2* devient aussi 0 volt. La position est stable.

Si l'on relie maintenant *A1* à la masse, le circuit va basculer à nouveau. Les diodes *D1* et *D2* sont donc là pour filtrer les potentiels appliqués en *A1* et *A2* et ne laissent passer l'information que lorsqu'elles sont alimentées dans le sens passant.

Les sorties *S1* et *S2* sont complémentaires.

Exercices

1. Comment fonctionne une diode à semi-conducteur ?

2. Faire le schéma d'un transistor bipolaire *npn* et expliquer son fonctionnement.

3. Indiquer pour chaque affirmation suivante si elle est vraie ou fausse. Si vous pensez qu'une affirmation est fausse, justifier votre réponse.

a) Un semi-conducteur est un corps qui ne laisse passer le courant que dans un seul sens.

b) Un corps isolant est un corps dont les atomes ont leur couche périphérique saturée.

c) Une diode est toujours constituée de semi-conducteurs.

d) Le dopage d'un semi-conducteur consiste à introduire des atomes étrangers dans une structure cristalline, telle que le silicium, sans modifier cette structure.

e) Un transistor bipolaire est un transistor à jonctions.

f) Un transistor bipolaire est un amplificateur de tension.

g) Un circuit intégré est un microprocesseur.

h) Les transistors unipolaires sont plus rapides que les transistors bipolaires.

i) La technologie unipolaire est en train de surpasser la technologie bipolaire en volume mais pas en vitesse.

j) Les circuits de base tels que *ET, OU,* ... n'ont qu'une réalisation possible à l'aide des composants que nous connaissons.

k) Un circuit *OU* peut aussi être considéré comme un circuit *ET*.

4. Réaliser un circuit *ET* à l'aide de diodes.

5. Réaliser un circuit *NOR* à deux entrées avec des transistors.

6. Expliquer le fonctionnement du circuit de la figure 6.17. On adopte la convention suivante : état 0 = 0 volt, état 1 = $-v$ volts.

7. Expliquer le fonctionnement du circuit de la figure 6.18. On adopte la convention suivante : état 0 = 0 volt, état 1 = $+v$ volts.

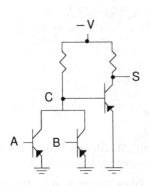

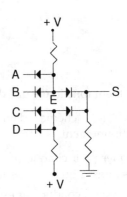

Figure 6.17 : Circuit de l'exercice 6   *Figure 6.18 : Circuit de l'exercice 7*

Solutions

1. Une diode à semi-conducteur est constituée d'une jonction *p-n* qui laisse passer le courant dans un sens et pas dans l'autre. Une jonction *p-n* comprend deux régions dopées, une en électrons (zone *n*) et l'autre en trous (zone *p*). Lorsque l'on applique une tension négative sur la région *n* et une tension positive sur la région *p*, le courant passe à travers la jonction car les électrons de la zone *n* sont attirés par les trous de la zone *p* et inversement. Si l'on inverse les tensions, le courant ne passe pas car les électrons de la zone *n* sont attirés par la source de tension positive et les trous par la source de tension négative. Les charges migrent vers les extrémités de la jonction et plus aucun courant ne circule à travers celle-ci.

2. Schéma d'un transistor bipolaire *npn* et fonctionnement (figure 6.19).

Pour que le courant circule à travers le transistor il faut que : la jonction émetteur-base soit alimentée dans le sens passant et la jonction base-collecteur dans le sens bloquant.

Les électrons libres issus de l'émetteur traversent la jonction émetteur-base, mais en raison de la faible épaisseur de la base, les recombinaisons d'électrons avec des trous de la base sont peu nombreuses et plus de 98% des électrons atteignent la jonction base-collecteur. Ils pénètrent dans le collecteur où ils sont attirés par la tension positive appliquée à celui-ci et donnent lieu à un courant presque égal au courant entrant dans l'émetteur.

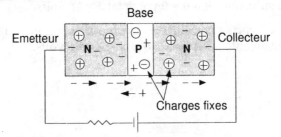

Figure 6.19 Transistor bipolaire npn

Il existe un courant de trous entre base et émetteur, mais la concentration en impuretés p de la base est beaucoup plus faible que celle en impuretés n de l'émetteur. Ce courant de trous est ≈ 100 fois moins important que le courant d'électrons. Le courant circulant dans l'électrode de base est la somme du courant de trous, cité ci-dessus, dû à l'injection des trous dans l'émetteur par la base, plus le courant de trous résultant de la recombinaison des électrons dans la base durant leur transit de l'émetteur vers le collecteur. Ce courant total est toujours faible par rapport au courant émetteur- collecteur, mais il lui est proportionnel. On peut donc contrôler le courant du collecteur par le courant de base et obtenir ainsi une amplification de courant.

3. Questionnaire :

a) Faux. Le préfixe semi- n'a rien à voir avec le sens du courant, mais il indique que la conductivité se situe entre celle des isolants et celle des conducteurs.

b) Vrai.

c) Faux. Une diode peut être réalisée aussi avec un tube électronique.

d) Vrai.

e) Vrai.

f) Faux. C'est le transistor unipolaire qui est un amplificateur de tension, le transistor bipolaire est un amplificateur de courant.

g) Faux. Un circuit intégré est une plaquette de silicium dans laquelle sont implantés un grand nombre d'éléments tels que les transistors. Les microprocesseurs sont un type particulier de circuit intégré.

h) Faux. C'est l'inverse car les transistors bipolaires font intervenir les deux porteurs de charge.

i) Vrai.

j) Faux. On peut les réaliser de beaucoup de façons différentes (soit à l'aide de diodes, de transistors unipolaires N ou P-MOS, de transistors bipolaires npn ou pnp, ...).

k) Vrai. Il suffit de considérer le circuit en logique négative.

4. Circuit ET à 2 entrées avec des diodes (figure 6.20).

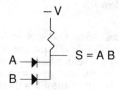

Figure 6.20 : Circuit ET implanté avec des diodes

Fonctionnement :

• si A ou/et $B = 0$ volt, au moins une des deux diodes est alimentée dans le sens passant et la sortie prend la valeur 0 volt;

- si $A = B = -v$ volts, alors les deux diodes sont alimentées dans le sens bloquant et la sortie est au potentiel $-v$ volts;
- donc si l'on considére l'état 0 comme la valeur 0 volt et l'état 1 comme la valeur $-v$ volts, c'est un circuit ET, alors que si l'on prend la convention opposée pour les états, c'est un circuit OU.

5. Circuit NOR à deux entrées avec des transistors pnp (figure 6.21).

Fonctionnement :
- si $A = B = 0$ volt, les deux transistors sont bloqués et la sortie est à une tension négative (= $-v$ volts);
- si A ou/et $B = -v$ volts, au moins un des deux transistors est saturé et la sortie est à un potentiel nul (= 0 volt);

- donc si l'état $0 = -v$ volts et l'état $1 = 0$ volt, on a : $S = A + B = \bar{A}\,\bar{B}$

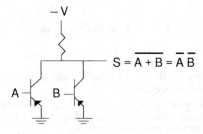

A	B	S
0	0	1
0	1	0
1	0	0
1	1	0

Figure 6.21 : Circuit NOR

6. Ce circuit est un circuit OU. En effet :
- si $A = B = 0$ volt, alors les deux transistors (ayant A et B pour base et que nous appellerons transistor A et transistor B, idem pour C) sont bloqués. La base C est égale à $-v$ volts, et le transistor C est dans l'état saturé, donc $S = 0$ volt;
- si A ou/et $B = -v$ volts, alors au moins un des deux transistors est saturé. La base C du troisième transistor = 0 volt, et celui-ci se trouve dans l'état bloqué, donc $S = -v$ volts;
- donc si l'on considère que l'état $0 = 0$ volt et que l'état $1 = -v$ volts, c'est un circuit OU.

7. La sortie de ce circuit est égale à $AB + CD$.
En effet :
- si $A = B = +v$ volts, alors les deux diodes A et B ne laissent passer aucun courant (car elles ont le même potentiel de chaque coté). Le point $E = +v$ volts et la diode adjacente est alimentée dans le sens passant, donc $S = +v$ volts;
- si A ou/et $B = 0$ volt, au moins une des deux diodes est alimentée dans le sens passant, ce qui donne $E = 0$ volt et aussi $S = 0$ volt;
- idem pour C et D;
- donc $S = AB + CD$.

Chapitre **7**

Mémoires

7.1 Généralités et définitions

Un ordinateur a deux caractéristiques essentielles qui sont la vitesse à laquelle il peut traiter un grand nombre d'informations et la capacité de mémoriser ces informations. C'est cette deuxième caractéristique que nous allons approfondir.

Une **mémoire** est un dispositif capable d'enregistrer, de conserver et de restituer des informations (codées en binaire dans un ordinateur).

Les éléments de mémoire d'un ordinateur se répartissent en plusieurs niveaux caractérisés par leur capacité (nombre d'informations qu'elles peuvent contenir) et leur temps d'accès. La figure 7.1 illustre les différents types de mémoire et montre la hiérarchie existant entre les niveaux.

Si l'on compare la faculté de mémorisation d'un ordinateur avec celle de l'homme, on s'aperçoit que l'homme a de plus grandes capacités, principalement dans les mécanismes d'activation et de recherche en mémoire. Bien qu'il soit possible d'ajouter indéfiniment des mémoires auxiliaires à un ordinateur jusqu'à rejoindre et même dépasser la capacité d'un cerveau, on ne peut encore pas égaler les performances du cerveau dans le traitement de certaines classes de données (par exemple, des sons ou des images). Le cerveau travaille sur un grand nombre de données simultanément, alors que l'ordinateur selon von Neumann travaille essentiellement en séquence. Ceci explique la différence de performance, mais il faut remarquer que l'organisation d'un ordinateur est moins évoluée que celle d'un cerveau. En effet, la mémoire d'un ordinateur est un élément passif au service du CPU, alors que dans le cerveau, les fonctions de mémoire et de traitement sont réalisées par des éléments actifs intimement liés.

7.1.1 Hiérarchie des mémoires

Les différents éléments de la mémoire d'un ordinateur sont ordonnés en fonction des critères suivants : temps d'accès, capacité et coût par bit.

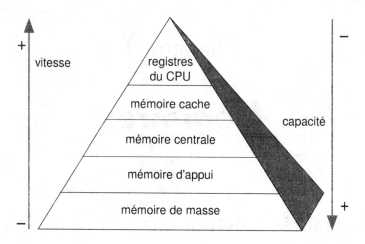

Figure 7.1 : Pyramide des niveaux de mémoire d'un ordinateur

Quand on s'éloigne du CPU vers les mémoires auxiliaires, on constate que le temps d'accès et la capacité des mémoires augmentent, mais que le coût par bit diminue :

- les éléments de mémoire situés dans l'unité centrale de traitement (CPU) sont les **registres** qui sont caractérisés par une grande vitesse et servent principalement au stockage des opérandes et des résultats intermédiaires. Ces mémoires sont traitées plus en détail dans le chapitre suivant consacré au CPU;

- la **mémoire cache** ou l'**antémémoire** est une mémoire rapide de faible capacité (par rapport à la mémoire centrale) utilisée comme mémoire tampon entre le CPU et la mémoire centrale. Cette mémoire permet au CPU de faire moins d'accès à la mémoire centrale et ainsi de gagner du temps;

- la **mémoire centrale** est l'organe principal de rangement des informations utilisées par le CPU. Pour exécuter un programme, il faut le charger (instructions + données) en mémoire centrale. Cette mémoire est une mémoire à semi-conducteurs, mais son temps d'accès est beaucoup plus grand que celui des registres et du cache;

- la **mémoire d'appui** sert de mémoire intermédiaire entre la mémoire centrale et les mémoires auxiliaires. Elle est présente dans les ordinateurs les plus évolués et permet d'augmenter la vitesse d'échange des informations entre ces deux niveaux;

- la **mémoire de masse ou mémoire auxiliaire** est une mémoire périphérique de grande capacité et de coût relativement faible utilisée pour le stockage permanent des informations. Elle est utilisée pour le stockage, la sauvegarde ou l'archivage à long terme des informations. Elle utilise pour cela des supports magnétiques (disques, cartouches, bandes), magnéto-optiques (disques) ou optiques (disques optiques).

7.1.2 Organisation des informations

Les informations que l'on désire traiter dans un ordinateur doivent s'adapter à un certain format, dont les caractéristiques générales sont les suivantes :

- le **bit** [*BInary Digit*] constitue l'unité de base de l'information. Dans une mémoire, le plus petit élément de stockage est souvent appelé point mémoire : il mémorise un bit d'information;

- l'**octet**, plus connu sous le terme anglais **byte**, correspond à un groupement de 8 bits;

- le caractère est un groupement de 6,7,8..., bits permettant le codage d'un caractère alphanumérique ou d'un caractère spécial (!, ~, #, $, %, ^, &, *, ", [,], ", { ...) selon les conventions du codage ASCII, EBCDIC, etc.;

- le **mot** [*word*] est un groupement de bits constituant une unité d'information adressable en mémoire centrale (exemples : 8, 12, 16, 24, 32, 36, 48, 60, 64 bits...) qui varie selon les machines. Les valeurs 32 et 64 tendent à se généraliser;

- l'**enregistrement** [*record*] signifie bloc de données. Il constitue l'unité d'information stockée en mémoire auxiliaire (disque, bande);

- le **fichier** [*file*] est un ensemble d'enregistrements.

Caractéristiques des mémoires

- **Adresse** : c'est la valeur numérique désignant un élément physique de mémoire (par exemple, l'adresse d'un mot en mémoire centrale).

- **Capacité** ou taille d'une mémoire : elle correspond au nombre d'informations qu'elle peut contenir. On peut exprimer cette valeur en fonction du nombre de bits, de bytes ou de mots (par exemple, une mémoire centrale de 512 Mmots de 64 bits ou un disque magnétique de 9 GBytes).

- **Temps d'accès** : c'est le temps qui s'écoule entre le lancement d'une opération d'accès (lecture ou écriture) et son accomplissement.

- **Cycle mémoire** : c'est le temps minimal s'écoulant entre deux accès successifs à la mémoire. Il est plus long que le temps d'accès, car le bon fonctionnement de la mémoire nécessite quelques opérations de maintien, de stabilisation des signaux dans les circuits, de synchronisation, etc.

- **Débit** : c'est le nombre d'informations lues ou écrites par seconde (par exemple, unité de bande magnétique avec un débit de 4 MBytes/seconde).

- **Volatilité** : elle caractérise la permanence des informations dans une mémoire. Une mémoire volatile perd son contenu lorsque l'on coupe le courant, celle-ci a donc besoin d'un apport constant d'énergie électrique pour conserver ses informations. La mémoire centrale à semi-conducteurs est volatile alors que les mémoires auxiliaires magnétiques ne le sont pas. On peut réaliser des mémoires non volatiles à semi-conducteurs, moyennant une petite batterie.

Différents types d'accès aux mémoires

- accès **séquentiel** : c'est l'accès le plus lent; pour accéder à une information particulière, on est obligé de parcourir toutes celles qui la précèdent (par exemple, les bandes magnétiques);

- accès **direct** : les informations ont une adresse propre, ce qui permet d'y avoir accès directement (par exemple, la mémoire centrale, les registres);

- accès **semi-séquentiel** : c'est une combinaison des accès direct et séquentiel (par exemple, pour un disque magnétique, l'accès au cylindre est direct et l'accès au secteur est séquentiel);

- accès **par le contenu** (mémoire associative) : les informations sont identifiées par une clé et la recherche s'effectue sur cette clé de façon simultanée sur toutes les positions de la mémoire (par exemple, l'antémémoire ou mémoire cache).

7.2 Mémoire centrale

La mémoire centrale ou principale [*main memory*] contient les instructions et les données des programmes que l'on désire exécuter, ainsi qu'une partie du système d'exploitation nécessaire au bon fonctionnement de l'ordinateur. Tout programme que l'on veut exécuter doit d'abord être chargé en mémoire centrale. Ensuite, on y cherche les instructions les unes après les autres pour les exécuter séquentiellement dans l'unité centrale de traitement. La capacité et la vitesse d'accès à la mémoire centrale sont des éléments déterminants dans la puissance d'un ordinateur.

Technologiquement, la mémoire centrale a été réalisée suivant plusieurs principes. On trouve, principalement et par ordre chronologique : les lignes à retard, les tubes à vide, les tambours magnétiques, les tores magnétiques et les mémoires à semi-conducteurs.

Les lignes à retard, les tubes à vide et les tambours magnétiques n'ont été utilisés que pendant les années 40 et 50 et ont été remplacés par les tores magnétiques dont la période glorieuse a duré environ une vingtaine d'années. Depuis le début des années 70, ce sont les mémoires à semi-conducteurs qui ont avantageusement remplacé les tores.

Voici quelques valeurs qui donnent un aperçu de l'évolution de la mémoire centrale dans les ordinateurs :

- en 1945, l'ENIAC avait une mémoire de 20 mots, pouvant contenir chacun 10 chiffres décimaux, qui était réalisée avec des tubes à vide;

- en 1953, l'IBM 650 avait une mémoire de 2'000 mots contenant chacun 10 chiffres décimaux codés en biquinaire et implantée avec un tambour magnétique;

- en 1965, l'IBM 360 avait une mémoire de 1 MByte, réalisée avec des tores, où le temps d'accès était de 0,75 µs;

- en 1976, le CRAY-1 avait une mémoire de 1 Mmot de 64 bits, réalisée avec des transistors, où le temps d'accès était de 50 ns;

- en 1985, le CRAY-2 avait une mémoire de 256 Mmots de 64 bits, réalisée en technologie MOS;

- aujourd'hui, les capacités varient entre les quelques dizaines de MBytes d'un ordinateur personnel et les dizaines de GBytes des super-ordinateurs.

Le temps d'accès de la mémoire centrale est devenu moins critique du fait des différents niveaux de mémoire (par exemple, la mémoire cache).

Les **tambours magnétiques** étaient utilisés comme mémoire centrale dans les premiers ordinateurs. Ils ont été rapidement remplacés par les **tores magnétiques** mais ils ont servi ensuite de mémoire auxiliaire avant l'apparition des **disques magnétiques**. L'avènement des tores magnétiques a permis d'avoir une mémoire centrale plus rapide et à accès direct, puis l'avènement des disques magnétiques a amené une mémoire auxiliaire plus performante, d'où la disparition des tambours magnétiques.

Les **tores magnétiques** sont des petits anneaux de ferrite et constituent chacun un point mémoire. Dans un tore passent des fils (au minimum 2) permettant la lecture et l'écriture d'un signal. L'information stockée est une donnée binaire représentée par le sens de l'aimantation de l'anneau. Pour aimanter un tore, il faut faire passer un courant dans les fils qui le traversent. Le tore va s'aimanter selon le sens donné par la règle du tire-bouchon de Maxwell. Le tore reste aimanté même s'il n'est plus traversé par le courant. Ces mémoires ne permettent pas une grande densité, car on ne peut pas réduire indéfiniment la taille des tores. Les plus perfectionnées ont une capacité d'environ 4 Kbits pour une surface de 25 cm^2. Les tores magnétiques ont été dépassés à tout point de vue par les mémoires à semi-conducteurs.

La structure de la mémoire centrale est basée sur une organisation matricielle (figure 7.2).

0	0	1	0	1	0	0	0
0	1	1	0	1	1	0	0
1	1	0	1	1	0	1	0
1	1	1	1	0	1	0	0
0	1	0	1	0	1	0	1
1	1	0	0	0	1	1	1
1	0	0	1	1	0	1	0
1	1	1	1	0	1	0	0

Figure 7.2 : Matrice de points mémoire

7.2.1 Mémoires à semi-conducteurs

Depuis le début des années 70, les mémoires à **semi-conducteurs** constituent les éléments de base de toute mémoire centrale. L'évolution de la technologie a permis de réaliser des mémoires intégrées qui constituent actuellement les meilleurs éléments de mémoire centrale au point de vue capacité, rapidité et prix.

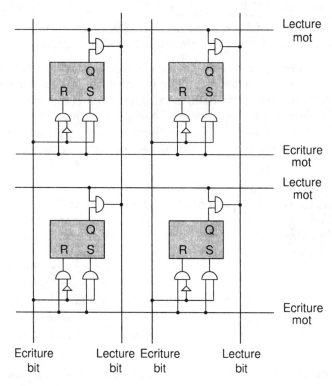

Figure 7.3 : Schéma de principe d'une mémoire électronique

Le principe de base de ces mémoires est d'utiliser des bistables comme point mémoire. On peut réaliser des mémoires de grande capacité en faisant des matrices de cellules identiques (figure 7.3).

Tous les mots de la mémoire centrale sont accessibles directement par leur adresse. C'est une mémoire à **accès direct** ou à accès aléatoire appelée généralement **RAM** [*Random Access Memory*]. La figure 7.4 montre un exemple d'une mémoire électronique RAM composée d'un circuit intégré (simple) de 512 bits organisés en mots de 8 bits.

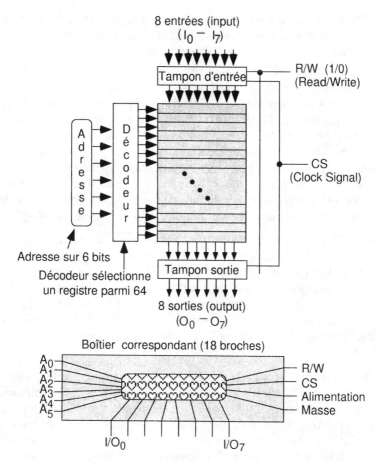

Figure 7.4 : Organisation d'une mémoire électronique de 64 mots de 8 bits

Les points mémoire décrits jusqu'ici ont la particularité de pouvoir être lus et écrits, ils constituent une mémoire **RWM** [*Read Write Memory*]. Les mémoires permettant des opérations de lecture et d'écriture sont appelées **mémoires vives**, par opposition aux **mémoires mortes** [**ROM** : *Read Only Memory*] qui ne permettent que des opérations de lecture, les opérations d'écriture étant soit impossible, soit possible sous des conditions particulières.

Résumé des caractéristiques des principaux types de mémoires à semi-conducteurs

Une RAM [*Random Access Memory*] est une mémoire à accès aléatoire, le temps d'accès est indépendant du numéro de la cellule adressée. On distingue deux types de mémoires RAM, les SRAM et les DRAM :

- **SRAM** [*Static RAM*] : mémoire vive **statique**. Ces mémoires sont réalisées en technologie unipolaire et en technologie bipolaire, cette dernière étant la plus rapide. Chaque point mémoire nécessite en principe quatre transistors, car un bistable est constitué de deux portes NOR, et chaque porte NOR est constituée de deux transistors. C'est une mémoire très rapide;

- **DRAM** [*Dynamic RAM*] : mémoire vive **dynamique** dont l'information doit être rafraîchie périodiquement (par exemple toutes les quelques millisecondes). Ces mémoires sont réalisées uniquement en technologie MOS. Un point mémoire est constitué d'un transistor couplé à un condensateur. Le condensateur se décharge progressivement, entraînant la perte de l'information. Il faut périodiquement lire le signal (la charge du condensateur), l'amplifier et le réécrire. Les avantages sont : fabrication plus simple, densité d'intégration plus grande (d'un facteur 4 environ), coût par bit moins élevé. L'inconvénient majeur est d'avoir à supporter la logique de rafraîchissement, ce qui en fait une mémoire plus lente que les SRAM.

Une mémoire **ROM** [*Read Only Memory*] est une mémoire **morte**, c'est-à-dire une mémoire où l'on peut lire uniquement, l'écriture étant impossible. Ce sont des mémoires non volatiles, programmées par le fabricant. Le coût élevé pour la réalisation des masques impose de grandes séries. Elles sont réalisées en technologie MOS et bipolaire. Ces mémoires trouvent leurs applications dans la conversion de code, la génération de caractères pour l'affichage sous forme de matrice de points, le stockage de certains programmes système, la microprogrammation, le codage du clavier, etc.

Une mémoire **PROM** [*Programmable ROM*] est une mémoire morte programmable une seule fois par l'utilisateur, et de manière irréversible. Ces mémoires sont conçues pour la mise au point ou la réalisation de programmes identiques en faible nombre d'exemplaires. Elles sont réalisées en technologie MOS ou bipolaire. L'inscription peut se faire selon plusieurs techniques, la plus courante est le stockage de charges. Chaque point mémoire est constitué d'un transistor unipolaire (MOS) dont la grille est isolée (figure 7.5).

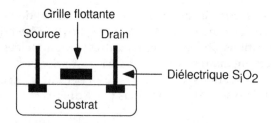

Figure 7.5 : Schéma d'un point mémoire PROM réalisé avec un transistor unipolaire à grille flottante

Celle-ci, appelée grille flottante, peut garder sa charge électrique pendant plusieurs dizaines d'années. Le fait que la grille ait une charge électrique ou non, commande le comportement du transistor puisque la tension appliquée à la grille décide s'il y a un canal ou pas. L'écriture se fait par application d'une forte tension entre source et drain. La lecture est simple, elle suit le même principe qu'un transistor normal. Dans le cas d'un transistor à enrichissement, si la grille flottante est chargée, elle induit un canal, il y a conduction entre source et drain, alors que si la grille n'est pas chargée, il n'y a pas de canal et pas de conduction entre source et drain.

Les mémoires **EPROM** [*Erasable Programmable ROM*] sont aussi appelées **REPROM** [*REProgrammable ROM*]. Le principe est le même que celui des PROM, mais elles offrent en plus la possibilité de pouvoir être effacées un certain nombre de fois. L'effacement se fait par exposition aux rayons ultraviolets. Le temps d'exposition est de l'ordre de trente minutes. Ces mémoires sont utilisées lors de la mise au point de programmes destinés à être stockés en ROM.

Les mémoires **EAROM** [*Electrically Alterable ROM*] suivent le même principe que celui des EPROM, elles sont reprogrammables par l'utilisateur mais elles sont à effacement électrique. De plus l'effacement est sélectif et l'effacement total ne demande pas plus d'une minute. On trouve aussi les appellations **EEROM** [*Electrically Erasable ROM*] et **EEPROM**.

 ROM et RAM ne sont pas en opposition puisque ces abréviations représentent des particularités indépendantes, mais en général, lorsque l'on parle de mémoire RAM, il est sous-entendu que l'on parle de mémoire vive.

7.2.2 Structure physique de la mémoire centrale

On vient de voir quelles sont les différentes technologies utilisées pour réaliser des éléments de mémoire centrale. Dans la pratique, un élément de mémoire est une puce. Pour réaliser une mémoire centrale, il faut un grand nombre de puces que l'on répartit sur des cartes. Un mot-mémoire peut être composé de différentes manières, qui sont :

- **1 bit/carte** : un mot mémoire est composé par les bits ayant la même adresse sur les cartes, l'adresse se compose du numéro de la puce et de l'adresse à l'intérieur de cette puce;
- **1 bit/puce** : un mot mémoire est composé par les bits ayant la même adresse dans les différentes puces;
- **plusieurs bits/puce** : un mot mémoire est composé par plusieurs bits d'une même puce.

Ces différentes structures n'influent pas sur la capacité de la mémoire ni sur la longueur des adresses, mais elles influent sur la répartition des bits d'adresse, puisque les bits d'adresse servent à adresser les cartes, les puces et les bits à l'intérieur des puces. Ces structures montrent bien, en tout cas, que la mémoire centrale a une capacité limitée et que cette limitation est due à la longueur des adresses (c'est-à-dire le nombre de bits utilisés pour adresser la mémoire).

Le cycle CPU étant normalement beaucoup plus court que le cycle mémoire, on arrive à des problèmes d'attente du CPU sur la mémoire, ce qui diminue le rendement de la machine. Il existe deux dispositifs permettant d'améliorer la situation, qui peuvent d'ailleurs être combinés et qui sont : la mémoire cache et la mémoire entrelacée.

La mémoire entrelacée [memory interleaving]

Ce dispositif consiste à diviser la mémoire centrale en blocs indépendants possédant leurs propres registres d'adresse et de mot. Le CPU peut lancer des opérations d'accès à la mémoire sans attendre la fin du cycle précédent à condition de faire appel à un bloc différent. L'**entrelacement** consiste à placer les mots se trouvant à des adresses successives dans des blocs différents. On gagne ainsi du temps par recouvrement des cycles mémoire.

Modules mémoire

La plupart des micro-ordinateurs actuels offrent la possibilité d'étendre facilement leur mémoire centrale RAM. Pour cela, ils ont un certain nombre d'emplacements réservés pour accueillir des modules de mémoire, appelés **SIMM** [*Single In-line Memory Module*]. Une SIMM est un groupe de chips RAM généralement monté sur un petit circuit imprimé de forme rectangulaire, appelé barrette, que l'on installe sur la carte principale d'un micro-ordinateur. Les SIMM fonctionnent en 32 bits. De nouvelles barrettes mémoire 64 bits sont apparues, ce sont les DIMM [*Dual In-line Memory Module*].

7.3 Mémoire cache

Le principe de la **mémoire cache** ou **antémémoire** apporte une solution au problème de la trop grande différence de vitesse entre le CPU et la mémoire centrale. La solution consiste à insérer entre les deux une mémoire très rapide (de type SRAM) mais pas très grande qui va contenir les informations (instructions, données) dont a besoin le CPU. Cette mémoire ne fait pas partie de la mémoire centrale.

L'antémémoire est une **mémoire associative**, ce qui signifie que les informations ne sont pas accessibles par une adresse, ce qui est le cas dans la mémoire centrale, mais sont adressables par le contenu. Chaque case d'une mémoire associative comprend deux champs correspondant à la clé et à l'information associée à cette clé (figure 7.6). Dans le cas de l'antémémoire, la clé est constituée par l'adresse en mémoire centrale de l'instruction ou la donnée cherchée, et l'information associée est constituée de l'instruction ou la donnée elle-même.

Un point important est à souligner : la recherche par clé dans la mémoire associative ne s'effectue pas de manière séquentielle, mais en parallèle sur toutes les cases de la mémoire associative. En un accès, on sait si l'instruction cherchée se trouve ou non dans l'antémémoire. Par exemple, si l'on considère la mémoire associative de la figure 7.6, les clés sont des noms de pays, alors que l'information associée à chaque clé est une ville de ce pays.

Si l'on interroge cette mémoire avec la clé RWANDA, on compare ce nom avec tous les noms contenus, chaque cellule a son propre circuit comparateur, et ainsi en un seul accès, on a l'information associée à cette clé, dans notre exemple la ville KIGALI.

Les ordinateurs actuels ont plusieurs niveaux de mémoires caches qui sont séparées pour les données et pour les instructions. La taille se situe autour de quelques centaines de KBytes intégrés directement dans le circuit du processeur et quelques MBytes sur la carte principale qui contient le processeur central.

La mémoire cache contient les instructions et les données les plus fréquemment utilisées par le processeur central lors de l'exécution d'un programme. Une question se pose : comment déterminer les informations à stocker dans cette mémoire temporaire ? La solution repose sur une double constatation de proximités spatiale ou temporelle des informations à traiter. En effet, à cause de la nature séquentielle des programmes, il y a statistiquement de fortes chances pour que la prochaine information à traiter se trouve à proximité de l'information précédemment traitée : c'est le principe de proximité spatiale. Le principe de proximité temporelle repose sur la tendance à réutiliser les informations les plus récemment traitées (dans le cas d'une boucle par exemple).

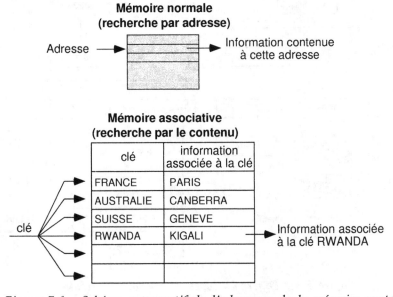

Figure 7.6 : Schéma comparatif de l'adressage de la mémoire centrale et de l'antémémoire

7.4 Mémoire d'appui / stockage

La mémoire d'appui est une mémoire à semi-conducteurs dont la capacité peut atteindre plusieurs GBytes. Certains gros ordinateurs en sont pourvus et l'utilité d'une telle mémoire est de réduire l'écart de vitesse entre la mémoire centrale et les mémoires auxiliaires. La vitesse de transfert entre ces mémoires est un facteur important dans les systèmes à mémoire virtuelle (voir chapitre sur le système d'exploitation) car il y a beaucoup d'échanges de blocs de données. Ce type de mémoire utilise la technologie MOS, ce qui permet de réaliser de grandes mémoires d'un coût abordable.

7.5 Mémoires auxiliaires

Les **mémoires auxiliaires**, appelées aussi secondaires ou périphériques, sont des mémoires permettant le stockage permanent d'un très grand nombre d'informations. Elles sont composées principalement de disques (magnétiques, magnéto-optique, optiques), de bandes magnétiques, de cartouches magnétiques (figure 7.7). On trouve deux catégories de mémoires auxiliaires : les mémoires fixes et les mémoires amovibles. Les mémoires fixes sont les disques durs magnétiques fixes. Les dispositifs amovibles (bandes, disques) servent généralement de mémoires d'archivage.

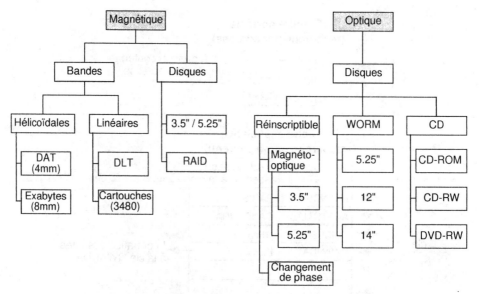

Figure 7.7 : Différents types de mémoire auxiliaire

Les disques magnétiques servent de mémoire pour le support des fichiers et n'offrent qu'une capacité limitée à quelques GBytes, chaque unité de disque contenant un ou plusieurs disques fixes. Les mémoires d'archivage amovibles, telles que disques, bandes, cartouches magnétiques ou disques optiques, offrent de plus grandes capacités de stockage, chaque unité n'étant pas liée à un seul disque ou cartouche. On peut les changer à volonté. L'accès à ces mémoires est plus lent que l'accès aux disques fixes. Elles sont généralement utilisées pour sauvegarder le contenu des disques. En règle générale, la capacité de toutes ces mémoires est multipliée par deux tous les deux ans.

Tous ces différents types de média sont caractérisés par leur capacité, leur temps d'accès, leur temps de transfert et leur temps moyen de fonctionnement sans problème, appelé **MTBF** [*Mean Time Between Failures*].

7.5.1 Enregistrement magnétique

Le principe de l'**enregistrement magnétique** est analogue à celui utilisé dans les magnétophones. Il consiste à exploiter l'aimantation rémanente, créée sur une couche mince de matériau ferro-magnétique, le plus souvent de l'oxyde de fer. Cette couche magnétique est composée de micro-domaines magnétisables. Elle est déposée sur un support qui peut être souple dans le cas d'une bande magnétique ou dur dans le cas d'un disque. Chaque cellule peut être magnétisée dans un sens ou dans le sens opposé, ce qui correspond à la valeur 0 ou à la valeur 1 (figure 7.8).

Pour pouvoir magnétiser les cellules, on utilise une tête de lecture/écriture constituée par l'entrefer d'un aimant sur lequel est enroulée une bobine électrique. Le principe de lecture/écriture est le suivant :

- **écriture** : on fait passer un courant électrique dans la bobine, ce qui a pour effet de créer un champ magnétique au voisinage de l'entrefer. Les lignes de force traversent la couche magnétisable et donnent lieu à des petits aimants permanents qui subsisteront après suppression du courant dans la bobine. Le sens du courant passant dans la bobine décide de l'orientation du champ magnétique dans l'entrefer, donc de l'orientation de l'aimantation dans la cellule;

- **lecture** : chaque cellule aimantée dans un sens ou dans l'autre est un petit aimant. Quand une cellule défile sous la tête de lecture, elle induit un courant électrique dans la bobine. Suivant le sens du courant induit, l'information est un 0 ou un 1.

Densité d'enregistrement

Un facteur important est la densité linéaire d'enregistrement qui dépend essentiellement de la nature de la couche magnétisable, de la distance entre cette couche et la tête de lecture et de l'écart de l'entrefer. La densité se mesure en **bpi** [*bits per inch*], elle correspond au nombre de bits par pouce stockés le long d'une piste d'enregistrement.

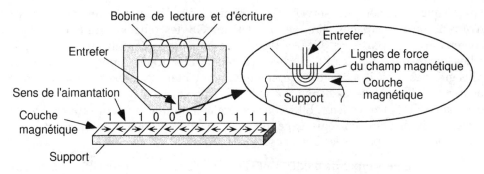

Figure 7.8 : Tête de lecture/écriture d'un enregistrement magnétique

On arrive aujourd'hui à des densités importantes, par exemple 6'250 bpi sur bande, 15'000 bpi sur disque, 19'000 bpi sur cassette, mais ceci exige une propreté extrême, car toute particule externe déposée sur la couche magnétisable, telle qu'une particule de fumée de cigarette, une empreinte de doigt, une poussière ou un cheveu entraîne des détériorations (figure 7.9).

La distance entre la couche magnétique et la tête de lecture est de l'ordre de 0,2 à 1 μm, alors qu'une particule de fumée a une épaisseur de 5 μm, une poussière de 20 à 30 μm et un cheveu de 50 à 100 μm.

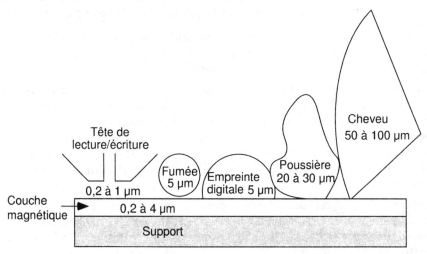

Figure 7.9 : Exemple de particules gênantes sur une couche magnétique

Techniques d'enregistrement sur une piste magnétique

La technique d'enregistrement expliquée précédemment, et qui consiste à aimanter les cellules dans un sens ou dans l'autre pour coder un 0 ou un 1, n'est pas optimale. Nous allons voir quelques exemples de techniques d'enregistrement (figure 7.10) utilisées pour obtenir des densités toujours plus importantes.

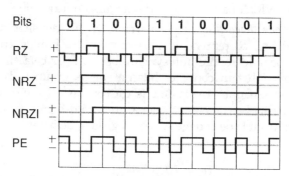

Figure 7.10 : Exemples de techniques de magnétisation

- **RZ** [*Return to Zero*] : on revient à zéro à chaque bit. On sépare les micro-domaines magnétisés par une zone non magnétisée. La notion de zéro correspond à cette absence de magnétisation. C'est le codage le plus naturel. La valeur 1 correspond à une impulsion positive et la valeur 0 à une impulsion négative dans la bobine de la tête de lecture. C'est un enregistrement autosynchronisé, c'est-à-dire qu'il n'est pas nécessaire d'avoir une base de temps pour synchroniser l'enregistrement. Ce codage n'est pas très rentable en densité car pour chaque bit, il faut deux transitions. La tête de lecture est sensible aux changements de sens de magnétisation, appelés transitions, nous raisonnerons donc maintenant en termes de transitions;

- **NRZ** [*Non Return to Zero*] : avec cette méthode, on économise les transitions. Une séquence de bits égaux génère seulement une impulsion au début (positive pour les 1 et négative pour les 0). Dans cette technique, on a seulement une impulsion lorsque les informations passent de la valeur 0 à la valeur 1 ou réciproquement. On peut ainsi doubler la densité linéaire, mais il faut une base de temps pour synchroniser les opérations de lecture/écriture, c'est-à-dire pour savoir quand et où lire les informations. Ces deux premières techniques étaient utilisées sur les premières bandes et permettaient une faible densité, notamment 200 et 556 bpi;

- **NRZI** [*NRZ Inverted*] : seuls les bits ayant la valeur 1 provoquent une inversion de magnétisation. Il est nécessaire d'avoir une base de temps, ce qui pose quelques problèmes avec les bandes magnétiques car cela implique une vitesse de déroulement parfaitement constante, ce qui est difficile pour des densités supérieures à 800 bpi;

- **PE** [*Phase Encoding*] : c'est un système plus compliqué mais ne nécessitant pas de base de temps, il est autosynchroniseur. Chaque cellule est divisée en deux parties magnétisées dans un sens opposé. Au milieu de la cellule, il y a donc une transition, si elle est négative, c'est la valeur 0, si elle est positive, c'est la valeur 1. Cette méthode entraîne aussi des transitions chaque fois que l'on a des séquences de valeurs identiques. Cette technique fonctionne très bien à 1'600 bpi, mais est limitée par la fréquence des transitions, qui est quadruplée par rapport au NRZI. La limite est atteinte aux environs de 4'000 bpi;

- **GCR** [*Group Code Recording*] : pour arriver à des densités supérieures, par exemple 6'250 bpi, on reprend le principe du NRZI mais en apportant une modification pour le rendre autosynchroniseur. Pour cela, il faut éviter les séquences de zéro. Il faut coder les bits par petits groupes, d'où le nom **Group Code Recording**. Chaque groupe de bits est codé avant d'être enregistré et est décodé à la lecture. Le codage consiste à prendre des groupes de 4 bits et à les convertir selon la table de codage 7.1 en un groupe de 5 bits.

Table 7.1 : Codage GCR

Données (4 bits)	Codage (5 bits)	Données (4 bits)	Codage (5 bits)
0000	11001	1000	11010
0001	11011	1001	01001
0010	10010	1010	01010
0011	10011	1011	01011
0100	11101	1100	11110
0101	10101	1101	01101
0110	10110	1110	01110
0111	10111	1111	01111

Grâce à ce code, il est impossible de trouver plus de deux zéros consécutifs. De ce fait l'oscillateur qui fournit la synchronisation pour les opérations de lecture/écriture n'attend jamais plus de deux bits pour trouver instantanément la bonne fréquence des informations stockées sur la piste magnétique (en mouvement). Quand les données sont codées par cette table, on les enregistre par la méthode du NRZI. Cette méthode de codage est largement utilisée pour le codage des disques et des bandes magnétiques.

7.5.2 Disques magnétiques

Les disques sont des mémoires vives non volatiles, les premiers ont été développés par IBM à partir de 1957. Une unité de disques magnétiques est constituée d'un empilement de plusieurs disques, dont les deux faces sont recouvertes d'une couche magnétisable. Les disques tournent autour d'un axe central avec une vitesse de plusieurs milliers de tours par minute. Entre les disques se trouvent les têtes de lecture/écriture.

Les surfaces de chaque disque sont structurées en pistes et en secteurs. Les **pistes** sont des cercles concentriques, il y en a plusieurs centaines par surface. Elles sont divisées en **secteurs** (de 10 à 100 par piste) et chaque secteur contient un certain nombre d'octets. L'ensemble des pistes ayant un rayon donné forme un **cylindre**. Les pistes d'un cylindre ont la particularité de pouvoir être lues ou écrites sans déplacer les têtes. Un disque neuf n'est pas structuré en pistes et secteurs, il faut le **formater**, c'est-à-dire effectuer ces subdivisions (figure 7.11).

L'accès aux informations d'un disque est un accès semi-séquentiel. Il faut indiquer le cylindre auquel on désire accéder, ce qui est fait directement par positionnement de l'ensemble rigide des têtes de lecture/écriture, et ensuite il faut attendre que le bon secteur vienne sous cette tête, ce qui prend en moyenne une demi-rotation (la vitesse moyenne de rotation est de l'ordre de quelques milliers de tours par seconde). Pour obtenir un bloc de données, il faut spécifier l'unité de disque, le cylindre, la surface (surface + cylindre = piste) et le secteur.

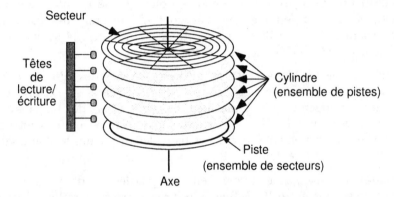

Figure 7.11 : Schéma d'une unité de disque magnétique

De plus, il faut spécifier le nombre d'informations à transférer et l'adresse en mémoire centrale où l'on doit effectuer le transfert. Donc, pour transférer des informations, trois temps sont à considérer :

- temps de **positionnement** des têtes sur le bon cylindre;
- temps d'**attente-rotation**, dû à la rotation du disque pour atteindre le bon secteur;
- temps de **transfert** des informations.

L'information est enregistrée en série sur les pistes concentriques. Les pistes contiennent toutes le même nombre de bits, la densité varie donc en fonction de la piste. La densité atteint son maximum sur la piste la plus proche de l'axe central.

Les pistes sont divisées en secteurs et chaque secteur est séparé du suivant par une petite zone non utilisée qui permet de repérer les secteurs et de les synchroniser.

Les disques utilisent des têtes ultra-légères très proches de la surface du disque. L'altitude de vol des têtes (distance entre le disque et la tête de lecture/écriture) est inférieure à 0,25 microns. La moindre particule de poussière a une taille dix fois plus grande. C'est pour cela que les disques durs sont placés dans des boîtiers hermétiques. Ces disques sont appelés disques durs et sont fixes dans leur unité (cabinet). Dans les formats les plus courants (2"1/2, 3"1/2 ou 5"1/4 pouces), les disques ont une capacité pouvant atteindre plusieurs gigabytes.

Disquettes magnétiques

Les **disquettes** [*floppy disks*] sont principalement utilisées dans les petits systèmes tels que les micro-ordinateurs. Elles sont constituées d'un petit disque en matière plastique souple recouvert d'une couche magnétisable et conservé dans une pochette d'où il ne sort jamais. Les premières disquettes avaient un format de 8 pouces (environ 20 cm), puis sont apparues les disquettes 5 pouces 1/4 (environ 13 cm). Enfin est apparu le format 3 pouces 1/2 (environ 9 cm) qui est le format actuel le plus répandu. Ces disquettes sont enfermées dans une enveloppe plastique rigide offrant une meilleure protection et une plus grande facilité d'emploi. Le coût des disquettes est relativement bas, tout en procurant des capacités de stockage variant entre 720 KBytes et 2,88 MBytes, la valeur 1,44 MBytes étant le standard actuel. Ce type de disquette est en fin de vie.

Le principe de fonctionnement est le même que celui des disques durs. Les disquettes doivent être formatées en pistes et secteurs et l'enregistrement d'informations s'effectue par l'intermédiaire de têtes de lecture/écriture, agissant à travers une ouverture pratiquée dans la pochette contenant la disquette. Mais contrairement aux disques fixes, les disquettes sont amovibles et peuvent être manipulées à volonté.

Les disquettes de 1,44MB sont en voie d'être remplacées par de nouveaux médias permettant de stocker entre 100 MB et 1GB sur un support de taille comparable. De plus, ces nouveaux médias ont des temps d'accès nettement améliorés. Dans une de ces nouvelles technologies, l'augmentation de capacité est obtenue par l'ajout d'un capteur optique (laser) aux têtes magnétiques de lecture/écriture qui elles-mêmes ont gagné en finesse. Le capteur détecte un élément de positionnement optique placé sur une piste optique du disque, ce qui augmente considérablement la précision de positionnement des têtes de lecture/écriture. On peut ainsi placer les pistes de données beaucoup plus près les unes des autres. L'optique est utilisé uniquement pour le positionnement, la lecture/écriture est toujours magnétique.

Technologie RAID

La technologie **RAID** [*Redundant Arrays of Inexpensive Disks*] consiste à utiliser des batteries de disques durs pour offrir de meilleures performances en termes de capacité, sécurité et ceci à un moindre coût. La gestion des données dans un disque RAID peut s'effectuer selon plusieurs schémas (niveaux de 0 à 5) (figure 7.12) qui introduisent une certaine redondance des données pour en garantir la sécurité.

Le niveau 0 n'induit aucune redondance , il n'y a donc pas de sécurité particulière. Un RAID de niveau 1 consiste à dupliquer les données sur deux disques [*mirroring*], appelés disques miroirs. Cette technique est relativement simple et offre une très bonne fiabilité. Malheureusement, la moitié de la capacité est consacrée à la redondance des données, ce qui n'est pas très économique. Le niveau 2 utilise le code de Hamming, les niveaux 3 à 5 utilisent un simple calcul de parité. Ces trois derniers niveaux diffèrent par le fait que les fichiers sont découpés en bits (niveau 3) ou en blocs (niveau 4 et 5) et que la parité soit stockée sur le dernier disque (niveau 3 et 4) ou répartie sur les différents disques (niveau 5). Toutes ces techniques (excepté pour le niveau 0) permettent de récupérer toutes les données lors du *crash* d'un des disques (qui survient lorsque la tête de lecture vient s'écraser sur le disque lui-même).

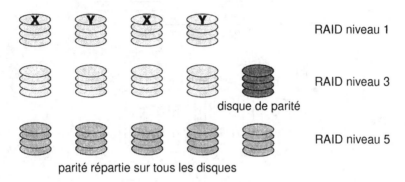

Figure 7.12 : Configurations typiques de disques RAID

De nouveaux niveaux ont été introduits récemment. Par exemple, le niveau 6 correspond au niveau 5 mais avec une double parité. D'autres niveaux correspondent à une combinaison de niveaux existants.

7.5.3 Cartouches et bandes magnétiques

Les bandes et cartouches magnétiques sont semblables à celles utilisées pour l'enregistrement de la musique. Elles sont constituées d'un ruban souple, servant de support à une couche magnétisable, enroulé sur un support plastique.

Quelques caractéristiques chiffrées des bandes (figure 7.13) :

- la longueur est généralement de 2'400 pieds [*feet*], correspondant à environ 732 m, la largeur est de 1/2 pouce, soit 1,27 cm;
- la bande est divisée en pistes dont le nombre est de 7, 9, 18 ou 36;
- un byte est enregistré transversalement, c'est-à-dire que les 8 bits sont répartis sur 8 pistes, la neuvième piste étant utilisée pour un bit de parité;
- la densité longitudinale a évoluée en 25 ans de 200 à 38'000 bpi;
- les modes d'enregistrement utilisés sont les modes NRZI, PE et GCR;
- le temps de lecture d'une bande est de quelques minutes, ce sont des supports de données relativement lents.

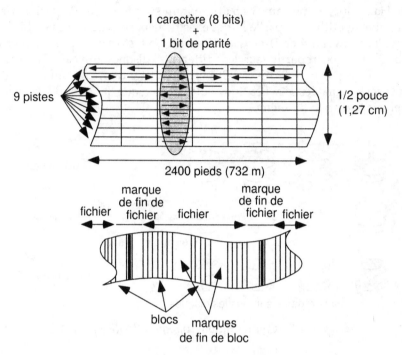

Figure 7.13 : Schémas de l'organisation des données sur une bande

Les bandes/cartouches, montées sur les unités de lecture/écriture, sont des mémoires auxiliaires, non volatiles et à accès séquentiel. Elles ont les avantages suivants :

- ces unités sont des périphériques standard disponibles dans la plupart des petits ou des grands systèmes, ce qui permet l'échange de bandes/cartouches entre systèmes;

- la méthode d'enregistrement est une méthode très économique (1 milliard de bits ≈ 1 $);

- les données peuvent être conservées sans problème au moins pendant une vingtaine d'années, ce qui constitue un bon moyen d'archivage.

Elles ont aussi des inconvénients, qui sont :

- l'accès séquentiel, d'où une certaine lenteur.

Organisation des données

Nous allons prendre un exemple d'enregistrement avec la méthode GCR pour illustrer l'organisation des données (figure 7.14).

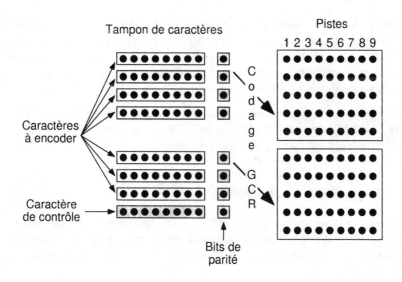

Figure 7.14 : Méthode d'enregistrement GCR sur bande magnétique

Les informations que l'on désire stocker sont déposées dans une mémoire tampon par groupes de 7 caractères de 8 bits + 1 bit de parité, auxquels on ajoute un huitième caractère de contrôle. On divise ces 8 caractères en deux groupes de 4. Dans chaque groupe, on obtient 9 colonnes de 4 bits que l'on code avec la table de codage de la méthode GCR. On enregistre ainsi des groupes de 5 bits (figure 7.14) le long de chaque piste.

Tout ce travail de codage-décodage, contrôle, synchronisation, etc., est transparent à l'utilisateur. Il est effectué au niveau de l'unité de bande et de son contrôleur.

Les fichiers sont composés d'enregistrements logiques, qui, eux-mêmes, sont composés d'un ensemble de caractères (figure 7.13). Sur la bande, chaque enregistrement logique correspond à un bloc physique. Les blocs sont terminés par des bits de contrôle, appelés **cheksum**, et sont séparés par de petites zones non magnétisées appelées **gaps**. Les fichiers sont séparés par une marque de fin de fichier.

L'utilisation des bandes magnétiques nécessite un certain nombre de manipulations pour les mettre et les enlever des lecteurs. Pour des raisons de simplicité elles sont remplacées avantageusement par les cartouches magnétiques.

Les **cartouches** ou **cassettes** magnétiques [*cartridges*] suivent le même principe que celui des bandes magnétiques, mais le format est réduit et la manipulation est plus aisée.

Par exemple, la taille d'une cassette pour l'unité 3490 (successeur de la célèbre 3480) d'IBM est de 122 mm sur 97 mm. Ses caractéristiques sont les suivantes : densité linéaire longitudinale (sur une piste) de 38'000 bytes/inch, largeur de 1/2 pouce, 36 pistes et possibilité de stocker ≈ 1 GByte. L'unité de contrôle associée à ces cassettes a un débit de 4,5 MBytes/seconde.

L'enregistrement peut s'effectuer de manière linéaire (longitudinale) (DLT, IBM 3480) ou hélicoïdale (DAT, Exabyte). Dans ce dernier cas, la tête de lecture/écriture est inclinée de quelques degrés.

7.5.4 Disques optiques numériques

Les disques optiques numériques (DON) sont la révélation de ces dernières années : ils offrent de grandes capacités de stockage sur des supports amovibles. Ils sont d'une très grande fiabilité. L'inconvénient majeur est la relative lenteur de ces systèmes.

Il existe plusieurs sortes de disques optiques :
- les disques magnéto-optiques réinscriptibles;
- les disques WORM inscriptibles seulement une fois;
- la famille des disques compacts CD;
- la famille des disques DVD;

Les mémoires magnétiques présentent un certain nombre d'inconvénients comme la sensibilité aux poussières, aux rayures, à la température et aux champs magnétiques. L'optique permet d'éviter ces problèmes et offre des densités d'informations au moins dix fois plus grandes que celles des mémoires magnétiques, pouvant atteindre des dizaines de Mbits/cm^2.

Tous les disques optiques organisent leurs données en pistes. La plupart des disques ROM ont une seule piste en spirale comme sur un disque musical. Certains utilisent des pistes concentriques comme celles des disques magnétiques.

Disques magnéto-optiques (DMO)

Les disques **magnéto-optiques** sont des disques effaçables que l'on peut lire et écrire plusieurs fois. Ils constituent la génération suivante des disques WORM. Pour réaliser ces disques effaçables, on peut utiliser les propriétés magnéto-optiques de certains alliages de matériaux rares, de fer ou de cobalt. Ces matériaux peuvent inverser localement leur polarisation magnétique sous l'effet conjugué d'un champ magnétique et d'un rayon laser qui chauffe le point d'enregistrement (qui peut ainsi stocker 1 bit).

Parmi les différents types de disques magnéto-optiques (DMO), on retrouve les deux principaux formats des disquettes : les 3"1/2 et les 5"1/4. Les 5"1/4 offrent une capacité de stockage de 650 MBytes à quelques GBytes répartis sur les deux faces alors que les 3"1/2 autorisent le stockage de quelques centaines de MBytes (128 et 256 étant les capacités les plus courantes) sur une seule face. Ces deux dispositifs ont des temps d'accès à peu près identiques qui varient de 15 ms à 40 ms. Les secteurs contiennent 512 ou 1'024 bits.

La surface d'un disque magnéto-optique se compose de trois couches : la plus profonde est en aluminium qui réfléchit le faisceau laser, la deuxième couche est une couche d'alliage cristallin magnétisable à haute température, et la dernière est une fine pellicule plastique. Avec cette technologie, les opérations d'écriture se déroulent en deux phases. D'abord, un premier passage efface toute la zone du disque à écrire. Pour cela, un faisceau laser de haute intensité chauffe un point du disque à une température critique (aux alentours de 150 °C). A cette température, le point peut être magnétisé par une tête magnétique qui met tous les bits à 0. Ensuite on recommence pour écrire uniquement les bits à 1. Les deux passages nécessaires à l'écriture expliquent la lenteur de ce processus.

La lecture s'effectue aussi à l'aide d'un faisceau laser, mais avec une faible puissance. Le rayon lumineux est réfléchi par la couche d'aluminium et ensuite il est polarisé de manière différente suivant l'orientation magnétique de la deuxième couche. Le faisceau est ensuite analysé pour savoir si l'information est un 0 ou un 1.

A l'opposé des disques magnétiques conventionnels qui nécessitent une tête de lecture/écriture très proche du disque, celle d'un disque magnéto-optique peut rester à une plus grande distance, ce qui supprime pratiquement les problèmes dus aux crashs des têtes sur les disques. Comme la magnétisation ne peut être réalisée qu'à haute température, les disques magnéto-optiques sont insensibles aux champs magnétiques, ce qui n'est pas le cas des disques ou disquettes purement magnétiques.

Une nouvelle technologie de réécriture directe par modulation de l'onde porteuse développée par le groupe Japonais Nikon, appelée **LIM-DOW** [*Light Intensity Modulation - Direct Overwriting*], permet l'enregistrement sans phase préalable d'effacement et offre donc des performances d'écriture plus élevées. Cette technique implique l'utilisation de disques spécifiques comportant plus de couches. Trois niveaux d'intensité de puissance du laser sont utilisés : une puissance élevée enregistre les données, une puissance moyenne efface les données et une puissance faible autorise la lecture des données.

On trouve aussi maintenant des disques réinscriptibles purement optiques. Le principe consiste à modifier la structure du disque qui devient amorphe ou cristalline. Ceci est réalisé en chauffant plus ou moins un point à l'aide d'un faisceau laser. Suivant la température appliquée (en tout cas plusieurs centaines de °C), le point à la surface du disque refroidit dans un état ou un autre. La lecture s'effectue par réflexion d'un faisceau laser de faible puissance. Une forte réflexion indique une structure cristalline alors qu'une faible réflexion indique une structure amorphe en ce point précis. Cette technique est référencée comme le **changement de phase**.

Disques WORM [Write Once Read Many]

Les **disques WORM** que l'on peut écrire une fois et lire autant que l'on désire ont constitué la première génération des médias d'archivage.

Les disques optiques utilisent un rayon laser pour la lecture et l'écriture des données. L'écriture est réalisée à l'aide d'un puissant faisceau laser en creusant des petits trous ou des cuvettes dans la surface métallique ultra-mince d'un disque en plastique. Ces microcuvettes ont un diamètre d'environ 0,6 µm. Ces disques peuvent avoir une taille variant de 5"1/4 à 14 pouces. La capacité varie de plusieurs centaines de MBytes par face jusqu'à plusieurs GBytes suivant la taille du disque avec un temps d'accès de l'ordre de 100 ms.

La lecture est réalisée avec un laser moins puissant qui se contente de détecter l a présence ou l'absence de trous en des endroits précis. Si un trou existe, la lumière émise par le rayon laser n'est pas réfléchie, ce qui n'est pas le cas lors de l'absence de trou. Les trous sont espacés d'environ 2 µm. Cette technique est adaptée aux disques à lecture seule.

Le principal inconvénient de cette technique, l'écriture unique, est aussi son principal avantage. En effet, les données sont inaltérables et les disques ont une très longue durée de vie. C'est un critère déterminant dans l'archivage de données sensibles telles que l'on en trouve en médecine.

Disques compacts CD

Il existe plusieurs familles de disques optiques, la plus connue est la famille des **CD-ROM** [*Compact Disc ROM*] qui sont des disques compacts enregistrés définitivement à l'usine. Les disques compacts ont une capacité d'environ 650 MBytes pour un coût très bas. C'est pourquoi ils sont largement utilisés pour l a diffusion de logiciels et de bases de données. Le CD s'impose donc comme le support multimédia grand public. L'information est stockée le long d'une spirale de microcuvettes disposées à la surface du disque; celle-ci est revêtue d'une couche réflectrice, l'ensemble étant enserré dans une couche protectrice de résine. Lors de la lecture, on mesure la quantité de lumière réfléchie pour reconnaître les bits à 0 ou à 1. Une cuvette diffracte la lumière et donc ne réfléchit qu'une faible partie alors qu'en l'absence de cuvette, la lumière est réfléchie en grande partie.

Les disques compacts ont été créés pour le monde de l'audio. Leur utilisation pour le stockage de données informatiques est venue plus tard. Le succès rencontré a suscité le développement de cette technologie et de nouveaux types de CD sont apparus, qui permettaient d'abord l'enregistrement unique et ensuite la réécriture multiple. Les premiers sont des disques enregistrables une fois appelés CD-R [*CD Recordable*] ou CD-WORM, et les seconds sont des disques effaçables ou réinscriptibles appelés CD-RW [*CD-ReWritable*]. Ces systèmes sont basés sur l a technologie du changement de phase.

La vitesse de transfert de base des CD est de 150 KBytes/s avec une vitesse de rotation de 500 tours/min. Elle est adaptée à la lecture des CD-Audio. Pour que le débit soit continu, il faut que la vitesse linéaire soit constante, impliquant ainsi une vitesse de rotation variable. En effet, un lecteur de CD varie sa vitesse de rotation en fonction du positionnement de la tête de lecture sur le disque. Lorsque celle-ci se trouve au centre du disque, la vitesse de rotation est la plus élevée et elle diminue au fur et à mesure que la tête s'éloigne du centre du disque. Le débit de base, suffisant pour l'audio, est considéré comme lent dans le domaine de l'informatique. De nouveaux lecteurs offrant des vitesses toujours plus élevées se sont succédés. Les lecteurs actuels offrent une vitesse de transfert de l'ordre de 24 X, ce qui correspond à un débit théorique de 3,6 MBytes/sec.

L'augmentation de la vitesse rencontre un certain nombre de problèmes. Premièrement, il n'est pas possible d'augmenter indéfiniment la vitesse de rotation d'un disque; au-delà de 6'000 tours/min, il se pose des problèmes de vibration. Deuxièmement, l'accès à un fichier impose d'abord la lecture de l'index du disque pour connaître l'emplacement du fichier sur le disque avant de pouvoir trouver ce dernier. Ainsi, la tête de lecture passe la plupart de son temps à se déplacer d'un endroit de la surface du disque à un autre, ce qui nécessite de constamment adapter la vitesse de rotation et d'attendre que celle-ci se stabilise. Pour résoudre ces problèmes, la solution a été de conserver une vitesse angulaire constante. En conséquence, le débit augmente au fur et à mesure que la tête se déplace vers l'extérieur du disque.

Toutes ces générations de CD ne sont qu'une phase transitoire en attendant la nouvelle génération, celle des DVD. Ces nouveaux médias ont une vocation universelle, ce qui ne peut être obtenu que par l'utilisation d'un format de données universel. C'est pourquoi l'association américaine OSTA [*Optical Storage Technology Association*] a conçu un format universel d'enregistrement des données. Ce format, connu sous le nom de **UDF** [*Universal Disk Format*], a pour but d'être un moyen d'échanger des données qui soit indépendant de la plate-forme, du système d'exploitation et du contenu.

DVD [*Digital Versatile Disc*]

Ce nouveau média, appelé **DVD**, initialement prévu pour le stockage de la vidéo d'où son nom de *Digital Video Disc*, a rapidement évolué vers un concept plus large. On parle désormais de *Digital Versatile Disc*, disque numérique à usage varié.

Son utilisation est multiple ainsi que ses appellations. Le DVD-Video supporte la vidéo. Sous le nom de DVD-ROM, il remplace avantageusement le CD-ROM. Le CD-Audio devient DVD-Audio. Le DVD-R est enregistrable une fois et le DVD-RAM ou DVD-RW est réinscriptible à volonté.

Extérieurement un DVD ressemble à un CD, même aspect, même taille (12 cm), seule la technologie a été affinée. Une longueur d'onde plus courte du laser, un meilleur système de guidage du faisceau lumineux permettent de multiplier par sept la capacité de stockage pour arriver à 4,7 GB. Une seconde couche transparente est superposée. C'est la convergence du laser qui permet d'accommoder le faisceau sur l'une ou l'autre couche. La capacité passe à 8,5 GB. Il ne reste plus qu'à utiliser les deux faces du disque pour porter la capacité à 17 GB. Le taux de transfert maximal est de 1,3 MBytes/s. Le DVD-Video permet de stocker 133 minutes de vidéo compressée.

Avenir des technologies magnétique et optique

Ces deux technologies ont encore une très grande marge de progression. Elles vont évoluer conjointement. Les performances sont en faveur de la technologie magnétique, alors que le spectre d'utilisation est en faveur de l'optique. En effet, les disques optiques sont amovibles et peuvent être transportés d'une machine à une autre. L'utilisation d'un faisceau laser permet de définir plus précisément des plus petits points du disque qui contiennent chacun un bit d'information.

Juke-boxes

Les lecteurs de cartouches magnétiques et de disques optiques permettent de charger une seule cartouche ou un seul disque. Pour offrir de très grandes capacités de stockage, on utilise des systèmes composés d'un robot, d'un ou plusieurs lecteurs et d'emplacements pour le stockage de centaines voire de milliers de cartouches ou de disques. Ces systèmes sont appelés librairies ou **juke-boxes** par analogie avec les anciens juke-boxes de disques audio.

Les robots manipulent rapidement les cartouches/disques pour les insérer dans les lecteurs ou pour ensuite les ranger à leur place. De tels systèmes permettent d'atteindre de très grandes capacités de stockage (plusieurs milliers de médias pouvant atteindre plusieurs Térabytes), tout en ayant un temps d'accès relativement court, et ceci dans un volume réduit et évidemment sans aucune intervention manuelle. Le temps moyen de recherche et de chargement d'un disque dans un lecteur est de l'ordre de quelques secondes.

Mémoire flash

Le compromis entre vitesse d'accès, conservation et volume des données est à la base des différents types de mémoire. Un nouveau type de mémoire, appelée **mémoire flash**, permet de concilier ces différents aspects. Celle-ci, basée sur le principe des EPROM (transistors à grille flottante) a un format de carte de crédit et permet de stocker de manière permanente jusqu'à quelques dizaines, voire quelques centaines de MBytes. Elle est fiable et résiste aux chocs. C'est un média très adapté pour les ordinateurs portables mais surtout pour les appareils *grand public* tels que les appareils photo numériques.

Exercices

1. Quelles sont les différences entre des mémoires volatile, dynamique et statique ?

2. On considère une mémoire centrale de 2 MBytes, où chaque byte est adressable séparément :

   a) calculer l'adresse, en octal, du sixième élément d'un tableau dont l'adresse du premier élément est 77_8, et dont tous les éléments sont composés de 16 bits;

   b) calculer, en décimal, le nombre de bytes précédant l'adresse 77_8;

   c) calculer la taille de cette mémoire en l'exprimant en mots de 16 bits et en mots de 32 bits.

3. Si le registre d'adresse d'une mémoire comporte 32 bits, calculer :

   a) le nombre de mots adressables si 1 mot = 1 byte;

   b) la plus haute adresse possible pour ces mots de 1 byte;

   c) le nombre de mots adressables si 1 mot = 32 bits;

   d) la plus haute adresse possible pour ces mots de 32 bits.

4. Parmi les questions suivantes, indiquer toutes celles auxquelles on peut répondre par l'affirmative.

   Une recherche dans une mémoire associative permet de répondre à la question :

   a) la position X est-elle supérieure à la position Y ?

   b) y a-t-il une position contenant la valeur A ?

   c) la valeur C est-elle stockée à la position X ?

   d) la valeur de la position X est-elle égale à la valeur de la position Y ?

5. Parmi les affirmations suivantes, indiquer toutes celles qui sont vraies.

   Une mémoire entrelacée est une mémoire divisée en blocs :

   a) avec un registre d'adresse et un registre mot-mémoire pour toute la mémoire;

   b) avec un registre d'adresse et un registre mot-mémoire par bloc de mémoire;

   c) utilisée comme antémémoire;

   d) où chaque bloc contient un programme différent;

   e) où les instructions d'un même programme sont réparties sur plusieurs blocs.

6 .   Calcul du temps moyen de transfert en mémoire centrale d'un fichier séquentiel stocké sur disque.

Les échanges entre l'unité de disque et la mémoire centrale s'effectuent par l'intermédiaire d'un canal. Une zone de mémoire tampon, associée au disque, reçoit les caractères lus sur le disque. Le transfert vers la mémoire centrale s'effectue quand la zone tampon est pleine ou quand le fichier a été entièrement lu.

Les caractéristiques de l'unité de disque, du fichier et du canal sont les suivantes :
- temps moyen de positionnement de la tête de lecture sur une piste = 20 ms;
- vitesse de rotation du disque = 6'000 tours/minute;
- chaque secteur contient 1'024 bits dont 64 sont réservés pour un pointeur vers le secteur suivant (du fichier);
- le disque est composé de 128 cylindres;
- une piste comporte 32 secteurs;
- tous les secteurs d'un fichier sont répartis dans un même cylindre;
- le fichier contient 1'500 caractères;
- chaque caractère est codé sur 7 bits + 1 bit de parité;
- la vitesse de transfert du canal est de 10 MBytes/seconde;
- la taille de la zone tampon est de 4'096 caractères.

Déterminer :
a) le temps moyen pour lire un secteur (en supposant que la tête de lecture soit sur la bonne piste);
b) le nombre de secteurs nécessaires au stockage du fichier;
c) le temps moyen de transfert de ce fichier entre le disque et la mémoire centrale;
d) quels sont les facteurs limitatifs de ce transfert.

7 .   Soit une mémoire centrale de 1 Mmots de 32 bits réalisée avec des puces de 16 Kbits. Cette mémoire peut être organisée suivant plusieurs principes; nous considérerons les trois suivants :
- un bit par puce : un mot est constitué de 32×1 bit provenant chacun d'une puce différente, donc 32 puces sont nécessaires pour réaliser un mot;
- 16 bits par puce : un mot est constitué de 2×16 bits. Deux puces, fournissant chacune 16 bits, sont nécessaires pour former un mot de 32 bits;
- 32 bits par puce : un mot est constitué de 1×32 bits provenant de la même puce.

Calculer :
a) le nombre de bits nécessaires pour adresser toute la mémoire dans chacun des cas;
b) le nombre de pattes de chaque puce utilisées pour l'adressage et pour les données dans chacun des cas.

Solutions

1. Une mémoire volatile est une mémoire qui perd son contenu lorsqu'elle n'est plus sous tension, telle que les mémoires à semi-conducteurs. Une mémoire dynamique est une mémoire volatile qui en plus doit être rafraîchie plusieurs fois par seconde pour ne pas perdre son contenu, alors qu'une mémoire statique est aussi une mémoire volatile mais qui n'a pas besoin de rafraîchissement.

2. Mémoire centrale de 2 MBytes :

a) chaque élément est stocké sur 2 bytes, donc le sixième élément se trouve à l'adresse de départ + 10 bytes, ce qui donne $77_8 + 12_8 = 111_8$ (ou $77_8 = 63_{10}$, $63 + 10 = 73_{10}$ $= 111_8$);

b) en décimal $77_8 = 63_{10}$, donc, avant cette adresse, on a les adresses de 0 à 62 de disponibles ce qui donne 63 bytes;

c) la taille de la mémoire est de 2 MBytes ou de 1 Mmots de 16 bits, ou de 512 Kmots de 32 bits.

3. Avec un registre d'adresse de 32 bits, on a :

a) 2^{32} mots de 1 byte = 4 Gigabytes;

b) la plus haute adresse est $2^{32} - 1 = 4'294'967'296 - 1 = 4'294'967'295$;

c) 2^{32} mots de 32 bits = 4 Gigabytes;

d) la plus haute adresse est toujours 4'294'967'295.

On constate que le nombre de mots est le même quelle que soit la taille des mots, ce qui est normal car il ne dépend que du nombre de bits de l'adresse. Par contre la taille de la mémoire est différente dans les deux cas, elle est de $2^{32} \times 8$ bits dans le premier cas, et de $2^{32} \times 32$ bits dans le second cas.

4. Une mémoire associative est une mémoire adressable par le contenu, les cases de cette mémoire n'ont pas d'adresse propre, donc la seule question à laquelle on peut répondre par l'affirmative est la question b), toutes les autres ayant une réponse négative.

5. Une mémoire entrelacée est une mémoire divisée en blocs possédant chacun ses propres registres d'adresse et de mot-mémoire. Ceci permet au CPU de lancer successivement des opérations d'accès à des blocs différents de la mémoire sans attendre la fin du transfert de l'opération précédente. Evidemment, pour que ce principe soit rentable, il faut que les séquences d'instructions d'un programme soient réparties dans des blocs différents. Donc seules les affirmations b) et e) sont vraies.

6. Transfert de fichier :

a) le temps de lecture moyen d'un secteur, quand la tête de lecture se trouve sur la bonne piste, comprend le temps de positionnement sur le bon secteur et le temps de lecture du secteur. Le temps de positionnement sur le bon secteur est une valeur moyenne, car dans certains cas la tête est juste où il faut, alors que dans d'autres cas il faut attendre une rotation complète. Donc le temps moyen de positionnement est égal à une demi-rotation. Le disque tourne à 6'000 tours/min, donc un demi-tour = 1/12'000 min, ce qui est égal à 1/200 seconde.

Temps de lecture du secteur : on a 32 secteurs/piste, 1 tour = 1/100 seconde, donc la lecture de 1 secteur = 1/(32 × 100) s. D'où le *temps de lecture moyen* d'un secteur = 1/200 + 1/3'200 = 17/3'200 s = 5,3125 ms;

b)   nombre de secteurs nécessaires au stockage du fichier. Un secteur contient 1'024 bits dont 64 sont réservés, il reste 960 bits utilisables. Chaque caractère est codé sur 8 bits, ainsi un secteur contient 960/8 = 120 car. Le fichier contient 1'500 caractères, ce qui donne 1'500/120 = 12,5 secteurs. Mais, comme les secteurs sont indivisibles, ils constituent la plus petite entité accessible sur disque, il faut compter 13 secteurs pour le stockage du fichier;

c)   le temps de transfert du fichier comprend le temps de positionnement de la tête de lecture sur le bon cylindre ou la bonne piste (20 ms), la lecture des 13 secteurs (13 × 5,3125 = 69,0625 ms) et le temps de transfert de la zone tampon à travers le canal (1'500 / 10^7 = 15 / 10^5 s = 0,15 ms).
Le temps de transfert total = 20 + 69,0625 + 0,15 = 89,2125 ms;

d)   les facteurs limitatifs, dans cet exemple, sont le temps de positionnement de la tête de lecture sur la bonne piste et aussi le temps de lecture des secteurs.

7 .   Organisation d'une mémoire de 1 Mmots de 32 bits :

a)   les adresses d'une mémoire de 1 Mmots doivent avoir 20 bits, car $2^{20} = 10^6 = 1$ M, et ceci quelle que soit la longueur des mots de la mémoire et quelle que soit son organisation;

b)   nombre de bits d'adresses et de données d'une puce de 16 Kbits :

•   *1 bit par puce* : les puces sont organisées en 16 K × 1 bit, il faut pouvoir adresser chaque bit de la puce. Les adresses ont donc 14 bits car $2^{14} = 2^4 × 2^{10} = 16 × 1$ K. Chaque puce ne fournit qu'un seul bit, donc une puce a 14 pattes d'adresses et 1 patte de données;

•   *16 bits par puce* : les puces sont organisées en 1 K × 16 bits, il faut pouvoir adresser chaque groupe de 16 bits. Comme il y a 1 K groupes de 16 bits, il faut 10 bits d'adresses car $2^{10} = 1$ K. Chaque puce fournit 16 bits, donc une puce a 10 pattes d'adresses et 16 pattes de données;

•   *32 bits par puce* : les puces sont organisées en 512 × 32 bits, il faut donc 9 bits d'adresses car $2^9 = 512$. Chaque puce fournit 32 bits, donc une puce a 9 pattes d'adresses et 32 pattes de données.

Chapitre **8**

Unité centrale de traitement

8.1 Architecture

L'**unité centrale de traitement** (UCT) ou **processeur central** [*Central Processing Unit* = **CPU**] est l'élément moteur de l'ordinateur qui interprète et exécute les instructions du programme. Véritable cerveau de l'ordinateur, le CPU est intimement associé à la mémoire où sont stockées les instructions et les données à traiter. L'ensemble **CPU + mémoire centrale** est souvent appelé **unité centrale**.

L'unité centrale de traitement se compose de deux unités fonctionnellement séparées : l'**unité arithmétique et logique** (UAL) et l'**unité de commande** ou de contrôle. L'UAL est la zone du CPU où les opérations arithmétiques et logiques sont réalisées. L'unité de commande dirige le fonctionnement de toutes les autres unités (UAL, mémoire, entrées/sorties) en leur fournissant les signaux de cadence et de commande ; ses circuits génèrent les signaux nécessaires à l'exécution de chaque instruction d'un programme.

Le fonctionnement peut être décrit de la façon suivante : l'unité de commande va chercher en mémoire centrale une instruction en envoyant une adresse et une commande à la mémoire. L'instruction, enregistrée sous forme binaire à l'adresse donnée, est transférée vers l'unité de commande, où son décodage permet de déterminer l'opération demandée. Cette information est utilisée pour générer les signaux nécessaires à l'UAL pour déclencher l'exécution de l'instruction. Les données à traiter seront aussi cherchées en mémoire par l'unité de contrôle et transférées directement à l'UAL.

Les différentes unités de l'ordinateur sont interconnectées par des systèmes de câblage transportant des signaux électriques. Pour éviter de relier chaque unité à toutes les autres, on fait usage de lignes exploitées en commun par les dispositifs qui y sont rattachés. On appelle **bus** ces ensembles de câbles par analogie avec les transports publics. Donc un bus est un ensemble de lignes capables de transmettre des signaux correspondant à trois types d'informations : adresses, données et commandes. On a des architectures basées sur un bus unique sur lequel sont branchés tous les organes de l'ordinateur. Une telle structure, typique des microordinateurs, est illustrée dans la figure 8.1.

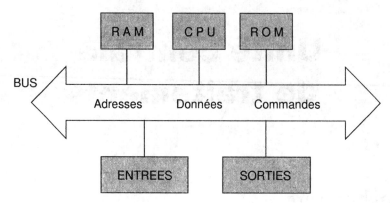

Figure 8.1 : Interconnexion par bus unique

En général, les interconnexions sont assurées par des bus spécialisés, tels le bus-mémoire, le bus d'entrée/sortie, etc. Chaque bus est constitué d'un certain nombre de câbles qui sont généralement affectés à des tâches spécifiques, par exemple, le transport d'adresses, de données ou de commandes.

Un bus peut être utilisé par toutes les unités qui y sont connectées, mais jamais par plus de deux unités en même temps. Cela pose des problèmes d'attente et d'arbitrage des requêtes d'utilisation.

8.2 Unité de commande

L'unité de commande est l'ensemble des dispositifs coordonnant le fonctionnement de l'ordinateur afin de lui faire exécuter la suite d'opérations spécifiées dans les instructions du programme.

Les principaux dispositifs de l'unité de commande qui entrent en jeu lors de la recherche en mémoire et du décodage d'une instruction (cycle de recherche) sont :

*   le **compteur ordinal** (CO), qui est un registre contenant l'adresse en mémoire où est stockée l'instruction à chercher ;
*   le **registre instruction** (RI), qui reçoit l'instruction qui doit être exécutée;
*   le **décodeur** de code opération, qui détermine quelle opération doit être effectuée, parmi toutes les opérations possibles ;
*   le **séquenceur**, qui génère les signaux de commande ;

- l'horloge, qui émet des impulsions électroniques régulières, synchronisant ainsi toutes les actions de l'unité centrale.

La circulation des informations pendant un cycle de recherche [*fetch cycle*] est illustrée dans la figure 8.2.

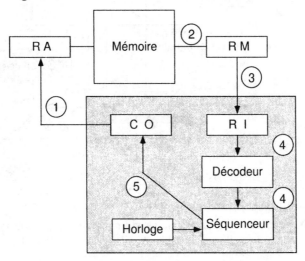

Figure 8.2 : Cycle de recherche d'une instruction

Les différentes étapes du cycle de recherche (correspondant aux numéros entourés dans la figure 8.2) peuvent être ainsi résumées :

1) transfert de l'adresse de la nouvelle instruction du CO vers le RA, registre adresse de la mémoire [*memory address register*];

2) une impulsion de lecture, générée par l'unité de commande, provoque le transfert de l'instruction cherchée vers le RM (Registre Mot), qui fonctionne comme un registre tampon pour toutes les informations lues ou écrites en mémoire;

3) transfert de l'instruction dans le RI (instruction = code opération + adresse opérande);

4) pendant que l'adresse de l'opérande est envoyée vers le RA, le code opération est transmis au décodeur qui détermine le type d'opération demandée et le transmet au séquenceur en envoyant un signal sur la ligne de sortie correspondante;

5) le CO est incrémenté en vue du cycle de recherche suivant.

Le cycle de recherche est suivi par le cycle d'exécution durant lequel l'opération spécifiée dans l'instruction est effectuée par l'UAL. La séquence exacte des actions coordonnées par le séquenceur dépendra naturellement de l'opération; en général, pendant un cycle d'exécution, l'information circulera selon le schéma de la figure 8.3.

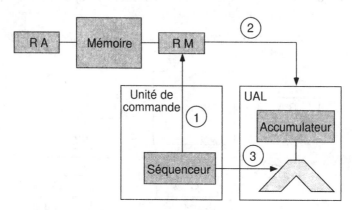

Figure 8.3 : Cycle d'exécution

Un cycle d'exécution comprend normalement les étapes suivantes :

1) le séquenceur commence à envoyer les signaux de commande vers la mémoire pour lire l'opérande à l'adresse déjà stockée dans le RA et le faire parvenir dans le RM;

2) transfert du contenu du RM vers l'UAL, et plus précisément vers l'accumulateur ou tout autre registre affecté à l'opération spécifiée. Dans certains cas, par exemple, mémorisation d'un résultat, ce sera le contenu de l'accumulateur qui sera transféré vers le RM. S'il s'agissait d'une instruction de branchement, le champ adresse de l'instruction devrait alors être transféré dans le CO;

3) l'opération est effectuée sous contrôle du séquenceur.

Une fois le cycle d'exécution terminé, l'unité de commande passe immédiatement au cycle de recherche suivant et prend en compte la nouvelle instruction indiquée par l'adresse contenue dans le CO.

8.3 Synchronisation des opérations

Les circuits qui synchronisent et contrôlent toutes les opérations de l'ordinateur sont situés dans l'unité de commande. Les signaux périodiques générés par l'horloge définissent le cycle de base ou **cycle machine** [*clock cycle*], durée élémentaire régissant le fonctionnement de la machine.

Nous avons déjà rencontré le cycle de recherche et le cycle d'exécution qui composent le cycle instruction. Le temps d'exécution d'une instruction dépend du type d'opération à effectuer; un cycle instruction peut s'étendre sur plusieurs cycles machine, comme indiqué dans la figure 8.4.

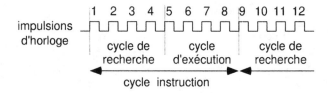

Figure 8.4 : Synchronisation des cycles de l'unité centrale

On trouve parfois le terme **cycle cpu** pour indiquer le temps d'exécution de l'instruction la plus courte ou la durée d'une action élémentaire provoquant un changement d'état. Le cycle mémoire est beaucoup plus long que le cycle cpu et limite la performance de l'ordinateur. Pour pallier à cette lenteur relative de la mémoire centrale, on a introduit des mémoires entrelacées permettant le recouvrement des cycles, ainsi que des antémémoires permettant d'anticiper les transferts de données et d'instructions vers le cpu. La vitesse de fonctionnement d'un ordinateur ne dépend donc pas seulement de sa fréquence d'horloge, mais aussi du cycle et de la structure de la mémoire, du temps d'accès de l'éventuelle antémémoire, etc.

8.4 Séquenceur

Le **séquenceur** est un automate générant les signaux de commande nécessaires pour actionner et contrôler les unités participant à l'exécution d'une instruction donnée. Ces signaux sont distribués aux différents points de commande des organes concernés selon un chronogramme tenant compte des temps de réponse des circuits sollicités.

Cet automate peut être réalisé de deux façons : séquenceur câblé ou séquenceur microprogrammé. Ces alternatives sont schématisées dans la figure 8.5.

Sous sa forme câblée, le séquenceur est un circuit séquentiel complexe qui fait correspondre à chaque instruction exécutable un sous-circuit capable de commander son déroulement. Le sous-circuit approprié est activé par un signal provenant du décodeur.

Suivant une idée de Maurice Wilkes, datant de 1951, on peut obtenir le même résultat avec une suite de micro-instructions stockées dans une mémoire de microprogrammation (le préfixe micro indiquant qu'il s'agit là d'un niveau de programmation plus bas et plus détaillé que le niveau machine). Selon le modèle de Wilkes, le code opération de l'instruction à exécuter est utilisé comme étant l'adresse de la première micro-instruction du microprogramme. Ce microprogramme est capable de générer une suite de signaux de commande équivalente à celle produite par un séquenceur câblé.

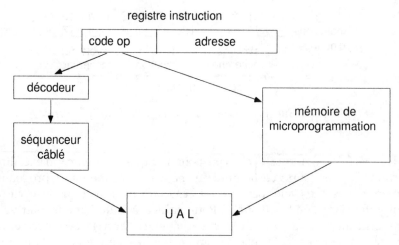

Figure 8.5 : Séquenceur câblé ou microprogrammé

Il suffit de stocker les **microprogrammes** [*firmware*] correspondant aux différents codes opération dans une mémoire très rapide et d'ajouter un mécanisme pour l'exécution séquentielle des micro-instructions permettant les branchements conditionnels. La mémoire n'étant utilisée qu'en lecture, elle peut être du type ROM ou EEPROM, non volatile et bien protégée. Le diagramme de la figure 8.6 illustre la structure d'un microséquenceur.

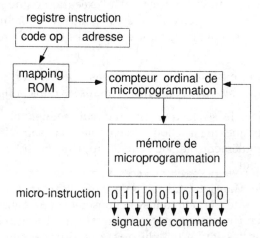

Figure 8.6 : Structure d'un microséquenceur

L'avantage d'un tel séquenceur réside dans sa souplesse et dans sa simplicité. Le prix à payer : une vitesse légèrement inférieure.

La **microprogrammation** permet de réaliser le séquencement des commandes électroniques par une technique plus flexible que la logique câblée. On peut montrer qu'il est toujours possible de remplacer un circuit logique par un microprogramme. Un exemple d'équivalence logique entre circuits et microprogrammes est présenté dans la figure 8.7.

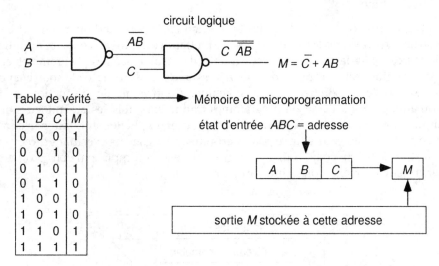

Figure 8.7 : Exemple d'équivalence entre circuits logiques et microprogrammes

Le format des micro-instructions varie selon les machines. Wilkes préconisait des micro-instructions longues et détaillées (microprogrammation horizontale), où chaque bit correspondrait à une commande. A l'autre extrémité, on trouve des micro-instructions très compactes donnant lieu à une seule commande (microprogrammation verticale); ce format implique un certain travail de décodage avant de pouvoir générer un signal de commande. Entre ces deux extrêmes, on a adopté des compromis pratiques : par exemple, le codage par champs, où plusieurs unités fonctionnelles sont contrôlées par une seule micro-instruction ou le codage de type instruction, avec son code opération, nécessitant un décodage complexe et introduisant ainsi un niveau de programmation encore plus détaillé et que l'on appelle nanoprogrammation (séquenceur nanoprogrammé). Le niveau de microprogrammation n'est pas nécessairement accessible à l'utilisateur. Si l'on peut accéder à ce niveau de codage, la machine est dite alors microprogrammable.

8.5 Niveaux de programmation

Pour écrire un programme, l'utilisateur a souvent le choix entre plusieurs langages (Fortran, Pascal, C, Ada, Assembleur, etc.). L'ordinateur, par contre, comprend seulement son propre langage, le **langage machine**, avec son jeu d'instructions niveau machine.

En programmation, on utilise le terme **langage** pour indiquer un ensemble d'instructions et de règles syntaxiques permettant l'écriture de ce qu'on appelle le code source. Mais la machine n'est capable d'exécuter que des programmes écrits en code machine ou code objet; d'où la nécessité de traduire le code source en code objet avant de le soumettre à la machine. Ce travail de traduction se fait automatiquement à l'aide de programmes traducteurs, tels les assembleurs et les compilateurs. Si le code objet n'est pas produit explicitement, on parle alors d'interprétation du code source. On interprète un langage en exécutant directement ses instructions en code source. Ce travail est accompli par un programme interpréteur (par exemple, l'interpréteur Basic).

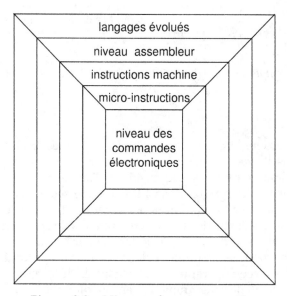

Figure 8.8 : Niveaux de programmation

On peut distinguer plusieurs niveaux de langage de programmation, les niveaux supérieurs s'approchant du langage de l'utilisateur, les niveaux inférieurs s'adaptant mieux aux caractéristiques de la machine. La situation actuelle est résumée dans la figure 8.8.

Le niveau qui nous intéresse à présent, pour étudier en profondeur le comportement de la machine en détail, est naturellement le niveau machine.

8.6 Structure des instructions niveau machine

Les ordinateurs sont capables de faire un certain nombre d'opérations simples, par exemple additionner deux nombres, tester le signe d'une valeur numérique, copier le contenu d'un registre dans un autre registre, stocker en mémoire le résultat d'une opération, etc.

Une instruction machine doit fournir au cpu toutes les informations pour déclencher une opération élémentaire. Elle doit contenir un code opération qui est essentiel pour spécifier le type d'action demandé. En outre, elle doit contenir une ou plusieurs adresses, par exemple, l'adresse de l'opérande (ou des opérandes), l'adresse où envoyer le résultat, l'adresse où chercher l'instruction suivante. Par conséquent, le format d'une instruction machine comportera un champ code opération et jusqu'à quatre champs adresse. On parle d'instructions à n adresses; on dit d'une machine qu'elle est à n adresses, $n = 0, 1, 2, 3, 4$, si la plupart de ses instructions sont à n adresses.

Le répertoire et la structure des instructions machine font partie des choix architecturaux fondamentaux. Si les ordinateurs de la première génération utilisaient souvent des formats à plusieurs adresses, aujourd'hui on préfère les instructions à une adresse. Cela est dû au fait que la capacité de la mémoire ne cesse de croître; par conséquent, les champs adresse deviennent plus importants et, pour en contenir plusieurs, la taille du mot-mémoire et de certains registres du cpu (par exemple, le RI), devrait augmenter considérablement.

On peut se passer de l'adresse de l'instruction suivante en adoptant un compteur ordinal incrémenté régulièrement à chaque opération et en acceptant l'exécution séquentielle des instructions.

On peut éviter l'adresse du résultat si l'on admet qu'il peut être mémorisé à la place d'un opérande. On peut réduire de deux à une les adresses des opérandes, en introduisant un registre spécial, l'accumulateur : le deuxième opérande se trouve déjà dans l'accumulateur (chargé par l'instruction précédente) et le résultat sera stocké dans ce même accumulateur.

☞ *Programmation d'une machine à une adresse*
Suite d'instructions niveau machine/assembleur correspondant à l'instruction Fortran suivante :

$$A = B \times (C + D \times E - F / G)$$

```
1.   LOAD  F     (LOAD = Charger dans l'accumulateur).
2.   DIV   G     (DIV = Diviser le contenu de l'acc.)
3.   STA   T1    (STA = Ranger le contenu de l'acc.)
4.   LOAD  D
5.   MPY   E     (MPY = Multiplier le contenu de l'acc.)
6.   ADD   C     (ADD = Ajouter au contenu de l'acc.)
7.   SUB   T1    (SUB = Soustraire du contenu de l'acc.)
8.   MPY   B
9.   STA   A
```

On peut aussi envisager une machine à zéro adresse. Il faudra utiliser une structure spéciale comme une **pile** (ou mémoire **LIFO** = *Last In, First Out*), les opérandes se trouvant dans les deux positions supérieures et le résultat étant placé au sommet de la même pile.

 Programmation d'une machine à zéro adresse

Dans une telle machine la plupart des instructions n'ont pas de champs adresse; mais il faut 2 instructions à 1 adresse pour gérer la pile, soit LOAD X l'instruction permettant de placer X au sommet de la pile et STORE Y permettant de stocker en Y la valeur qui se trouve au sommet. Nous disposons en outre d'un jeu d'instructions à zéro adresse, par exemple, ADD, SUB, MPY, DIV, etc.

ADD fait la somme des deux valeurs se trouvant dans les deux niveaux supérieurs de la pile et place le résultat au sommet de ce qui reste (les deux opérandes étant sortis de la pile et remplacés par leur somme).

SUB remplace les deux opérandes au sommet de la pile par leur différence (on soustrait la valeur au sommet de celle en deuxième position).

MPY remplace les deux valeurs au sommet de la pile par leur produit, tandis que DIV les remplace par leur quotient, la première valeur étant le diviseur.

On peut ainsi écrire la suite d'instructions correspondant à l'évaluation de l'expression mathématique de l'exemple précédent:

```
 1.  LOAD  B        PILE={B}
 2.  LOAD  C        PILE={B;C}
 3.  LOAD  D        PILE={B;C;D}
 4.  LOAD  E        PILE={B;C;D;E}
 5.  MPY            PILE={B;C;D*E}
 6.  ADD            PILE={B;C+D*E}
 7.  LOAD  F        PILE={B;C+D*E;F}
 8.  LOAD  G        PILE={B;C+D*E;F;G}
 9.  DIV            PILE={B;C+D*E;F/G}
10.  SUB            PILE={B;C+D*E-F/G}
11.  MPY            PILE={B*(C+D*E-F/G)}
12.  STA   A        PILE={}
```

Des suites d'instructions comme celles ci-dessus s'écrivent assez facilement et de façon systématique. Les variables sont stockées dans la pile suivant l'ordre d'apparition dans l'expression algébrique, soit *B, C, D, E, F, G*. On introduit un opérateur arithmétique dès que les deux opérandes occupent les deux niveaux supérieurs de la pile.

8.7 Jeu d'instructions

Chaque machine a son jeu d'instructions de base. Il est souvent le résultat d'un compromis entre des exigences contradictoires, comme la simplicité, l'universalité, l'efficacité ou le confort du programmeur. Le nombre d'instructions varie typiquement entre 50 et 250.

Deux écoles s'affrontent. Les partisans des architectures **RISC** [*Reduced Instruction Set Computer*] préconisent un petit nombre d'instructions élémentaires dans un format fixe, faciles à réaliser dans le matériel et d'exécution rapide (typiquement, une instruction par cycle machine). Cela implique un séquenceur câblé et un compilateur capable d'exploiter à fond les caractéristiques de la machine (par exemple, utiliser les registres et limiter les accès à la mémoire).

Mais il y a ceux qui préfèrent les architectures **CISC** [*Complex Instruction Set Computer*], qui sont basées sur des jeux d'instructions très riches de taille variable offrant aussi des instructions composées, telles la racine carrée ou la multiplication en virgule flottante avec double précision. Les machines Cisc sont généralement dotées d'un séquenceur microprogrammé.

Les instructions qu'on trouve dans les répertoires de toutes les machines, peuvent être classées en six groupes :

- **transfert de données** (Load, Move, Store, transfert de registre à registre ou de mémoire à registre, etc.);
- **opérations arithmétiques** (les quatre opérations en virgule fixe ou flottante et en simple ou multiple précision);
- **opérations logiques** (AND, OR, NOT, XOR, etc.);
- **contrôle de séquence** (branchements impératifs et conditionnels, boucles, appels de procédure, etc.);
- **entrée/sortie** (Read, Write, Print, etc.);
- **manipulations diverses** (décalages, conversions de format, incrémentation de registres, etc.).

8.8 Registres du CPU

Le nombre et le type des registres que possède le cpu sont une partie déterminante de son architecture et ont une influence importante sur la programmation. La structure des registres du cpu varie considérablement d'un constructeur à l'autre. Cependant les fonctions de base réalisées par les différents registres sont essentiellement les mêmes. Nous allons décrire les registres les plus importants, leur fonction et la façon dont ils peuvent être modifiés par programme.

Compteur ordinal (CO)

Le registre **CO** [*Program Counter = PC*] contient toujours l'adresse en mémoire de la prochaine instruction à exécuter. Le CO est automatiquement incrémenté après chaque utilisation. Le programme est ainsi exécuté en séquence à moins qu'il ne contienne une instruction modifiant la séquence, par exemple, une instruction de saut ou un branchement. Dans ce cas, la nouvelle adresse remplacera le contenu du CO. Ce changement sera effectué pendant le cycle d'exécution, après le décodage du code opération, mais avant le transfert du contenu du CO vers le RA.

La taille du CO dépend du nombre de positions de mémoire adressables. Par exemple avec un CO de 16 bits on peut adresser une mémoire de 2^{16} mots. Le programmeur n'a pas accès au CO directement.

Registre instruction (RI)

Lorsque le cpu va chercher une instruction en mémoire, il la place dans le **RI**. La taille du RI correspond à la taille du mot-mémoire. Le programmeur n'a pas accès au RI. Les bits correspondant à la zone code opération sont envoyés soit au décodeur, soit à la mémoire de microprogrammation pour déterminer l'opération à exécuter.

Accumulateur (ACC)

L'**accumulateur** est un registre très important de l'UAL. Dans la plupart des opérations arithmétiques et logiques, l'ACC contient un des opérandes avant l'exécution et le résultat après. Il peut aussi servir de registre tampon dans les opérations d'entrée/sortie. Généralement l'ACC a la même taille que le mot-mémoire mais, dans la plupart des machines, il possède une extension qui permet de doubler sa taille. Cette extension, souvent appelée registre Q, est utilisée conjointement avec l'ACC, pour contenir le résultat d'une multiplication ou le dividende et le quotient d'une division. L'extension Q est aussi utilisée dans les opérations en double précision pour contenir les bits les moins significatifs.

Naturellement le programmeur a accès à l'ACC, qui est toujours très sollicité pendant le traitement des données. Certains processeurs ont plusieurs accumulateurs; dans ces cas-là, les codes opération précisent l'accumulateur utilisé.

Registres généraux

Les **registres généraux** ou banalisés [*general purpose registers*], appelés aussi parfois bloc-notes [*scratchpad*], permettent de sauvegarder des informations fréquemment utilisées pendant le programme, ou des résultats intermédiaires; cela évite des accès à la mémoire, accélérant ainsi l'exécution du programme.

Les registres généraux sont à la disposition du programmeur qui a normalement un choix d'instructions permettant de les manipuler. Les plus répandues sont :

- chargement d'un registre à partir de la mémoire ou d'un autre registre;
- enregistrement en mémoire du contenu d'un registre;
- transfert du contenu d'un registre dans l'ACC et vice-versa;
- incrémentation ou décrémentation d'un registre.

Registres d'indice (XR)

Les **registres d'indice** ou d'index [*index registers*] peuvent être utilisés comme les registres généraux pour sauvegarder et pour compter. Mais, en plus, ils ont une fonction spéciale qui est de grande utilité dans la manipulation des tableaux de données. Ils peuvent, en effet, être utilisés pour manipuler des adresses, suivant une forme particulière d'adressage, appelée adressage indexé.

Le principe de l'adressage indexé est que l'adresse effective d'un opérande est obtenue en sommant la partie adresse de l'instruction avec le contenu du registre d'index spécifié. On peut facilement parcourir des tableaux en modifiant le contenu d'un registre d'index. Des instructions sont disponibles qui permettent l'incrémentation ou la décrémentation; dans certains cas, ces registres sont automatiquement incrémentés ou décrémentés après chaque utilisation.

Registres de base

Utilisés comme les registres d'indice pour calculer des adresses effectives (adressage basé), les **registres de base** [*base registers*] sont conçus pour contenir une adresse de référence; pour obtenir l'adresse effective, il faut y ajouter le contenu du champ adresse de l'instruction.

Les registres de base sont fort utiles dans la relocation dynamique et pour adresser des mémoires dont le nombre de mots excède la capacité du champ adresse de l'instruction-type.

Registre d'état [PSW = Program Status Word]

Appelé aussi **registre condition**, le registre d'état contient différents bits appelés **drapeaux** [*flags*] indiquant l'état d'une condition particulière dans le cpu.

Par exemple, le bit indicateur Z indique si le résultat de l'opération effectuée est égal à zéro; le bit indicateur C indique un dépassement de capacité dans l'ACC, etc. Ces bits peuvent être testés par programme et ainsi déterminer la séquence d'instructions à suivre. Ils sont aussi utilisés par le cpu pour tester, par exemple, l'indicateur d'interruption ou l'indicateur Z pour l'exécution d'un branchement conditionnel **saut si zéro** [*jump on zero*].

Registre pointeur de pile [SP = Stack Pointer]

Ce registre est utilisé pour simuler une pile dans la mémoire centrale, dans laquelle on réserve une zone de mémoire. Le registre **SP** fonctionne comme un registre d'adresse mémoire (RA) utilisé uniquement pour la partie pile de la mémoire RAM. Lorsqu'un mot est chargé dans la pile, son adresse est inscrite dans le SP; lorsqu'un mot est lu, la lecture se fait à partir de l'adresse indiquée par le pointeur SP. Le pointeur indique à tout instant l'adresse correspondant au sommet de la pile.

Le fonctionnement d'une **pile** (LIFO) simulée en mémoire est comparable à celui d'une pile câblée, et il peut être ainsi résumé :

- chaque fois qu'un mot doit être enregistré dans la zone mémoire réservée pour la pile, il est placé à l'adresse qui suit celle du mot enregistré précédemment;

- les informations enregistrées dans la pile sont lues dans l'ordre inverse de celui dans lequel elles ont été enregistrées;

- une fois qu'un mot est lu, son emplacement dans la pile devient disponible pour une nouvelle information.

Pour pouvoir simuler plusieurs piles LIFO, certaines machines sont dotées de plusieurs registres SP.

Registres spécialisés

Dans certains ordinateurs on peut trouver des registres spécialisés pour des opérations particulières, par exemple, **registres à décalage** [*shift registers*], registres pour opérations arithmétiques en virgule flottante [*floating point registers*], etc.

8.9 Adressage des opérandes

Le champ adresse d'une instruction ne contient pas toujours l'adresse effective d'un opérande. Cependant, si c'est le cas, on dit qu'il s'agit d'un adressage direct.

Pour faciliter la programmation, les fabriquants d'ordinateurs offrent toute une gamme de méthodes pour adresser les opérandes. Le format des instructions prévoit un champ dont les bits indiquent le mode choisi.

Parmi les différents modes d'adressage, les plus importants sont :

- **direct** le champ adresse contient l'adresse effective;
- **indirect** le champ adresse contient l'adresse où se trouve l'adresse effective; on peut parfois avoir plusieurs niveaux d'indirection;
- **immédiat** le champ adresse contient l'opérande;
- **implicite** le code op. indique où se trouve l'opérande; par exemple, machines à zéro adresse;
- **indexé** adresse effective = contenu du champ adresse + contenu du registre d'index;
- **basé** adresse effective = contenu du registre de base + contenu du champ adresse;
- **relatif** comme l'adressage basé, mais utilise le contenu du CO comme adresse de base.

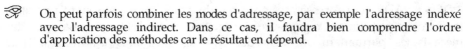

On peut parfois combiner les modes d'adressage, par exemple l'adressage indexé avec l'adressage indirect. Dans ce cas, il faudra bien comprendre l'ordre d'application des méthodes car le résultat en dépend.

Pour simplifier la lecture des exemples suivants on utilise des symboles tels a, b, c, alpha, etc, pour indiquer des données arbitraires et des abréviations, telles IMM (adressage immédiat), I (indirect), XR1 (registre d'index n°1), B1 (registre de base n°1). L'idée est de montrer l'effet, sur l'ACC, d'une opération de chargement effectuée sous différentes conditions d'adressage. Le contenu de la mémoire et de quelques registres est donné dans la table suivante:

Etat des registres et des mémoires

adresse	contenu	adresse	contenu
100	a	300	alpha
101	b	301	beta
102	c	302	gamma
103	d	XR1	1
200	300	B1	100
201	302	B2	200

Les exemples d'opérations sur l'accumulateur sont dans la table suivante; les conditions d'adressage sont indiquées après le champ adresse; elles sont séparées par des virgules.

Effet de différentes conditions d'adressage

Instruction	Contenu de l'ACC
LOAD 100	a
immédiat → LOAD 100,IMM	100
indirect → LOAD 200,I	alpha
LOAD 200,XR1	302
LOAD 200,XR1,I	gamma
LOAD 200,I,XR1	beta
basé → LOAD 3,B1	d
basé → LOAD 1,B2	302

8.10 Taille de l'adresse et taille de la mémoire

Soit ADR le nombre de bits dans le champ adresse d'une instruction. Soit 2^n la taille de la mémoire centrale. On peut distinguer trois cas :

- $ADR = n$: la mémoire physique est accessible dans sa totalité. Toutes les méthodes d'adressage proposées par le fabriquant peuvent être utilisées;

- $ADR < n$: ADR ne suffit pas pour adresser toute la mémoire. On peut utiliser l'adressage basé, si le registre de base a une taille suffisante (n bits). Il suffit de diviser la mémoire en blocs de taille telle que ADR puisse adresser complètement un bloc. On utilisera le champ adresse pour indiquer le **déplacement** [*offset*] à l'intérieur du bloc. L'adresse du premier mot du bloc sera mémorisée dans le registre de base. On calculera l'adresse effective en faisant la somme des contenus du registre de base et du champ adresse de l'instruction;

- *ADR > n* : ADR peut adresser des positions de mémoire qui n'existent pas dans la mémoire physique. On peut profiter de cette possibilité et envisager des mécanismes permettant de déborder sur des mémoires auxiliaires, par exemple, des unités disques (notion de mémoire virtuelle). On peut réaliser une mémoire virtuelle en découpant le programme stocké sur disque en **pages**. La mémoire réelle est divisée en cadres de page capables de contenir exactement une page de programme (notion de **pagination**). Ces notions seront approfondies dans le chapitre portant sur les systèmes d'exploitation.

8.11 Unité arithmétique et logique (UAL)

La plupart des ordinateurs modernes ont des **UAL** capables de réaliser une grande variété d'opérations.

Certaines opérations ne concernent qu'un seul registre et qu'un seul opérande, par exemple, la remise à zéro, la complémentation logique, le décalage, l'incrémentation, etc. D'autres concernent deux opérandes, par exemple, l'addition, la soustraction, les opérations logiques ET, OU, XOR, etc. Comme déjà mentionné, certaines opérations utilisent aussi l'extension Q de l'ACC.

Les machines à vocation scientifique offrent toute une gamme d'opérations en virgule flottante et en double précision. Par contre certains ordinateurs, par exemple les micro-ordinateurs, n'ont qu'un nombre limité d'instructions permettant les opérations les plus simples et laissant à l'utilisateur le soin de programmer les opérations plus complexes, telle la division, la multiplication, la racine carrée et les opérations en virgule flottante.

Tout traitement de données a lieu dans l'UAL. Cette partie du cpu, où se trouvent tous les circuits capables d'effectuer les opérations élémentaires qui sont à la base de tout algorithme, est totalement asservie à l'unité de commande. C'est précisément cette dernière qui déclenche, contrôle et synchronise toute activité de l'UAL.

Exercices

1. Qu'est-ce qu'un bus ?

2. Quelles sont les différences fondamentales entre le langage machine et les langages évolués ?

3. Décrire les cycles de recherche et d'exécution d'une instruction.

4. Quelle est la différence entre un séquenceur câblé et un séquenceur microprogrammé ?

5. Réaliser un programme qui calcule l'expression suivante dans une machine à une adresse et dans une machine à zéro adresse :

$$R = A - B \, / \, (C + D) + E \times F - G.$$

6. Etant donné les contenus des registres et des mémoires suivants : (où *(X)* signifie contenu de X)

(XR1) = 1	(1000) = 0	(3000) = 4
(XR2) = 2	(1001) = 1	(3001) = 5
(B1) = 1000	(2000) = 2	(0) = 1000
(B2) = 2000	(2001) = 3	

a) Trouver le résultat à la fin des opérations suivantes :

LOAD 3000, XR1; 5   LOAD 1000, B1; 2   LOAD 1, B2; 3
LOAD 999, XR2; 1   LOAD 1000, IMM; 1000 LOAD 0, I; 0
LOAD 1000,I. 1000

b) Quelle est la valeur de *F* après l'exécution du programme suivant :

LOAD	3000
ADD	2000,XR1
SUB	2001,B1
MPY	1001,B2
DIV	2000
ADD	1000,IMM
SUB	0,I,XR1
STORE	F

7. Soit une machine dotée d'une mémoire centrale de 512 Kmots de 32 bits. Sachant que l'instruction-type occupe un mot-mémoire, quelles tailles proposeriez-vous pour les registres CO et RI ?

Solutions

1. Un bus est un ensemble de lignes assurant la connexion des dispositifs qui y sont rattachés. On peut distinguer des lignes affectées au transport des adresses, des données ou des signaux de commande. Ces lignes sont exploitées en commun mais, pendant toute communication, le bus est réservé aux deux unités participant à l'échange.

2. Le langage machine est composé d'instructions codées en binaire qui sont directement exécutables par la machine, tandis que les programmes écrits en langage évolué doivent être traduits ou interprétés pour être acceptés par la machine. Les langages évolués s'approchent des langages naturels, tandis que le langage machine, adapté à l'architecture de l'ordinateur, est fait d'instructions élémentaires correspondant à un niveau de programmation beaucoup plus détaillé.

3. Le cycle de recherche d'une instruction comprend les différentes actions nécessaires pour chercher dans la mémoire centrale l'instruction à exécuter et l'acheminer vers le registre RI du cpu. L'instruction cherchée est repérée à l'aide de son adresse qui se trouve dans le registre CO. Le cycle d'exécution comprend toutes les actions nécessaires pour mener à bien l'opération demandée. L'exécution se déroule généralement dans l'UAL. Elle est décomposée en micro-actions qui sont commandées et synchronisées par le séquenceur.

4. Dans un séquenceur câblé, les signaux de commande sont générés par des circuits logiques séquentiels conçus pour contrôler le déroulement de chaque opération, le circuit approprié étant sélectionné par un signal provenant du décodeur. Le séquenceur microprogrammé obtient le même résultat en exécutant des suites de micro-instructions (correspondant aux différents codes opération) stockées dans une mémoire de microprogrammation.

5. L'expression à calculer est la suivante : $R = A - B / (C + D) + E \times F - G$.

1 adresse		*0 adresse*	
LOAD	E	LOAD	A
MPY	F	LOAD	B
SUB	G	LOAD	C
STA	T1	LOAD	D
LOAD	C	ADD	
ADD	D	DIV	
STA	T2	SUB	
LOAD	B	LOAD	E
DIV	T2	LOAD	F
ADD	T1	MPY	
STA	T1	LOAD	G
LOAD	A	SUB	
SUB	T1	ADD	
STORE	R	STORE	R

6. Exercice d'adressage

a) Après les opérations indiquées, l'accumulateur contiendra respectivement : 5; 2; 3; 1; 1000; 0; 1000.

b) $F = 1004$.

7. CO = 19 bits; RI = 32 bits.

Chapitre **9**

Superordinateurs et microprocesseurs

9.1 Introduction

Le développement des ordinateurs se poursuit de nos jours dans deux directions principales : accroissement des performances et miniaturisation des composants.

Dans le haut-de-gamme, on construit des ordinateurs aux performances extrêmes répondant aux exigences des applications scientifiques et techniques les plus avancées. Depuis l'arrivée du Cray-1 (1976) on a pris l'habitude de les appeler **superordinateurs** [*supercomputers*] pour les distinguer des modèles plus communs et plus répandus, généralement affectés aux applications ne demandant pas des calculs numériques très poussés.

A l'autre extrémité de la gamme, on cherche à développer des microplaquettes [*chips*] contenant un nombre toujours plus grand de circuits logiques. L'accent est mis sur le rapport prix/performance. L'idée est de fabriquer un CPU sur une seule puce; c'est la définition même de **microprocesseur**. On y est arrivé au début des années 70 et depuis on a intégré sur une microplaquette des processeurs de plus en plus performants. En plus du processeur les microplaquettes peuvent contenir les coprocesseurs arithmétiques, les mémoires cache et les autres fonctions de communication et d'entrées/sorties. Fabriqués en grandes quantités, ces microprocesseurs offrent des performances étonnantes à des prix relativement bas.

Les scientifiques et les ingénieurs ont toujours dû affronter des problèmes dépassant la capacité de calcul des machines les plus puissantes. De nombreuses disciplines ont des problèmes nécessitant d'énormes quantités d'opérations arithmétiques, par exemple la météorologie, la dynamique des fluides, l'aérodynamique, l'analyse de structures, la microélectronique, la physique des particules, la chimie et la biologie moléculaire, les mathématiques appliquées, la simulation numérique de systèmes, le traitement d'images.

On résout ces problèmes d'abord en augmentant la vitesse du processeur, ensuite en mettant plusieurs processeurs en parallèle, ce qui permet d'exécuter plusieurs travaux en même temps ou de distribuer un calcul donné sur plusieurs processeurs.

Pour construire des monoprocesseurs (machines ayant un seul processeur central) de plus en plus rapides, il ne suffit pas d'utiliser les composants électroniques les plus performants. Il ne faut pas oublier le temps de propagation des signaux. Bien que voyageant à une vitesse proche de celle de la lumière, les signaux électriques dans les conducteurs parcourent environ une distance de 20 cm en une nanoseconde, il faut donc réduire les dimensions physiques des machines et bien calculer les connexions critiques.

Il faut aussi apporter des modifications à l'architecture; par exemple, en introduisant des unités fonctionnelles telles les unités pour le calcul rapide de l a transformée de Fourier ou les unités réalisant l'arithmétique en virgule flottante. Ces unités sont souvent appelées **accélérateurs** à cause de leur effet sur le temps d'exécution de certains programmes. On peut aussi doter le processeur de registres spécialisés ou d'unités capables d'organiser le traitement des données à la chaîne selon la technique dite du **pipelining**. On peut accélérer l'horloge et exécuter plusieurs instructions par cycle d'horloge. On peut utiliser des mémoires cache.

La technologie moderne permet d'envisager des architectures exploitant l a simultanéité des opérations à tous les niveaux. On conçoit des machines avec plusieurs additionneurs ou multiplicateurs pouvant travailler en même temps au sein de l'UAL. On fait aussi des multiprocesseurs, c'est-à-dire des machines avec plusieurs processeurs pouvant fonctionner en parallèle en partageant la même mémoire centrale, ou des multiordinateurs où chaque processeur est doté de sa propre mémoire et capable de communiquer avec les autres grâce à des réseaux très performants.

Dans le contexte de l'ordinateur, **parallélisme** signifie que plusieurs actions peuvent se dérouler en même temps de manière concurrente. Par conséquent, en augmentant le parallélisme d'une machine on augmente sa capacité de traitement. Mais la machine devient plus complexe et plus difficile à programmer. Les systèmes hautement parallèles ne peuvent être que rarement exploités à 100%, mais la plupart des applications peuvent profiter, bien que dans une moindre mesure, des possibilités offertes par l'architecture.

9.1.1 Accroissement de la puissance des ordinateurs

Un ordinateur séquentiel se compose essentiellement d'un processeur, d'une mémoire centrale, de plusieurs dispositifs d'entrée-sortie et d'un système de communication entre les différentes unités. Selon le modèle de von Neumann, largement suivi depuis 1945, le processeur cherche dans la mémoire une séquence d'instructions et les exécute les unes après les autres. A chaque instruction correspond une opération sur des données stockées dans des registres ou dans des positions de mémoire spécifiées par l'instruction. Cette organisation du travail provient de l'idée d'algorithme ou d'une procédure exécutable pas-à-pas qui a inspiré la plupart des langages de programmation. Le modèle de calcul qui est à la base de cette approche est très simple et intuitif. Il a contribué à la diffusion de l'ordinateur et à son emploi universel.

La liaison CPU - mémoire est la cause d'une limitation de la vitesse d'exécution des machines de cette architecture, connue sous le nom de *von Neumann bottleneck*. L'alimentation du processeur en instructions et données a toujours souffert de la vitesse d'accès à la mémoire. Le rapport entre les cycles mémoire et CPU reste de l'ordre de dix. Pour palier à cette cause de ralentissement, on a introduit les mémoires cache et d'autres mécanismes d'anticipation, ainsi que les architectures RISC 'register-to-register' visant à l'établissement d'un niveau de mémoire proche des performances du processeur.

Table 9.1 : Propagation des signaux selon les medias

	Distance parcourue en 1 ns	Vitesse
Lumière dans le vide	30 cm	300'000 km/s
Signal électrique dans un conducteur :		
la vitesse dépend de la constante diélectrique		
Câble coaxial/air	<30 cm	<300'000 km/s
Câble coaxial/Téflon	20 cm	200'000 km/s
Câble cuivre simple - pair torsadée	<20 cm	<200'000 km/s
Circuits imprimés (PCB)/Téflon	<20 cm	<200'000 km/s
PCB/fibre de verre	<15 cm	<150'000 km/s
Céramique/substrat des chips	10 cm	<100'000 km/s
Signal électrique dans un semiconducteur :		
les mécanismes de propagation n'ont rien		
à voir avec les ondes électro-magnétiques		
Connexions Al/Au entre les portes	1 cm	10'000 km/s
Connexions entre les portes (MOS)	0,2 cm	2'000 km/s
Dans le silicium (à l'intérieur des portes)	1 µm	1 km/s
Dans le GaAs	3 µm	3 km/s
Electrons balistiques dans le GaAs	7 µm	7 km/s

Il y a une limite à la puissance de calcul d'un processeur qui est due à la vitesse finie de la lumière dans le vide (300'000 km/s). Cette vitesse ne peut en aucun cas être dépassée. Un signal électrique parcourt une vingtaine de centimètres dans un conducteur en une nanoseconde (table 9.1). La propagation des signaux dans le silicium ne dépasse guère 1 cm/ns si l'on tient compte du temps de réponse des portes [*gate switching time*]. Etant donné que les chips ont aujourd'hui un diamètre de l'ordre de quelques centimètres, il faut compter environ 1 ns pour propager un signal d'un bout à l'autre du chip. Si l'on traite les signaux de façon séquentielle, on obtiendra au maximum une opération arithmétique en virgule flottante (1 Flops [*Floating operations per second*]) par temps de propagation, c'est-à-dire par nanoseconde. Cela revient à admettre une limite de l'ordre d'un GigaFlops (un milliard de Flops) pour toute unité de traitement dépourvue de parallélisme. Les superordinateurs contemporains n'arrivent à dépasser cette limite que grâce aux pipelines et à l'exécution parallèle à tous les niveaux.

Pour surmonter les obstacles dus aux lois de la physique qui empêchent l'accroissement de la vitesse de calcul au-delà de certaines limites, on pense naturellement à l'exécution simultanée d'instructions ou de parties de programmes. La technologie moderne facilite la duplication des éléments fonctionnels à l'intérieur d'un chip et permet d'envisager l'emploi d'un grand nombre de CPU coopérant à la solution d'un problème. Le **calcul parallèle** est une réalité. Mais on se rend compte que le passage du modèle séquentiel aux modèles de calcul parallèle n'est pas facile et nous oblige à remettre en question la théorie et la pratique du calcul automatique tel qu'on le maîtrise depuis une cinquantaine d'années.

Les premiers pas concrets vers l'accroissement de la puissance des ordinateurs à vocation scientifique furent accomplis dans les années 70 grâce au développement des **superordinateurs vectoriels**. Ces machines exploitent le principe du **pipeline** pour traiter des vecteurs (ensembles ordonnés de données du même type). Le gain de temps vient du recouvrement des opérations sur les données et dépend de la taille des vecteurs. Il s'agit d'un compromis où l'on préfère sacrifier une partie de la performance qu'on pourrait obtenir par la répétition des éléments de traitement au profit des opérations sur les données effectuées en parallèle, en échange d'un coût inférieur grâce au partage des dispositifs de traitement. Les machines vectorielles à pipelines multiples sont capables de résoudre efficacement une gamme assez vaste de problèmes caractérisés par le calcul numérique intensif, typiquement en virgule flottante, sur des données structurées (matrices, vecteurs). Elle se sont affirmées dans les années 80. Le marché haut de gamme est dominé actuellement par les produits des firmes Silicon Graphics Inc./Cray Research, Nec, Fujitsu et Hitachi.

Pourquoi toujours plus vite ?

Beaucoup de problèmes semblent avoir un appétit insatiable de Mips [*Million of Instructions Per Second*] et de MFlops [*Million of FLoating point Operations Per Second*]. Dans plusieurs cas la relation entre la taille d'un problème et la quantité de calculs nécessaires à sa solution n'est pas linéaire. C'est le cas notamment du produit de deux matrices $n \times n$ qui demande n^3 opérations. Si la taille du problème double, le temps de calcul s'allonge de huit fois, donc, si l'on veut faire le calcul dans le même temps, il faut augmenter la puissance de traitement d'un facteur 8. Tôt ou tard les besoins arrivent à dépasser la capacité de calcul de toute machine ayant un seul processeur.

9.1.2 Technologie et performance

Concepts fondamentaux

Notre intérêt est de faire tourner nos programmes de plus en plus vite. Si nous apportons à l'ordinateur une amélioration censée augmenter ses performances en remplaçant, par exemple, le CPU ou en le doublant, ou encore en attachant un co-processeur à virgule flottante, nous espérons constater une certaine accélération [*speed-up*]. On peut définir le speed-up comme étant le rapport entre les temps d'exécution d'un programme avant et après l'amélioration apportée au matériel. Naturellement le dispositif ajouté ou modifié sera exploité par le programme aussi souvent que possible. En effet certains dispositifs ne sont pas nécessairement utilisés à chaque instruction du programme. Un additionneur dix fois plus rapide ne produira pas un speed-up de dix et une machine avec 1'000 processeurs n'exécutera pas chaque travail 1'000 fois plus vite.

On peut résumer les réflexions de **Gene Amdahl** sur le speed-up comme suit : le speed-up que l'on peut espérer en utilisant un moyen d'exécution plus rapide est limité par la fraction du temps pendant lequel ce moyen peut effectivement être utilisé.

La **loi d'Amdahl** revient à dire que le gain obtenu par une performance accrue, sur une partie du programme, diminue au fur et à mesure que l'on ajoute des améliorations. Ainsi un monoprocesseur pourrait voir sa performance doubler par l'adjonction d'un deuxième processeur (si ce processeur est utilisé à 100 %), tandis qu'un troisième processeur apporterait au mieux un gain supplémentaire de 50 %.

Un corollaire de la loi d'Amdahl dit que si une amélioration ne s'applique qu'à une fraction de temps f d'un programme en exécution, on ne peut accélérer le programme au-delà de l'inverse de $1-f$. Speed-up $\leq 1/1-f$.

Unités de traitement

Les progrès technologiques mettent à disposition du processeur un nombre croissant de transistors. Grâce au rétrécissement de la taille du trait, le nombre de transistors que l'on peut intégrer dans une microplaquette est de l'ordre de 10 millions. Cela permet soit d'intégrer un petit nombre de processeurs, soit d'utiliser ces transistors pour accroître la performance du processeur par exemple en optimisant la taille des caches ou en ajoutant des unités fonctionnelles. A l'avenir, les techniques ULSI [*Ultra Large Scale Integration*] et WSI [*Wafer Scale Integration*] permettront l'intégration d'un grand nombre de processeurs, chacun avec son cache et son système de communication.

Le cycle d'horloge a passé de quelques dizaines de MHz à quelques centaines de MHz en une dizaine d'années grâce à la technique RISC [*Reduced Instruction Set Computer*] qui a simplifié les opérations. On s'approche d'un cycle machine d'une nanoseconde.

Mémoires

La diminution constante du prix des chips-mémoire permet de doter les ordinateurs de mémoires centrales toujours plus grandes. Pour c e qui concerne les chips-mémoire DRAM la capacité augmente d'un facteur 4 tous les 3 ans. Le coût de la mémoire reste dominant dans l'ensemble du matériel. Pour alimenter le CPU en instructions et en données à un coût raisonnable, la hiérarchie des mémoires continuera à être développée. L'importance du cache et des registres au sommet de cette pyramide ne pourra qu'augmenter.

Les mémoires magnétiques et optiques constitueront l'essentiel de la capacité auxiliaire. Les performances des disques magnétiques continueront d'augmenter en fonction de la densité (un facteur deux tous les trois ans), de l'introduction de mémoires tampons et d'autres améliorations aux mécanismes d'accès (le temps d'accès a seulement été réduit d'un tiers en dix ans). Avec les nouvelles têtes magneto-resistives, qui survolent la surface du disque à 0,01 microns, l'augmentation annuelle de la densité va passer de 30 à 60%.

Dispositifs I/O

Dans les années 90, les anciens câblages en cuivre ont été remplacés par des fibres optiques, plus rapides et moins encombrantes. Les canaux sont aussi basés sur des systèmes à fibres optiques avec des capacités de transmission de plusieurs centaines de Mbits par seconde. De nouveaux dispositifs d'entrée/sortie apparaissent tels les communications par infra-rouge. Des progrès considérables sont faits dans les liaisons disque - unité centrale - unités périphériques.

La reconnaissance du langage parlé, la multimédialité, ainsi que la réalité virtuelle, devraient aboutir à des dispositifs d'entrée/sortie d'un nouveau genre.

Communications

Les systèmes de communications et les réseaux feront encore des progrès spectaculaires. On prévoit des facteurs cent à mille de croissance de bandwidth et en outre de nouvelles techniques et de nouveaux protocoles sont à l'étude. LAN, MAN, WAN, Internet, Intranet, Extranet se propagent partout et l'on est de plus en plus envahi par les acronymes : FDDI, HIPPI, ATM, etc.

Les progrès techniques dans ce domaine permettront le développement des systèmes distribués sur de grandes distances. Si les tarifs des opérateurs télécom nous le permettent, notre planète rétrécira... À l'approche des Gigabit/s, de nouvelles applications seront possibles, telles la transmission en temps réel d'images dynamiques à haute définition.

On assiste à une convergence entre les technologies digitales des ordinateurs, des réseaux de télécommunication, des télévisons et autres médias modernes. L'impact sur notre société de nouvelles technologies de télécommunications est bien visible. Il suffit de penser à la diffusion explosive d'Internet, du World-Wide Web, de

Netscape et autres navigateurs. Le grand défi du XXIe siècle est l'organisation et l'exploitation des énormes quantités de données et d'informations distribuées dans des millions de bases de données accessibles par les réseaux qui recouvrent peu à peu toute la planète.

Vers le parallélisme à tous les niveaux

Malgré tous ces développements et l'espoir de voir aboutir de nouvelles technologies, les experts estiment que l'accroissement des performances pour le début du XXIe siècle sera dû surtout au parallélisme des actions et des opérations à tous les niveaux de traitement, de stockage et de transmission des informations. Du transistor au processeur, il faudra exécuter, en même temps, un maximum d'opérations élémentaires afin de gagner du temps (sans se ruiner) dans la solution des problèmes. Les architectures parallèles à mémoire distribuée, les multiprocesseurs, ainsi que les assemblages (réseaux, clusters, farms) de workstations/PC, devraient finalement s'imposer et contribuer ainsi essentiellement à l'accroissement des performances. A cause du prix/performance (donc du prix de fabrication, volume de vente, etc.), on n'utilisera que des microprocesseurs, des mémoires et autres composants standards.

9.1.3 Evaluation de la performance

Du point de vue de l'utilisateur, la performance d'un ordinateur est fonction du temps d'exécution de ses programmes (ou temps de réponse). Pour le responsable du Centre de Calcul ou d'un serveur de calcul [*Computer Server*] ou d'un service informatique, elle est liée à la quantité de travail accompli pendant un laps de temps donné [*throughput*]. Si un utilisateur dit de la machine A qu'elle est 2 fois plus rapide que la machine B, cela signifie que A exécute un travail donné dans la moitié du temps employé par B. Si l'on dit que A produit un throughput 30 % plus élevé que B, cela signifie que dans l'unité de temps A accomplit 1,3 fois le nombre de taches exécutées par B. La performance est l'inverse du temps d'exécution.

Les ordinateurs sont classifiés en fonction de leurs capacités et performances. Si l'évaluation de la capacité d'une mémoire est aisée (on compte le nombre de mots mémoire en MBytes ou GBytes), l'évaluation de la performance de traitement d'un ordinateur est beaucoup plus complexe. Concernant les processeurs, les unités de mesure les plus élémentaires sont les Mips et les Flops. Le **Mips** [*Million of Instructions Per Second*] est l'unité de mesure la plus simple. Elle sert de référence et peut s'appliquer à tous les processeurs. Le **MFlops** [*Million of FLoating point Operations Per Second*] est une mesure spécifique du nombre d'opérations arithmétiques en virgule flottante que peut exécuter une machine en une seconde. Ces deux unités sont des indicateurs souvent trompeurs et leur calcul varie selon le fabriquant. Le problème avec les Mips est que les jeux d'instructions sont différents d'une machine à l'autre. Typiquement, on ne peut pas mesurer avec la même unité les performances fournies par des machines RISC et CISC (ces deux notions sont expliquées plus loin dans ce chapitre). Les MFlops pose aussi des problèmes. Par exemple le temps d'exécution d'une addition est différent de celui d'une division, pourtant ils sont généralement considérés de façon identique dans le calcul de l a performance. L'accroissement des performances nous amène à parler maintenant de **GFlops** (GigaFlops), de **TFlops** (TéraFlops) et de **PFlops** (PétaFlops).

L'évaluation de la performance fait intervenir plusieurs facteurs qui sont l a vitesse de traitement proprement dite qui est spécifique au processeur, le temps de réponse des différents étages de la pyramide des mémoires et la vitesse des entrées/sorties. Des programmes de test, appelés **benchmarks**, permettent d'évaluer les performances des ordinateurs, mais peu d'entre eux sont réellement utilisés de façon standard étant donné la difficulté de couvrir avec quelques tests une vaste gamme d'architectures et de machines. Parmi les benchmarks les plus utilisées mentionnons le SPEC.

Un certain nombre de constructeurs se sont groupés pour former un groupe appelé **SPEC** [*System Performance Evaluation Cooperative*] qui a pour but de définir des mesures standard communes. Ils ont défini une dizaine de programmes de test (principalement des programmes scientifiques écrits en C et en Fortran). Ils exécutent ces programmes sur leurs machines et ils comparent le temps d'exécution avec un temps de référence (temps d'exécution sur un Vax 11/780, ordinateur construit par Digital ayant eu un succès considérable dans les années 80). On calcule un SPECratio (temps de référence divisé par temps d'exécution sur l a machine testée) pour chaque programme et on fait la moyenne de tous les programmes pour obtenir la valeur finale exprimée en **SPECmark**. Actuellement, on a différencié ces tests en **SPECint** et **SPECfp** pour mesurer séparément les performances lors de calculs sur des nombres entiers ou sur des nombres réels en virgule flottante.

Il existe une panoplie de benchmark tests tels que les Whetstones et les Dhrystones, les Livermore Loops, les tests Linpack et les NAS qui sont spécialement conçus pour tester les performances des systèmes parallèles.

Toutes ces mesures sont des indicateurs plutôt théoriques de la performance d'un ordinateur. Lorsque l'on désire choisir un ordinateur, rien ne remplace les benchmarks effectués avec un échantillon de programmes d'applications représentant le travail qui sera typiquement exigé du futur système.

La croissance de la performance des superordinateurs, des minis et des mainframes était d'environ 20 % par an au début des années 90, pendant que celle des microprocesseurs était de 40 % par an ! La conséquence fut la disparition des minis et des mainframes conventionnels remplacés par des SMP [*Symmetric Multi Processors*] basés sur des microprocesseurs standards. Les superordinateurs sont en train de subir le même sort. Le fait marquant de cette fin de millénaire est que l e microprocesseur standard est devenu le *building block* de tout ordinateur du micro au super.

Coût/performance

Le temps d'exécution est la mesure de la performance mais ni l'utilisateur/acheteur ni le concepteur/architecte ne peuvent faire leur choix sans tenir compte du coût. Et l'on sait que le coût des microcircuits diminue très rapidement. Par exemple, le coût d'un MégaByte de mémoire DRAM baisse de quelque 40 % par an. C'est le résultat de l'apprentissage dans la production des chips [*learning curve*]. Il faut en tenir compte dans toute stratégie d'acquisition ou de conception de nouveaux produits.

Les VLSI [*Very Large Scale Integration*] chips contiennent déjà des dizaines de millions de transistors. La prochaine génération de circuits intégrés devrait arriver à 1 milliard dans les premières années du siècle prochain. Tout dépend de la largeur des lignes que l'on peut tracer sur la plaquette. Les mémoires DRAM 16 Mbits en sont à 0,5 μ. Pour les chips 64 Mbits on est descendu à 0,35 μ. Actuellement, les techniques utilisées pour la fabrication sont basées sur la photolithographie. Celle-ci emploie un faisceau de rayons UV (Ultra Violet) traversant des masques pour impressionner la surface des plaquettes de silicium. Pour des circuits spécialisés, on peut aussi utiliser des faisceaux d'électrons dirigés directement sur le 'wafer'.

Après les chips 256 Mbits (=0,25 μ) qui arrivent sur le marché, il va falloir remplacer les UV actuellement utilisés par des UV dits extrêmes situés à l'extrême limite du spectre des rayons UV. Ce changement de longueur d'ondes est nécessaire dès que l'on s'approche des limites supposées naturelles pour les méthodes photolithographiques.

Table 9.2 : Finesse du trait par les méthodes photolithographiques

Progression estimée de la finesse du trait et de la capacité mémoire correspondante				
Année	1996	1999	2002	2005	2008
Finesse du trait	0,35 μ	~0,25 μ	~0,18 μ	~0,13 μ	~0,1 μ
Capacité mémoire	64 Mbits	256 Mbits	1 Gbits	4 Gbits	16 Gbits

La finesse du trait diminue de 30% tous les 3 ans. On se prépare à la production en masse de chips ayant les caractéristiques présentées dans la table 9.2.

Au-delà de 0,1 μ les techniques actuelles ne seront plus utilisables convenablement. La source de rayonnement pourrait être un synchrotron à électrons émettant de la lumière synchrotron émise par des faisceaux d'électrons accélérés sur des orbites circulaires. Les laboratoires de recherche des constructeurs sont déjà au travail.

Tout semble indiquer que les performances des ordinateurs bénéficieront encore du progrès de ces technologies pendant au moins une dizaine d'années. Mais les limites physiques s'approchent et les investissements nécessaires deviennent prohibitifs (des centaines de millions voire des milliards de $ pour créer une nouvelle génération de chips-mémoire ou un nouveau microprocesseur). C'est du côté de l'architecture qu'il faudra trouver des facteurs de croissance intéressants. Après 50 ans de progrès spectaculaires les "low hanging fruits" se font de plus en plus rares... Pour gagner un facteur 100 ou 1'000 sur les performances actuelles, i l faudra compter sur la simultanéité des actions à tous les niveaux de l'architecture. Ce que l'on peut encore gagner sur la vitesse des composants ne justifie guère de telles ambitions. Même avec les synchrotrons, l a supraconductivité et l'opto-électronique, il sera toujours plus difficile de se maintenir sur la courbe de croissance exponentielle.

Heureusement, la technologie nous permet de réaliser des architectures complexes à des prix abordables. Viser des performances cent fois supérieures à celles actuellement réalisées ne semble pas poser des problèmes insurmontables. Le hardware n'est plus un obstacle. On peut construire des machines parallèles performantes et fiables. Malheureusement, comme d'habitude, le logiciel avance beaucoup moins rapidement que le matériel, et pour cause, les changements continuels remettent constamment en question l'environnement de programmation et d'exploitation ce qui oblige de développer des logiciels adaptés au nouvel environnement. Presque tout est à refaire, du modèle de calcul aux algorithmes, des langages aux compilateurs, des outils de programmation aux applications.

L'évolution de l'ordinateur est, en fait, une suite de révolutions.

9.2 Superordinateurs

Le marché des superordinateurs est dominé par les machines multiprocesseurs du type vectoriel à pipelines. Environ 1'000 systèmes, chacun coûtant plusieurs millions de dollars, ont été installés jusqu'au milieu des années 90.

La première machine digne de ce nom était le Cray-1 (monoprocesseur de 10 Mips et 160 MFlops) réalisée en 1976 par Seymour Cray. Dans les années 80, des machines telles le Cray-XMP et le Cray-2 avaient jusqu'à quatre processeurs, chaque processeur atteignant quelques 25 Mips et 450 MFlops. La série YMP et le Cray-3, ainsi que la série SX de NEC et les réalisations de Hitachi et Fujitsu confirmèrent la tendance vers les multiprocesseurs, les mémoires centrales de très grande capacité et des cycles machine s'approchant de la nanoseconde.

La concurrence n'a cessé de repousser les limites atteintes. Les Américains et les Japonais ont produit des machines de ce type avec plusieurs processeurs fournissant des dizaines de GFlops. Pour certaines recherches à la pointe du progrès technique et scientifique, ces machines sont devenues des outils indispensables, mais elles subissent désormais la concurrence des machines parallèles.

Des machines parallèles ont fait leur apparition au milieu des années 80. Certains problèmes se sont mieux prêtés que d'autres au découpage nécessaire et les architectures se sont plus ou moins adaptées aux classes de problème. Tout le monde est conscient qu'il reste beaucoup de travail à faire, mais les succès obtenus récemment ont déclenché une nouvelle vague de recherches, de développements et de nouveaux produits. La course aux hautes performances est engagée et certaines machines parallèles sont bien placées. Le projet ASCI [*Advanced Super Computing Initiative*] aux USA a amené à la construction d'une machine parallèle comprenant plus de 7'000 microprocesseurs Pentium Pro d'Intel interconnectés. Fin 1996, cette machine a établi un nouveau record de performance en atteignant et en soutenant 1 TFlops (mille milliards d'opérations en virgule flottante par seconde).

Après une flambée de constructeurs au milieu des années 80, par exemple on n'oubliera pas des pionniers tels TMC [*Thinking Machine Corporation*], Ncube, Convex, Sequent, Alliant, Kendall Square Research, Meiko. Les machines parallèles ne sont plus le monopole de quelques firmes mais elles se retrouvent dans les catalogues de tous les constructeurs contemporains.

9.2.1 Architecture des superordinateurs

L'étiquette **superordinateur** est à la fois vague et éphémère. Les supercomputers d'hier n'ont plus grand chose à offrir et ceux de demain sont encore sous forme de prototypes et d'idées. L'existence des supercomputers est très courte. Certains pensent qu'on pourrait les définir comme : des machines capables de résoudre des problèmes qui ne peuvent pas être traités par les systèmes existants.

Parmi les machines à haute performance on compte des mono ou multiprocesseurs vectoriels à pipelines multiples. Pour avoir une idée de leur niveau de performance, on doit tenir compte du nombre d'unités de traitement, du cycle machine, de la capacité de la mémoire centrale ainsi que des registres affectés aux calculs vectoriels dans les processeurs, des débits des bus reliant la mémoire aux processeurs centraux et des connexions entre la mémoire centrale et les mémoires auxiliaires, sans parler de l'indispensable logiciel qui permet d'exploiter toutes ces ressources.

Il faut tenir compte du fait que dans le cas d'une application pratique, même si elle est très gourmande en calculs numériques, on peut s'estimer heureux si l'on atteint de 10 % à 20 % de la capacité maximale et si l'on peut maintenir ce niveau assez longtemps. Ceci est largement suffisant pour obtenir des augmentations de vitesse [*speedup*] parfois très importantes par rapport aux machines purement scalaires. Des facteurs entre 10 et 100 ont été gagnés en vectorisant certaines applications ; ce qui permet d'effectuer en quelques heures des calculs qui auraient demandé des semaines ou des mois !

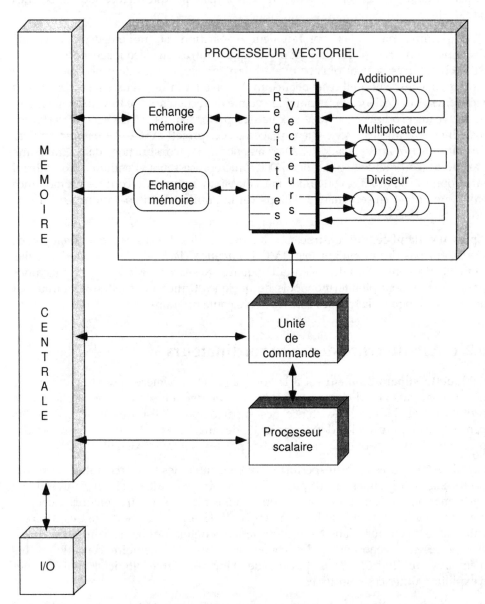

Figure 9.1 : Diagramme d'un ordinateur vectoriel

Le diagramme simplifié d'un ordinateur vectoriel est présenté dans la figure 9.1. On notera la présence d'une unité scalaire dont, selon la loi d'Amdhal, dépendent aussi les performances du système.

Au tournant du millénaire, les problèmes du supercalcul sont souvent résolus par des réseaux d'ordinateurs puissants dont certains sont dotés d'unités vectorielles.

9.2.2 Evolution de l'architecture du CPU

Pipelines et pipelining

Les superordinateurs exploitent à fond la technique du **pipelining** qui est souvent adoptée pour accroître les performances des unités de traitement des ordinateurs de n'importe quel niveau de puissance. Il s'agit d'une idée très simple qui s'inspire de l'organisation du travail à la chaîne, par exemple, chaînes d'assemblage des voitures.

Le **pipelining** est une technique permettant d'effectuer davantage de travail par unité de temps quand il faut répéter une opération donnée sur un grand nombre d'opérandes. Elle consiste à segmenter une opération complexe en une séquence d'actions plus simples. Chaque action simple est réalisée par un dispositif particulier. Plusieurs instructions complexes peuvent ainsi être traitées en même temps tout en étant à des stades différents d'exécution. Le but n'est pas d'accélérer l'exécution lors du traitement d'une instruction traitant une donnée individuelle, mais d'augmenter sa performance lors de son application répétée sur une série de données.

Au lieu de concevoir une unité S capable d'effectuer l'opération P dans le temps T, on divisera le travail en segments P1, P2, P3, P4... exécutés par des sous-unités S1, S2, S3, S4... dans des temps T1, T2, T3, T4... fractions du temps T. Dès que la chaîne [*pipeline*] est pleine, c'est-à-dire dès que toutes les sous-unités sont occupées, on commence à sortir les résultats à un rythme beaucoup plus élevé que dans le cas de l'unité non segmentée. Comme on peut le déduire de la figure 9.2 (A, B, C, D, E, et F sont des opérations à exécuter et R_A, R_B, R_C, R_D, R_E, R_F, les résultats de ces opérations), le débit des résultats est environ N fois plus important dans le cas d'une unité opérationnelle divisée en N parties que pour l'unité non segmentée.

Il ne s'agit donc pas d'augmenter la vitesse d'exécution d'une opération, mais de produire davantage de résultats par seconde, en fournissant continuellement des opérandes à l'entrée du pipeline. Voilà donc une méthode pour accroître la capacité en MFlops. Il suffit de segmenter les différentes opérations en virgule flottante et de restructurer le hardware concerné de manière analogue aux stations d'une chaîne de montage.

Dans le cas de l'addition, par exemple, on pourrait segmenter l'opération en cinq parties et leur faire correspondre cinq stations, affectées aux fonctions suivantes :
- comparer les exposants;
- interchanger les mantisses, si nécessaire;
- décaler les mantisses;
- additionner les mantisses;
- normaliser le résultat.

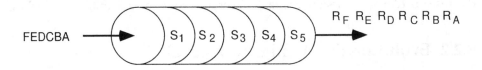

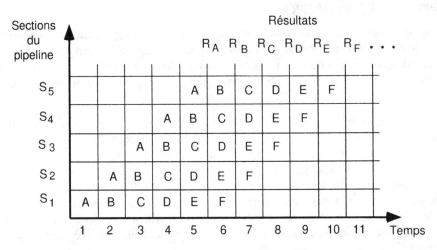

Figure 9.2 : Segmentation d'une unité opérationnelle

On peut gagner encore plus de temps en arrangeant des pipelines en parallèle (pipelines multiples). Avec trois additionneurs segmentés en cinq stations et travaillant en même temps, on améliorera la productivité exprimée en MFlops d'un facteur 15.

La technique du pipelining peut aussi s'appliquer à des dispositifs autres que ceux faisant partie de l'UAL. Par exemple, la section de l'unité de commande qui traite les instructions peut être organisée en pipeline. En effet, on peut segmenter le cycle instruction en une séquence d'actions, comme suit :

- chercher en mémoire l'instruction suivante ;
- décoder le code opération ;
- chercher l'opérande ;
- activer le séquenceur ou le microcode ;
- effectuer l'opération ;
- avancer le CO d'une unité.

Les actions ainsi définies peuvent se suivre et se recouvrir dans le temps, le débit est nécessairement augmenté.

Processeurs scalaires et vectoriels

La technique du pipelining ouvre la voie au traitement systématique de blocs de données, qu'on appelle aussi **vecteurs** [*vectors*]. Un vecteur est une variable ayant plusieurs valeurs. Un pipeline, pour être efficace, doit fonctionner automatiquement une fois l'opération lancée, sans intervention ultérieure de la part du programme. Le programme doit se limiter à spécifier le type d'opération désirée et les vecteurs concernés; ce qui peut se faire en une seule instruction.

On appelle **processeur vectoriel** [*vector processor*] une unité d'exécution (UAL) organisée pour effectuer des opérations sur des vecteurs. Une telle opération est déclenchée par une instruction vectorielle faisant partie du jeu d'instructions de la machine. Avec une seule instruction, on peut provoquer la somme de deux vecteurs, c'est-à-dire des éléments correspondant aux deux vecteurs. Le processeur vectoriel peut donc exécuter des instructions vectorielles, c'est-à-dire des instructions qui remplacent la répétition en boucle de la recherche et de l'exécution de la même instruction sur une série d'opérandes. C'est ainsi qu'une seule instruction peut provoquer l'exécution d'un grand nombre d'opérations, typiquement des opérations arithmétiques en virgule flottante. C'est pourquoi la performance des processeurs vectoriels est mesurée en MFlops plutôt qu'en Mips.

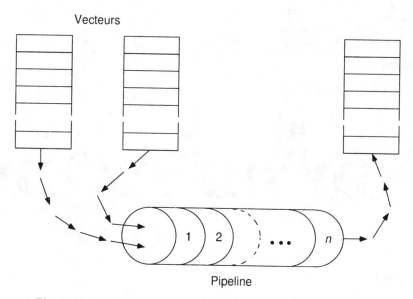

Figure 9.3 : Schéma d'un processeur vectoriel avec pipeline

On dit d'un processeur qu'il est **scalaire**, s'il ne possède pas cette faculté d'opérer sur des vecteurs et s'il ne peut qu'exécuter des instructions dont l'effet se limite à des variables scalaires, c'est-à-dire des variables ayant une seule valeur.

Pour être efficace, un processeur vectoriel doit pouvoir disposer de blocs de registres ultra-rapides, capables de stocker les vecteurs provenant de la mémoire centrale et prêts à être avalés par l'un des pipelines. Egalement, il doit posséder suffisamment de registres pour y déposer les résultats produits, avant de les envoyer vers la mémoire. Cette organisation est schématisée dans la figure 9.3.

Souvent, les résultats issus d'un pipeline doivent être soumis à d'autres pipelines pour des traitements ultérieurs. Inutile, dans ces cas, de leur imposer un voyage aller et retour vers la mémoire et d'encombrer davantage le bus. Certains systèmes offrent la possibilité d'enchaîner les opérations vectorielles [*chaining*]. Un exemple de chaînage est donné dans la figure 9.4.

Des vecteurs peuvent subir des traitements successifs, programmés à l'avance, sans quitter le CPU, limitant les accès à la mémoire. On réalise ainsi un autre niveau de pipelining.

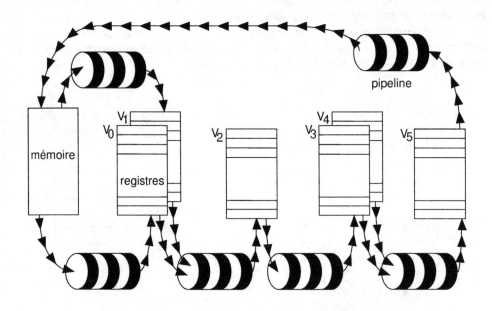

Figure 9.4 : Chaînage

Processeurs RISC

L'idée de l'architecture **RISC** [*Reduced Instruction Set Computer*] est de n'avoir qu'un petit nombre d'instructions simples, élémentaires, telles qu'on puisse les exécuter très rapidement (séquenceur câblé). Cette approche contraste avec les machines **CISC** [*Complex Instruction Set Computer*] où le jeu d'instructions est riche et les instructions complexes afin de simplifier la tâche du compilateur (séquenceur microprogrammé).

Le concept RISC était déjà présent dans les premières machines et Seymour Cray l'adopta pour la conception des CDC 6000 et 7000. Après avoir été mis en minorité par l'invasion des machines CISC, il reprit l'avantage au début des années 80, grâce au travail de Cocke (IBM 801), de Patterson à Berkeley (RISC-I) et de Hennessy à Stanford (MIPS machine).

Processeurs superscalaires

C'est le nom donné à des processeurs RISC récents capables d'exécuter en parallèle un petit nombre d'instructions (de 2 à 5), comme le processeur IBM RS 6000, le i860 de Intel ou le processeur Alpha de DEC. La simultanéité est réelle. On peut, par exemple, exécuter une instruction en virgule flottante pendant qu'une autre unité fait une opération avec des nombres entiers et qu'une troisième s'occupe d'un transfert mémoire-registre. C'est le processeur qui gère ses unités de traitement et qui s'organise pour optimiser le parallélisme.

Comme c'est le cas pour les machines RISC, la performance des machines superscalaires dépend beaucoup du compilateur qui doit être capable de trouver suffisamment d'instructions pouvant être exécutées en parallèle, c'est-à-dire n'ayant pas de dépendances entre les variables. D'autres exemples de processeurs de ce type sont : le PowerPC de l'alliance IBM-Motorola-Apple, le R 10'000 de SGI, l'UltraSparc de SUN, le PA 8000 de HP, le Pentium Pro d'Intel.

Approche VLIW

L'approche **VLIW** [*Very Long Instruction Word*] consiste à placer, dans un mot de taille assez grande (plus de 100 bits), plusieurs instructions prêtes à être exécutées en parallèle par des unités fonctionnelles multiples indépendantes. Dans les années 80 Josh Fisher (Yale University) développa un compilateur très habile qui arrivait à placer jusqu'à 7 instructions dans les différents champs d'un tel mot. L'approche VLIW avait été adoptée par Multiflow pour ses machines Trace (disparues du marché).

L'approche VLIW est similaire à l'approche superscalaire mais la gestion du parallélisme n'est plus effectuée par le processeur. Le concept VLIW fait entièrement confiance au compilateur qui arrange les instructions dans ces grands mot structurés. Un processeur superscalaire livre aux différentes unités fonctionnelles des instructions individuelles issues du compilateur, tout en laissant au hardware la responsabilité de décider du nombre d'instructions à exécuter à chaque instant. L'affectation des opérations aux unités de traitement est codée dans l'instruction elle-même.

Un des premiers microprocesseurs superscalaire à utiliser cette technique a été le i860 d'Intel qui avait des instructions d'une longueur de 128 bits.

9.3 Machines parallèles

Le progrès technologique permet désormais de réaliser des architectures d'un très haut niveau de **parallélisme**, avec des centaines, voire des milliers, de processeurs. Ces machines sont aussi des supercomputers; en effet, pour certaines applications, ils peuvent offrir des performances remarquables et dépasser les superordinateurs vectoriels.

L'idée à la base de tout ordinateur parallèle est de distribuer le travail nécessaire à la solution d'un problème sur plusieurs processeurs faisant partie de la même machine. En effet, on observe que, dans la plupart des programmes que l'on exécute normalement en séquence, il existe des blocs d'instructions totalement indépendants, qui pourraient être exécutés en même temps. Cela implique un nouveau style de programmation et une complexité accrue au niveau du logiciel.

On parle de **granularité** pour indiquer la taille des tâches allouées aux unités d'exécution. La granularité fine correspond au niveau des instructions; une granularité plus grossière implique des parties de programmes avec une fonctionnalité appréciable.

Un système parallèle peut être défini comme un ensemble d'unités de traitement et de mémoires pouvant communiquer et coopérer afin de résoudre de gros problèmes rapidement.

Il est évident que certains problèmes tels ceux rencontrés dans les mathématiques appliquées, dans le traitement d'images ou en physique, possèdent un bon niveau de parallélisme naturel et peuvent être adaptés sans trop de difficultés à un traitement parallèle. D'autre part, il y a des programmes qui ne se prêtent pas facilement à une telle décomposition.

9.3.1 Histoire et évolution des idées

Les pionniers du calcul parallèle

Les premières traces de l'idée de calcul parallèle remontent à Babbage et sont présentes dans la description par Menabrea en 1842 de la Machine Analytique et publiée à Genève par la Bibliothèque Universelle. Il semble évident que Babbage était conscient de la possibilité de faire exécuter des opérations simultanées par les différentes unités fonctionnelles de sa machine.

En 1920, Vannevar Bush présenta une calculatrice analogique mécanique capable de résoudre des équations différentielles. Les différentes parties de la machine étaient conçues pour travailler en parallèle.

L'ENIAC en 1945 était une machine parallèle. Elle était composée de 25 unités capables d'effectuer des calculs de façon indépendante (20 accumulateurs pour les additions/soustractions, 1 multiplicateur, 1 diviseur/racine carrée et 3 unités pour la recherche en tables).

Les papiers de von Neumann des années 40 étudiaient des méthodes pour l a résolution d'équations différentielles sur réseau basées sur la mise à jour simultanée des valeurs affectées à chaque nœud.

Il est intéressant de constater que l'ENIAC était effectivement une machine parallèle. Chaque accumulateur était programmé de façon indépendante. En connectant physiquement les entrées/sorties des dispositifs de traitement, on obtenait un véritable programme câblé pour résoudre un problème déterminé.

Le parallélisme de L'ENIAC ne dura pas longtemps. L'idée de programme centralisé et enregistré en mémoire principale faisait rapidement son chemin. L'ENIAC fut modifié afin de l'aligner au modèle de calcul de von Neumann qui permettait une programmation plus aisée. Il fut utilisé comme monoprocesseur programmé centralement et travaillant la plupart du temps en série.

Les premiers projets

A partir de 1958 (papier de Unger) l'idée prend forme de construire des assemblages de processeurs [*computer arrays*]. En 1962 Slotnick propose le Projet SOLOMON basé sur une matrice de 32 × 32 processeurs, dotés chacun d'une mémoire locale de 128 mots de 32 bits et d'une unité arithmétique effectuant les opérations en série [*bit-serial*]. Le tout est commandé par une unité centrale traitant un seul flot d'instructions, donc du type SIMD selon la classification de Flynn (exposée plus loin).

La trajectoire du Projet SOLOMON ne suivra pas ses spécifications initiales mais contribuera au lancement d'autres projets de machines parallèles caractéristiques des années 60, tels ILLIAC IV à l'Université de l'Illinois, PEPE développé par Burroughs, STARAN de Goodyear Aerospace, DAP de la Société Britannique ICL.

ILLIAC IV fut conçu par Slotnick (1967) et financé par l'ARPA [*Advanced Research Projects Agency*] du Département de la Défense USA. Il était composé de 4 quadrants, chacun ayant une unité de commande du type SIMD pour 64 unités (8 × 8 arrays) de traitement câblées pour effectuer des opérations en virgule flottante. Chaque processeur devait avoir une capacité de mémoire locale de 2'000 mots de 64 bits [*thin film memory*]. Les 4 parties de la machine auraient dû être connectées par un bus I/O donnant aussi accès à une grande mémoire secondaire (disque) contenant programmes et données. Chaque processeur était prévu pour produire un résultat en virgule flottante tous les 240 ns. L'ensemble des 256 processeurs aurait donc offert une capacité maximale de 1 GFlops.

ILLIAC IV fut partiellement construit (un seul quadrant) et utilisé pour résoudre des problèmes réels. Sa puissance n'arrivait pas à un dixième de celle prévue et son coût (estimé) fut multiplié par quatre. Il fallut presque dix ans pour passer de la conception à l'utilisation et sa réalisation fut continuellement modifiée. Néanmoins, ILLIAC IV contribua considérablement au développement de l a technologie, des architectures et du logiciel pour les calculateurs parallèles.

Vingt-cinq ans d'essais plus ou moins ratés

ILLIAC IV aura eu le mérite d'avoir déclenché la course au GFlops et aux machines parallèles. Mais il ne peut être considéré comme un succès technique. Par contre, il montra les problèmes du calcul parallèle, notamment l'importance critique des communications et la difficulté de programmer de telles machines. Il sera suivi par une longue série de projets de recherche et développement ainsi que de quelques produits commerciaux dont on ne pourra dire qu'ils furent de grands succès. Le problème était à la fois technologique (on découvrait vite les limites de la capacité et de la fiabilité des composants et des systèmes de l'époque) et organisationnel quant au choix du matériel et des logiciels nécessaires à la solution des problèmes posés. Les quelques succès techniques n'étaient pas faciles à utiliser et ne donnèrent pas lieu à des réalisations commerciales fructueuses.

On peut mettre le quart de siècle, entre la réalisation d'ILLIAC IV et aujourd'hui, sur le compte d'un apprentissage nécessaire et d'une expérimentation utile sans cesse modifiée au gré des nouveautés technologiques qu'elle contribuait à stimuler. Revenons à nos jours et analysons la situation actuelle, qui continue à évoluer rapidement, toujours poussée par les besoins de nombreuses applications exigeant d'énormes quantités de calcul.

Pourquoi ça marche maintenant ?

La réponse peut être résumée en un mot : technologie.

L'analyse des échecs du passé montre que la technologie n'était pas à la hauteur des ambitions des promoteurs. La micro-électronique moderne, avec ses circuits VLSI, n'est plus un facteur limitatif dans la construction de machines parallèles.

Dans les années 80 l'étendue du problème a été mieux comprise et l'attitude des constructeurs a été plus réaliste. Il y a eu des succès techniques et même commerciaux.

Nous avons vécu, dans les années 90, une décade qui a vu la révolution du parallélisme et qui a résolu des problèmes difficilement réalisables au moyen des machines actuelles. On a été capable de construire des machines parallèles fiables, scalables, avec un bon rapport prix/performance, et couvrant une grande variété d'architectures. Bien que beaucoup de choses restent à faire, on a développé des logiciels de base et d'application pour exploiter la puissance disponible.

On a construit des machines parallèles soit avec un petit nombre de processeurs très puissants, soit avec un grand nombre de microprocesseurs standards, ou encore avec un très grand nombre de processeurs très simples. Dans le premier cas la mémoire est partagée et elle est locale dans les deux autres. La communication par messages [_message passing_] s'est révélée plus difficile à maîtriser que celle par variables partagées; on observe donc un intérêt croissant pour les mémoires partagées ou physiquement distribuées mais virtuellement centralisées [_virtual_ *shared memory*]. C'est finalement la solution basée sur un grand nombre de microprocesseurs standards qui a gagné la course aux TéraFlops.

En conclusion, nous avons maintenant des outils différents et assez complémentaires pour résoudre nos problèmes :

- d'abord, on dispose de puissantes machines scalaires, exécutant leurs instructions en séquence selon les principes de von Neumann et dont on a appris à se servir depuis une cinquantaine d'années;

- ensuite, on a, depuis une vingtaine d'années, des processeurs vectoriels très puissants, capables de résoudre des problèmes qui étaient réputés infaisables, à cause du temps d'exécution sur les machines scalaires;

- enfin, on peut désormais compter sur toute une gamme de machines parallèles avec d'énormes capacités de calcul, distribuées sur de grandes quantités de processeurs, mais qui demandent au programmeur une approche différente.

9.4 Parallélisme

On peut maintenant affronter la question du **parallélisme** sous toutes ses formes. Il faut d'abord distinguer entre différents niveaux de parallélisme. On peut parler de **parallélisme interne**, à l'intérieur d'un ordinateur classique, et de **parallélisme externe** lorsque l'on se réfère à plusieurs processeurs travaillant en liaison plus ou moins étroite.

Le parallélisme interne peut se présenter sous trois formes :

- **Parallélisme par duplication** : on peut réaliser une **simultanéité réelle** de certaines opérations ou actions, en multipliant les dispositifs affectés à ces tâches. On peut citer les exemples suivants : additionneurs parallèles, bus multilignes pour transferts parallèles, mémoire à blocs indépendants entrelacés, additionneur ou multiplicateur supplémentaire.

- **Parallélisme par anticipation** : on réalise un accroissement des performances en effectuant certaines actions susceptibles de réduire le temps d'attente d'une unité critique. Par exemple : recouvrir dans le temps l'exécution d'une instruction avec la recherche de l'instruction suivante, doter le CPU d'une antémémoire, faire un transfert de données entre une unité périphérique et la mémoire en vue de les traiter ultérieurement et pendant que le CPU fait autre chose. Le recouvrement des actions dans un pipeline, peut aussi être cité comme un exemple de ce type de parallélisme.

- **Parallélisme par multiplexage** : lorsque plusieurs unités lentes sont servies par une unité rapide, on réalise une **simultanéité apparente**. C'est le cas, par exemple, des systèmes utilisés en temps partagé [*time-sharing*].

En ce qui concerne l'évolution du parallélisme externe, selon une classification due à Flynn, on peut distinguer trois types d'architecture :

- **SISD** [*Single Instruction Single Data stream*] : il s'agit tout simplement de l a machine de von Neumann, strictement séquentielle et dépourvue de parallélisme externe. Elle a, en effet, une seule unité de commande traitant une seule séquence d'instructions [*Single Instruction stream*] et une seule unité d'exécution (UAL) traitant une unique séquence de données [*Single Data stream*].

- **SIMD** [*Single Instruction Multiple Data streams*] : il s'agit de machines ayant une unité de commande unique, mais plusieurs unités d'exécution. Tous les processeurs exécutent la même instruction simultanément. On peut classer dans cette catégorie les processeurs vectoriels qui exécutent la même instruction sur des tableaux d'éléments.

- **MIMD** [*Multiple Instructions Multiple Data streams*] : on peut classer dans cette catégorie les multiprocesseurs (processeurs partageant une même mémoire) et les multiordinateurs (processeurs ayant chacun leur propre mémoire locale et travaillant ensemble par l'entremise d'un réseau). Si le système est constitué de milliers d'unités de calcul, on parle de parallélisme massif (MIMD ou SIMD).

- Pour des raisons de symétrie, on prévoit aussi l'architecture du type **MISD**, mais on n'a pas encore vu un exemplaire de cette catégorie.

On dit d'un système parallèle qu'il est scalable s'il peut être adapté à la taille du problème, donc si l'on peut augmenter sa capacité de calcul en augmentant le nombre de processeurs, la mémoire. sans rencontrer de limitations (par exemple : mémoire, E/S, communications) et sans devoir changer les programmes.

On remarquera que la plupart de ces techniques, visant l'accroissement des performances, ne concernent pas directement l'utilisateur. On parle alors de **parallélisme transparent**. C'est le cas, par exemple, du pipelining ou de l a mémoire cache. Mais il y a aussi un **parallélisme visible**, nécessitant l a collaboration de l'utilisateur pour être réalisé efficacement. C'est le cas notamment des machines vectorielles et parallèles, où la programmation joue un rôle fondamental dans la recherche d'une performance maximale.

Pour exploiter le parallélisme, il faut des compilateurs à la hauteur de la tâche, des méthodes pour organiser les données, des algorithmes nouveaux, des bibliothèques de programmes, des outils de programmation pour développer les applications. Pour maîtriser le calcul parallèle et en tirer les résultats espérés, i l faut être en mesure de comprendre à fond : applications, algorithmes et architectures.

9.4.1 Parallélisme et applications

Le problème central du parallélisme est la décomposition du code et des données. Le modèle de calcul et l'architecture sont en relation avec le type de problème à résoudre.

Quelques applications dotées de parallélisme sont énumérées ci-dessous :
- Parallélisme facile : par exemple dans la reconstruction des événements en physique des particules.
- Calcul scientifique : dynamique des fluides, prévisions météo, modèles séismiques, QCD.
- Conception VLSI : simulation des circuits logiques et physiques, placement et câblage, timing, génération de tests, simulation de fautes.
- Opérations sur les bases de données : parallélisme entre et à l'intérieur de transactions.
- Intelligence Artificielle : Traitement d'images et reconnaissance de formes, robotique, traitement des langages naturels.

La puissance des ordinateurs permet de simuler des objets, des processus, des phénomènes de plus en plus complexes. Les chercheurs utilisent désormais l'approche des simulations à la place ou en complément des techniques expérimentales. Théorie, simulation et expérimentation sont aujourd'hui les trois piliers de toute recherche académique et industrielle. On remplace les souffleries en aérodynamique, on simule des molécules complexes et des réactions chimiques, ainsi que la propagation de polluants dans l'atmosphère. Il faut d'abord créer des modèles mathématiques de la réalité et, ensuite, trouver des algorithmes efficaces conduisant à des solutions numériques calculables avec des machines adaptées et ceci dans des temps acceptables. Les techniques de simulation sont en train d'envahir les laboratoires de recherche et, en raison de leur appétit en GFlops, elles poussent les constructeurs d'ordinateurs et les concepteurs d'applications vers des performances record.

Parmi les problèmes adaptés au parallélisme massif il y a ceux qui permettent d'utiliser le calcul sur réseau, où l'on s'intéresse aux valeurs des variables seulement aux intersections d'une grille [*grid*] à deux ou plusieurs dimensions recouvrant le domaine du problème. Cette solution permet de s'approcher du problème réel si les nœuds du réseau sont suffisamment serrés. Les calculs effectués par chaque nœud dépendent uniquement des valeurs attachées aux nœuds voisins. Il y a donc un mapping entre ce type de problème et certaines architectures.

Il est opportun de noter que certains problèmes ne peuvent profiter de l'apport du parallélisme. Par exemple, on ne peut pas atteindre une température de 2'000 degrés avec quatre fours chauffant à 500 degrés.

9.4.2 La course aux TéraFlops

De grands problèmes d'importance stratégique et exigeant pour leur solution de très grandes ressources de calcul ont été appelés les *Grands Challenges* par les américains. Parmi ces problèmes citons :

- modélisation du climat de la terre;
- étude de la turbulence dans les fluides;
- dispersion des agents polluants;
- transcription et analyse du génome humain;
- étude des courants dans les océans;
- chromodynamique quantique;
- modélisation des semi-conducteurs;
- modélisation des superconducteurs;
- étude du comportement des systèmes de combustion;
- vision et reconnaissance.

Durant les vingt dernières années, on estime à un facteur 1'000 l'accroissement de la performance dû au matériel. Dans la même période on estime à 3'000 le facteur de contribution des nouveaux algorithmes et les méthodes software. Le speed-up combiné est donc de l'ordre du million. Il est évident que pour augmenter la performance des superordinateurs afin de pouvoir les utiliser pour résoudre les problèmes les plus complexes et pour effectuer les calculs numériques les plus intensifs, il faut accomplir des progrès aussi bien du côté du matériel (composants et architecture) que du côté du logiciel (algorithmes et programmes).

9.5 Microprocesseurs

9.5.1 Microprocesseur et microordinateur

La microélectronique est à la base du développement accéléré de l'ordinateur depuis près de trois décennies. D'une part, elle est à l'origine de l'accroissement de la taille des mémoires centrales et de l'augmentation du nombre et de la puissance des unités de traitement dont ont profité les ordinateurs haut-de-gamme, les machines parallèles et les supercomputers. D'autre part, elle a donné naissance à toute une série de composants d'un niveau élevé, permettant ainsi de construire facilement et avec un nombre relativement petit de boîtiers des machines bon marché. La gamme des ordinateurs s'est trouvée considérablement élargie et, pendant que vers le haut on s'organise pour partager des ressources coûteuses, au bas de la gamme on découvre l'ordinateur personnel.

Tout commença en 1971 avec la réalisation du premier microprocesseur, l'Intel 4004. Il s'agissait d'un CPU entièrement intégré sur une microplaquette de quelques mm^2. Peu importe s'il ne pouvait traiter que 4 bits à la fois, le succès fût retentissant et il trouva sa place dans les voitures, les avions, les fusées, les instruments de mesure, les jeux TV et les appareils électro-ménagers. Et, en ce qui nous concerne, il enrichit le vocabulaire informatique de quelques nouveaux mots, tels microprocesseur et microordinateur que l'on peut définir ainsi :

Microprocesseur = circuit intégré réalisant une unité de traitement complète (unité de commande + UAL).

Microordinateur = microprocesseur + mémoire + entrées/sorties + périphériques.

9.5.2 Evolution des microprocesseurs

L'Intel 4004 fût rapidement suivi par l'Intel 8008, un microprocesseur 8 bits sorti en 1972. Dès 1975, le progrès technologique s'accélère et permet d'intégrer de plus en plus de circuits dans une puce. Les transistors occupent toujours moins de place ce qui permet d'en placer toujours plus sur la petite surface disponible. La maison Intel lance le modèle 8080, toujours à 8 bits, qui trouve sur son chemin un concurrent, le M6800 de la maison Motorola.

D'autres constructeurs se lancent dans la fabrication des microprocesseurs, tels Texas Instruments, Zilog, NAS, Hewlett-Packard et plus tard DEC [*Digital Equipment Corporation*], IBM et les Japonais. A la fin des années 70, on avait produit plus de 100 millions de microprocesseurs 8 bits !

A partir de là, l'évolution des microprocesseurs suit la même courbe pour Intel et Motorola. C'est ainsi qu'apparaît chez Intel le 8088 et surtout le 8086 (1978) qui avait une architecture 16 bits, suivi du 80286. Ensuite arrivèrent les processeurs 32 bits avec les 80386 (1985) et 80486 (1989).

En 1979, Motorola annonce un nouveau microprocesseur intégrant 68'000 transistors dans un seul circuit intégré. Ce circuit, appelé MC 68000, est le départ de toutes une lignée de produits, la lignée 68xxx. Il communique avec l'extérieur avec un bus 16 bits. Le 68010 (1982) avec l'introduction de l'architecture 32 bits, fut vite abandonné au profit du 68020 en 1984. Ce dernier contient 195'000 transistors et est trois à quatre fois plus rapide que le 68000. En 1987 apparut le 68030 qui intègre 325'000 transistors. Sa principale innovation est d'intégrer une unité de gestion de mémoire paginée. Enfin le 68040, en 1990, contient 1'200'000 transistors. Il intègre un coprocesseur arithmétique. Il est approximativement 27 fois plus rapide qu'un 68000.

Le processeur Intel 80586 est sorti en 1993 sous le nom de Pentium. Il intègre plus de trois millions de transistors et il a une performance de l'ordre de 100 Mips. En 1996, il s'enrichit de deux unitées de calcul (MMX) destinées au multimédia. L'année suivante, il intègre une mémoire cache de second niveau, qui n'est pas placée dans le même boîtier, comme pour le Pentium Pro, mais installée à côté du processeur sur la même carte, il prend alors le nom de Pentium II.

Le Pentium Pro (P6) est sorti en 1995, il comporte 5,5 millions de transistors et il a une performance de l'ordre de 200 Mips. Une mémoire cache de second niveau est directement intégrée dans le même boîtier que le processeur.

On attend le « Merced », fruit d'une alliance entre Intel et HP, qui sera à l'origine d'une nouvelle famille de processeurs qui prendra la relève de la famille 80x86.

Ces microprocesseurs ont principalement été adoptés par les PC compatibles IBM, alors que les microprocesseurs Motorola ont été adoptés par Apple pour sa famille de machines Macintosh.

Il est à noter que la course aux TéraFlops a été gagnée par un prototype comportant des processeurs Pentium Pro d'Intel. A la fin du siècle, Intel domine largement le marché des microprocesseurs.

Après avoir atteint les limites des architectures 32 bits, on est passé aux architectures 64 bits qui sont le standard actuel. Parmi les premiers processeurs 64 bits, citons l'Alpha de DEC, le PowerPC de IBM-Motorola-Apple. Certains processeurs adoptent déjà une architecture 128 bits soit pour le bus des données soit pour le bus des instructions.

Microprocesseurs RISC et CISC

A la fin des années 70, on remarqua que seule une petite partie du jeu d'instructions des microprocesseurs est réellement utilisée pendant l'exécution des programmes. A partir de cette constatation est né le concept d'un microprocesseur avec un jeu limité d'instructions, les microprocesseurs **RISC** [*Reduced Instruction Set Computer*]. Ces microprocesseurs sont caractérisés par un jeu restreint d'instructions simples effectuées rapidement en un cycle d'horloge. Cette technologie a mis une dizaine d'années avant de s'imposer. Par opposition au terme RISC, les microprocesseurs classiques ont été appelés **CISC** [*Complex Instruction Set Computer*]. La série Intel 80x86 est l'exemple le plus frappant de l'approche CISC. Intel est resté très longtemps fidèle au CISC traditionnel, cependant au milieu des années 90, il a commencé à adopter des caractéristiques de l'architecture RISC.

9.6 RISC, CISC et architectures superscalaires

9.6.1 RISC

Le concept **RISC** [*Reduced Instruction Set Computer*] est né de la constatation suivante : dans 80% des cas, un processeur n'utilise que 20% de son jeu d'instructions. Les instructions les plus utilisées sont celles de transfert entre unité centrale et mémoire et les branchements aux sous-programmes.

Rappelons que l'évolution des processeurs classiques a conduit à développer des processeurs ayant des jeux d'instructions de plus en plus complexes. Ces instructions complexes sont des programmes microcodés dont le décodage est effectué à l'intérieur du processeur et dont l'exécution peut prendre plusieurs cycles d'horloge. Le temps passé au décodage n'est pas pénalisant comparé au temps d'accès de la mémoire.

Les caractéristiques fondamentales d'un processeur RISC sont les suivantes :

- exécution des instructions en un seul cycle d'horloge;
- simplification du format des instructions (généralement 32 bits);
- réduction et simplification du jeu d'instructions (modes d'adressage limités);
- utilisation intensive des registres;
- séquenceur câblé.

En pratique, les instructions sont câblées, elles ont une longueur fixe et sont uniformes pour faciliter leur décodage. Le code-opération et les zones d'adressage des registres occupent toujours les mêmes positions dans ce format. Ces processeurs utilisent les techniques de parallélisme vues précédemment (pipeline et superscalaire).

Le concept RISC n'est pas quelque chose de complètement nouveau, il était déjà présent dans les machines CDC 6000 et 7000 développées par Seymour Cray dans les années 70. C'est à partir des années 80 que de nombreux développements liés au RISC ont eu lieu. C'est le résultat d'une synthèse entre les progrès accomplis dans la technologie des semi-conducteurs et la meilleure compréhension du rôle des compilateurs et des systèmes d'exploitation, visant ainsi à optimiser la conception d'un système dans sa totalité. En effet, les compilateurs se développent en même temps que l'architecture d'une nouvelle machine.

Les instructions complexes des processeurs CISC sont remplacées par des séquences d'instructions simples. Un programme génère donc beaucoup plus d'instructions pour un processeur RISC que pour un CISC. Les temps d'accès à la mémoire jouent un rôle plus important d'où l'utilisation intensive de mémoires caches et d'un grand nombre de registres (pour limiter les opérations d'accès à la mémoire). Pour optimiser le passage des paramètres lors d'appel de procédures, une nouvelle technique fût adoptée par un certain nombre de constructeurs : celle des **fenêtres de registres**.

Le principe est de diviser les registres en un certain nombre de blocs délimitant le nombre d'imbrications de procédures. Chaque bloc est associé à une procédure (d'un certain niveau d'imbrication) et utilisé pour ses paramètres d'entrée et de sortie et pour ses variables locales. Donc pour chaque niveau d'imbrication donné, une procédure peut accéder aux registres qui lui sont propres ainsi qu'aux registres dédiés aux paramètres du bloc suivant. On préfère maintenant revenir aux registres conventionnels pour éviter de passer trop de temps à la sauvegarde du contexte lors d'interruptions.

L'utilisation de mémoire cache est fondamentale dans les processeurs RISC. Les processeurs CISC en faisaient déjà usage, mais leur taille était plus limitée. On trouve des caches pour les instructions (les statistiques ont montré que 80 à 90 %

des programmes se trouvent dans des boucles) et des caches pour les données (très utiles lors de la manipulation de tableaux de données).

Un des principaux problèmes rencontrés lors du développement des processeurs RISC est lié à la compilation des programmes et plus particulièrement à la génération de code. En effet, dans les systèmes CISC, les instructions complexes facilitent le travail de génération de code. Avec les machines RISC, les instructions de base sont plus simples, donc il y a une plus grande différence de niveau entre les instructions des programmes sources et les instructions offertes par le processeur. Un effort particulier a du être apporté à la génération de code et à son optimisation.

Les processeurs RISC sont plus simples que les CISC ce qui entraîne un temps de conception plus court, des circuits plus petits laissant de la place pour des registres, des co-processeurs permettant d'augmenter les performances. De plus la simplicité de l'architecture est aussi un avantage pour l'utilisateur car le jeu d'instructions est plus facile à utiliser. Il y a une meilleure corrélation entre instructions et cycles machine ce qui facilite l'optimisation du code.

9.6.2 Différences entre RISC et CISC

L'évolution des CISC vise à simplifier la tâche du compilateur tandis que le concept RISC vise à simplifier le matériel pour augmenter les performances en utilisant une nouvelle génération de compilateurs.

La guerre entre CISC et RISC en fait n'a pas réellement eu lieu. Les approches RISC et CISC, au départ très différentes l'une de l'autre, migrent maintenant vers les mêmes objectifs qui sont principalement : l'exécution d'une ou plusieurs instructions en un seul cycle d'horloge avec des fréquences de plus en plus rapides. Pour cela, les deux familles utilisent les mêmes principes de mémoire cache, de gestionnaire de mémoire, de pipeline et d'architectures parallèles avec différentes unités travaillant en parallèle avec le processeur central comme les unités de traitement des nombres flottants.

9.6.3 Architectures superscalaires

Le terme **superscalaire** s'applique aux microprocesseurs RISC capables d'exécuter quelques instructions simultanément. Par exemple, l'Intel i860 peut exécuter, dans le même cycle d'horloge, une opération en virgule fixe et deux en virgule flottante. Grâce au parallélisme de son architecture l'IBM RS 6000 peut effectuer dans le même cycle quatre opérations, c'est-à-dire une en virgule fixe, une en virgule flottante, une instruction *branch* et une instruction *condition register logic*.

Dans les architectures superscalaires, on s'efforce d'obtenir un maximum de performance par le recouvrement des actions, la multiplication des unités fonctionnelles, la minimisation des CPI (nombre de clock cycles par instruction).

A la fin du XXe siècle tous les processeurs sont devenus superscalaires.

9.6.4 Exemples de microprocesseurs RISC

Le terme RISC fait son apparition à Berkeley en 1980. Le RISC-1 comportait 31 instructions, 138 registres et un seul mode d'adressage (basé). Le RISC-II (1984), réalisé avec seulement 41'000 transistors, faisait 3 Mips (12 MHz). L'architecture était inspirée par des statistiques (en Pascal et en C) montrant, par exemple, que l'appel des procédures est l'instruction la plus longue à exécuter, que les appels imbriqués ont une profondeur limitée (<8 dans 99 % des cas), que les paramètres échangés sont <6 dans la plupart des cas.

Le concept RISC a été repris par la plupart des constructeurs. Parmi les fabricants de microprocesseurs RISC, on peut citer la société MIPS qui a donné naissance à une famille de processeurs RISC : R-x000 (cette société a été achetée en 1992 par Silicon Graphics Inc. (SGI)), Sun avec la famille des processeurs Sparc, DEC avec l'Alpha, IBM avec le RS 6000, l'alliance IBM-Motorola-Apple avec le PowerPC, Hewlett-Packard avec le PA-RISC, Intel avec les processeurs i860, i960.

9.6.5 L'importance du logiciel

Les architectures RISC et superscalaires sont développées en même temps que les compilateurs. Le but est d'optimiser l'ensemble du système. On conçoit un jeu d'instructions simples et utilisables par le compilateur. Les techniques modernes de compilation sont en pleine évolution. Il suffit ici de mentionner quelques méthodes d'optimisation parmi les plus répandues :

- allocation optimale des registres (pour éviter des accès à la mémoire);

- élimination des redondances;

- optimisation des boucles (les expressions qui ne sont pas modifiées dans une boucle sont sorties de la boucle);

- remplacement d'opérations lentes par des opérations rapides (par exemple certaines multiplications et divisions peuvent être remplacées avantageusement par des opérations de décalage);

- optimisation des pipelines (branchements différés, réorganisation du code).

L'approche RISC est plus sélective que l'approche CISC quant au support donné au système. Le principe suivi est d'éviter toute complexité hardware, sauf si elle est justifiée par l'usage et la performance. Un exemple est le TLB [*Table Lookaside Buffer*], qui n'est d'ailleurs pas spécifique au RISC. Le fait de pouvoir installer des TLB de taille suffisante sur la puce du processeur évite une perte de cycles et simplifie la translation des adresses virtuelles en adresses réelles.

La règle de la simplicité est appliquée également au système de protection qui était en train de devenir trop complexe. On revient au binôme : noyau privilégié, utilisateur non-privilégié, sans trop d'exceptions. On simplifie la sauvegarde du contexte lors d'une interruption car on constate que toutes ces informations ne sont que rarement utilisées. On limite les fonctions spéciales conçues pour le système. Cet effort, dirigé vers la simplicité et l'essentiel, porte ses fruits, sous forme de performances remarquables avec des puces plus simples et plus petites.

Pour les applications techniques et scientifiques on utilise surtout des langages de programmation tels Fortran, C et C++. Pour ce qui concerne le calcul numérique intensif, Fortran est toujours le langage le plus utilisé. On a adapté Fortran au supercalcul en réalisant la norme Fortran 90 et Fortran HPF [*High Performance Fortran*].

Fortran 90 est une norme ISO. Il s'agit d'une modernisation du langage tenant compte des exigences de la programmation des machines vectorielles. Tandis que High Performance Fortran (HPF) essaye de répondre aux besoins du calcul parallèle.

Les ordinateurs à grande puissance [*HPC, Hight Performance Computing*] utilisent généralement Unix, dans une de ses variantes, comme système d'exploitation.

Enfin, pour gérer les communications entre microordinateurs interconnectés en réseau on utilise la technique du *message passing* par exemple en utilisant MPI [*Message Passing Interface*].

9.7 Microordinateurs et stations de travail

Un **microordinateur** contient de nombreux éléments et notamment le microprocesseur, qui est son CPU. Ceci est illustré sur la figure 9.5 qui montre la structure d'un microordinateur.

La mémoire comprend généralement plusieurs boîtiers RAM pour enregistrer les données, les résultats intermédiaires et finaux, et tout opérande susceptible de varier au cours de l'exécution d'un programme. Souvent, elle comprend aussi des boîtiers ROM où sont enregistrées les instructions, les constantes, les routines de bibliothèque.

Les boîtiers d'entrée/sortie contiennent des registres tampons, ainsi que des circuits d'interface permettant aux unités périphériques de communiquer avec l'ordinateur. Toutes ces unités sont reliées à un système de bus, divisé en bus de données, bus d'adresses et bus de commandes.

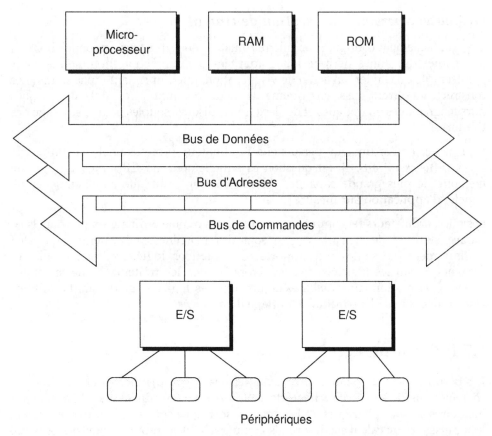

Figure 9.5 : Architecture d'un microordinateur

Le **bus de données** permet des transferts d'information dans les deux sens. Dans un microordinateur 8, 16, 32, 64, voire 128 bits, le bus de données aura respectivement 8, 16, 32, 64, voire 128 lignes. Ce qui correspond aussi au nombre de broches du microprocesseur affectées aux données.

Le **bus d'adresses** est unidirectionnel, ne devant servir qu'au processeur pour adresser les mémoires et les registres tampons des interfaces avec les périphériques. Il aura autant de lignes qu'il faut pour adresser l'espace mémoire disponible. Par exemple, un bus avec 16 lignes d'adresses, peut transporter 65'536 adresses différentes.

Le **bus de commandes** transporte tous les signaux utilisés pour synchroniser les différentes activités qui se déroulent dans les unités fonctionnelles du microordinateur. Par exemple, signaux d'horloge, signaux de lecture et écriture, signaux d'interruption, de quittance. Le nombre de lignes peut varier considérablement d'un microordinateur à un autre.

Ordinateur personnel et station de travail

On peut facilement configurer un microordinateur en ordinateur personnel. Il suffit d'y ajouter des unités périphériques adaptées à l'interaction homme-machine, par exemple un clavier, un écran de visualisation, une imprimante, une souris. Les constructeurs offrent aussi une gamme de mémoires auxiliaires, tels des disques durs magnétiques ou optiques et des lecteurs de disques souples pour le stockage des fichiers.

Pour passer de l'ordinateur personnel à l'ordinateur professionnel, ou station de travail [*workstation*], il est question essentiellement de CPU plus rapide, de mémoire de plus grande capacité, d'écran couleur graphique sophistiqué et de logiciel d'application sur mesure.

Les microordinateurs rencontrent un grand succès comme ordinateurs personnels ou comme stations de travail car ce sont des machines polyvalentes qui sont suffisamment puissantes pour apporter des solutions logicielles aux problèmes courants. Parmi les logiciels de base, on peut citer les traitements de texte, les tableurs, les gestionnaires de bases de données, les logiciels de dessin. La mise en réseau de ces machines facilite le partage de données.

9.7.1 Performances

Les performances des stations de travail (et des PC, la distinction étant de moins en moins justifiée) s'approchent de celles des superordinateurs. Bien que les mémoires, les périphériques et les entrées/sorties ne soient pas au même niveau, leur puissance de calcul est désormais comparable et le rapport coût/performance joue en faveur des stations de travail. Dans les années 90, les stations de travail ont évolué vers des centaines de Mips et de MFlops, elles sont dotées de centaines de MBytes de DRAM et de dizaines de GBytes de disque. Elles peuvent échanger des centaines de Mbits/s.

Pour rester dans des prix raisonnables il est de plus en plus tentant d'utiliser des groupes (clusters, farms, réseaux) de workstations ou de PC interconnectés afin d'augmenter la capacité de traitement. L'important est de présenter à l'utilisateur un système intégré, cachant sa structure interne et permettant l'exploitation des ressources distribuées sans devoir se soucier des détails. Un ensemble de stations de travail peut être utilisé aussi bien pour des traitements en série qu'en parallèle.

Les modèles de programmation comportent soit une mémoire distribuée (les processeurs communiquant par échange de messages), soit une mémoire virtuelle partagée (par extension du concept de pagination, les pages pouvant être cherchées dans les mémoires locales plutôt que dans les mémoires auxiliaires).

Les clusters de workstations à haute performance connectés par des réseaux de communication à haute vitesse sont désormais une réalité. Ils peuvent fournir de grandes capacités de calcul et être utilisées en parallèle. L'ensemble des machines peut être dédié à une seule application (par exemple : Transaction Processing, Bases de données) ou être partagé entre plusieurs applications parallèles (par exemple le calcul numérique intensif).

Les différences entre ordinateurs et microordinateurs ne sont pas fondamentales. Par rapport aux gros ordinateurs, les **micros** offrent une vitesse de calcul comparable, mais des mémoires plus petites et surtout des dispositifs d'entrée/sortie et des périphériques moins performants.

Le monde IBM PC et PC compatibles

Avec l'avènement des microprocesseurs, on a assisté à l'éclosion des microordinateurs. Peu puissants à leur début, ils sont devenus des machines performantes tant dans leur version desktop que dans la très populaire version portable.

Le microordinateur qui a révolutionné le monde informatique est celui développé par IBM, appelé **Personal Computer** ou plus simplement IBM PC qui a vu le jour en 1981. Vu le succès obtenu par cette machine, de nombreux autres fabricants ont développé des machines similaires identifiées comme des PC compatibles IBM, ou plus simplement PC. C'est le type de machines qui a été le plus vendu dans le monde (plusieurs centaines de millions d'unités).

Toutes ces machines PC sont basées sur la famille des microprocesseurs Intel. Jusqu'à la fin des années 80, le système d'exploitation de ces machines est le **DOS** [*Disk Operating System*] développé par la compagnie Microsoft et par IBM. C'est un système d'exploitation relativement simple basé sur une interface de type texte dont l'utilisation requiert de se familiariser avec un jargon informatique spécifique. De plus chaque programme, traitement de textes, tableur et autre a une interface utilisateur particulière. Aucune cohérence d'utilisation n'est garantie entre les différents programmes.

Depuis le milieu des années 80 est apparue une interface graphique plus agréable que le DOS pur et dur : **Windows** (de Microsoft). Tout d'abord couche logicielle, Windows est actuellement un système d'exploitation à part entière depuis l'arrivée de **Windows NT**.

Le monde Macintosh

Alors que dans le monde PC, l'accent était mis sur le matériel et que l'interface utilisateur était un peu délaissée, une nouvelle tendance voit le jour en 1984 avec le premier **Macintosh** développé par **Apple**. A partir de travaux de recherche effectués par la compagnie **Xerox** sur les interfaces utilisateurs (pionnière aussi en de nombreux autres domaines), Apple décide de faire une machine pour les utilisateurs.

L'interface utilisateur doit être facile, agréable et cohérente. Pour cela Apple développa une interface utilisateur graphique [*GUI : Graphical User Interface*] qui utilise des fenêtres, des menus, des icônes et privilégie l'utilisation de la souris. De plus les programmes d'application doivent se conformer à un certain nombre de règles pour garantir la cohérence de l'interface.

Pour se prémunir contre des copies de ses ordinateurs, Apple a mis un certain nombre de programmes systèmes dans des mémoires ROM qui sont légalement protégées.

Depuis l'apparition de Windows, les différences tendent à disparaître. On trouve les mêmes programmes d'application pour les deux types de machine (traitement de texte, tableur, logiciel de dessin...).

Alors que les machines haut de gamme (stations de travail) ont une vocation plus scientifique, les Macintosh et les PC s'adressent à un plus large public. La tendance va vers des machines **multimédia**, c'est-à-dire permettant le traitement de différents types d'informations telles que les données textuelles, les images fixes et animées, et le son.

Le monde des stations de travail

Ce monde est composé par des machines à la pointe de la technologie qui sont très performantes et dont le rapport qualité/prix est élevé. Le marché des stations de travail se répartit entre quelques constructeurs : Sun Microsystems qui détient une large part de ce marché, IBM, HP, DEC et Silicon Graphics qui est plus spécialisé dans le domaine du graphisme. Tous ont un système d'exploitation basé sur le système Unix.

Vu le coût considérable d'achat et de maintenance des superordinateurs, de nombreux utilisateurs préfèrent investir dans des stations de travail haut de gamme connectés à travers un réseau haute vitesse. De telles configurations, appelées clusters de workstations, peuvent fournir de grandes capacités de calcul et être utilisées en parallèle.

Le grand succès d'Internet pourrait donner naissance à une nouvelle génération de petits terminaux rattachés au réseau : par exemple les **NC** [*Network Computer*] proposés par Oracle et différents constructeurs.

9.8 Nouvelles architectures

9.8.1 Evolution du marché

Après la disparition de constructeurs tels Alliant, Thinking Machines (qui se concentre sur le logiciel), Kendall Square, MasPar, Convex (absorbé par HP), Cray Computer, Cray Research (acheté par SGI), Intel Paragon, les sociétés présentes sur le marché HPC [*High Performance Computing*] se sont regroupées : IBM, SGI et HP offrent toute la gamme des produits des workstations jusqu'aux machines capables de débiter des centaines de GigaFlops; Compaq et Sun couvrent les bas et le milieu de la gamme et offrent des clusters pour les applications HPC;

tandis que les constructeurs Japonais Nec, Fujitsu et Hitachi offrent des systèmes haut-de-gamme et middle range, ainsi que des portables très performants, mais pas de workstations.

9.8.2 Evolution des architectures HPC

Les architectures SIMD ont pratiquement disparu. Les MIMD à mémoire distribuée ne sont plus représentées que par l'IBM SP et le Cray/SGI T3E. Les machines vectorielles (par exemple : le Cray/SGI T-90 et les machines Nec et Fujitsu) se présentent comme des réseaux avec des noeuds SMP [*Symmetric Multi Processors*], elles sont capables d'offrir des performances remarquables et une scalabilité allant très loin, à des prix contenus. Les architectures MIMD à mémoire partagée sont pour l'instant le secteur qui se développe le plus rapidement. La formule gagnante semble être : technologie CMOS et processeurs standards.

9.8.3 Choix de microprocesseurs

En cette fin de millénaire, les micro sont encore nombreux : Intel a abandonné le i860 pour le i960, il *multimédiatise* ses Pentium et collabore avec HP pour produire le « Merced ». IBM offre le PowerPC (en collaboration avec Apple et Motorola) et le RS-6000. DEC annonce des Alpha toujours plus performants. HP produit toujours ses micro RISC PA. Sun est présent sur le marché avec ses processeurs UltraSparc. Après avoir lancé le R-10000, MIPS/SGI a atteint une position confortable dans le marché des microprocesseurs RISC (devançant les PowerPC, les SPARC, les HP/PA et les Alpha). La formule RISC se porte bien, mais dans certain cas on maintient des concepts CISC pour augmenter les performances. En tout cas le CISC se vend toujours très bien chez Intel.

9.8.4 Exemple d'architecture RISC superscalaire : le R10000 de SGI

Le processeur R10000 (figure 9.6) est une réalisation superscalaire de l'architecture Mips 64 bits. Il contient le CPU, une unité floating point, deux caches Instructions & Données 32 KB de niveau 1 (L1), plus le contrôleur du cache externe de second niveau (L2).

La taille du chip est de 17x17 mm2, réalisé en CMOS 0,35 micron avec 6 millions transistors, dont 3,6 millions utilisés pour les 2 caches L1.

Le niveau de superscalarité est défini par le décodage de 4 instructions/cycle, instructions qui peuvent ensuite être exécutées dans le désordre par des multiples unités spécialisées.

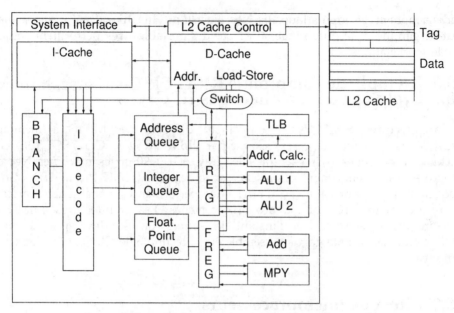

Figure 9.6 : Diagramme du R10000

Une unité traite les branchements et prévoit le chemin le plus probable. En attendant la résolution du branchement, les instructions appartenant à la branche la plus probable peuvent être exécutées *spéculativement*.

Les instructions décodées sont mises dans trois files d'attente de 16 places chacune. La première alimente une unité pour le calcul des adresses; la seconde est destinée aux opérations sur des entiers; la troisième reçoit les opérations sur des nombres en virgule flottante.

La queue des entiers alimente deux unités arithmétiques et logiques (UAL) de 64 bits ; ces deux unités ont des fonctionnalités complémentaires. La queue des opérations en virgule flottante alimente deux unités arithmétiques, l'une traitant les additions et les soustractions, l'autre traitant les multiplications et les divisions. (voir diagramme du R10000). Chaque queue peut envoyer une instruction par cycle à chacun des 5 pipelines d'exécution.

Les instructions sont cherchées et décodées dans l'ordre du programme mais peuvent être exécutées et complétées dans un autre ordre. Les résultats sont stockés dans des registres temporaires. Un résultat devient permanent dès que l'instruction est validée. Une instruction est validée quand elle même et toutes les instructions qui la précedent ont été complétées sans erreur.

Chaque instruction est dépendante des instructions précédantes chargées de produire ses opérandes. Dans un processeur superscalaire plusieurs instructions successives peuvent commencer l'exécution en même temps, mais des unités peuvent se trouver en attente des opérandes. Les processeurs permettant l'exécution *out-of-*

order arrangent les opérations dans le but d'utiliser au maximum les unités d'exécution.

9.8.5 Exemple de compromis RISC-CISC-superscalaire : le Pentium Pro

Le Pentium Pro est un microprocesseur 32 bits compatible au niveau binaire avec les processeurs Intel à architecture CISC (figure 9.7). Il est réalisé en technologie Bi-CMOS 0,35 micron avec 5,5 millions de transistors. La taille des deux caches L1 est de 8KB chacun. Le cache L2 (256KB-512KB) est intégré dans le même boîtier.

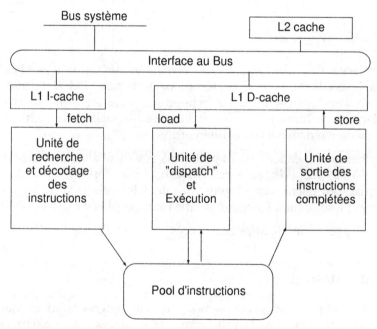

Figure 9.7 : Diagramme du Pentium Pro

Le niveau de superscalarité est défini par le décodage de trois instructions/cycle.

La compatibilité avec le 486 est assurée par un Front-End et par un Back-End qui traitent les instructions dans l'ordre. Entre ces deux interfaces il y a une machine puissante qui englobe toutes les techniques innovatives que l'on retrouve dans la plupart des microprocesseurs RISC contemporains (superscalarité, pipelines multiples, exécution spéculative et dans le désordre). Ces dispositifs sont transparents pour les programmes d'application, qui ne voient qu'un 486 beaucoup plus performant.

Le Pentium Pro est caractérisé par trois unités fonctionnelles qui sont les suivantes : L'unité Recherche/Décodage, l'unité Dispatch/Execute et l'unité Retire.

La première reçoit les instructions dans l'ordre du programme et les transforme, après décodage, en une série de micro-opérations équivalentes.

L'unité Dispatch/Execute reçoit ce flot de micro-instructions et planifie leur exécution selon la disponibilité des ressources et les dépendances des données. Les résultats sont stockés temporanément en attendant la validation et la sortie des instructions correspondantes.

L'unité Retire est chargée de valider les instructions complétées, de mémoriser les résultats et de rétablir l'ordre du programme. La communication entre ces trois unités se fait au travers d'un Pool d'instructions.

9.8.6 Performances

Les performances des microordinateurs contemporains sont très proches les unes des autres. Tous adoptent les mêmes technologies de base (CMOS, finesse du trait, haute densité des composants) et les architectures se ressemblent (L1 et L2 cache, superscalarité, multiplication des unités fonctionnelles, branch, pipelines, registres, exécution dans un ordre différent).

Les performances dépendent des compilateurs et varient avec la version. Les CISC et RISC sont à peu près au même niveau. Cela dépend naturellement des applications. Des micro sont adaptés au calcul intensif et d'autres au support d'applications graphiques. L'horloge tourne toujours plus vite : 300-500 MHz.

On obtient des centaines de Mips et on s'approche du GFlops.

9.8.7 Conclusions

Les performances ne cessent d'augmenter grâce aux progrès technologiques et aux architectures parallèles. Si le prix/performance baisse, les besoins ne cessent d'augmenter. Les applications complexes poussent les constructeurs vers de nouvelles prouesses. Les performances accrues sont exploitées par des nouvelles applications. La recherche scientifique académique et industrielle demande des ressources IT [*Information Technology*] toujours plus indispensables. Les applications commerciales et les services sont devenus de grands consommateurs de Mips, MHz et GBytes. Le mariage entre IT et télécom, dont le WWW n'est qu'un produit, ouvre la voie à une nouvelle génération d'applications, de logiciels, de langages et systèmes, dont on ne peu pas saisir la portée, les limites et l'impact sur notre société.

Chapitre **10**

Entrées / Sorties

10.1 Evolution

La fonction d'un ordinateur est le traitement de l'information. Nous avons vu comment cette fonction est réalisée au niveau de la mémoire centrale et de l'unité centrale de traitement. Il nous reste à expliquer comment l'ordinateur peut acquérir l'information fournie par son environnement et restituer les résultats de ses manipulations; enfin, comment l'ordinateur communique avec le monde extérieur, ou comme on dit, comment il fait ses **entrées/sorties** [*input/output*], ou **E/S** [*I/O*].

Depuis quelques années, la technique des entrées/sorties a été considérablement développée; l'équipement des E/S est aujourd'hui plus coûteux que l'unité centrale et il occupe plus de place que toute autre partie de l'ordinateur.

Dans les ordinateurs de la première génération on entrait les informations par manipulation d'interrupteurs ou par bande de papier perforée. On a ensuite introduit des claviers alphanumériques, des cartes perforées, des bandes et des cartouches magnétiques, des disques et disquettes magnétiques, des disques optiques, des écrans vidéo, des souris, des crayons optiques, des lecteurs optiques de caractères ou de codes spécialisés, etc. Les ordinateurs peuvent aussi recevoir des données directement d'autres machines. Les satellites météo, par exemple, transmettent des données à des ordinateurs situés sur terre. Des ordinateurs peuvent être reliés entre eux par des réseaux et s'envoyer des messages. Des systèmes peuvent obtenir des informations directement des équipements auxquels ils sont connectés en ligne [*on-line*]; c'est le cas notamment des ordinateurs employés dans la commande d'appareillage industriel, ou dans l'acquisition de données scientifiques.

Les techniques de sortie ont aussi été développées de façon remarquable. On est ainsi passé des lampes clignotantes et des télétypes des années 50, aux écrans couleur et aux imprimantes laser des machines contemporaines. Quand un ordinateur ne doit pas communiquer ses résultats à des êtres humains, il peut diriger ses sorties vers d'autres machines sous forme de signaux électroniques.

Dans certains cas, des dispositifs permettent de communiquer par ondes radio ou micro-ondes, par signaux optiques, etc.

Il faut distinguer les **appareils périphériques** des **voies de communication** reliant ce matériel périphérique à l'unité centrale de l'ordinateur. Nous avons déjà traité de certains équipements périphériques tels que les unités de disques et bandes magnétiques.

Les dispositifs de lecture/écriture de rubans et de cartes perforées existaient avant l'ordinateur. En effet, ils étaient déjà utilisés au XIXe siècle. Les rubans étaient utilisés pour les communications par télégraphe ou téléscripteur et les cartes servaient à la comptabilité et aux statistiques (première application : recensement de la population des USA en 1890). Ils figurent parmi les premiers moyens d'entrée/sortie des informations dans les ordinateurs.

Dans le cas du **ruban perforé** le support est constitué d'un ruban en papier résistant, d'une largeur d'un pouce, qui peut contenir des perforations rondes sur 5 ou 7 pistes parallèles, une piste supplémentaire contient des petits trous d'entraînement. La densité longitudinale est de 10 perforations par pouce. Ce système d'entrée/sortie est très économique mais présente plusieurs inconvénients, notamment la possibilité d'abîmer ou de déchirer le support pendant les différentes manipulations et la difficulté de corriger les erreurs. Ces inconvénients sont en partie supprimés par l'emploi des cartes perforées dont l'invention désormais centenaire remonte à Hollerith. La **carte perforée** se présente sous la forme d'un carton rectangulaire de 187,3 cm sur 82,5 cm, avec un coin bisauté en haut à gauche pour empêcher la machine de l'accepter à l'envers. Chiffres, lettres et autres symboles sont perforés dans les 80 colonnes et les 12 lignes de la carte selon le code Hollerith. Chaque caractère est codé dans une colonne, les chiffres à l'aide d'une perforation alors que les lettres nécessitent deux perforations. Le schéma de perforation d'une carte est montré dans la figure 10.1. La carte perforée a aujourd'hui quasiment disparu.

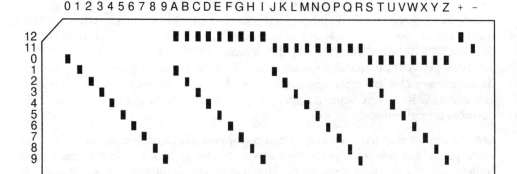

Figure 10.1 : Code Hollerith utilisé pour les cartes perforées

10.2 Terminaux interactifs

Un **terminal interactif** est un périphérique permettant à l'usager une communication dans les deux sens avec l'ordinateur. L'unité d'entrée est un dispositif d'interaction tel que le **clavier** [*keyboard*] ou la **souris** [*mouse*], l'unité de sortie est un **écran** de **visualisation** [*display*] basé le plus souvent sur la technique du tube cathodique [*cathode ray tube, CRT*].

10.2.1 Moyens d'interaction avec l'écran

Le clavier est le dispositif d'interaction par excellence pour tout ce qui se rapporte à la saisie de textes. D'autres dispositifs tels que la souris offrent un meilleur moyen d'action pour la manipulation d'objets sur l'écran.

Un **clavier** d'ordinateur ressemble à celui d'une machine à écrire. Mais au lieu d'imprimer des caractères sur une feuille de papier, les touches engendrent des signaux électroniques qui définissent leur emplacement. A l'aide de tables stockées, par exemple dans une mémoire ROM, on peut faire correspondre un codage approprié, par exemple le code ASCII, aux touches d'un tel clavier.

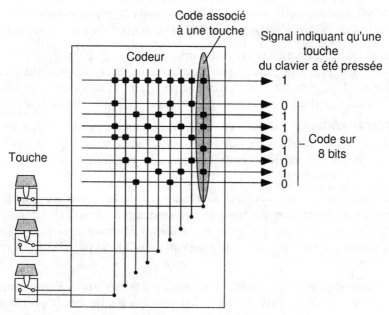

Figure 10.2 : Principe de fonctionnement d'un clavier

La figure 10.2 montre le principe de fonctionnement d'un clavier. Un réseau de câbles est placé sous le clavier, chaque touche étant positionnée au-dessus d'une intersection. Un circuit électrique est fermé lors d'une pression sur une touche; celle-ci est détectée par un microprocesseur associé au clavier qui établit le code correspondant et l'envoie à l'ordinateur.

Si le terminal est directement relié à l'ordinateur, le clavier envoie les signaux qui correspondent aux bits du code par une interface parallèle. L'ordinateur réagit en affichant le caractère correspondant sur l'écran vidéo. Si le terminal est rattaché à l'ordinateur par une liaison série, qui s'impose en cas de distance appréciable, les signaux générés en pressant une touche sont envoyés en même temps à l'ordinateur et à l'écran, pour affichage local.

Un des premiers dispositifs qui permet de signaler à l'ordinateur un objet faisant partie de l'image affichée et devant subir des manipulations (par exemple, effacement, agrandissement ou déplacement), est le **crayon lumineux** [*light pen*]. Il s'agit d'un détecteur de lumière qui envoie un signal au moment précis où le faisceau rafraîchit le point indiqué. On l'utilise comme un stylo; il suffit de le pointer sur l'écran à l'endroit choisi et de presser sur un bouton interrupteur. La corrélation entre le point signalé et l'élément concerné dans la mémoire-image est établie automatiquement à l'instant où le crayon détecte le passage du faisceau.

Mais la plupart des échanges entre ordinateur et utilisateur se font en déplaçant une marque clignotante affichée sur l'écran et appelée **curseur**. Plusieurs moyens existent pour déplacer le curseur. Parmi les plus répandus, nous citerons la **souris** [*mouse*] à un ou plusieurs boutons tenue dans le creux de la main et déplacée sur une surface plane, le **manche à balai** [*joystick*] et la **manette à boule** [*trackball*].

Une souris peut fonctionner selon différents principes : soit par l'intermédiaire d'une boule qui entraîne deux roues (horizontale et verticale) permettant de quantifier les déplacements relatifs de la souris, soit par un rayon lumineux et une tablette recouverte d'un fin quadrillage sur laquelle on déplace la souris.

Les **stylets** et **tablettes graphiques** offrent une grande précision et sont utilisés pour relever des plans et autres dessins techniques. La tablette graphique contient une grille qui permet de détecter précisément la position du stylet qui émet un champ électromagnétique.

On peut aussi mentionner les **écrans tactiles** [*touchscreens*] pour lesquels il suffit à l'utilisateur de pointer et de toucher directement avec son doigt un point de l'écran. Ce système est adéquat pour certaines utilisations spécifiques telles que des systèmes d'informations dans un magasin mais il n'est pas adapté à une interaction intensive.

Avec les nouvelles générations d'ordinateurs portables apparaissent simultanément de nouveaux dispositifs d'interaction tels que **les boules de pointages** et les **ergots** que l'on manipule du bout du doigt pour déplacer le curseur à l'écran, ou les **stylos** qui permettent d'écrire directement sur l'écran pour interagir avec la machine.

10.2.2 Tube cathodique

Le tube à rayons cathodiques (TRC) [*CRT*], basé sur les mêmes principes techniques que les téléviseurs, était déjà utilisé pour la visualisation des données dans le projet Whirlwind au MIT au début des années 50. Aujourd'hui, c'est l'unité de sortie par excellence de tout ordinateur, grand ou petit.

Dans un TRC, un filament incandescent émet des électrons qui sont projetés vers l'écran par un système d'accélération, de focalisation et de déviation, montré dans la figure 10.3. On crée ainsi un faisceau d'électrons que l'on peut diriger avec une grande précision sur l'écran, à l'endroit choisi, où il provoquera la luminescence d'un phosphore spécial recouvrant la paroi interne de l'écran.

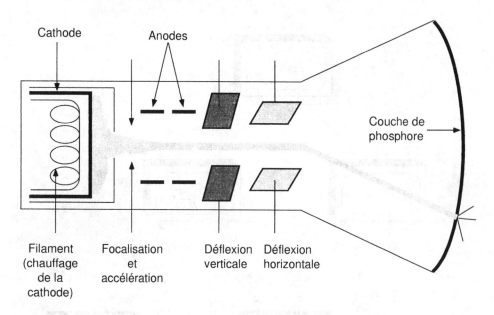

Figure 10.3 : Schéma d'un tube cathodique

Dans un écran couleur il y a trois faisceaux d'électrons qui excitent chacun une couche de luminophores de couleur différente (rouge, vert et bleu).

Pour obtenir une image persistante sur un écran vidéo TRC, il faut rafraîchir l'image 25 à 85 fois par seconde. La fréquence de balayage est un paramètre important dans la qualité d'un écran. En fait, il existe deux fréquences de balayage :

- la **fréquence de balayage vertical** (ou **taux de rafraîchissement**) qui indique combien de fois l'écran est balayé en totalité en une seconde. Actuellement les standards internationaux demandent un taux de rafraîchissement d'environ 70 Hz, mais l'on trouve des moniteurs atteignant 85 Hz et plus;

- la **fréquence de balayage horizontal** qui indique le nombre de points d'une ligne balayés en une seconde. Cette fréquence est exprimée en kiloHertz (KHz).

Le **balayage entrelacé** consiste à ne balayer qu'une ligne sur deux à l'écran, par exemple les lignes paires lors d'un passage, les lignes impaires lors du passage suivant.

On peut classer les terminaux dotés d'écrans de visualisation en deux types, selon leur spécialisation dans l'affichage de textes (écrans alphanumériques) ou dans la formation d'images (écrans graphiques). La figure 10.4 montre les différents types d'écrans selon leur fonctionnalité. Avec la diminution des coûts du matériel et l'arrivée des interfaces utilisateurs graphiques, les écrans alphanumériques tendent à disparaître au profit des écrans graphiques.

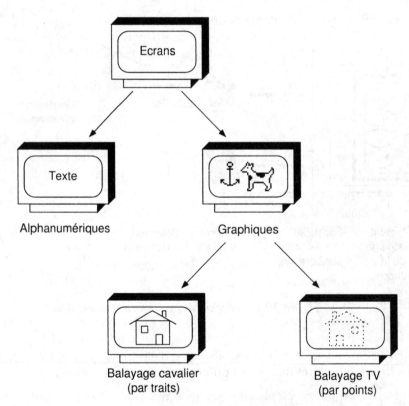

Figure 10.4 : Différents types d'écrans

10.2.3 Ecrans alphanumériques

Un **écran alphanumérique** est limité à l'affichage de caractères répartis sur un certain nombre de lignes.

Le faisceau d'électrons balaie l'écran par lignes [*raster scan*]. Chaque ligne est composée de plusieurs centaines de points. Comme pour les imprimantes à aiguilles, chaque caractère est formé par une configuration de points choisis sur une grille, comme dans l'exemple de la figure 10.5.

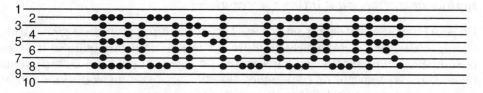

Figure 10.5 : Génération de caractères par points

Si les caractères sont définis sur des matrices 5×7, ils occuperont des cellules de 7×10 points, car il faut tenir compte des espaces séparateurs entre les caractères et entre les lignes vidéo. L'écran contient généralement une page de texte organisée en 24 lignes et 80 colonnes. L'écran est balayé par le faisceau [*spot*] sur 264 lignes, dont on ne retiendra pour l'écriture du texte que 240. Le balayage de l'écran est répété systématiquement 50 fois par seconde. Dans certains cas, on préfère rafraîchir l'écran par lignes alternées (paires ou impaires) 25 fois par seconde (mode entrelacé).

A chaque ligne de balayage, le terminal répétera les actions suivantes :

- chercher le caractère suivant dans la mémoire RAM locale (qui contient le texte à afficher);
- lire la séquence de bits correspondant au caractère désiré et à la ligne vidéo courante dans la mémoire ROM locale (où sont enregistrées les définitions matricielles des caractères);
- interpréter les bits 0/1 provenant de la matrice comme des commandes pour l'intensité du faisceau.

Les informations à afficher sur un écran sont stockées dans une mémoire RAM dite de rafraîchissement qui est locale à l'écran. Pour changer les informations affichées à l'écran, il suffit de modifier le contenu de la mémoire de rafraîchissement.

10.2.4 Ecrans graphiques

Les **écrans graphiques**, outre l'affichage des caractères, permettent l'affichage de toutes sortes d'images ou de dessins. Avec l'apparition des interfaces utilisateurs graphiques basées sur l'utilisation de fenêtres et d'icônes, ils ont supplanté les écrans alphanumériques.

Il existe deux types d'écrans graphiques : les écrans à **balayage TV** et les écrans à **balayage cavalier** ou par vecteurs [*vector displays*]. Ces derniers ont presque disparu au profit des écrans à balayage TV.

Ecrans vectoriels ou à balayage cavalier

Dans ce type de visualisation, on adresse l'écran point par point sans pour autant faire un balayage systématique. On utilise le faisceau comme le stylo des traceurs de courbes : il est programmé pour dessiner une image par traits, selon un parcours défini par une séquence de commandes stockées dans une mémoire locale. Par exemple, un segment est défini par les coordonnées de ses extrémités. La différence entre le mode vectoriel et le balayage des pixels est illustrée dans la figure 10.4.

Le rafraîchissement de l'image est accompli en suivant les traits dans l'ordre dicté par le programme. Comme pour tout autre type d'écran TRC, il est indispensable de *repeindre* les traits composant l'image au moins 50 fois par seconde.

Un écran TRC à balayage cavalier trace les images avec un faisceau continu et non avec un rayon modulé allumé/éteint comme c'est le cas pour les moniteurs à balayage TV. Les écrans vectoriels sont adaptés aux applications où dominent les lignes, les structures filiformes, les dessins par traits. Cependant cette méthode ne peut pas reproduire des images pleines telles que des photographies.

Ecrans graphiques à balayage TV

Dans le cas des écrans à balayage, il faut imaginer l'écran divisé en petits domaines élémentaires ou **pixels** qui forment un certain nombre de lignes et de colonnes. Le terme pixel résulte de la contraction de **picture elements**. Les premiers écrans étaient des écrans monochromes pouvant afficher des images binaires (**bitmap**) où chaque élément est représenté par un bit. C'est-à-dire que chaque point de l'écran peut être allumé ou éteint. Ensuite sont apparus les écrans à niveaux de gris, où chaque élément peut avoir un certain niveau de gris. Pour cela il faut plusieurs bits pour coder chaque élément de l'image (8 bits permettent de représenter 256 niveaux de gris). C'est une image **pixmap**. Enfin les écrans couleur permettent l'affichage des images en couleur, mais pour cela il faut des mémoires-image plus grandes car pour chaque élément de l'image il faut indiquer les valeurs des trois couleurs de base.

Une image à afficher est définie dans une mémoire-image (mémoire vidéo) de l'écran; chaque élément de l'image correspond à un pixel de l'écran, comme illustré dans la figure 10.6. On peut faire évoluer l'image en changeant le contenu de la mémoire-image. Indépendamment du contenu, l'image est rafraîchie périodiquement sur l'écran. Tout l'écran est rafraîchi périodiquement ligne par ligne. Une sophistication du rafraîchissement consiste à effectuer un rafraîchissement entrelacé.

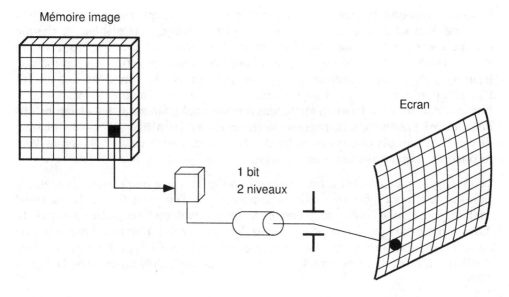

Figure 10.6 : Ecran bitmap

Certains écrans permettent de définir plusieurs niveaux de gris pour chaque pixel.

Dans ce cas, il faut associer n bits à chaque pixel pour obtenir 2^n niveaux ou tonalités de gris, comme schématisé dans la figure 10.7.

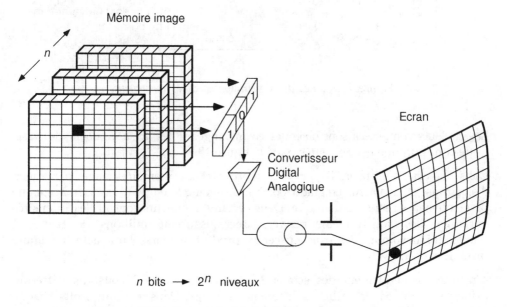

Figure 10.7 : Ecran possèdant plusieurs niveaux de gris

Dans un écran couleur, chaque domaine élémentaire, chaque pixel de l'écran est composé de trois points, un pour chaque couleur : **rouge**, **vert** et **bleu**. A chaque couleur correspond un faisceau d'électrons. Pour s'assurer que les électrons de chaque faisceau allument bien le phosphore correspondant, on utilise un masque [*shadow mask*]. Les faisceaux d'électrons arrivent sur l'écran avec des angles légèrement différents, il est donc possible de construire et d'aligner le masque afin que les électrons d'un faisceau atteignent le point voulu, alors que les électrons des deux autres faisceaux sont retenus par le masque. Le **pitch** ou pas de masque définit la distance la plus courte entre deux points de même couleur à l'écran. Plus le pitch est faible, meilleure est l'image.

Le masque le plus courant est le masque **Invar** qui est une fine plaque de métal à perforations rondes. Les trois points de phosphore d'un pixel (les trois couleurs) sont disposés en triangle sur l'écran. Sony a développé un autre masque, le **Trinitron**. Ce masque se compose de fines lignes verticales. L'écran est recouvert de bandes de phosphore rouge, vert et bleu en alternance. Ce type d'écran offre une meilleure luminosité. Ces deux types de masques sont schématisés dans la figure 10.8.

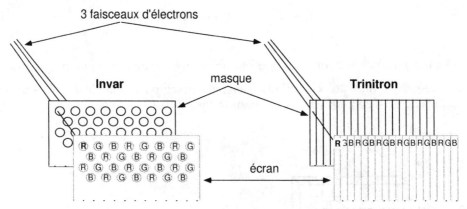

Figure 10.8 : Les deux principaux types de masque

Les couleurs composées sont obtenues en mélangeant les trois couleurs de base. Cette configuration est présentée dans la figure 10.9.

Dans les écrans couleur, il faut aussi prévoir une mémoire-image par canon d'électrons. Pour obtenir un grand nombre de nuances, on peut associer à chaque pixel plusieurs plans de mémoire. Dans certains moniteurs couleur, les intensités variables des trois couleurs peuvent créer jusqu'à 16 millions de teintes ! L'intensité maximum des trois faisceaux produit le blanc; l'intensité minimum produit le noir.

On trouve généralement des écrans 8 bits et des écrans 24 bits. Ils diffèrent principalement par la taille de la mémoire image. Dans un écran 8 bits chaque élément de l'image est représenté par 8 bits. Lors de l'affichage on utilise une table, appelée **table de couleurs** [*color lookup table*], qui fait correspondre une couleur particulière à chacune des 256 valeurs possibles. On peut donc afficher 256 couleurs simultanément, ces couleurs pouvant être prises dans une large palette. Avec un écran 24 bits, on n'a plus besoin d'une table de couleurs, chaque point de l'écran est représenté par 24 bits (8 bits par couleur) ce qui permet d'avoir une palette de plusieurs millions de couleurs disponibles pour chaque point de l'écran (2^{24} = 16,7 millions de couleurs différentes). On parle alors de True Color.

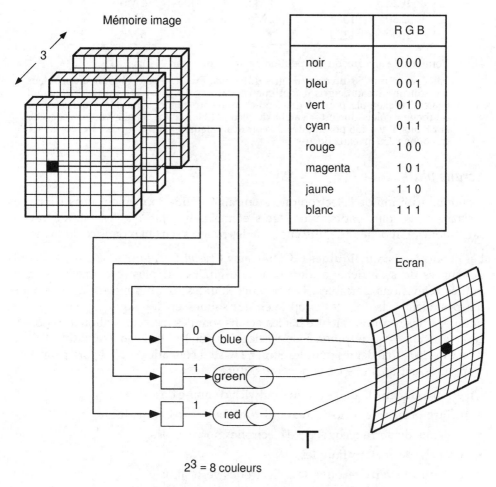

Figure 10.9 : Ecran couleur

La résolution d'un écran indique le nombre de pixels de l'écran. Elle est représentée par deux chiffres qui indiquent le nombre de points par ligne et le nombre de lignes. Le nombre de couleurs représentables est en relation avec la taille de la mémoire vidéo et la résolution de l'écran.

Nombre de couleurs	256	65'536	16,7 millions
	8 bits	16 bits	24 bits

Résolution	Taille de la mémoire nécessaire		
640 × 480	512 Ko	1 Mo	1 Mo
800 × 600	512 Ko	1 Mo	2 Mo
1024 × 768	1 Mo	2 Mo	4 Mo
1280 × 1024	2 Mo	4 Mo	4 Mo
1600 × 1200			6 Mo

 Combien de niveaux de gris peut-on avoir sur un écran 24 bits ?

La réponse est 256 niveaux de gris différents. En effet, pour obtenir une couleur qui soit un niveau de gris il faut que les valeurs des 3 couleurs primaires soient égales. Par exemple, pour un gris à mi-chemin entre noir et blanc il faut que : valeur du rouge = valeur du vert = valeur du bleu = 128. Comme chaque valeur est codée sur 8 bits, il y a 256 possibilités d'avoir des valeurs égales pour les 3 couleurs, ce qui donne 256 niveaux de gris.

Ecrans plats

La miniaturisation de l'électronique a entraîné le développement des affichages à écrans plats, plus petits, plus légers et moins fragiles que les tubes à rayons cathodiques. On peut s'attendre encore à des progrès sensibles dans ce domaine.

Les **écrans à cristaux liquides** (LCD) [*Liquid Crystal Display*] sont utilisés depuis des années dans l'affichage des montres digitales et, plus récemment, pour les petites télévisions portables. Les cristaux liquides sont des molécules organiques qui possèdent à la fois les propriétés des solides et des liquides. Les cristaux liquides utilisés couramment dans les écrans sont des molécules allongées dont l a caractéristique est de pivoter de 90 degrés pour les **Twisted Nematic** (TN) et même de 200 à 260 degrés pour les **Super Twisted Nematic** (STN). Leurs propriétés n'apparaissent qu'à une certaine température.

Un écran à cristaux liquides est un sandwich composé de :

- 1 filtre polarisateur horizontal qui contrôle l'entrée de la lumière;
- 1 plaque de verre recouverte d'électrodes horizontales;
- 1 couche de cristaux liquides;
- 1 plaque de verre recouverte d'électrodes verticales;
- 1 filtre coloré (pour les écrans couleur);
- 1 filtre polarisateur vertical qui contrôle la sortie de la lumière.

La plupart des écrans actuels sont rétroéclairés pour permettre un meilleur affichage.

Les filtres polarisateurs sont des plaques rainurées qui ne laissent passer qu'une fraction de la lumière, celle polarisée parallèlement à l'axe du filtre.

Lorsque l'on élève la température, les cristaux s'orientent en hélice entre les deux polarisateurs. Ceux qui sont près du filtre horizontal sont horizontaux, les suivants pivotent progressivement jusqu'à être verticaux près du filtre vertical. En l'absence de courant, la lumière traverse le premier filtre polarisant, elle est déviée par les cristaux et prend un angle de polarisation parallèle au second filtre qu'elle peut alors traverser, un point blanc apparaît, le pixel est allumé. Si l'on applique une tension aux électrodes, les cristaux prennent tous la même direction et ne modifient plus la direction de polarisation de la lumière qui ne peut plus traverser le second filtre. Le pixel est éteint. Le twist des cristaux est schématisé dans la figure 10.10.

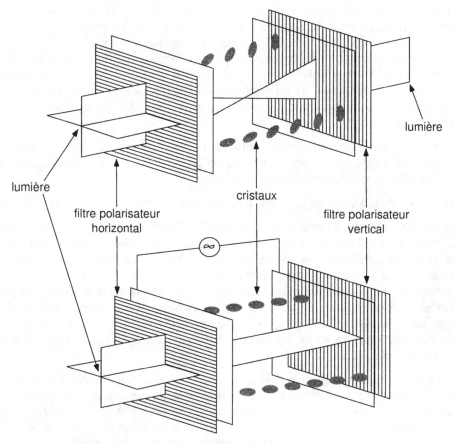

Figure 10.10 : Principe d'un écran LCD

La quantité de lumière traversante peut être modulée par l'orientation des cristaux liquides eux-mêmes directement modulés par la tension électrique appliquée. Il est possible de faire des écrans couleur, où chaque pixel est composé de trois sous-pixels, un par couleur (bleu, rouge et vert). Un film comportant des bandes alternatives colorées ajoute la couleur à la lumière émanant du cristal liquide.

Il existe deux technologies pour appliquer un signal électrique aux cristaux liquides : la matrice passive et la matrice active. La technologie, dite **de matrice passive**, consiste à utiliser une matrice de fils électriques jouant le rôle d'électrodes. L'intersection d'un fil horizontal avec un fil vertical permet de déterminer la charge appliquée à un point particulier de l'écran. Seul un pixel peut être activé à la fois car il faut sélectionner une ligne et une colonne. La technologie de **matrice active**, appelée aussi **TFT** [*Thin Film Transistor*], consiste à remplacer la matrice d'électrodes par une matrice de transistors, chacun contrôlable directement. Cette technologie, offrant des écrans d'excellente qualité, est beaucoup plus complexe à maîtriser. En effet il faut produire des films comportant plusieurs millions de transistors sans aucun transistor défectueux. La technologie de matrice active, très coûteuse, n'a pas détrôné la technologie de matrice passive qui s'améliore en utilisant des techniques comme **DSTN** [*Double Super Twisted Nematic*], **TSTN** [*Triple STN*] qui consistent à doubler ou tripler les couches de STN ou **FSTN** [*Film STN*] qui utilise un film de compensation [*compensator, retardation film*] permettant d'augmenter le contraste. Avec ces améliorations la technologie à matrice passive commence à rivaliser avec la technologie TFT.

Plusieurs pistes sont explorées pour améliorer encore les écrans LCD, par exemple l'emploi de nouvelles molécules de cristaux liquides comme les cristaux liquides ferroélectriques ou anti ferroélectriques.

Outre les écrans à cristaux liquides, d'autres types d'écrans plats sont développés.

Les écrans à **plasma** [*Plasma Display Panel*] (PDP) sont constitués de deux plaques de verre entre lesquelles est emprisonné un gaz inerte (argon, néon,...). Des électrodes horizontales sont placées sur la première plaque de verre et des électrodes verticales sur la seconde. L'intersection d'une électrode horizontale et d'une électrode verticale détermine un pixel. En appliquant une tension électrique entre deux électrodes, le gaz qui est en contact se ionise et forme un plasma qui émet alors un rayonnement ultraviolet. Le rayon ultraviolet va se transformer en lumière visible en frappant des bandes de luminophores (1 pour chaque couleur) placées devant l'écran.

Les **écrans électroluminescents** [*ElectroLuminescent Display*] (ELD) sont composés d'un fin film d'une substance phosphorescente enfermée entre deux plaques de verre. Sur l'une des plaques sont placées des électrodes horizontales et sur l'autre des électrodes verticales. Quand on applique une tension électrique entre deux électrodes, le film phosphorescent en contact émet un rayonnement qui allume un pixel.

Les écrans à plasma et les écrans électroluminescents ont des problèmes de couleur, cependant les recherches continuent, ces types d'écrans étant robustes et offrant un large angle de vue, une bonne luminosité et une grande résolution. Actuellement, c'est la technologie des écrans à plasma qui permet de fabriquer les écrans plats les plus grands.

Les écrans émetteurs de champ (de lumière) [*Field Emission Display*] (FED) sont basés sur le même principe que les écrans à tube cathodique : des électrons, émis par une cathode, bombardent une couche de luminophores déposée sur une anode générant ainsi de la lumière. C'est dans cette catégorie d'écrans que se placent les écrans à **micropointes**, ou écrans fluorescents à micropointes (EFM). Les écrans à tube cathodique utilisent un unique faisceau d'électrons. Les écrans à micropointes utilisent des milliers de sources d'électrons (cathodes froides). Dans les écrans à tube cathodique, le faisceau d'électrons balaye l'écran pour produire une image; ce balayage doit être répété constamment. Dans les écrans à micropointes plusieurs centaines de cathodes, regroupées en une micropointe, sont utilisées pour allumer chaque pixel. Un même pixel est bombardé sans relâche, il n'y a pas de balayage. Cette technique, toute nouvelle et prometteuse, permet de réaliser des écrans ultra plats d'excellente qualité.

10.3 Imprimantes

Dès les premiers ordinateurs, on s'est rendu compte qu'une imprimante de grande capacité était nécessaire pour une utilisation optimale de ceux-ci. En effet, ces machines pouvaient produire de grandes quantités de résultats qui devaient être sortis sous une forme utilisable par l'homme.

La première imprimante à grande vitesse remonte à 1955. Elle était utilisée par l'Univac I, le premier ordinateur à vocation commerciale. Sa technologie était basée sur des tubes à vide, elle nécessitait 14 kW de puissance. Les caractères étaient gravés sur un tambour, l'impression se faisait par ligne à l'aide de marteaux, et la vitesse était de 600 lignes par minute.

Il existe un grand choix d'imprimantes couvrant un intervalle étendu de prix et de performances. Les techniques d'impression ont évolué considérablement, c'est ainsi que de nos jours on peut trouver sur le marché des imprimantes à aiguilles, thermiques, à jet d'encre, à laser, etc. L'impression peut être en noir et blanc ou en couleur.

Les principaux procédés d'impression couleur sont le jet d'encre, le transfert thermique, la sublimation thermique et le laser. Ils utilisent des pigments ou des colorants des trois couleurs primaires : **cyan**, **magenta** et **jaune** (trichromie) qui par superposition et juxtaposition, permettent de créer une vaste palette de couleurs. Le noir obtenu par le mélange du cyan, du magenta et du jaune n'étant pas profond, on ajoute généralement le noir aux trois couleurs primaires (quadrichromie).

 On a vu que, dans les écrans, les trois couleurs de base étaient le rouge, le vert et le bleu [Red, Green, Blue] (RGB). En fait ces trois couleurs sont émises par des rayons lumineux. En variant les proportions de ces trois couleurs, on obtient la plupart des couleurs. La somme de ces trois couleurs donne du blanc. La lumière blanche contient toutes les couleurs. On parle de synthèse additive et le rouge, le vert et le bleu sont parfois appelés primaires additives.

Les imprimantes utilisent des pigments ou des colorants cyan, magenta et jaune [Cyan, Magenta, Yellow] (CMY). Chacun de ces trois pigments absorbe les ondes d'une primaire additive (rouges, vertes ou bleues) et réfléchit les ondes des deux autres. Par exemple, le pigment jaune absorbe les ondes bleues et réfléchit les ondes rouges et vertes. Le pigment cyan absorbe les ondes rouges et réfléchit les ondes bleues et vertes. Si l'on mélange des pigments jaunes et cyan on obtient un mélange qui absorbe les ondes bleues et rouges et qui réfléchit les ondes vertes. Si l'on mélange des pigments cyan, magenta et jaunes, les ondes rouges, vertes et bleues sont absorbées, et l'on voit du noir (aucune couleur). On parle de synthèse soustractive car on soustrait de la lumière blanche certaines couleurs pour obtenir la couleur souhaitée. Le cyan, le magenta et le jaune sont parfois appelés primaires soustractives.

10.3.1 Imprimantes avec impact

Parmi les imprimantes avec impact, on doit mentionner les téléimprimeurs, dont le Teletype 33 qui, construit à plusieurs millions d'exemplaires, était présent dans les configurations de trois générations d'ordinateurs. La tête du mécanisme d'impression avait la forme d'un cylindre sur lequel les caractères étaient gravés. L'écriture d'un caractère exigeait un ajustement en hauteur du cylindre, suivi par une rotation amenant le caractère choisi en face du papier. Entre cylindre et papier se trouvait un ruban imbibé d'encre, comme dans les machines à écrire mécaniques. La vitesse était limitée à 7-15 cps (caractères par seconde).

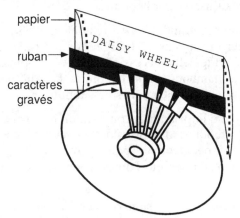

Figure 10.11 : Imprimante à marguerite

Une autre imprimante, ayant obtenu un grand succès et présentant des avantages indéniables par rapport au modèle à cylindre, est l'imprimante à boule d'IBM. Les caractères sont inscrits sur une sphère interchangeable (on peut donc choisir parmi différents jeux de caractères) et la vitesse est d'environ 15 à 30 cps. Ensuite sont venues les **imprimantes à marguerite** [*daisy wheel*], dont le mécanisme d'impression est schématisé dans la figure 10.11. Chaque *pétale* porte un caractère à son extrémité; le pétale, sélectionné par rotation, frappe le papier et le ruban encreur interposé. Ces imprimantes permettent des vitesses de 20 à 80 cps.

Il y eut aussi des imprimantes à tambour, à chaîne et à bande. Ces imprimantes sont caractérisées par des caractères préformés et gravés sur des supports en rotation rapide. Pour chaque position d'impression le long de la ligne, il existe un marteau qui frappe le ruban et le papier au passage du caractère désiré. Pour cette raison on les appelle aussi imprimantes à la volée [*on-the-fly printers*]. La vitesse de ces machines varie, selon le modèle, entre 300 et 1500 lpm (lignes par minute).

Il faut remarquer que ces premiers types d'imprimantes sont les seuls à avoir des lettres préformées, ce qui donne une excellente qualité d'impression si les lettres sont bien alignées.

Des performances nettement supérieures sont fournies par les **imprimantes matricielles** [*matrix printers*], dites aussi **imprimantes par points** [*dot printers*]. Les caractères sont composés à partir de points sélectionnés dans une grille appelée matrice, de taille allant de 5×7 à 16×35, mais typiquement 7×9 ou 9×13, selon la qualité d'impression désirée. La tête d'impression se déplace le long de la ligne à imprimer; elle comporte autant d'aiguilles que de points dans une colonne de la matrice; ces aiguilles peuvent être actionnées par des électro-aimants. Chaque aiguille peut frapper le papier et naturellement le ruban interposé, comme le montre la figure 10.12. Simple et fiable, cette technologie permet de produire des imprimantes peu coûteuses. Leur résolution est relativement faible.

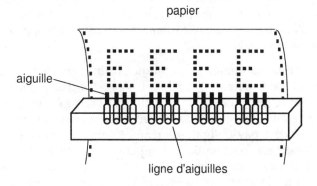

Figure 10.12 : Imprimante matricielle à aiguilles

Les imprimantes à impact sont encore utilisées dans les administrations car elles permettent de faire des copies carbone.

10.3.2 Imprimantes sans impact

On peut classer dans cette catégorie les imprimantes thermiques, les imprimantes à jet d'encre, et les imprimantes à laser. La qualité d'impression de ces imprimantes est déterminée par la densité des points imprimés qui s'exprime en

ppp (points par pouce) ou **dpi** [*dots per inch*]. Nous utiliserons indifféremment la version française ou la version anglaise.

Imprimantes thermiques

Les imprimantes thermiques ressemblent aux imprimantes matricielles à aiguilles. Mais au lieu de frapper un ruban, les têtes d'impression chauffent la surface d'un papier sensible à la chaleur. Le fonctionnement est silencieux mais il faut utiliser du papier spécial.

Concernant l'impression thermique couleur, il y a deux technologies : le transfert thermique et la sublimation thermique. Ces deux technologies utilisent un rouleau de cellophane recouvert d'une encre à l'état solide. Le rouleau se compose d'une succession de régions jaune, cyan et magenta dont la taille est celle de la surface d'impression. Une série de têtes thermiques est disposée perpendiculairement au sens de défilement du papier. L'impression d'une feuille couleur nécessite donc le passage du papier devant chaque couleur, ce qui fait trois passages.

La technologie du **transfert thermique** utilise un rouleau de cellophane recouvert d'une encre à base de cire. Lorsque l'une des têtes thermiques est activée, sa chaleur fait fondre la cire qui est transférée sur le papier par une pression mécanique pour obtenir un point d'une couleur particulière. Par superposition des trois couleurs primaires, on obtient les couleurs de base rouge, vert, bleu, et noir. Toutes les autres couleurs sont obtenues par juxtaposition des points, l'image est donc composée d'une trame. La résolution est d'environ 300 ppp ce qui donne des impressions de bonne qualité.

La technologie de la **sublimation thermique** utilise un rouleau de cellophane recouvert d'un colorant spécial. Quand l'une des têtes thermiques est activée, sa chaleur fait passer le colorant de l'état solide à l'état gazeux. Il se diffuse alors sur le papier et retourne à l'état solide. Contrairement au transfert thermique, la chaleur ne transforme pas obligatoirement la totalité du colorant en gaz. La quantité de colorant est fonction de la température de la tête thermique, ce qui permet de définir très précisément l'intensité des couleurs primaires (256 intensités différentes). La superposition permet d'obtenir des millions de couleurs, ce qui donne des impressions sans trame d'une excellente qualité proche de celle d'une photographie classique. Evidemment, ces imprimantes sont les plus coûteuses.

Imprimantes à jet d'encre

Les imprimantes à jet d'encre [*ink jet printers*] sont également silencieuses et leur vitesse est comparable à celle des imprimantes thermiques, elles ont l'avantage de pouvoir imprimer tout symbole ou graphisme sans les contraintes des imprimantes matricielles. Leur principe de fonctionnement est décrit dans la figure 10.13 et consiste dans la création d'un faisceau de gouttelettes d'encre chargées électriquement et dirigées sur le papier avec une grande précision par un système de plaques de déviation. La qualité d'impression est très bonne et cette technique permet aussi d'imprimer en couleurs en utilisant des encres de couleurs différentes. La résolution varie entre 200 ppp et 1'200 ppp. Les vitesses varient entre 5 ppm (pages par minute) et 16 ppm.

Il existe différentes méthodes pour expulser les gouttelettes d'encre. L'une d'entre elles utilise un cristal piézo-électrique qui, en oscillant, fait pression sur l'encre éjectant ainsi une gouttelette. Un autre méthode consiste à chauffer l'encre qui forme alors des bulles d'air qui expulsent la goutte d'encre; c'est la technique de la bulle d'encre [*bubble*].

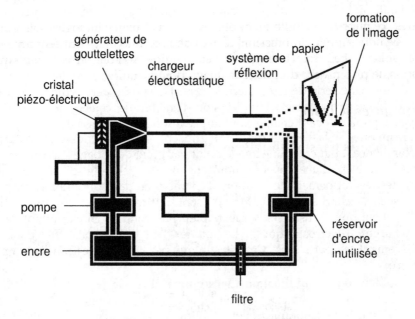

Figure 10.13 : Imprimante à jet d'encre

Les imprimantes à jet d'encre actuelles veulent offrir une qualité comparable à la photographie, pour arriver à ce résultat toutes sortes de techniques sont utilisées :

* empilement des gouttelettes qui se mélangent avant de sécher pour produire la nuance désirée;
* gouttes plus petites et plus rapprochées;
* utilisation de 6 encres de couleurs différentes (hexachromie), par exemple : cyan, magenta, jaune, noir, cyan clair, magenta clair;
* augmentation du nombre de buses par couleur.

Malgré ces efforts, les images photographiques ne sont pas encore détrônées, les encres utilisées ne sont pas résistantes à la lumière et les résolutions sont plus de 200 fois inférieures à la photographie.

Imprimantes à jet d'encre solide

Les imprimantes à jet d'encre solide utilisent les technologies des imprimantes à jet d'encre liquide et du transfert thermique. Les quatre encres (cyan, magenta, jaune et noir) se présentent sous forme de bâtons de cire qui sont placés dans des réservoirs situés tout près de la tête d'impression. Lorsque l'imprimante fonctionne, la tête d'impression garde une température constante, ce qui permet de conserver les encres à l'état liquide. Lors de l'impression, l'ensemble tête-réservoirs se déplace au-dessus du papier. L'encre est expulsée sous la pression d'un cristal piézo-électrique. Dès que la gouttelette touche le papier elle se solidifie, ce qui évite qu'elle ne pénètre le papier comme il arrive souvent avec l'encre liquide. Après l'impression d'une page, celle-ci est pressée pour écraser l'encre solide. Les imprimantes à jet d'encre solide offrent une qualité d'impression plus proche du laser que du jet d'encre liquide.

Imprimantes à laser

Les imprimantes à laser (figure 10.14) utilisent des méthodes électrostatiques. Elles commencent par créer une image point par point de la page à imprimer sur un tambour recouvert d'une couche photosensible. Le tambour passe devant une station de développement, ou station d'encrage, où des particules noircissantes (encre sèche, charbon, etc. [*toner*]) sont attirées aux endroits chargés précédemment puis transférées sur le papier par contact, en exploitant la force entre charges électrostatiques. Le papier est enfin chauffé pour fixer définitivement les particules. Cette technique permet l'impression sur du papier ordinaire.

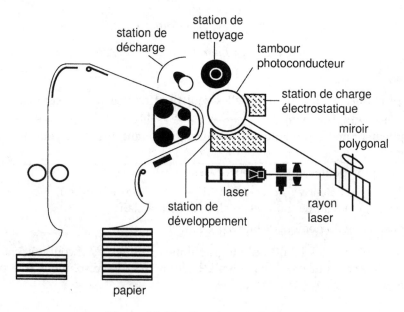

Figure 10.14 : Imprimante à laser

Les techniques employées s'inspirent de celles utilisées dans les photocopieuses.

Les imprimantes à laser peuvent écrire textes et images sur des feuilles de papier ordinaire séparées (format A4 ou A3) ou sur du papier en continu. On trouve une vaste étendue d'imprimantes laser dont les vitesses varient de une à deux pages/minute jusqu'à plusieurs centaines de pages/minute. On atteint des résolutions verticales et horizontales variant entre 300 dpi (environ 12 points par millimètre) et 2'400 dpi. Le standard actuel se situe à 600 dpi.

Il existe actuellement deux techniques pour produire l'image sur le tambour :

- dans la première, c'est un rayon de lumière mobile qui crée l'image;
- dans la seconde, l'image est formée sur le tambour par une rangée de diodes électroluminescentes (LED) fixes. Cette seconde technique permet, entre autres, d'éviter les déformations de caractères en début et en fin de ligne. L'électroluminescence permettra d'atteindre des vitesses beaucoup plus grandes que l'électrophotographie.

Les imprimantes à laser couleur se sont démocratisées. Elles utilisent quatre réservoirs d'encre [*toner*] un pour chaque couleur primaire : cyan, magenta, jaune et noir. Les quatre couleurs sont traitées séparément, ce qui nécessite donc quatre passages.

Les technologies d'impression par page impliquent des mémoires locales capables de contenir la description point par point de la page à imprimer. Dans une imprimante laser, le rayon lumineux est modulé suivant la lecture des points successifs de la mémoire-image. Les systèmes modernes permettent l'insertion dans le texte de figures, tableaux et formules mathématiques, comme c'est le cas dans ce livre. Pour décrire une page on utilise un langage de description de page [*PDL : Page Description Language*]. Le plus célèbre de ces langages est le langage **PostScript**.

Langage PostScript

Le langage PostScript, développé par la compagnie Adobe en 1983, permet de décrire les différents éléments composant une page, à savoir, des lignes, des courbes, des caractères, des niveaux de gris et des couleurs. Il permet de décrire très précisément quelle est la position de chaque élément dans la page, quelle est sa taille, quel est son angle de rotation, s'il faut dessiner uniquement le contour de l'élément ou aussi le remplir et si oui, avec quel niveau de gris ou quelle couleur. Chaque caractère est défini par un ensemble de courbes cubiques. Il est donc paramétré, ce qui permet de le dessiner dans n'importe quelle taille facilement. La transformation d'une page PostScript en une image point est effectuée par l'imprimante elle-même. On dit que c'est une imprimante PostScript. Ce langage est devenu le langage de référence et il s'impose comme un standard *de facto*. Il commence à être aussi utilisé pour les écrans.

10.3.3 Traceurs

Pour imprimer des dessins de très bonne qualité, il faut utiliser des périphériques spécialisés que l'on appelle **traceurs de courbes** [*plotters*]. Il y a plusieurs types de traceurs : monochromes ou plurichromes, à rouleau ou à table à dessiner, etc. Par analogie aux écrans, on peut dire que les traceurs de courbes sont similaires aux écrans vectoriels alors que les autres types d'imprimantes sont similaires aux écrans à balayage TV.

Dans un traceur à rouleau de papier, la plume ne se déplace que selon un axe horizontal le long d'une génératrice du cylindre. La composition des deux mouvements de la plume et du rouleau de papier permet de tracer des courbes en deux dimensions. Dans les traceurs du type table, la plume se déplace selon deux directions orthogonales sur le papier posé à plat.

La plupart des traceurs sont incrémentaux avec des déplacements de l'ordre du dixième, voire du centième de millimètre. On peut généralement utiliser plusieurs plumes d'épaisseurs ou de couleurs différentes, le choix pouvant être fait par programme. Les traceurs modernes sont dotés d'un microprocesseur qui se charge d'interpréter les commandes reçues (par exemple, tracer un arc de cercle de rayon donné) et de générer la longue séquence d'ordres élémentaires (lever ou abaisser la plume, choisir l'épaisseur et la couleur du trait, déplacer la plume dans l'une des directions possibles, etc.) nécessaires à l'exécution du travail par le traceur. Les traceurs sont spécialement indiqués pour l'impression de figures géométriques car l'impression d'un dessin est réalisée d'un trait continu.

10.4 Scanners

Les scanners [*scanners*] (ou digitaliseurs ou numériseurs) sont des équipements périphériques qui permettent de numériser une image à partir d'une copie sur un support solide tel que le papier. Le résultat de la digitalisation est une image digitale ou numérique stockée dans un fichier. On peut ainsi digitaliser n'importe quel type d'image – une photographie, une page de textes, des dessins – en un fichier graphique. Différents appareils permettent de digitaliser à partir d'images papier, de transparents, de diapositives ou de négatifs photo.

Les plus courants sont les scanners à plat sur lesquels on pose les feuilles une à une ; les scanners à défilement sont munis de chargeurs de documents automatiques ; les scanners de films ne servent qu'à numériser des diapositives et des négatifs photo. On trouve aussi des scanners à main et des crayons numérisateurs qui sont surtout destinés à l'acquisition de texte. La précision de ces appareils varie de 300 à près de 10'000 dpi.

Digitaliser une information consiste à la décomposer en un très grand nombre de mesures, chacune prenant une valeur comprise dans une plage de valeurs finies : on parle d'échantillonnage. Le scanner va décomposer une image en un très grand nombre de points minuscules et, pour chacun de ces points, mesurer sa couleur en lui attribuant une valeur située dans un intervalle de valeurs (par exemple 0 et 255).

Les scanners fonctionnent selon le principe suivant : la couleur blanche réfléchit pratiquement toute la lumière alors que la couleur noire ne réfléchit presque rien. La réflexion des différents niveaux de gris est directement proportionnelle à leur intensité. Les digitaliseurs d'images papier mesurent la réflexion de la lumière alors que les digitaliseurs de supports transparents tels que les films radiographiques mesurent la transparence, c'est-à-dire non plus la réflexion de la lumière mais son absorption.

La plupart des digitaliseurs utilisent des cellules **CCD** [*Charge Coupled Device*] pour mesurer la quantité de lumière qui leur parvient. Une cellule CCD transforme une quantité de lumière en un signal électrique qui lui est proportionnel. Ensuite le signal électrique est transformé en une valeur numérique.

Les appareils couleur nécessitent trois passages au-dessus de l'image. En effet, il faut évaluer chacune des trois couleurs primaires séparément. Pour cela ils utilisent des filtres colorés, un par couleur primaire (rouge, vert et bleu). Cependant, ces trois passages prennent du temps et il faut absolument que les trois passages soient parfaitement alignés. Pour éviter ces inconvénients, il faut ne faire qu'un seul passage. Dans ce cas, le scanner est équipé de trois cellules CCD, une pour chaque couleur de base.

Un logiciel intéressant est généralement associé aux scanners, c'est un logiciel de reconnaissance des caractères [*OCR : Optical Character Recognition*]. Le principe d'un scanner est, rappelons-le, de créer une image numérisée à partir d'une image réelle. Si celle-ci se trouve être un texte dactylographié ou manuscrit, le programme d'OCR permet, après la digitalisation, d'effectuer une analyse de reconnaissance des caractères. Ainsi on peut tenter de récupérer un fichier texte et non plus uniquement un fichier graphique. Ce fichier texte peut ensuite être édité à l'aide d'un logiciel de traitement de texte.

10.5 Architectures et procédures d'entrée/sortie

L'unité centrale communique avec les unités périphériques par l'intermédiaire du sous-système d'entrée/sortie. Il existe une grande variété de réalisations et d'architectures. Mais voyons d'abord quels sont les problèmes à résoudre.

Pour effectuer une opération d'E/S il faut exécuter une instruction d'E/S dans le CPU. C'est donc le CPU qui prend l'initiative de toute entrée ou sortie. Il décide de l'instant et de la nature de l'échange, mais il peut prendre une part plus ou moins importante à l'exécution selon qu'il établit une liaison directe CPU-périphérique ou qu'il délègue la gestion de l'échange à un organe subordonné mais capable de travailler de façon autonome, comme le **canal d'entrée/sortie** ou **l'accès direct à la mémoire** [*DMA : Direct Memory Access*].

Dans le cas de la liaison directe entre CPU et périphérique, le problème est l'énorme différence entre les vitesses en jeu. Il faut bien se rendre compte que le CPU reste bloqué pendant toute la durée de l'échange, c'est-à-dire qu'il ne peut pas faire autre chose qu'attendre et travailler au rythme du périphérique. Ce gaspillage du temps du CPU était tout à fait normal dans les ordinateurs de la première génération.

Dans l'optique d'une utilisation plus rationnelle du CPU, l'idée vint à l'esprit d'un transfert de données par **interruption de programme**. La méthode consiste dans l'introduction d'un signal dit d'interruption [*interrupt*] envoyé au CPU par le périphérique concerné à l'instant où il est prêt à effectuer un échange élémentaire, par exemple, transférer un octet. Ce signal provoque l'interruption du programme en cours d'exécution. Le CPU s'occupe de l'échange en exécutant un programme spécial dit programme de service de l'interruption. Après avoir effectué le transfert, le CPU reprend l'exécution du programme interrompu.

Cette technique représente un progrès considérable par rapport à la liaison directe. Beaucoup de temps est néanmoins perdu dans l'exécution des programmes de service des interruptions et dans les changements de programme et de contexte.

L'approche la plus économique consiste dans la suspension du programme en exécution, le temps d'un cycle-mémoire. L'effet sur le temps d'exécution est négligeable. Pratiquement, on permet aux unités périphériques de voler de temps en temps un cycle-mémoire au CPU (technique dite de **vol-de-cycle** [*cycle stealing*]). Cette idée a été réalisée par les canaux et les DMAs.

10.5.1 Accès direct à la mémoire (DMA)

Le DMA est normalement utilisé dans les ordinateurs de petite taille, tels les mini-ordinateurs. Il peut être connecté entre un contrôleur de périphériques et le bus-mémoire, permettant ainsi au périphérique d'accéder à la mémoire sans passer par le CPU. Si le CPU et le DMA demandent simultanément un accès à la mémoire, le DMA passe en priorité. Avec une mémoire multi-porte on peut fortement réduire les risques de conflit. Un exemple de structure d'E/S dotée de DMA est donné dans la figure 10.15.

Le DMA se charge entièrement du transfert d'un bloc de données. Le CPU initialise l'échange en lui donnant l'identification du périphérique concerné, le sens du transfert, l'adresse en mémoire centrale du premier mot (byte) à transférer et le nombre de mots (bytes) concernés par l'échange.

Le DMA est doté d'un **registre d'adresse**, d'un **compteur**, d'un **registre de données** et il est équipé d'un **dispositif de commande** capable d'assurer le transfert. Lorsque le compteur tombe à zéro, le DMA signale au CPU que l'opération est terminée. Le DMA ne se charge pas de vérifier si les informations ont été transmises correctement. Les erreurs éventuelles au niveau de l'unité périphérique sont détectées par son contrôleur.

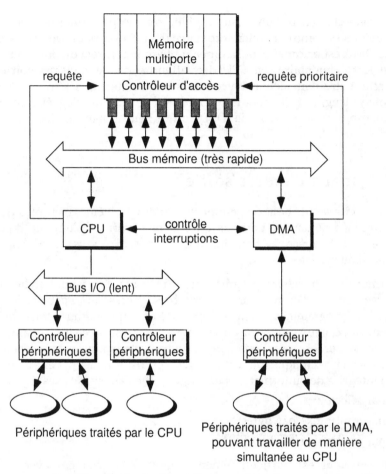

Figure 10.15 : Exemple d'accès par DMA

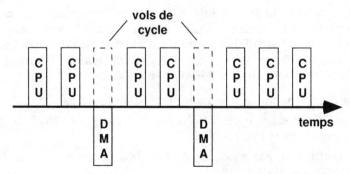

Figure 10.16 : Vols de cycle

On peut connecter un périphérique rapide, comme par exemple une unité de disques, au bus-système d'un micro-ordinateur par l'intermédiaire d'un dispositif DMA. Le DMA est prioritaire, donc il peut obtenir le contrôle du bus pour la durée d'un transfert élémentaire. Le CPU doit attendre que le transfert soit effectué. L'intervalle entre deux actions successives d'E/S effectuées par le DMA étant relativement long, le CPU peut faire beaucoup de travail sans être interrompu. Cette situation, où le CPU et le DMA s'alternent comme maîtres du bus, est schématisée dans la figure 10.16.

10.5.2 Canaux d'entrée/sortie

Les E/S des ordinateurs haut-de-gamme posent des problèmes bien plus difficiles, à cause du grand nombre de périphériques et de l'énorme volume de données qui doivent être échangées à tout instant, si possible sans trop dégrader la performance du système.

Pour permettre à plusieurs périphériques de travailler simultanément, on a inventé les canaux d'entrée/sortie, véritables processeurs spécialisés pouvant exécuter des programmes d'entrée/sortie. Par rapport au DMA des mini-ordinateurs, les canaux sont beaucoup plus performants. Ils sont programmables et peuvent enchaîner les opérations d'input/output. Ils ont un accès prioritaire à la mémoire par la technique du vol-de-cycle et ils s'occupent, entre autres, de vérifier l'intégrité des informations échangées. Il existe trois types de canal :

* le canal sélecteur;
* le canal multiplexé par bytes;
* le canal multiplexé par blocs.

Le **canal sélecteur** est particulièrement adapté aux échanges avec des unités rapides, telles les unités de disques. Pendant l'échange il est totalement réservé au périphérique concerné. Il offre un accès direct à la mémoire et il se charge des échanges en toute indépendance du CPU, dont le rôle se limite au lancement des opérations d'I/O.

Pour les unités périphériques à faible débit, on utilise des **canaux multiplexés**, c'est-à-dire partagés en plusieurs unités. Les canaux multiplexés sont divisés en sous-canaux rattachés aux différentes unités. Le temps est alors divisé en tranches et un seul sous-canal est activé par tranche de temps. Plusieurs activités d'entrées/sorties peuvent ainsi se dérouler en parallèle.

On distingue deux types de canaux multiplexés dans le temps :

* le **canal multiplexé par bytes**, où chaque sous-canal est activé à tour de rôle pour le transfert d'un octet;
* le **canal multiplexé par blocs**, où les tranches de temps sont utilisées pour échanger des blocs d'octets.

Le canal est programmable et son programme réside en mémoire centrale. Il consiste dans une suite d'instructions spécialisées dans les entrées/sorties. Essentiellement, le canal s'occupe de tous les détails des transferts décidés par le CPU (figure 10.17).

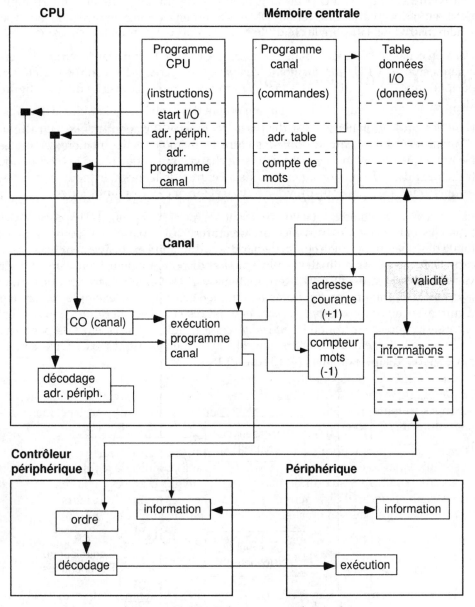

Figure 10.17 : Echange en mode canal

Pour mettre le canal en condition de faire son travail, il faut lui fournir les
informations suivantes :
- l'adresse dans la mémoire associée au premier mot à transférer;
- le nombre total de mots à transférer;
- l'adresse logique du contrôleur branché sur l'unité périphérique intéressée par
  l'échange;
- le sens du transfert;
- des instructions quant à la conduite à tenir en cas d'erreur de transmission.

Dans un échange en mode canal, plusieurs organes de l'ordinateur entrent en jeu,
notamment le CPU, la mémoire centrale, le canal, le contrôleur et son
périphérique. La répartition des tâches parmi ces unités est décrite dans la figure
10.17.

Dans les gros ordinateurs, des dizaines de canaux, fonctionnant en parallèle,
assurent un énorme trafic de données entre la mémoire et les nombreuses unités
périphériques pendant que le CPU, déchargé de cette tâche, s'occupe du
traitement des informations. Les conflits à l'entrée de la mémoire sont, en partie,
résolus grâce à la technique du vol-de-cycle et aux mémoires multiportes.

La gestion d'un nombre toujours croissant de périphériques et l'explosion des
échanges ont amené de nouvelles architectures, où apparaît la sous-traitance
totale des opérations d'entrée/sortie par des ordinateurs exclusivement affectés à
cette tâche. Les gros ordinateurs [*mainframes*] disposent aujourd'hui d'une grande
variété de dispositifs d'E/S. La terminologie varie selon le constructeur et reflète
la capacité de traitement autonome de l'unité d'échange, par exemple, processeur
d'entrée/sortie [*input/output processor*], processeur périphérique [*peripheral
processor*], processeur frontal [*front-end processor*], etc. Un processeur I/O peut être
connecté directement à plusieurs contrôleurs de périphériques ou indirectement
par l'intermédiaire d'un bus I/O (figure 10.18).

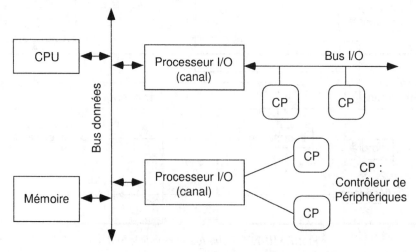

Figure 10.18 : Connexions entre canaux et périphériques

10.5.3 Contrôleur de périphériques

Chaque unité périphérique doit être reliée à un bus ou à un canal par l'intermédiaire d'une électronique appropriée. La tâche de cette unité, que l'on appelle **contrôleur** [*controller*] ou unité de liaison, est d'adapter la diversité des périphériques (débit, temps de réponse, format des données, forme des signaux de commande) à une interface commune, obéissant aux normes adoptées par le constructeur.

Le contrôleur est donc une boîte à deux faces, l'une spécifique à l'unité périphérique connectée et l'autre adaptée aux prescriptions et spécifications des unités d'échange utilisées. Ce dispositif peut être relié d'une part à plusieurs périphériques d'un même type et d'autre part à plusieurs canaux.

Cette unité assume un nombre croissant de tâches, visant à décharger le canal ou tout autre dispositif d'échange. Elle est devenue peu à peu un véritable processeur spécialisé, affecté à la commande des unités périphériques. Elle contient des registres et souvent une mémoire-tampon, un microprocesseur et des circuits de plus en plus complexes. Elle s'occupe de façon autonome des commandes détaillées de chaque périphérique, de la gestion des incidents, de la détection des erreurs, de la conversion des formats, etc.

Les cartes d'extensions [*expansion boards*] (bus d'extension [*expansion bus*], bus d'interface, interface, adaptateur [*adapter*]) possèdent un contrôleur intégré à la carte.

Bus d'interface SCSI (Small Computer System Interface)

Le bus **SCSI** (prononcez *squezy*) est un bus d'entrées/sorties parallèles utilisé comme interface standard entre ordinateurs et périphériques. Malgré son nom qui laisse penser que son utilisation est limitée aux petits ordinateurs, il est la référence en matière d'interface entre ordinateurs de toutes tailles et périphériques de toutes natures (disques durs externes, disques magnéto-optiques, CD-ROM, scanners, etc.). Un bus SCSI permet de connecter en parallèle jusqu'à 8 unités physiques, l'une de ces unités étant l'adaptateur [*host adapter*].

La norme SCSI est une norme évolutive. Développée à l'origine par Shugardt Associates System Interface (actuellement Seagate) sous le nom de SASI, elle est enrichie par l'ANSI et devient SCSI.

La première version du bus, **SCSI-1**, définie en 1986, permet une vitesse de transfert, en mode synchrone, de l'ordre de 5 Mbytes/s, les données sont transmises en parallèle sur 8 bits; en mode asynchrone, la vitesse de transfert est de 1,5 Mbytes/s.

La deuxième version, **SCSI-2**, supporte un bus plus rapide et qui peut être plus large que le bus original sur 8 bits, on peut ainsi avoir un bus de données de 16 ou de 32 bits. SCSI-2 permet une vitesse de transfert de 10 Mbytes/s sur un bus de 8 bits, on peut donc atteindre 40 Mbytes/s sur un bus de 32 bits. Les variantes qui supportent une vitesse de transfert de 10 Mbytes/s sont appelées : **Fast SCSI**, celles qui utilisent un bus de 16 ou de 32 bits sont appelées : **Wide SCSI**. Lorsque les deux techniques sont utilisées on parle de **Fast Wide SCSI**.

En doublant encore la vitesse des signaux sur le bus, on obtient une vitesse de transfert de 20 Mbytes/s sur le bus original de 8 bits, on parle alors de : **SCSI-3**, **Fast-20** ou **Ultra SCSI**. On peut doubler la taille du bus pour arriver à un débit de 40 Mbytes/s sur un bus de 16 bits (**Ultra Wide SCSI**).

Mais SCSI-3, ce n'est pas seulement Fast-20, c'est une véritable famille de standards :

- **SPI** [*SCSI-3 Parallel Interface*] définit l'interface électrique et physique (signaux, câbles, connecteurs, etc.) ;
- **SIP** [*SCSI-3 Interlocked Protocol*] définit le protocole utilisé pour transporter les commandes SCSI sur l'interface parallèle (SPI) ;
- **SAM** [*SCSI-3 Architecture Model*] contient un modèle formel qui décrit les caractéristiques requises pour utiliser l'architecture SCSI ;
- **SPC** [*SCSI-3 Primary Command Set*] décrit les commandes de base pour tous les périphériques SCSI-3. S'ajoute à SPC le standard spécifique à un périphérique donné, comme, par exemple : **SBC** [*SCSI-3 Block Commands*] qui décrit l'ensemble des commandes pour des périphériques à accès direct tels les disques magnétiques; **MMC** [*Multi-Media Commands*] qui décrit l'ensemble des commandes pour des périphériques multimédia tels les CD-ROM ;
- **CAM-3** [*SCSI-3 Common Access Method*] qui contient les spécifications de la couche logicielle.

SCSI-3 intègre aussi la notion de **SCAM** (SCSI configuré auto-magiquement [*Configured Auto-Magically*]) qui en fait une interface **Plug and Play** (PnP). SCAM distribue automatiquement une adresse unique aux périphériques que l'on connecte, évitant ainsi d'attribuer la même adresse à des périphériques différents. SCSI-3 permet aussi de connecter 15 périphériques sur un même bus.

Interface parallèle jusque-là, SCSI-3 propose un SCSI série. Le SCSI série pourra utiliser la fibre optique ou du cuivre à grande vitesse. La vitesse de transfert pourrait atteindre de 51 Mbits/s à 1 Gbits/s. **FCP** [*SCSI-3 Fibre Channel Protocol*] définit le protocole utilisé pour transporter les commandes SCSI-3 sur l'interface **Fibre Channel**. **SBP-2** [*SCSI-3 Serial Bus*] est le protocole utilisé pour transporter les commandes SCSI-3 sur l'interface **IEEE 1394**.

Il semble que l'on soit arrivé, pour le moment, aux limites des interfaces parallèles. Techniquement, il devient de plus en plus difficile de réaliser des câblages parallèles bien isolés. L'avenir est aux interfaces séries.

☞ Une interface parallèle permet de transférer en même temps 8, 16 ou 32 bits, selon la taille du bus (ou du câble). Une interface série ne permet de transférer qu'un seul bit à la fois.

IEEE 1394 -FireWire

FireWire, officiellement baptisé **IEEE 1394-1995 Standard for a High Performance Serial Bus** [*IEEE : Institute of Electrical and Electronic Engineers*], est un nouveau bus série externe très rapide qui supporte des taux de transfert de données atteignant 12,5 Mbytes/s, 25 Mbytes/s et 50 Mbytes/s ou, si l'on préfère, 100 Mbits/s, 200 Mbits/s et 400 Mbits/s. Une version à 1,2 Gbits/s est déjà en chantier. Un même port FireWire peut être utilisé pour connecter jusqu'à 63 périphériques. Proposant un mode de transfert de données isochrone (les données sont transférées dans des intervalles de temps réguliers), ce bus est destiné à des périphériques qui nécessitent des transferts de grandes quantités de données en temps réel, comme de la vidéo. IEEE 1394-FireWire est en passe de devenir l a méthode standard de connexion des appareils audio et vidéo numériques sur les ordinateurs personnels.

On peut y connecter : des disques durs, des scanners, des imprimantes mais surtout toutes sortes de périphériques multimédia comme, par exemple, des caméras pour la vidéoconférence, des caméscopes numériques, des lecteurs de DVD, des consoles de jeux, des instruments de musique, des décodeurs de TV par satellite. Il supporte le Plug and Play : lorsque l'on ajoute un nouveau périphérique, FireWire l e reconnaît automatiquement, lorsque l'on enlève un périphérique, FireWire se reconfigure automatiquement. On n'a même pas à éteindre l'ordinateur lors de ces opérations, c'est le Hot Plug and Play.

USB [Universal Serial Bus]

Développé par 7 compagnies (Compaq, Digital Equipment Corp, IBM PC Co, Intel, Microsoft, NEC et Northern Telecom) **USB** est un nouveau bus série externe destiné aux PC. Il supporte des taux de transfert de données atteignant 1,5 Mbytes/s (12 Mbits/s). Sur un même port USB, on peut connecter jusqu'à 127 périphériques : clavier, souris, imprimantes, scanners, modem, joysticks, téléphones, microphones, haut-parleurs, lecteur de disquettes, etc. Ces périphériques peuvent être directement chaînés sur le port du bus ou connectés à des concentrateurs d'extension [*hubs*] qui sont des boîtiers externes, intermédiaires entre le PC et les périphériques. Un hub contrôle les périphériques qui lui sont reliés, il détecte les modifications de raccordement, il gère l'alimentation électrique de ces périphériques et répète les données transmises.

USB supporte le Plug and Play et le Hot Plug and Play. Ce bus, à bas et moyen débit, est prévu pour remplacer les ports séries et parallèles que l'on trouve actuellement sur les PC. Il permet de rajouter des périphériques sans devoir démonter complètement l'ordinateur ni avoir à se plonger dans les profondeurs de la mémoire pour trouver une adresse libre, ni même devoir bricoler les fichiers de configuration (les initiés comprendront).

IEEE 1394-FireWire et USB sont des bus complémentaires, l'un vise l e multimédia, l'autre les périphériques courants. Tout laisse prévoir qu'ils seront rapidement utilisés sur les ordinateurs portables.

Fibre Channel

Fibre Channel est le nom générique d'un ensemble de standards qui définissent une interface de transfert de données à très grande vitesse qui peut être utilisée pour connecter des stations de travail, des ordinateurs centraux, des superordinateurs, des dispositifs de stockage, des écrans, etc. Fibre Channel supporte plusieurs protocoles de transport courants dont IP et SCSI. Il est à la fois conçu pour des périphériques qui ont de très grands débits et pour les réseaux (LAN et MAN). Fibre Channel peut utiliser des câbles de cuivre ou de la fibre optique sur des distances allant jusqu'à 10 kilomètres. Les spécifications actuelles permettent des vitesses de 133 Mbits/s, 266 Mbits/s, 532 Mbits/s et 1,0625 Gbits/s. Des travaux sont en cours pour arriver à des vitesses de 4 Gbits/s.

Fibre Channel est idéal pour les systèmes de stockage haute-performance, ainsi que pour la vidéo et toutes les applications qui nécessitent des transferts très rapides de grandes quantités d'informations.

Bus série	Débit	Nombre de périphériques par bus
USB	12 Mbits/s	127
FireWire-IEEE 1394	de 100 Mbits/s à 400 Mbits/s futur : 1,2 Gbits/s	63
Fibre Channel	de 133 Mbits/s à 1,0625 Gbits/s futur : 4 Gbits/s	

PC Card

Depuis 1995, **PC Card** est la nouvelle appellation de **PCMCIA**. PC Card est une interface dont les spécifications physiques, électriques et logiques sont définies par le standard PC Card [*PC Card standard*]. Ce standard est développé par le groupe PCMCIA [*Personal Computer Memory Card International Association*], une association formée en 1989 qui regroupe plusieurs centaines de constructeurs et d'éditeurs de produits informatiques. En collaboration avec **JEIDA** [*Japanese Electronics Industry Development Association*] PCMCIA s'est fixée pour but la normalisation des liaisons et du format de cartes d'extension pour les ordinateurs personnels, surtout les portables. Ces associations ont aussi défini un format universel afin qu'une même carte puisse être utilisée sur un PC, un Mac et même sur des produits aussi divers que caméras digitales, TV câblées, voitures, etc.

Le standard PC Card s'occupe de tout! Il définit un **bus** qui s'installe directement sur la carte mère de l'appareil. Il définit un **connecteur** femelle de 68 broches sur lequel viendront s'enficher les cartes. Il définit le **format des cartes**. Il définit diverses **couches logicielles** qui vont assurer le bon fonctionnement de l'ensemble.

CardBus, le bus actuel, est un bus 32 bits qui peut utiliser la technique de DMA. Il remplace HBA [*Host Bus Adapter*] un bus de 8 ou 16 bits qui était défini par les spécifications PCMCIA 1.0 et 2.x. **Zoom Video** (ZV) est une connexion entre PC-Card et le système hôte qui permet aux cartes d'envoyer directement des données vidéo au contrôleur VGA.

Le standard PC Card fournit, pour le moment, les spécifications physiques de trois types de PC Card. Les trois types de cartes ont la même longueur et la même largeur : 85,6 × 54 mm (le format d'une carte de crédit) et utilisent le même connecteur de 68 broches. Le **type I** a une épaisseur de 3,3 mm, le **type II** de 5,0 mm et le **type III** de 10,5 mm.

- Les PC Card de type I sont des mémoires, le plus souvent des mémoires flash.
- Les PC Card de type II sont des cartes d'entrées/sorties : fax modems, cartes réseaux, cartes son.
- Les PC Card de type III sont généralement des disques durs de petite capacité (80 à 200 Mbytes).

On peut utiliser des PC Card de type III, de type II et de type I sur un connecteur acceptant le type III. On peut utiliser des PC Card de type II et de type I sur un connecteur acceptant le type II.

Il n'est théoriquement pas nécessaire d'arrêter l'appareil lorsque l'on insère une carte et l'on n'a pas non plus besoin d'intervenir pour configurer l'ordinateur, c'est Plug and Play.

Les couches logicielles du standard PC Card sont :

- **Socket Services**, la couche la plus basse, qui fournit une interface logicielle universelle entre le matériel et les PC Cards. C'est Socket Services qui détecte l'insertion ou l'extraction d'une carte. Socket Services est en relation directe avec la couche suivante : Card Services.
- **Card Services** qui gère les allocations des ressources système. Elle détermine l'adresse mémoire et l'interruption attribuée à chaque carte dès que Socket Services signale l'insertion d'une carte dans le connecteur.
- **CIS** [*Card Information Structure*] (appelé aussi Metaformat Specification) qui est la fiche d'identité qui regroupe toutes les informations techniques d'une carte (type, contenu, ressources, caractéristiques). Ces informations permettent au système hôte de se configurer lui-même.
- **XIP** [*eXecute In Place*] qui permet au système d'exploitation et aux applications de s'exécuter directement depuis la PC Card.
- Enfin, on trouve les pilotes spécifiques et les applications.

10.6 Système d'interruption

Pour mener à bien les échanges, les unités participant aux entrées/sorties doivent pouvoir signaler au CPU qu'elles sont connectées, prêtes à transférer des données, ou que l'échange s'est bien terminé. En général, il faut un système pour signaler au processeur un événement interne ou externe, non programmé, non synchronisé au traitement en cours. Bref, comment signaler au CPU un événement asynchrone ?

L'approche dite des **drapeaux** [*flags*], qui consiste à tester périodiquement l'état des unités participantes, n'est pas très économique et demande l'attention constante du CPU.

L'approche des **interruptions** [*interrupts*], consiste dans l'arrêt forcé de l'exécution du programme en cours, exactement à la fin de l'opération courante. Le contrôle du CPU est renvoyé à un programme de traitement de l'événement, qui est exécuté en priorité. Ce programme est stocké en mémoire, à partir d'une adresse liée à l'interruption.

Des interruptions de programme étaient déjà possibles dans les ordinateurs de l a première génération. Les systèmes d'interruption ont été développés dans les générations suivantes et ils ont atteint un niveau de complexité remarquable.

L'interruption est un signal électronique généré par une unité fonctionnelle, par exemple un canal ou un contrôleur de périphériques, et il est envoyé au CPU pour provoquer une rupture de séquence, afin d'exécuter un programme prioritaire traitant la cause de l'interruption.

Le système d'interruption est le dispositif qui enregistre les signaux d'interruption envoyés au CPU. Ces signaux arrivent à n'importe quel instant, mais ils ne sont pris en charge qu'à la fin de l'opération en cours. Le système d'interruption est incorporé dans le CPU au niveau du séquenceur.

Les causes d'interruptions peuvent être internes ou externes par rapport à l'unité centrale. Parmi les causes d'interruptions internes on peut citer le dépassement de capacité [*overflow*], les codes opérations inexistants, les erreurs d'adressage, l'utilisation abusive d'instructions privilégiées, les pannes de courant, etc. Les causes externes comprennent tous les messages provenant du sous-système d'entrée/sortie et indiquent, par exemple, l'état d'une unité périphérique ou la fin d'un transfert de données.

Le traitement d'une interruption consiste à :

- arrêter le programme en cours;

- sauvegarder l'état de la machine;

- exécuter le programme de service de l'interruption;

- rétablir l'état de la machine;

- reprendre l'exécution du programme interrompu.

La **sauvegarde de l'état de la machine** consiste à recopier le contenu des registres nécessaires à la reprise correcte de l'exécution du programme dans des registres ou dans une mémoire locale. L'état des registres doit être rétabli avant la reprise du programme. La sauvegarde des registres peut être programmée et faire partie du traitement de l'interruption. Dans certains systèmes, le CPU se charge de sauvegarder automatiquement l'état de ses registres.

Les différentes causes d'interruption sont affichées dans un vecteur d'indicateurs associé au système d'interruption. Le programme de traitement de l'interruption doit d'abord interroger ces indicateurs pour en déterminer la cause. Dans les systèmes plus évolués, chaque interruption est liée à une adresse spécifique en mémoire centrale; la rupture de séquence est alors immédiate et l'adresse où se trouve le programme de service est forcée dans le compteur ordinal.

Systèmes d'interruptions hiérarchisées

La plupart des ordinateurs modernes sont munis de systèmes d'interruptions hiérarchisées [*priority interrupt systems*]. Il s'agit de systèmes à niveaux de priorité. Les problèmes qu'ils essayent de résoudre sont les suivants :

- arrivée de plusieurs signaux d'interruption pendant l'exécution d'une instruction;

- arrivée d'un signal d'interruption pendant l'exécution du programme de traitement d'une interruption précédente.

Dans ces systèmes, chaque niveau est associé à un certain nombre d'interruptions. Les niveaux correspondent à des priorités différentes. Tout programme (même un programme de service d'une interruption) peut être interrompu au profit d'une interruption plus prioritaire. Il faut alors sauvegarder l'état de la machine à chaque interruption. La structure généralement utilisée dans le cas d'interruptions imbriquées est une pile. A l'intérieur d'un même niveau, des priorités sont associées aux différentes causes d'interruption, mais elles ne sont prises en compte que pour établir des files d'attente. Lorsqu'un programme est terminé, le contrôle du CPU passe au programme en attente dont la priorité est la plus élevée. Un exemple d'utilisation prioritaire du CPU dans un système d'interruptions hiérarchisées est montré dans la figure 10.19.

Les systèmes d'interruptions les plus élaborés sont ceux qui font partie des ordinateurs orientés vers les applications de conduite de processus industriels [*process control*] ou de saisie de données [*data acquisition*]. Dans certains cas, les niveaux sont découpés en sous-niveaux ayant des priorités différentes et ainsi de suite. On peut donc arriver à des définitions très complexes des priorités.

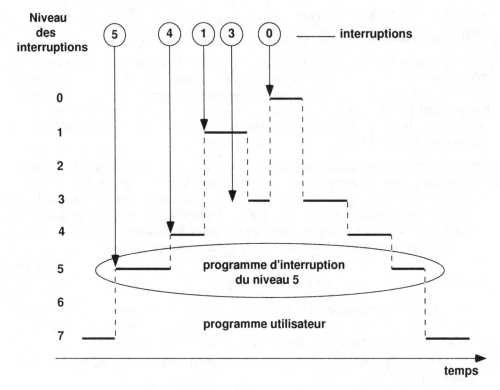

Figure 10.19 : Exécution de programmes d'interruptions

Un bon système moderne doit permettre au programmeur :

- d'**invalider/activer** [*disable/enable*] en bloc le système d'interruption;
- d'**armer/désarmer** chaque interruption individuellement (une interruption désarmée étant ignorée);
- de **masquer/démasquer** individuellement les interruptions (une interruption masquée n'est pas ignorée, elle est prise en considération dès qu'elle est démasquée);
- d'établir entre les causes d'interruption une hiérarchie et définir plusieurs niveaux de priorité, si possible de façon dynamique;
- d'associer un programme spécifique à chaque interruption et permettre des actions élémentaires réalisables en une seule instruction (par exemple, incrémenter un compteur);
- de ranger, avec un minimum d'interventions du programmeur, tous les registres caractérisant l'état de la machine et les rétablir à la fin du programme d'interruption.

Exercices

1. Combien de bits peut-on stocker sur une carte perforée ?

2. Quelles imprimantes nécessitent du papier spécial ?

3. Est-ce que le rayon d'une imprimante laser écrit directement sur la feuille de papier ?

4. Quelles sont les informations contenues dans les mémoires locales d'un écran bitmap et d'un écran vectoriel ?

5. Combien de couleurs peut-on obtenir, si l'intensité de chaque couleur est définie par 3 bits ?

6. Supposons que l'on veuille digitaliser une image d'une taille de 11 × 8,5 pouces. Quelle sera la taille du fichier généré si la digitalisation s'effectue avec une précision de 72 dpi et de 300 dpi, avec chaque fois une dynamique (nombre de bits utilisés pour coder un point) de 8 bits et de 24 bits ?

7. Qui a la priorité entre le CPU et le DMA dans le cas d'un accès simultané à la mémoire ?

8. Où réside le programme canal, et par qui est-il exécuté ?

9. Est-ce qu'une interruption désarmée est ignorée ?

10. Est-ce qu'une interruption masquée est ignorée ?

11. Est-ce que le CPU s'arrête immédiatement lors d'une interruption ?

12. Est-ce que le programme de traitement d'une interruption peut être interrompu ?

13. En quoi consiste la sauvegarde de l'état de la machine ?

Solutions

1. Une carte perforée permet de stocker 12 × 80 = 960 bits.

2. Les imprimantes thermiques.

3. Non, il crée une image électrostatique sur un tambour.

4. La mémoire image d'un écran bitmap contient les valeurs déterminant l'intensité lumineuse de chaque couleur de chaque pixel. La mémoire d'un écran vectoriel contient la séquence des traits formant l'image.

5. $2^3 \times 2^3 \times 2^3 = 2^9 = 512$ couleurs.

6. La taille du fichier est fonction du nombre de points et de la taille d'un point. Si la précision est de 72 dpi, le nombre de points est $8,5 \times 72 \times 11 \times 72 = 484'704$ points. Comme chaque point est codé sur 8 bits, la taille du fichier est de $484'704$ bytes, soit environ 473 Kbytes.

- Si la dynamique est de 24 bits, chaque point est codé sur 3 bytes, donc le fichier aura $484'704 \times 3 = 1'454'112$ bytes = 1'420 Kbytes.
- Si la précision est de 300 dpi, dynamique de 8 bits.
- $8,5 \times 300 \times 11 \times 300 = 8'415'000$ bytes = 8 Mbytes.
- Si la précision est de 300 dpi et la dynamique de 24 bits, la taille du fichier est de $8 \times 3 = 24$ Mbytes.

Comme quoi la taille d'une image peut varier considérablement en fonction de la précision et de la dynamique.

7. Le DMA.

8. Le programme canal réside en mémoire centrale et il est exécuté par le canal qui lui est associé.

9. Oui.

10. Non, elle est prise en charge dès qu'elle est démasquée.

11. Non, il attend la fin de l'opération en cours.

12. Oui, par une interruption plus prioritaire.

13. La sauvegarde de l'état de la machine consiste à copier le contenu des registres nécessaires à la poursuite de l'exécution du programme interrompu.

Chapitre **11**

Téléinformatique / Réseaux

11.1 Evolution

La conjugaison de l'informatique et des télécommunications ouvre des horizons nouveaux. La **téléinformatique** ou **télématique** est un domaine informatique relativement connu et utilisé par le grand public. En effet, bon nombre de personnes ont déjà soit été confrontées à un service tel que le **minitel**, soit ont utilisé un guichet bancaire automatique ou ont vu les magnifiques images numérisées de Saturne ou Mars (ou d'autres planètes) envoyées sur terre par l'ordinateur de bord des sondes spatiales.

> La **téléinformatique** peut se définir comme le domaine de l'informatique utilisant des moyens de transmission à distance.

L'association de l'informatique et des télécommunications a conduit à l'apparition des réseaux. Tout système téléinformatique repose sur l'utilisation d'un ou plusieurs réseaux.

Les principales étapes de l'évolution de la télé-informatique sont les suivantes. Les premiers essais de transmission de données entre deux ordinateurs ont lieu dans les années 60. Les années 70 sont marquées par l'accès à distance, la décentralisation des stations d'entrée/sortie (terminaux). A la fin des années 70 apparaissent des réseaux de terminaux (commutation de circuits avec des concentrateurs, des multiplexeurs) ainsi que des réseaux d'ordinateurs (commutation de messages, paquets). La téléinformatique est l'un des sujets prédominants depuis les années 80 et le restera encore pour de nombreuses années. Les principaux aspects sont les réseaux publics, les réseaux locaux, les communications entre réseaux, les communications par satellite, les fibres optiques, les communications digitales. Si la technologie semble à peu près au point pour permettre le développement de tous ces aspects, un problème important subsiste, celui de la normalisation.

11.2 Introduction aux réseaux

En toute généralité, on peut définir un **réseau** comme un ensemble de nœuds reliés par un ensemble de chemins. Un réseau peut être représenté par un graphe. La **topologie** du réseau, c'est-à-dire la localisation des nœuds et l'agencement des liens entre ces nœuds, peut être très variée.

Nous avons l'habitude d'utiliser un certain nombre de réseaux tels que les routes, le chemin de fer, les lignes aériennes, la poste, le téléphone, l'électricité, l'eau, la radio, la télévision, etc. La notion de réseau n'est donc pas une notion nouvelle et les exemples existants permettent d'illustrer quelques caractéristiques générales des réseaux :

- le service offert par un réseau dépend du type de lien employé dans le réseau. Par exemple, les routes fournissent un réseau point-à-point alors que l'eau est diffusée dans tous les nœuds du réseau;

- l'utilisation d'un réseau dans de bonnes conditions implique le respect d'un certain nombre de règles. Par exemple, sur la route vous devez rouler d'un certain côté;

- un réseau peut être construit sur d'autres réseaux. Par exemple, la poste utilise les routes, le chemin de fer, les voies aériennes.

Un réseau téléinformatique (on se contentera dorénavant de dire réseau) est un réseau dont les nœuds sont constitués par des unités de traitement de l'information : elles échangent de l'information par l'intermédiaire des liens qui relient les nœuds et qui sont des canaux de transmission. En pratique, les nœuds peuvent être des ordinateurs ou des équipements terminaux (écran + clavier, imprimante...) et les canaux de transmission sont bien souvent des lignes téléphoniques pour les grands réseaux et des câbles coaxiaux pour les réseaux locaux.

  Généralement, quand on parle de terminal, on sous-entend un poste de travail composé d'un écran de visualisation et d'un clavier, alors qu'un équipement terminal englobe aussi des unités auxiliaires telles que les imprimantes.

Pour pouvoir échanger de l'information, deux unités de traitement doivent suivre les mêmes protocoles, les mêmes règles de communication, qui sont assez complexes. Ces protocoles tiennent compte de tous les détails de la communication depuis les caractéristiques de la ligne physique jusqu'à la présentation de la communication.

11.3 Voies de transmission

Le fonctionnement d'un réseau nécessite l'élaboration d'un ensemble de règles définissant les protocoles de ce réseau. Commençons donc par l'aspect le plus pratique, regardons quels sont les moyens matériels employés pour relier les différents nœuds du réseau, c'est-à-dire que sont les voies de transmission.

Différents supports physiques d'une voie de transmission

Toutes les voies de transmission utilisent la propagation des ondes électromagnétiques. On les divise en trois grandes catégories selon le support physique utilisé :

- **voie métallique** : c'est une ligne électrique, qui peut être soit une ligne téléphonique, soit un câble électrique. La transmission à l'aide de ce support est facile mais comporte quelques inconvénients tels que l'affaiblissement du signal sur de grandes distances (d'où la nécessité de le réamplifier régulièrement) et surtout la sensibilité aux bruits. Ce dernier défaut peut être atténué par l'utilisation d'un blindage, tel qu'un câble coaxial. Un câble coaxial est un fil électrique entouré par une enveloppe métallique, les deux étant séparés par un isolant. Le réseau téléphonique utilise principalement des paires de fils torsadés pour le raccordement des abonnés ;

- **faisceau hertzien** : ce support utilise les ondes radio-électriques pour transporter des informations. La propagation peut se faire en ligne droite, c'est le cas pour des utilisations telles que la télévision et la radio, mais pour permettre les transmissions sur de grandes distances, il est plus aisé d'utiliser des satellites. Les satellites utilisés sont géostationnaires : ils tournent à la même vitesse angulaire (par rapport au centre de la terre) que la terre avec une orbite située à 36'000 km d'altitude. Si l'on prend la terre comme système de référence, alors un satellite géostationnaire est immobile. Les principaux avantages sont la couverture de grandes distances, la diffusion, tout en évitant les problèmes de câblage. Les principaux défauts sont l'affaiblissement des signaux dans l'air et le temps de propagation qui est de l'ordre de 260 ms pour un trajet aller-retour. Un satellite travaille au moins avec deux bandes de fréquences, une (montante) dans laquelle il reçoit les informations, l'autre (descendante) dans laquelle il renvoie ces informations ;

- **fibre optique** : le transport d'informations est réalisé par propagation d'ondes lumineuses dans des fibres de verre. La propagation du rayon lumineux s'effectue par réflexion sur les parois de la fibre qui a un diamètre compris entre 100 et 300 microns. Les fibres optiques ont bon nombre d'avantages tels que très grande bande passante, bonne immunité aux bruits électromagnétiques, petite taille, pas d'affaiblissement du signal. La bande passante varie de 50 MHz jusqu'à 100 GHz selon le type de fibre utilisé. On distingue trois types de fibre classés par ordre croissant de capacité : les fibres multimodes à saut d'indice, les fibres multimodes à gradient d'indice et les fibres monomodes. Le principal point faible réside dans les connexions qui sont délicates. Une diode électroluminescente ou laser convertit le signal électrique à transmettre en un signal optique alors qu'un détecteur de lumière, une photodiode, effectue la conversion inverse. La présence ou l'absence d'un signal lumineux permet le codage d'un bit.

L'utilisation de ces divers supports peut être schématisée comme suit : une liaison intercontinentale est réalisée à l'aide d'un satellite, une liaison entre des ordinateurs d'un même pays par les lignes téléphoniques, une liaison entre deux bâtiments d'une même ville par des fibres optiques, une liaison de divers équipements dans un même bâtiment par un câble coaxial et une liaison entre des équipements proches l'un de l'autre par de simples fils électriques.

11.3.1 Transmissions série et parallèle

Quand la liaison physique est établie, on essaie alors de transmettre de l'information (en l'occurrence des bits), ce qui peut être effectué de deux manières :

- **transmission parallèle** : transmission de plusieurs bits simultanément. Par exemple, le bus d'un microordinateur peut transmettre 8 ou 16 bits simultanément, une ligne téléphonique longue distance peut transmettre 12 communications simultanées. Le parallélisme est réalisé, soit par duplication des lignes (cas du bus), soit par partage de la voie (cas de la ligne téléphonique) ;

- **transmission série** : les informations sont transmises sur la même ligne les unes après les autres et se succèdent dans le temps.

 Les conversions parallèle → série sont possibles à l'aide de registres à décalage (voir chapitre 5 sur les circuits logiques).

Bien souvent on entend parler d'ordinateurs disposant de sorties parallèle et/ou de sorties série. Dans une sortie parallèle, on transmet des octets (il y a nécessairement 8 fils de données) alors que dans une sortie série on ne transmet que des bits (ce qui ne nécessite qu'un fil de données).

11.3.2 Modes de transmission et synchronisation

Tout transfert d'informations utilisant les télécommunications est généralement réalisé sous forme **série**. Un des principaux problèmes de la transmission série consiste dans la synchronisation de l'émetteur et du récepteur. La transmission **parallèle**, pour laquelle plusieurs supports de communication sont mis en parallèle, pose des problèmes de synchronisation plus complexes et n'est utilisée que sur de courtes distances. La plupart des équipements informatiques sont dotés d'une sortie (ou d'une porte) RS232C, qui est la sortie standard permettant une transmission série.

La synchronisation détermine les instants d'échantillonnage du signal transmis pour reconnaître les bits constituant l'information. Une séquence de bits correspond à une suite de changements d'états du signal, chaque état ne durant qu'un laps de temps très court. Le récepteur doit être synchronisé pour que le début et la fin des instants d'échantillonnage correspondent bien aux changements d'états. Si la synchronisation est mauvaise, il se peut qu'il y ait un changement d'état pendant un instant d'échantillonnage (figure 11.1). C'est ce que l'on appelle la synchronisation-bit. Dès que le récepteur reçoit bien les bits d'information il doit encore reconnaître les caractères, c'est la synchronisation-caractère.

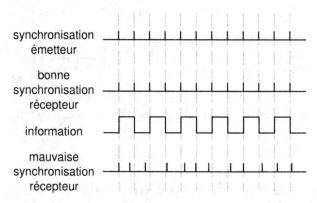

Figure 11.1 : Synchronisation-bit du récepteur

On distingue alors deux modes de transmission : la transmission asynchrone et l a transmission synchrone (figure 11.2) :

- **transmission asynchrone** : les caractères sont émis de façon irrégulière, comme par exemple des caractères tapés sur un clavier. L'intervalle de temps entre deux caractères est aléatoire, le début d'un message peut survenir à n'importe quel moment. Il n'y a synchronisation entre l'émetteur et le récepteur que pendant la transmission de chaque caractère, les bits composant les caractères sont transmis de manière régulière. Mais il faut reconnaître le début et la fin de ces caractères, pour permettre la synchronisation-bit, ce qui est réalisé en ajoutant un bit au début [*start-bit*] et un ou deux bits à la fin du caractère [*stop-bit*]. On peut ajouter aussi un bit de parité avant les stop-bits. Ce mode de transmission est relativement simple et peu coûteux, mais la redondance due aux bits ajoutés ne permet pas d'atteindre une grande capacité de transmission, et son utilisation est limitée aux terminaux lents, comme un clavier ou une petite imprimante;

- **transmission synchrone** : les bits sont émis de façon régulière, sans séparation entre les caractères. Pour cela, le récepteur possède une horloge-bit de même fréquence que celle de l'émetteur. Les transitions du signal permettent une bonne synchronisation tout au long de la transmission. La synchronisation-caractère (reconnaissance du début et de la fin des messages) est réalisée par l a reconnaissance de séquences particulières de bits, ou par l'insertion régulière d'éléments de synchronisation au cours de la transmission. Ce mode de transmission permet des débits plus importants que la transmission asynchrone, i l est utilisé dès que l'on veut des débits supérieurs à 1'200 bits/s.

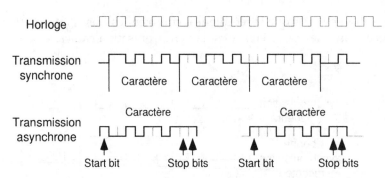

Figure 11.2 : *Transmissions synchrone et asynchrone*

11.3.3 Modes d'exploitation d'une voie de transmission

L'exploitation d'une voie de transmission peut s'effectuer suivant différents modes qui sont :

*   **mode simplex** : la transmission est unidirectionnelle, une extrémité émet et l'autre reçoit. Les diffusions radio et TV en sont les exemples les plus caractéristiques;
*   **mode semi-duplex** [*half-duplex*] : ce mode, appelé aussi bidirectionnel à l'alternat, permet une transmission dans les deux sens, mais alternativement. Chacune des deux extrémités reçoit et émet à tour de rôle, jamais simultanément;
*   **mode duplex** [*full-duplex*] : ce mode, appelé aussi bidirectionnel simultané permet une transmission simultanée dans les deux sens.

  On utilise ces termes pour caractériser aussi bien le mode d'exploitation possible d'une voie de transmission que le protocole de liaison utilisé. Dans la pratique, une voie peut avoir certaines capacités tel que le mode duplex, bien que le protocole de liaison n'utilise que le mode simplex.

11.3.4 Bande passante et capacité

Une voie de transmission permet le transport de signaux avec des contraintes telles que d'appartenir à une certaine bande de fréquences. Les fréquences extérieures à cette bande ne sont pas transmises correctement. La bande de fréquences correctement transmise est appelée **bande passante**.

La bande passante, notée généralement W, est égale à la différence des bornes de la bande de fréquences correctement transmise. $W = f_2 - f_1$, où f_1 est la fréquence transmise la plus basse et f_2 la plus haute.

On peut noter que lorsque l'on parle d'une bande passante, on indique une largeur d'intervalle sans préciser les bornes de cet intervalle.

Une ligne téléphonique transmet les fréquences de 300 à 3'400 hertz (Hz), sa bande passante est donc de 3'100 Hz. Cette bande passante ne permet pas de transmettre de manière absolue tous les signaux vocaux, mais elle est jugée suffisante car elle permet de transmettre 80 % de ces signaux. Pour améliorer ce pourcentage, il faudrait augmenter de beaucoup la bande passante, ce qui n'est finalement pas rentable. A titre de comparaison, un câble coaxial a une bande passante de 500 MHz et une fibre optique 3.3 GHz.

La bande passante d'une voie de transmission est sa caractéristique essentielle car elle détermine directement la **capacité de transmission** de cette voie.

H. Nyquist a montré que la capacité d'une voie de transmission, ou rapidité de signalisation est égale à 2 W bauds, où W indique la bande passante exprimée en hertz.

Le **baud** est l'unité de rapidité de signalisation, il correspond au nombre de signaux par seconde. Pour transmettre des données, le temps est divisé en intervalles d'égale durée. Chacun de ces intervalles permet de transmettre un signal. Nous verrons plus loin dans le paragraphe sur la modulation/démodulation comment il est possible de transmettre plusieurs bits par signal.

Si chaque signal permet de transmettre n bits, alors la capacité de la voie de transmission est égale à $C = 2\,n\,W$ bits par seconde (bps).

Capacité d'une voie de transmission		
$C = 2\,W$	(bauds)	W = bande passante (hertz)
$C = 2\,W\,n$	(bps)	n = nombre de bits/signal

 Une ligne téléphonique a une rapidité de signalisation de 2 × 3'100 = 6'200 bauds. Sa capacité dépend du nombre de bits transmis par signal.

Le fait de pouvoir transmettre plusieurs bits par signal implique qu'un signal doit pouvoir représenter un certain nombre de valeurs. Plus exactement, pour avoir n bits/signal il faut qu'un signal ait $L = 2^n$ valeurs différentes ($n = \log_2 L$). Cependant on ne peut pas augmenter indéfiniment le nombre de bits/signal car alors le nombre de valeurs différentes augmente d'autant plus et le récepteur aura des difficultés à les différencier en tenant compte des bruits qui viennent se superposer à l'information.

En 1948, C. Shannon a prouvé que la capacité d'une voie de transmission est non seulement limitée par sa bande passante mais aussi par le rapport signal/bruit (S/B).

Capacité	$C = W \log_2 (1 + S/B)$	Hz (hertz)

En pratique, le débit binaire d'une ligne téléphonique ne dépasse pas 9'600 bps. Il est atteint avec une rapidité de modulation de 2'400 bauds et en codant quatre bits par signal.

11.4 Transmission analogique et modulation

11.4.1 Transmission analogique

La transmission analogique consiste à utiliser un signal simple, appelé onde porteuse, dont on modifie un ou plusieurs des paramètres suivants : l'amplitude, la fréquence et la phase.

Cette technique nécessite une bande passante relativement étroite. Si la voie de transmission possède une bande passante assez large, alors on peut transmettre simultanément plusieurs ondes porteuses. On utilise le terme de **large bande** [*Broadband*] pour caractériser ce type de transmission. Ce principe est utilisé pour les liaisons entre centraux téléphoniques. La largeur de bande utilisée dans les raccordements d'abonnés est limitée à environ 3'100 Hz, mais les lignes utilisées pour les liaisons à grande distance disposent d'une bande passante de 48 KHz, ce qui permet de faire passer 12 communications simultanées.

Les équipements nécessaires à ce type de transmission sont complexes et coûteux par rapport à ceux utilisés dans une transmission digitale. En effet, les signaux ont tendance à s'atténuer pendant leur transmission. Ils doivent donc être amplifiés périodiquement par des répétiteurs. Mais amplifier un signal analogique signifie aussi amplifier les bruits et les parasites superposés.

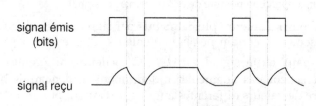

Figure 11.3 : Transmission en bande de base sur une ligne téléphonique

A cause de la limitation de la bande passante, la plus grande partie des harmoniques d'un signal carré ne sont pas transmises, les signaux arrivent donc déformés (figure 11.3).

Pour résoudre ce problème on transforme les informations digitales en informations analogiques, par la modulation-démodulation.

11.4.2 Modulation d'amplitude, de fréquence et de phase

Pour permettre la transformation d'informations digitales en informations analogiques, on module une onde porteuse sinusoïdale périodique (figure 11.4).

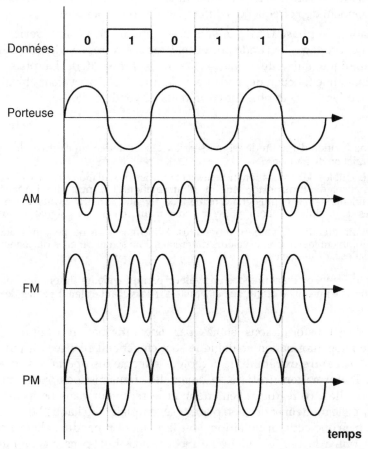

Figure 11.4 : Différents types de modulation d'une onde porteuse

Elle peut être représentée par l'expression mathématique suivante :

$$s(t) = A \sin (\omega t + \phi) \quad \text{ou} \quad s(t) = A \sin (2\pi f t + \phi)$$

où A est l'amplitude du signal, ω la pulsation, f la fréquence et ϕ la phase initiale.

Différents types de modulation :

- **modulation d'amplitude** (AM) : le signal est modulé en faisant varier l'amplitude de l'onde porteuse. Il peut être représenté par l'expression mathématique suivante : $s(t) = A(t) \sin (2\pi f t + \phi)$. L'amplitude $A(t)$ est maintenant une fonction dépendante du temps. Aux deux valeurs binaires 0 et 1 correspondent deux amplitudes différentes de l'onde porteuse;

- **modulation de fréquence** (FM) : le signal est modulé en faisant varier la fréquence de l'onde porteuse. Il peut être représenté par l'expression mathématique suivante : $s(t) = A \sin (2\pi f(t) t + \phi)$. La fréquence $f(t)$ est maintenant une fonction dépendante du temps. Aux deux valeurs binaires 0 et 1 correspondent deux fréquences différentes de l'onde porteuse;

- **modulation de phase** (PM) : le signal est modulé en faisant varier la phase (par un déphasage) de l'onde porteuse. Il peut être représenté par l'expression mathématique suivante : $s(t) = A \sin (2\pi f t + \phi(t))$. La phase $\phi(t)$ est maintenant une fonction dépendante du temps. Aux deux valeurs binaires 0 et 1 correspondent deux déphasages différents de l'onde porteuse.

 La modulation d'amplitude est très sensible aux bruits, ce qui n'est pas le cas de la modulation de fréquence ;

Les exemples de modulation indiqués ici sont des modulations à deux niveaux qui permettent de transporter un bit d'information. On peut aussi réaliser des modulations avec un plus grand nombre de niveaux, ainsi que combiner plusieurs types de modulation. Pour pouvoir coder n bits en un seul signal, celui-ci doit pouvoir prendre 2^n valeurs différentes. Evidemment on ne peut pas augmenter indéfiniment le nombre de valeurs différentes d'un signal car elles deviennent alors difficiles à différencier.

 Soit un signal pouvant prendre une valeur parmi 8 valeurs différentes obtenues à partir de 4 niveaux d'amplitude et 2 phases. Alors chaque signal permet de coder 3 bits ($2^3 = 8$).

Les diverses transformations subies par une information digitale pour être convertie en une information analogique sont en général réalisées à l'intérieur de l'émetteur. A l'autre extrémité, le récepteur effectue les opérations inverses pour retrouver l'information initiale. Comme les transmissions sont, en général, bidirectionnelles, on regroupe l'émetteur et le récepteur dans un même ensemble que l'on appelle **modem** et dont on place un exemplaire à chaque bout de la ligne. Toutefois, bien que cette appellation soit largement répandue, elle ne correspond pas tout à fait à la réalité. Le terme modem nous fait penser à la modulation-démodulation du signal, mais passe sous silence les fonctions de codage-décodage du signal digital et d'interfaçage qui sont réalisées par ces mêmes équipements.

La télécopie

La télécopie, habituellement référencée sous le nom de machine fax ou tout simplement **fax**, permet d'envoyer des copies de documents à un destinataire par l'intermédiaire des lignes téléphoniques. C'est une machine hybride qui est une combinaison d'un modem, d'un scanner et d'une imprimante et qui se connecte comme un appareil téléphonique. Evidemment, pour communiquer par fax, l'émetteur et le destinataire doivent disposer d'un fax.

Lorsque l'on envoie un document, le fax digitalise le document, compresse les données et les envoie au destinataire. Celui-ci les reçoit, les décompresse et les imprime.

11.5 Transmission digitale et modulation

11.5.1 Transmission digitale ou numérique

La transmission digitale ou numérique consiste à transmettre des bits sous forme d'impulsions électriques carrées ayant une durée et une amplitude précises (figure 11.5). Cette forme est celle qui offre la meilleure protection contre les signaux électriques parasites de toute nature. En effet, les caractéristiques des signaux étant prédéfinies, il est aisé de les identifier à l'arrivée et d'éliminer les parasites accumulés lors de la transmission. L'encodage des informations se réalise d'une manière similaire à celle utilisée pour l'encodage des informations sur un support magnétique (voir le chapitre consacré aux mémoires), en particulier pour les techniques NRZ [*Non Return to Zero*] et NRZI [*NRZ Inverted*]. Donc l'identification de l'information, un bit, consiste à détecter une impulsion positive ou négative. La valeur du bit, 0 ou 1, est déterminée par le code utilisé.

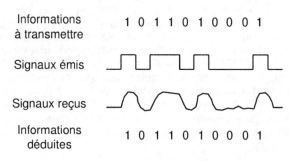

Figure 11.5 : Exemple de transmission numérique

L'inconvénient majeur de la transmission digitale est qu'elle nécessite une très grande bande passante, puisqu'il faut transmettre toutes les fréquences constituant les signaux (un signal carré se compose d'une fréquence de base plus d'un nombre infini d'harmoniques, dont la fréquence augmente au fur et à mesure). On utilise aussi le terme de **bande de base** [*Baseband*] pour caractériser ce type de transmission.

11.5.2 Modulation par impulsion et codage

Dans le paragraphe précédent, on a vu comment transmettre des informations digitales sur une voie ne permettant qu'une transmission analogique. Les nouvelles technologies (par exemple, les fibres optiques) permettent une transmission digitale. Un codage des données devient donc nécessaire si l'on désire transmettre des informations analogiques : elles doivent être codées sous forme numérique. On doit alors effectuer une **modulation par impulsion et codage** [*PCM : Pulse Code Modulation*] qui consiste à échantillonner le signal (analogique) à l'émission, à transmettre la valeur des échantillons et à reconstituer le signal à la réception (figure 11.6).

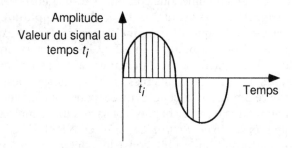

Figure 11.6 : Modulation par impulsion et codage

 Transmission d'un signal vocal sous forme numérique

La voix occupe à peu près une bande passante de 4 KHz, on échantillonne à une fréquence double de la largeur de la bande. En effet, Shannon a montré que, si un signal analogique ne comporte pas de fréquences supérieures à une valeur *F*, il peut alors être transmis sans perte d'informations par l'ensemble de ses échantillons, à condition que la fréquence d'échantillonnage soit au moins égale à $2 \times F$. Les échantillons sont donc pris à une fréquence de 8 KHz (fréquence habituellement choisie pour coder la voix), c'est-à-dire que l'on effectue 8'000 échantillonnages par seconde. Si chaque échantillon est codé sur 8 bits, c'est-à-dire que l'on admet 2^8 = 256 amplitudes différentes, alors on a un débit de $8 \times 8'000$ bits/s = 64 Kbps (bits par seconde).

Un raffinement de cette technique, la **modulation delta**, consiste à transmettre l a différence entre deux échantillons plutôt que la valeur des deux échantillons.

 On constate une évolution dans les voies de transmission, qui tendent à devenir digitales, et dans les informations qui migrent du texte simple vers l'image animée (telle que la télévision). Pour numériser une image animée, trois types d'échantillonnage sont nécessaires : un échantillonnage spatial exprimé en nombre de points par image (par exemple 1'024 par 1'024); un échantillonnage spectral caractérisant chaque point de l'image (par exemple, 256 niveaux ou 8 bits pour chacune des trois composantes d'une image couleur, on parle alors d'une image 24 bits); un échantillonnage temporel qui dépend du degré et de la qualité de l'animation (par exemple, 25 ou 30 images par seconde pour la télévision).

11.6 Multiplexage

Multiplexage = partage d'une voie de transmission entre plusieurs liaisons.

Une liaison est l'établissement d'une communication entre deux équipements informatiques.

Le multiplexage est une opération consistant à établir plusieurs liaisons sur une même voie de transmission sans qu'il y ait de gêne mutuelle. Deux techniques sont principalement utilisées (figure 11.7) :

- le **multiplexage fréquentiel** [*FDM : Frequency Division Multiplexing*], aussi appelé multiplexage spatial, consiste à diviser la bande passante de la voie de transmission en plusieurs bandes de plus faible largeur. Chacune de ces sous-bandes permet d'établir une liaison entre deux unités. La bande passante des sous-bandes doit être assez large pour assurer le débit de la liaison concernée. Les signaux des sous-bandes sont ajoutés les uns aux autres pour être transmis sur la voie de transmission, ce qui est réalisé par un multiplexeur. A la réception, un démultiplexeur décompose le signal reçu par une série de filtres **passe-bande**. Aucun adressage explicite n'est nécessaire, chaque liaison est identifiée par la bande de fréquences utilisée. Pour assurer une bonne transmission, on laisse une bande de fréquences inutilisée entre chaque sous-bande. Par exemple, dans le réseau téléphonique les voies de transmission ayant une bande passante de 48 KHz sont divisées en 12 voies de 3'100 Hz ; il y a donc une bande d'environ 1'000 Hz qui n'est pas utilisée entre chaque sous-bande. Les signaux transmis avec cette technique sont du type analogique, les informations digitales doivent donc être codées à l'aide de modems pour être transmises;

- le **multiplexage temporel** [*TDM : Time Division Multiplexing*] consiste à partager dans le temps la voie de transmission entre plusieurs transmissions. Avec cette technique, chaque liaison utilise, à son tour, toute la largeur de bande de la voie pendant un temps limité. Ce principe permet la transmission d'informations digitales (à condition que la voie de transmission utilisé le permette). Si l'allocation des intervalles de temps est systématique (mode synchrone), on constate une perte de temps si ceux-ci ne sont pas exploités pleinement. Par exemple, considérons le cas de plusieurs terminaux reliés à un ordinateur par un multiplexeur temporel. Si l'un des utilisateurs réfléchit devant son terminal, alors les tranches de temps qui lui sont allouées ne servent à rien. Les multiplexeurs intelligents [*ITDM : Intelligent TDM*], ou statistiques, résolvent ce problème en allouant des tranches de temps selon les besoins de chaque liaison (mode asynchrone). Dans ce cas, l'allocation des intervalles de temps n'est pas systématique. Ces multiplexeurs intelligents sont aussi appelés concentrateurs.

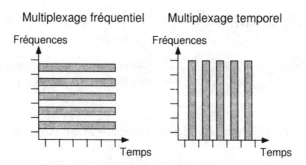

Figure 11.7 : Différents types de multiplexage

 Les deux types de multiplexage ne sont pas incompatibles et peuvent être employés conjointement. Par exemple, supposons qu'une ligne ait une bande passante très large. On divise cette bande passante en plusieurs sous-bandes, multiplexage fréquentiel, et on transmet en bande de base sur chacune de ces sous-bandes en appliquant un multiplexage temporel. Le multiplexage fréquentiel tend à disparaître au profit du multiplexage temporel, plus adapté à la transmission numérique.

La transmission de la voix sous forme numérique impose une contrainte de temps. Ceci est vrai pour d'autres informations dépendant du temps telles que la vidéo. Nous avons vu que la transmission de la voix nécessite une capacité de 64 Kbps, soit 1 byte toutes les 125 μs. Il faut donc transporter 1 byte en 125 μs, ni plus ni moins : c'est un signal isochrone.

11.7 Réseaux d'ordinateurs

11.7.1 Définitions

Un **réseau** d'ordinateurs [*network*] est un ensemble d'ordinateurs (et d'équipements terminaux), géographiquement dispersés, reliés entre eux par un ou plusieurs liens afin de permettre les échanges d'informations.

Les ordinateurs d'un réseau peuvent appartenir à diverses catégories allant du superordinateur jusqu'au microordinateur et évidemment être de marques différentes. Si les ordinateurs du réseau sont compatibles entre eux, généralement à cause du fait qu'ils sont du même constructeur, le réseau est homogène, et s'il y a des disparités dans le matériel c'est un réseau hétérogène.

Un réseau a pour but d'offrir un certain nombre de services à ses utilisateurs, basés sur l'échange d'informations (accès à distance) :
- accès à des informations (programmes, données) stockées sur d'autres ordinateurs du réseau;
- accès à d'autres ordinateurs (par exemple, un superordinateur ou un ordinateur spécialisé);

- permettre l'échange d'informations entre les utilisateurs, soit par la messagerie électronique, soit par les nouvelles/forums.

Suivant le diamètre d'un réseau, c'est-à-dire l'éloignement maximal entre les nœuds, on peut le classer dans une des catégories suivantes, classées par ordre croissant de capacité (figure 11.8) :

- **réseau étendu** ou (inter)national [*WAN : Wide Area Network*] : réseau dont les nœuds sont géographiquement très éloignés les uns des autres (plusieurs centaines ou milliers de kilomètres). Ce type de réseau utilise généralement les réseaux publiques (les lignes téléphoniques par exemple);

- **réseau métropolitain** [*MAN : Metropolitan Area Network*] : réseau dont les nœuds se situent dans la même métropole. Les fibres optiques sont souvent utilisées pour la réalisation d'un tel réseau;

- **réseau local** [*LAN : Local Area Network*] : réseau dont les nœuds se trouvent dans le même bâtiment ou dans des bâtiments voisins, donc éloignés jusqu'à quelques centaines de mètres.

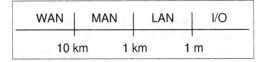

Figure 11.8 : Distance couverte par les différents réseaux

 L'ensemble des équipements terminaux reliés à un ordinateur multi-utilisateurs forment aussi un réseau de type étoilé dont le nœud central est constitué par l'ordinateur et les nœuds périphériques sont constitués par les équipements terminaux.

Les erreurs posent un problème important dans les réseaux. La transmission des informations ne s'effectue pas toujours sans erreur et on estime le taux d'erreur moyen à 1 bit sur 10^{12} bits dans les réseaux locaux, et 1 bit sur 10^5 dans les grands réseaux. Des méthodes existent qui permettent de détecter et de corriger certaines erreurs (voir chapitre 4).

Réseaux point-à-point et réseaux à diffusion

Pour permettre l'échange d'informations entre deux utilisateurs d'un réseau, il faut nécessairement pouvoir adresser les membres du réseau. Une technique consiste à ajouter l'adresse du destinaire à chaque message, de manière analogue au courrier postal. Comme le destinataire n'est pas forcément relié directement à l'expéditeur, le message va transiter par des nœuds intermédiaires qui décodent l'adresse et qui envoient le message sur le prochain nœud dans la bonne direction. C'est un réseau **point-à-point**, comme par exemple l'acheminement du courrier postal. D'autres techniques de transmission sont employées, soit sur de grandes distances, soit lorsque l'on désire envoyer de l'information à plusieurs membres du réseau. On utilise dans ce cas un réseau à **diffusion** [*broadcasting*] qui, comme son nom l'indique, diffuse directement l'information à tous les membres du réseau. Le message est toujours étiqueté avec une adresse que le destinataire reconnaît. Ce type de réseau nécessite l'utilisation d'un satellite ou d'une antenne radio.

Méthodes de transport

Les réseaux se divisent en quatre catégories selon la méthode de transport qu'ils utilisent :

- les **réseaux spécialisés** développés par l'utilisateur sans intervention des PTT. C'est le cas de certains réseaux locaux (Ethernet);

- les réseaux basés sur des **lignes louées** aux PTT par l'utilisateur qui doit en assurer la gestion. C'est à lui de fournir les services. Ce principe est rentable s'il y a beaucoup de transferts d'informations. C'est le cas de réseaux comme Arpanet, Euronet, Earn, Csnet, Switch;

- les **réseaux publics** dont les services sont assurées par les PTT. C'est rentable si l'on a peu de transferts. En général, ces réseaux ont une commutation par paquets (Transpac, Telepac);

- le **réseau téléphonique commuté** permet d'avoir une ligne commutée périodiquement entre les différents nœuds du réseau. Il est souvent combiné avec des lignes louées (Mailnet, Eunet). Rentable pour de petites charges, mais il impose des périodes d'attente (chaque nœud est commuté à tour de rôle).

11.7.2 Techniques de commutation de données

Généralement le chemin suivi par l'information, de l'expéditeur au destinataire, emprunte un certain nombre de nœuds intermédiaires qui doivent faire suivre correctement les informations qu'ils reçoivent. Plusieurs techniques permettent d'effectuer les commutations nécessaires à chaque nœud :

- **commutation de circuits** [*circuit switching*] : on établit une connexion physique temporaire entre les nœuds désirant échanger de l'information. Le transfert a lieu dès que la connexion est établie et elle le reste pendant toute la durée de la communication, même pendant les périodes où aucune information n'est échangée. Ce type de commutation est rentable pour une ligne n'ayant que peu d'échanges d'informations. L'exemple le plus représentatif est celui du réseau téléphonique.

- **commutation de messages** [*message switching*] : avec cette technique, il n'y a plus besoin de réserver une ligne, on envoie simplement un message, avec son adresse, dans le réseau qui se charge de l'acheminement. Lorsqu'un message arrive à un nœud, celui-ci décode l'adresse du destinataire et si le message ne lui est pas adressé, il le transmet au nœud suivant dans la direction du destinataire, selon des tables de routage. Un message est donc l'ensemble des informations transférées en un envoi. Cette technique oblige chaque nœud à réceptionner des messages complets, à les stocker temporairement et à les renvoyer s'il n'y a pas eu d'erreur de transmission. Dans tous les cas, le nœud doit envoyer un accusé de réception indiquant s'il a bien, ou mal, reçu le message. La taille des messages peut varier considérablement, ce qui oblige les nœuds à disposer d'importants moyens de stockage. Cette commutation est plus souple que la précédente car elle permet de différer l'envoi d'un message si le nœud récepteur n'est pas disponible. Les inconvénients de cette technique viennent des messages de taille importante : il faut les stocker et surtout les longs messages sont sujets à des taux d'erreurs plus élevés que les petits messages. De plus, en cas d'erreur, il faut retransmettre le message entier. Ce type de commutation tend à disparaître au profit du type suivant : la commutation de paquets.

- **commutation de paquets** [*packet switching*] : ce type de commutation est similaire à la commutation de messages mais limite la taille des informations transmises. On divise un message en paquets de longueur limitée (de l'ordre de 1'024 bits = 128 bytes) et on envoie les paquets séparément sur le réseau. Du fait de leur taille réduite, les paquets sont moins sensibles aux erreurs, ils sont plus faciles à stocker (la mémoire centrale suffit) et ainsi l'acheminement est plus rapide. Dans ce cas, les paquets n'empruntent pas forcément la même route à travers le réseau, suivant la charge de celui-ci, leur ordre d'arrivée peut donc différer de l'ordre de départ. Il faut simplement numéroter les paquets pour pouvoir reconstituer le message à l'arrivée.

11.7.3 Topologie

La topologie d'un réseau varie selon la nature de celui-ci. Il existe différentes topologies (figure 11.9).

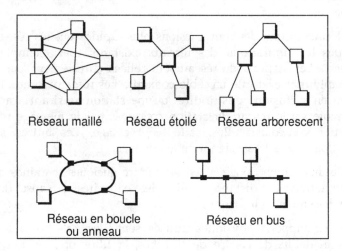

Figure 11.9 : Différentes topologies d'un réseau

Un **réseau maillé** est caractérisé par le fait que deux nœuds quelconques sont reliés l'un à l'autre. Ce type de réseau permet plus de souplesse et de fiabilité dans son utilisation, mais il est difficilement envisageable pour un grand nombre de nœuds. Généralement, le maillage n'est pas parfait (il y a certains nœuds qui ne sont pas reliés), on dit alors que c'est un réseau partiellement maillé. Tous les autres types de réseaux sont des sous-ensembles de ce type, obtenus en posant des conditions sur les liens entre les nœuds.

Un **réseau étoilé** est un réseau centralisé, un seul nœud est relié directement à tous les autres sans que ceux-ci aient de liens entre eux. Le nœud central supporte toute la charge du réseau.

Un **réseau en arbre** est un réseau hiérarchique réparti sur plusieurs niveaux, les nœuds d'un même niveau n'ont pas de liens entre eux mais sont reliés à un nœud du niveau supérieur. Le réseau téléphonique est un exemple caractéristique de ce type de réseau.

Un **réseau en boucle** est un réseau où chaque nœud est relié à deux nœuds pour former un anneau. C'est un réseau décentralisé de type point-à-point.

Un **réseau en bus** est un réseau où tous les nœuds sont connectés sur le même support. C'est un réseau à diffusion.

Topologie des réseaux étendus et des réseaux locaux

Les réseaux étendus ont généralement une topologie obtenue à partir d'une combinaison des trois topologies suivantes : réseau (partiellement) maillé, réseau en étoile et réseau en arbre (figure 11.9).

Les topologies les plus utilisées pour les réseaux locaux sont les bus (figure 11.10) et les anneaux. On assiste à une évolution vers les structures arborescentes basées sur des paires de fils torsadés qui permettent de garantir de bonnes capacités à chaque connexion.

Les réseaux locaux offrent des transmissions plus rapides que les réseaux étendus, car on n'a pas les limitations des réseaux existants (par exemple les lignes téléphoniques). Les stations du réseau sont reliées directement par un support physique adapté (par exemple un câble coaxial). Les réseaux locaux fonctionnent généralement en diffusion, c'est-à-dire qu'une station désirant transmettre un message l'envoie sur le réseau, la station concernée par le message reconnaît son adresse et par conséquent elle traite ce message. Les autres stations, ne reconnaissant pas leur adresse, ignorent le message.

Les réseaux locaux ont une longueur variant entre quelques centaines de mètres et quelques kilomètres. La distance limite les capacités à cause du temps de propagation des signaux électriques.

En pratique, les supports physiques utilisés sont : le câble coaxial qui permet d'atteindre des débits de l'ordre de 10 Mbps, la fibre optique qui permet des capacités entre 50 et 400 Mbps (5 Gbps en expérimentation). On utilise aussi des fils électriques (2 fils torsadés) ainsi que les ondes infrarouges (débit de 1,5 Mbps) et les microondes radio, dont l'un des avantages est de ne pas nécessiter la pose de câbles. Le câble coaxial a eu sa période de gloire, il est maintenant remplacé par des paires de fils torsadés.

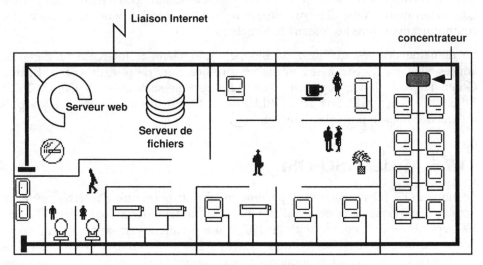

Figure 11.10 : Exemple d'un réseau local en bus

11.7.4 Protocoles

Pour communiquer, deux ordinateurs doivent adopter les mêmes règles régissant tous les aspects de la communication, l'ensemble de ces règles constitue un protocole. Le protocole doit prévoir le traitement de tous les cas possibles.

> Un **protocole** est l'ensemble des règles qui doivent être respectées pour réaliser un échange d'informations entre ordinateurs.

 Lorsque l'on désire téléphoner à quelqu'un, on doit suivre un certain nombre de règles. On décroche le combiné, on attend le signal sonore, on compose le numéro, on attend le signal sonore (libre ou occupé), on effectue un dialogue préliminaire pour être sûr de communiquer avec la personne désirée et, enfin, on dialogue librement dans un langage compris par le correspondant. Pour terminer on raccroche le combiné.

Un point qu'il faut souligner est la complexité liée à l'établissement d'une communication entre deux ordinateurs, car il y a énormément de problèmes à résoudre. Par exemple, il faut tenir compte des différences entre le matériel et le logiciel de chaque machine. Pour assurer des échanges sans problèmes entre deux systèmes, il faut donc s'occuper de nombreux détails. Une manière de simplifier le problème est de le diviser. On applique ce principe en définissant plusieurs niveaux de communications et en établissant un protocole pour chacun de ces niveaux. Un autre problème intervient à ce stade, c'est celui de la standardisation. Un grand effort est en train de se faire pour définir des normes qui éviteraient ainsi la prolifération des protocoles qui complique les communications dans les réseaux hétérogènes.

Le domaine des réseaux s'est développé rapidement et intensément dans les années 80. On a assisté à une véritable prolifération de réseaux (Earn, Bitnet, Csnet, Hepnet, Janet, Arpanet, Telepac...) et de standards (X.400, TCP/IP, Ethernet, Decnet, X.25, Sna, Rscs, IEEE 802...). Depuis les années 90, il n'y a plus qu'une déclinaison possible : Internet.

11.7.5 Modèle ISO-OSI

Le **modèle OSI** [*Open Systems Interconnection*] doit permettre d'interconnecter un nombre quelconque de systèmes différents. Ce modèle, défini par l'organisation ISO à partir de 1975 pour aboutir en 1985 à une première version standard, décrit des niveaux mais pas des normes. Son intérêt est de diviser l'ensemble des protocoles en sept couches indépendantes (figure 11.11), entre lesquelles sont définies deux types de relations. Les relations verticales entre les couches d'un même système sont des interfaces, et les relations horizontales relatives au dialogue entre deux couches de même niveau sont des protocoles définissant les règles d'échange. Chaque niveau d'un système fournit au niveau supérieur un certain nombre de primitives : la réalisation de chaque niveau est donc indépendante de celles des autres niveaux.

Les services rendus par chaque niveau sont transparents aux autres niveaux. Regardons à quoi correspond chaque niveau du modèle OSI :

- la **couche physique** (niveau 1) est la couche la plus basse : elle décrit les caractéristiques électriques et les équipements de transmission (câbles, faisceaux hertziens...). Elle s'occupe de la connexion physique de la station au réseau et elle définit si la transmission est synchrone ou asynchrone. Elle s'occupe aussi des problèmes de modulation/démodulation;

- la **couche liaison** (niveau 2) [*data link*], appelée aussi couche ligne, a pour but de transmettre les données sans erreur. Les données sont des paquets de bits. Pour pouvoir détecter et corriger les erreurs, on structure ces données en *trames* [*frames*]. En cas d'erreur, les données sont retransmises. Le protocole HDLC [*High-level Data Link Control*] est un exemple de protocole de ce niveau. En plus du protocole de structuration, les réseaux locaux ont des protocoles particuliers de méthode d'accès tel le CSMA/CD [*Carrier Sense Multiple Access with Collision Detection*] ou encore ceux faisant intervenir un jeton [*token*];

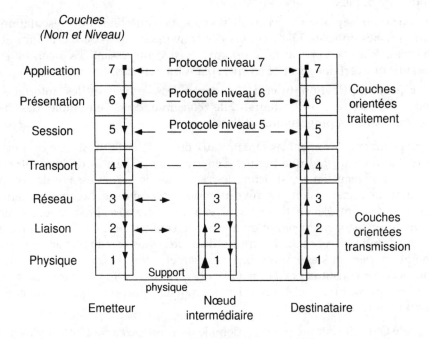

Figure 11.11 : Modèle OSI à 7 niveaux

- la **couche réseau** (niveau 3) sert essentiellement à assurer la commutation et le routage des paquets de données entre les nœuds du réseau. Elle effectue aussi un contrôle de flux d'informations, permettant d'éviter la congestion (trop de paquets à traiter) et en déroutant, si nécessaire, les paquets sur d'autres nœuds. Cette couche est encore divisée en sous-couches, ce qui explique que plusieurs protocoles complémentaires sont généralement utilisés. Un exemple de protocole est X.25 (qui englobe aussi les niveaux inférieurs);

- la **couche transport** (niveau 4) est une couche de bout en bout : elle permet l'établissement, le maintien et la rupture de connexions de transport. Selon les fonctionnalités offertes par le réseau (les couches inférieures), c'est elle qui doit fournir les fonctions nécessaires à un service constant. Si les capacités des couches inférieures sont limitées, elle doit y pallier. C'est ainsi que l'on peut trouver dans cette couche le contrôle de flux des informations et la correction des erreurs. C'est cette couche qui assure, en outre, la segmentation et le réassemblage des messages. Elle s'occupe également des possibilités de multiplexage de plusieurs flux d'informations sur un même support;

- la **couche session** (niveau 5) permet d'établir une connexion logique entre deux applications. Elle assure l'organisation et la synchronisation du dialogue.

C'est à ce niveau que l'on décide du mode de transmission : simplex, semi-duplex ou duplex;

- la **couche présentation** (niveau 6) s'occupe des questions de présentation (1a syntaxe) des données. Elle s'occupe des conversions de code ou de format des données. Elle s'occupe aussi d'optimiser en compressant les données et de garantir une certaine sécurité en encryptant les données;

- la **couche application** (niveau 7) fournit les services et les interfaces de communication aux utilisateurs. Elle constitue donc l'ensemble des points d'entrée dans les programmes utilisateurs.

On peut résumer brièvement les sept niveaux du modèle ISO-OSI par ces quelques phrases : le niveau physique permet d'envoyer des séquences de bits entre deux systèmes. Le niveau liaison structure les séquences de bits et essaye de récupérer les erreurs de transmission. Le niveau réseau s'occupe de l'acheminement, du routage et du contrôle de flux. Le niveau de transport procure une fonction constante de réseau indépendant du niveau de session. Le niveau session met en place et contrôle la connection entre les deux processus communiquant. Le niveau présentation permet des conversions variées et utiles. Finalement, le niveau application est constitué par l'ensemble des primitives implantant les services offerts. Les couches 1, 2, 3 et 4 sont orientées **transmission** alors que les couches 5, 6 et 7 sont orientées **traitement**.

Ce modèle OSI a été adopté par un ensemble de constructeurs, dont les plus grands qui se sont engagés à se conformer aux protocoles normalisés définis par l'ISO.

La figure 11.12 donne une illustration simplifiée d'un exemple de communication structurée en trois niveaux de protocole.

Figure 11.12 : Exemple de protocole dans un dialogue entre deux scientifiques

11.7.6 Connexions entre réseaux

Des réseaux ou des parties de réseaux locaux peuvent être reliés en utilisant un répéteur, un pont, un routeur ou une passerelle :

- un **répéteur** [*repeater*] permet de connecter deux réseaux au niveau physique, il travaille au niveau 1 du modèle OSI. Il a pour but uniquement de transmettre les bits d'un réseau à l'autre;

- un **pont** [*bridge*] travaille au niveau 2 du modèle OSI, c'est-à-dire au niveau liaison. Il assure la transmission physique des informations (des paquets de bits) mais garantit aussi l'absence d'erreurs. Pour cela, il doit décoder l'information contenue dans les premiers bytes de chaque paquet. Cela permet aussi de filtrer les paquets, ainsi un paquet ne traverse un pont que si le destinataire se trouve de l'autre côté du pont que l'émetteur;
- un **routeur** [*router*] travaille au niveau 3 du modèle OSI, c'est-à-dire au niveau réseau. Il sait reconnaître et interpréter le protocole de ce niveau (TCP/IP par exemple) et il assure le routage des paquets entre différents réseaux;
- une **passerelle** [*gateway*] est un dispositif permettant de relier deux réseaux entre eux, quelle que soit la nature de ceux-ci. Elle s'occupe de toutes les conversions nécessaires au passage d'un réseau à l'autre, ce qui n'est pas réalisé de manière transparente. Elle permet, entre autres, de relier un réseau local à un réseau étendu. Une passerelle travaille généralement au niveau 7 du modèle OSI, c'est-à-dire au niveau application.

11.7.7 Protocole HDLC

Le protocole **HDLC** [*High-level Data Link Control*] est un protocole de la couche liaison (niveau 2). Il est basé sur le bit (car un caractère peut consister en 6, 7 ou 8 bits) et ainsi toutes les informations sont considérées comme des séquences de bits. Ce protocole définit une structure de trame, qui est donnée dans la figure 11.13.

Fanion	Adresse	Commande	Information	FCS	Fanion
01111110	8 bits	8 bits	*n* bits	16 bits	01111110

Figure 11.13 : Protocole HDLC (couche liaison)

Signification de chaque champ :
- le **fanion** [*flag*] est une séquence de bits servant à délimiter le début et la fin d'une trame. Un même fanion peut servir de fermeture et d'ouverture de la trame suivante;
- le **champ adresse** identifie la station réceptrice;
- le **champ commande** indique le type de la trame (données, quittance signifiant bien reçu ou mal reçu) et contient le numéro de séquence de la trame (utile quand il y a plusieurs paquets);
- le **champ information** se compose d'une suite de bits de n'importe quelle longueur;

- le **champ FCS** [*Frame Check Sequence*] est une séquence de contrôle de la trame obtenue à l'aide d'un code cyclique [*CRC*] (cf. chapitre 4) dont le polynôme générateur est $G(x) = x^{16} + x^{12} + x^5 + 1$. Cette séquence de contrôle porte sur les champs adresse, commande et information. Elle permet la détection d'erreurs mais pas la correction : ainsi en cas d'erreur il faut retransmettre.

A l'envoi d'une trame, on s'assure qu'aucun fanion n'est simulé à l'intérieur de la trame. Pour cela, l'émetteur insère un bit 0 après toute séquence de cinq bits 1 consécutifs. Le récepteur effectue l'opération inverse en recevant le message (avant de vérifier s'il est correct, sans erreur). Il supprime tout bit 0 après cinq bits 1 consécutifs.

Pour détecter les erreurs dans les fanions, on remplit les temps entre les trames soit par des fanions, soit par un minimum de sept bits 1 consécutifs (cette séquence constituant un signal d'abandon). Les trames doivent avoir une longueur minimum de 32 bits entre les fanions. Généralement, toute trame de données est suivie d'une trame de quittance indiquant si les données ont été bien reçues.

11.7.8 Exemple de réseau local : Ethernet

Ethernet est un réseau local à diffusion développé par Xerox qui s'est associé avec Intel et Digital pour en faire un standard (1980).

Ses principales caractéristiques sont les suivantes :
- il se compose d'un câble coaxial unique;
- le mode de transmission utilisé est le mode bande de base;
- la topologie est un bus;
- il a un débit de 10 Mbps;
- les messages ont un format similaire au format HDLC;
- les adresses sont codées sur 47 bits, ce qui donne 2^{47} = 140 trillions d'adresses. Chaque adresse est garantie unique au monde;
- la méthode d'accès est CSMA/CD (expliquée dans le prochain paragraphe);
- un segment de câble peut avoir une longueur de 500 mètres, mais on peut augmenter la longueur du réseau en mettant des segments bout à bout à l'aide de répéteurs. On peut disposer au maximum 100 nœuds sur chaque segment et les connexions doivent être distantes d'au moins 2,5 m l'une de l'autre.

En général, les réseaux ont une longueur limitée pour éviter d'avoir des temps de propagation trop longs des signaux électriques. Il est préférable, au lieu d'un grand réseau, d'avoir deux plus petits réseaux reliés par un pont (en fibre optique).

Le problème des réseaux locaux est le choix de la méthode d'accès aux stations du réseau. Le principal problème à résoudre est d'éviter que plusieurs stations envoient simultanément un message sur le réseau.

Le protocole Ethernet est étroitement lié à la notion de bus. De nombreux sites ont adopté cette technologie, mais les problèmes de performance augmentent rapidement au fur et à mesure que l'on ajoute de nouvelles connexions sur le réseau.

Il n'est pas rare d'avoir plusieurs milliers d'ordinateurs connectés sur un même réseau. La première solution a consisté à partager le réseau à l'aide de routeurs. Ainsi, le trafic local à chaque tronçon reste isolé des autres tronçons du réseau. Même si chaque tronçon ne comporte plus que quelques centaines ou dizaines de connexions, la bande passante est toujours partagée entre les stations connectées. L'étape suivante consiste à poursuivre la segmentation du réseau pour arriver finalement à une structure arborescente où chaque station terminale est connectée directement par un câble dédié à un élément concentrateur qui lui-même est connecté à un nœud plus haut. Une autre évolution concerne la vitesse de transmission. Initialement limitée à 10Mbs, un nouveau standard appelé **Fast Ethernet** a une capacité de 100 Mbs. Concernant le câblage, le câble coaxial est délaissé au profit des paires de fils torsadés.

11.7.9 Connexions inter-réseaux : internet et TCP/IP

Les réseaux se développent à travers le monde de manière indépendante avec le seul but de satisfaire les besoins d'un groupe limité d'utilisateurs. Comme les besoins varient considérablement, les réseaux résultants varient aussi considérablement. Ainsi certains utilisateurs ont besoin d'un réseau local très rapide alors que d'autres ont besoin d'un réseau étendu plus lent.

Pour tenter de résoudre le problème de connexions entre différents réseaux est apparue la notion d'internetwork ou généralement référencé comme internet. Internet définit un ensemble de protocoles, indépendants du réseau sous-jacent, ainsi qu'une méthode d'interconnexion physique entre réseaux.

Un développement de la notion d'internet a été réalisé par l'organisation **DARPA** [*Defense Advanced Projects Research Agency*] connue pour son réseau ARPANET. Ce développement a donné lieu à un modèle appelé **TCP/IP** [*Transmission Control Protocol / Internet Protocol*] du nom des deux protocoles les plus connus. TCP fournit un service de transport de bout en bout pour toute application, alors que IP est responsable du routage de l'information à travers le réseau. D'autres protocoles sont aussi inclus tels que, par exemple, **UDP** [*User Datagram Protocol*] qui est aussi un protocole de transport sans connexion préalable, **ARP** [*Address Resolution Protocol*]. Ce protocole est structuré en quatre niveaux : l'interface réseau (niveau 1 et 2 du modèle OSI), le routage (niveau 3 du modèle OSI), le transport (niveaux 4 et partie du 5 du modèle OSI), et le niveau application (niveaux 5, 6 et 7 du modèle OSI).

Une version Unix de ces protocoles a été développée rapidement, ce qui a eu pour effet de permettre la connexion d'un grand nombre d'universités et de donner naissance à Internet.

Un certain nombre d'applications sont basées sur des protocoles TCP/IP de haut niveau et peuvent être considérées comme des services universels (cf figure 11.14) :

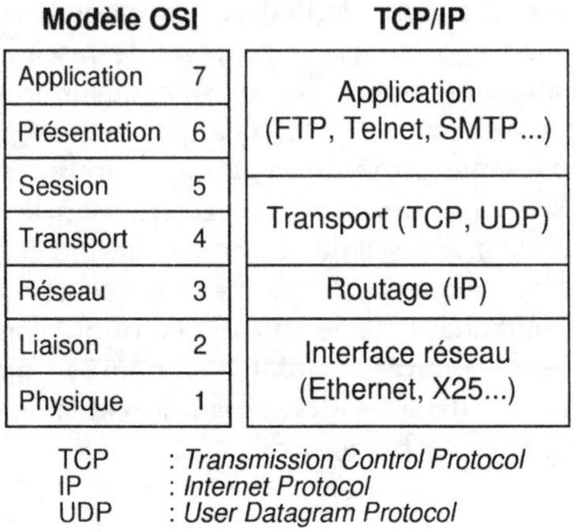

Modèle OSI   **TCP/IP**

Application	7	Application
Présentation	6	(FTP, Telnet, SMTP...)
Session	5	Transport (TCP, UDP)
Transport	4	
Réseau	3	Routage (IP)
Liaison	2	Interface réseau
Physique	1	(Ethernet, X25...)

TCP : *Transmission Control Protocol*
IP : *Internet Protocol*
UDP : *User Datagram Protocol*

Figure 11.14 : Correspondance entre le modèle OSI et les protocoles TCP/IP

- courrier électronique [*SMTP : Simple Mail Transfer Protocol*];
- transfert de fichiers [*FTP : File Transfer Protocol*];
- émulation d'un terminal [*Telnet*];
- gestion de réseaux [*SMTP : Simple Network Management Protocol*].

On peut aussi citer le protocole NFS [*Network File System*] (développé par SUN Microsystems pour les stations Unix) basé sur le protocole IP et qui permet d'accéder facilement à des fichiers se trouvant sur d'autres machines du réseau.

Adressage des stations dans le réseau Internet

Le réseau Internet peut être considéré comme un très vaste réseau où chaque station connectée possède une adresse unique au monde.

Chaque adresse est définie par un nombre de 32 bits décomposé en deux parties : un identificateur de réseau et un identificateur local de la station dans ce réseau. On représente généralement ce nombre en quatre nombres de 8 bits (0 à 255 en décimal), par exemple 129.195.100.204.

Le principal désavantage de ce type de numérotation provient du fait que l'adresse ne dépend pas uniquement de la station connectée mais aussi du réseau sur lequel elle est connectée. Ainsi, si l'on déplace une station d'un réseau à un autre réseau, son adresse doit être changée.

Du point de vue de l'utilisateur, les adresses sous forme numérique sont fastidieuses à utiliser et il est plus facile d'utiliser des noms. Un système a été mis en place qui permet de préciser une adresse à l'aide d'un certain nombre de noms. Par exemple, l'adresse suivante : *dupont@cernvm.cern.ch* est utilisée pour communiquer avec Mr. Dupont sur la machine *cernvm* qui se trouve au CERN qui est géographiquement situé en Suisse.

11.7.10 Méthodes d'accès dans les réseaux locaux

Le modèle ISO/OSI, comme son nom l'indique, est un modèle : il n'existe pas forcément de protocole normalisé pour les différentes couches. C'est le cas pour les réseaux locaux où il n'existe des standards que pour les couches de bas niveau (principalement 1 et 2). Au niveau 2, on a le protocole HDLC qui est largement utilisé, mais qui ne résout pas les problèmes d'accès aux stations du réseau. Le niveau 2 se décompose donc en deux sous-niveaux, la structuration des informations et la méthode d'accès. Comme nous avons vu précédemment la structuration des informations, nous allons voir maintenant les principales méthodes d'accès.

Méthode d'accès CSMA/CD

CSMA/CD [*Carrier Sense Multiple Access with Collision Detection*], dont la signification est écoute porteuse, accès multiples avec détection de collision, est un protocole de communication qui permet de traiter les collisions occasionnées par l'envoi simultané de plusieurs messages sur le réseau. La stratégie utilisée pour le traitement des collisions n'est pas contrôlée : c'est une stratégie aléatoire.

Ce protocole, le plus utilisé pour la topologie bus, est basé sur une liberté totale d'accès accordée à toutes les stations. Celles-ci peuvent émettre des messages à tout moment en respectant le protocole.

On peut illustrer le traitement des collisions avec l'analogie suivante : imaginez une assemblée de personnes polies qui entretiennent une conversation. Si l'une des personnes désire prendre la parole, elle attend que celle qui parle ait terminé. Si par hasard, une autre personne se met à parler en même temps qu'elle, alors elles s'interrompent toutes les deux, puis elles attendent un certain temps et elles essaient à nouveau, avec de grandes chances qu'elles ne le fassent pas simultanément.

Dans un réseau local, le principe est le même, avant d'envoyer un message, une station désirant émettre commence par écouter si aucun message ne transite sur le réseau. Ensuite, le message est envoyé, mais la station reste à l'écoute car il se peut qu'une collision se produise si une autre station envoie un message en même temps. Dans ce cas, au moment où elles s'aperçoivent qu'il y a un autre message transitant sur le réseau, elles cessent immédiatement la transmission. Chaque station attend pendant un temps aléatoire et relance le processus, c'est-à-dire écoute et attend que le réseau soit libre, etc.

En pratique, le taux de collisions est relativement faible, il dépend naturellement du nombre de stations et de la charge du réseau.

Méthodes d'accès à jeton

Ces méthodes d'accès, basées sur la circulation d'un **jeton** [*token*], sont des méthodes déterministes empêchant les collisions de se produire. Le principe de base est le suivant : un jeton libre (qui est une séquence de bits prédéfinie) circule librement sur le réseau. Toute station désirant émettre un message doit s'emparer du jeton. Dès qu'elle l'a pris, elle peut émettre son ou ses messages librement. Quand elle a terminé d'émettre, elle renvoie le jeton sur le réseau à la station suivante. Si le jeton est pris par une autre station, il faut attendre. Ainsi, il n'y a pas de risque de collision. Cette méthode peut être employée pour des réseaux en bus ou en anneau.

Cette technique est utilisée dans l'**anneau à jeton** [*token ring*] d'IBM qui permet des débits de l'ordre de 18 Mbps.

11.7.11 Standard FDDI

FDDI [*Fiber Distributed Data Interface*] est un standard pour réseaux locaux ou métropolitains. Ce standard est basé sur une structure d'anneau à jeton ainsi que sur l'utilisation de fibres optiques pour le câblage. Ce protocole doit permettre d'accroître considérablement la performance, la sécurité et la fiabilité des réseaux locaux. Il couvre les deux premiers niveaux du modèle OSI.

Le principal avantage de la fibre optique et de la transmission de signaux lumineux par rapport aux fils de cuivre et des signaux électriques provient de l a bande passante disponible. Le standard FDDI définit une bande passante de 100 Mbits par seconde (Mbps) alors qu'un réseau de type Ethernet est prévu pour 10 Mbits/s.

Parmi les autres avantages de FDDI, notons que les stations sur le réseau peuvent être séparées par de longues distances (jusqu'à 2 km). La distance maximale prévue pour de tels réseaux est d'une centaine de kilomètres.

La technologie FDDI repose sur l'utilisation de deux anneaux à jeton pour garantir une bonne fiabilité. En mode normal d'utilisation, seul un des anneaux est utilisé. Le second n'est utilisé qu'en cas de problèmes sur le premier anneau. Les informations circulent alors dans le sens opposé à celui du premier anneau.

Le problème majeur dans l'utilisation de fibres optiques provient de la difficulté à réaliser des connexions.

11.7.12 Concept de client serveur

Une utilisation importante des réseaux est la coopération entre applications. Le concept de base utilisé pour la coopération est celui de **client serveur**. Il est utilisé comme modèle de base pour le développement d'applications distribuées.

Le terme **serveur** s'applique à tout programme qui offre un service qui peut être atteint à travers le réseau, comme par exemple un serveur de fichiers, un serveur d'impression ou un serveur de courrier électronique. Un serveur reçoit des requêtes à travers le réseau, il les traite et il renvoie les résultats au demandeur (le client).

Le terme **client** s'applique à tout programme qui envoie une requête à un serveur et attend les résultats.

 Dans un réseau local, il arrive souvent qu'une machine soit dédiée à la gestion des fichiers de toutes les autres stations. On l'appelle un serveur de fichiers et toutes les autres stations sont des clients.

11.8 Evolution des réseaux

11.8.1 Réseau numérique à intégration de services (RNIS)

La situation actuelle est la suivante : les réseaux de télécommunications existants permettent de transporter une grande variété d'informations sous des formes diverses comme la parole (téléphone), les messages (télex), les images (télécopie, télévision) ainsi que les données informatiques. Pour pouvoir transporter tous ces types d'informations, plusieurs réseaux ont été mis en place : le réseau téléphonique, le réseau télex et divers réseaux spécialisés permettant l'échange d'informations entre ordinateurs. Le plus important est évidemment le réseau téléphonique basé sur la transmission de signaux analogiques.

Les réseaux du futur seront basés sur la transmission numérique. Ils utiliseront des câbles coaxiaux, des fibres optiques et des satellites pour transmettre des données, des images ainsi que des conversations téléphoniques.

Pour les réseaux étendus, l'évolution est liée aux services publics (PNO [*Public Network Operators*]) qui sont en train de normaliser le **RNIS** (Réseau Numérique à Intégration de Services) [*ISDN : Integrated Services Digital Network*], dont le but est de fournir une liaison numérique de bout en bout tout en intégrant un certain nombre de services. Chaque utilisateur a un seul numéro d'abonné (actuellement un utilisateur a un numéro de téléphone, un numéro de télex...) et une seule prise est nécessaire. Il suffit de préciser le service demandé lors de l'établissement d'une communication. Il est possible aussi de changer de service pendant la communication. Ce système est plus souple et moins coûteux.

Le débit autorisé par ce nouveau système ne permet pas de transporter des informations très complexes (telles que les images) en temps réel. Le tableau suivant indique quels sont les débits requis pour différents types de messages.

Message type	Débit
Vidéotex	1'200 bps
Téléphone	64 Kbps
Hifi	1 Mbps
Télévision	2 à 140 Mbps

On constate que les débits varient considérablement selon la nature des informations. Cela signifie qu'un réseau devrait pouvoir s'adapter et donc être multidébit.

Les réseaux RNIS sont déjà bien implantés dans la plupart des pays européens (par exemple, en France il s'appelle *Numéris* et en Suisse *Swissnet*) ainsi qu'aux USA. Par contre, les liaisons internationales posent encore quelques problèmes étant donné que chaque pays a choisi des options particulières pour l'implantation de son réseau.

Physiquement, le RNIS offre la possibilité de transmettre diverses informations sous forme digitale. C'est un réseau riche en promesses, il ne reste donc plus qu'à concrétiser, c'est-à-dire à développer des équipements de raccordement, des services, à informer les utilisateurs et à prendre en compte ce réseau dans les architectures informatiques.

Services offerts aux abonnés

Plusieurs types de services sont ou seront proposés sur le réseau RNIS. D'abord les services de base, qualifiés de services support, comprennent la transmission de données et le service téléphonique. Des compléments de services permettent d'augmenter des services de base, tels que : identification de l'appel (affichage du numéro du demandeur), sous-adressage des terminaux (dans le cas de plusieurs terminaux reliés à un même raccordement), portabilité (suspension temporaire d'une communication pendant trois minutes pour la reprendre sur un autre équipement terminal), indication du coût, transfert automatique d'un appel vers un autre numéro, rappel automatique sur abonné occupé, appel avec carte de crédit, conférence à *n* participants. Enfin les téléservices devraient se développer rapidement, par exemple, la transmission de fichiers d'images fixes ou animées, la télécopie de documents, la visiophonie (lien téléphonique avec écran de contrôle montrant le correspondant), la visioconférence (échange des images vidéo entre plusieurs correspondants).

Ligne d'abonné

Les équipements terminaux disponibles pour les abonnés sont très variés et vont du simple appareil téléphonique à un commutateur privé pouvant raccorder quelques milliers de postes. Pour satisfaire la demande d'une clientèle variée, plusieurs types de raccordements sont possibles. Initialement, chaque abonné pourra disposer d'un **accès de base** à 144 Kbits/s composé de deux canaux B de 64 Kbits/s pour la transmission vocale ou de données et d'un canal D de 16 Kbits/s (utilisé pour la signalisation). Pour des installations plus importantes, il faut utiliser un **accès primaire** à 2 Mbits/s qui offre 30 canaux B à 64 Kbits/s et un canal D cette fois à 64 Kbits/s.

11.8.2 Evolution de la commutation par paquets

L'évolution de la commutation par paquets s'effectue dans deux directions : augmentation des performances et possibilité de transmission isochrone, c'est-à-dire pouvoir transmettre des informations telles que la voix.

L'augmentation des performances se réalise en augmentant le débit de transmission et en simplifiant le protocole. La simplification du protocole a donné naissance au relais de trames. Ce nouveau type de commutation est plus performant que la commutation par paquets mais il ne permet toujours pas de transmettre la voix.

Pour permettre le mixage de données et de la voix sur une même ligne de transmission, le relais de trames a évolué en une nouvelle technologie : le relais de cellules.

11.8.3 Relais de trames

Le **relais de trames** [*frame relay*] est une simplification de la commutation par paquets : il utilise le même protocole de routage, mais il a supprimé les protocoles de contrôle d'erreurs et de flux. La couche réseau est donc vide et la couche liaison récupère la gestion des communications. Dans la commutation par paquets, le traitement des erreurs s'effectue à plusieurs niveaux (2 et 3). Avec l'avènement des fibres optiques qui assurent une meilleure fiabilité et un faible taux d'erreurs, une telle redondance n'est plus nécessaire. La gestion d'erreurs est donc simplifiée à l'extrême, ce qui devient le point faible de cette technique.

Le relais de trames est approximativement 4 à 10 fois plus rapide que la commutation par paquets. Il se révèle particulièrement bien adapté pour l'interconnexion des réseaux locaux.

11.8.4 Relais de cellules

La commutation de circuits et la commutation par paquets ont des avantages propres relativement incompatibles. La commutation de circuits permet de transporter des informations isochrones telles que la voix alors que la commutation par paquets est plus adaptée à la transmission des données. Le **relais de cellules** [*cell relay*] est un compromis de ces deux types permettant de cumuler les avantages sans les inconvénients (manque de flexibilité pour le premier et impossibilité de transmettre la voix et la vidéo pour le dernier).

Le principe de base du relais de cellules est de décomposer les informations en petits paquets de longueur fixe et de déterminer leur routage lors de la requête de connexion. La longueur fixe des cellules permet d'avoir des commutateurs simples et performants. Leur petite taille permet d'émuler un circuit isochrone car la vitesse de transmission est constante. Les cellules sont aussi des paquets qui permettent d'établir des connexions virtuelles qui peuvent être multiplexées avec des débits variables adaptés aux caractéristiques de la source.

L'information transmise à travers un réseau de cellules est transportée dans des paquets de taille fixe (53 bytes) appelés cellules. Les cellules sont composées de deux parties : un champ entête de 5 bytes et un champ information de 48 bytes. L'entête contient un identificateur logique utilisé pour le routage des cellules dans le réseau.

La route des cellules est établie lors de la requête de connexion. Des tables de routage sont nécessaires dans les commutateurs. Chaque cellule est routée par les commutateurs qui associent l'identificateur de chaque cellule à une route. Les cellules émanant d'un expéditeur sont envoyées séquentiellement sur le réseau; elles suivent la même route, ce qui n'était pas forcément le cas pour les paquets. A la réception, la séquence initiale est ainsi respectée.

Le relais de cellules est aussi une technique de multiplexage. Sur le réseau circule un flot continu de cellules pleines ou vides suivant la charge du réseau. Lorsqu'une source désire émettre des informations, elle les décompose en petits paquets de 48 bytes qu'elle dépose dans les cellules à son propre rythme de manière asynchrone. Il y a donc découplage entre la vitesse du réseau et la vitesse de transfert des informations de l'utilisateur.

Le principe du relais de cellules est principalement exploité par la technologie **ATM** [*Asynchronous Transfer Mode*], choisie par le CCITT pour être utilisé dans le RNIS à large bande.

11.8.5 RNIS à large bande

La première version du RNIS est relativement limitée en capacité mais son implantation ne requiert pas de changer le câblage des abonnés. Par contre, son successeur est programmé pour la fin des années 90, c'est le **RNIS à large bande** qui devrait permettre de transporter tous les types d'informations précités (comme les images de télévision haute définition). Son implantation demandera un profond changement du réseau de transport, jusqu'au poste de chaque abonné. Les satellites et les fibres optiques fourniront les moyens matériels nécessaires à sa réalisation. Le multiplexage permettra d'utiliser au mieux tous ces éléments. Il faut trouver un mode de transfert (commutation + multiplexage) qui soit capable d'offrir les capacités requises en large bande : c'est le mode de transfert asynchrone qui permet d'associer un très haut débit avec une grande souplesse d'utilisation.

Mode de transfert asynchrone

La technique **ATM**, basée sur le concept de relais de cellules, conjugue la souplesse de la commutation par paquets avec le délai de transmission court et constant de la commutation par circuit. Elle permet ainsi de transmettre tout type d'information (données, images et voix).

La technique ATM facilite l'exploitation des services de transport de quelques kilobits à plusieurs centaines de mégabits de débit en fonction des besoins. Les premières interfaces normalisées sont des interfaces à 155 et 622 Mbps.

Chaque paquet de 48 bytes spécifique à une cellule se décompose en différents champs suivant le type d'informations (principalement données ou voix). Les principaux champs sont : le numéro de séquence, un code d'erreur CRC, et un champ pour les données proprement dites qui varie de 44 à 47 bytes suivant les autres champs présents.

Le protocole ATM est de plus en plus utilisé dans les réseaux locaux pour connecter les principaux nœuds d'un réseau tel que décrit dans la figure 11.15. On peut l'utiliser jusqu'aux stations terminales.

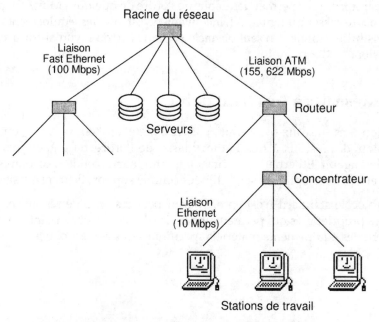

Figure 11.15 : Configuration d'un réseau actuel

La figure 11.15 montre la structure typique d'un réseau local actuel. Les stations terminales (ordinateurs personnels ou stations de travail plus perfectionnées) sont connectées par des paires torsadées directement à un concentrateur ou un routeur. Ethernet est le protocole standard généralement utilisé, bien que des stations performantes peuvent utiliser Fast Ethernet ou ATM. Les nœuds supérieurs sont connectés par des liens à 100 Mbs ou plus (Fast Ethernet, ATM). Ainsi, même si l a plupart des stations terminales sont connectées au premier nœud par un lien à 10 Mbs, elles ne partagent plus cette bande passante avec des centaines voire des milliers d'autres stations.

11.8.6 Réseaux locaux sans fil

Dans certains cas, le câblage d'un réseau local peut s'avérer difficile voire impossible. Les réseaux sans fil [*CLAN : Cordless LAN*] apportent une solution relativement facile à mettre en œuvre puisqu'aucun câblage n'est nécessaire. Ce type de solution a un coût de revient plus élevé qu'un réseau local câblé, c'est pourquoi ils ne sont utilisés que dans des cas particuliers.

On distingue deux types de transmission dans les réseaux sans fil : la transmission par ondes radio et la transmission par infrarouge. Suivant la plage de fréquence utilisée dans les transmissions par ondes radio, le débit peut varier de quelques milliers à plusieurs mégabits par seconde. Plus on monte en fréquence plus le débit augmente mais les produits sont aussi plus coûteux et les obstacles se trouvant sur le trajet limitent la portée. De plus, peu de fréquences sont disponibles. La transmission par infrarouge permet des débits de l'ordre de quelques Mbit/s et peut être mise en œuvre très rapidement. L'inconvénient est que les équipements doivent être en visibilité totale, un seul obstacle sur le trajet du rayon suffit à couper la transmission.

11.8.7 Réseaux à très haut débit

L'évolution des réseaux ne serait pas complète si l'on ne mentionnait pas l'apparition des réseaux à très haute vitesse de l'ordre du gigabit par seconde (comme le Gigabit Ethernet) et même du térabit par seconde. Les paires de fils torsadés et les fibres optiques sont utilisées comme support de transmission.

Aucun protocole standard n'est encore défini pour ces type de réseau, ce sont des protocoles propriétaires qui permettent de faire des connexions point à point et qui nécessitent des équipements matériels spécifiques très perfectionnés.

Exercices

1. Quelle est la différence entre une transmission synchrone et une transmission asynchrone ?

2. Parmi les affirmations suivantes, indiquer celles qui sont vraies et celles qui sont fausses.
Dans une transmission asynchrone :
a) l'intervalle de temps entre 2 caractères est fixe;
b) l'intervalle de temps entre 2 bits est fixe;
c) l'émetteur et le récepteur doivent toujours être parfaitement synchronisés;

    d) les bits sont transmis à la cadence d'une horloge-bit;

    e) le débit est en général supérieur à celui que l'on peut avoir dans une transmission synchrone.

3. Dans le cas d'une transmission asynchrone où un caractère de 8 bits est entouré d'un start-bit, d'un bit de parité et de 2 stop-bits, calculer la vitesse effective de transfert d'informations (en bps) si la ligne a une capacité réelle de

    a) 300 bps;

    b) 1'200 bps;

    c) 9'600 bps.

4. On considère deux ordinateurs distants de plusieurs kilomètres reliés entre eux par une ligne physique dont la largeur de bande est de 2'900 Hz. Les données sont codées/décodées à l'aide de modems pouvant fonctionner jusqu'à 9'600 bits par seconde.

    a) En l'absence de bruit sur la ligne, quelle est la vitesse maximale en bits/s (bps) que l'on peut atteindre si la modulation est une modulation d'amplitude à 2 niveaux ?

    b) On considère maintenant que le procédé de modulation utilisé consiste à envoyer sur la ligne des signaux ayant une phase parmi 8 possibles et une amplitude parmi deux possibles. Calculer le nombre de bits par signal et la vitesse (en bauds) du modem.

    c) Avec les valeurs définies dans la question précédente, quelle est la vitesse de transmission en bps entre les deux ordinateurs si la vitesse des modems n'est plus limitée ?

    d) Jusqu'à quelle valeur minimale approximative du rapport signal/bruit ce modem (à 9'600 bps) peut-il fonctionner ?

5. Une ligne physique, de largeur de bande de 2'200 Hz, relie deux ordinateurs distants de plusieurs kilomètres. Les données sont codées/décodées à l'aide de modems.

    a) Si le procédé de modulation a 2 niveaux de phase, 2 niveaux de fréquence et 2 niveaux d'amplitude, calculer la capacité de la ligne en bps et en bauds.

    b) Donner un procédé de modulation (théorique) qui permette d'atteindre une capacité de transmission de 22'000 bps.

    c) Sachant que la capacité maximale de transmission des modems est de 7'308 bps, jusqu'à quelle valeur minimale approximative du rapport signal/bruit ces modems peuvent-ils fonctionner ?

6. On veut communiquer entre deux ordinateurs reliés par une ligne physique dont la largeur de bande est 1'600 Hz. Les modems utilisés ont 4 niveaux de phase et 2 niveaux de fréquence.

Le protocole de communication utilisé est un protocole dérivé du protocole HDLC. Les trames ont la forme suivante :

fanion	/	en-tête	/	données	/	FCS	/	fanion

Le fanion = '01111110'. L'en-tête indique le type de message. Il est égal à '01101110' pour des données et égal à '00110010' pour une quittance indiquant *bien reçu*. Il n'y a pas de champ adresse. Les données ont un nombre de bits variable et il n'y en a pas dans le cas d'une quittance. Le FCS, calculé avec un polynôme générateur, comporte 8 bits.

Calculer :
a) la capacité de transmission de la ligne en bauds et en bps;
b) la durée de transmission pour l'envoi d'un paquet contenant 8 bits de données et de la quittance définis précédemment;
c) supposons qu'une erreur de transmission, portant sur un bit, se produise tous les 4 millièmes de seconde. Que va-t-il se passer si l'on envoie le paquet de données défini précédemment ? Quelle sera la séquence de trames échangées pour que le paquet de données soit bien reçu ?

7. Décrire le modèle de réseau de référence ISO-OSI à 7 couches. Indiquer le rôle de chaque couche.

8. On considère une liaison entre deux ordinateurs. Le protocole de la couche réseau est le protocole HDLC. Chaque fois que l'émetteur envoie une trame de ce type, il vérifie qu'il n'y a pas simulation du fanion et après 5 bits à 1, il insère un bit 0. Que se passe-t-il si ce bit inséré est transformé en un 1 par une erreur de transmission ?

9. On considère la même liaison HDLC qu'à l'exercice précédent, mais on va s'intéresser aux erreurs commises dans les fanions d'une trame, au milieu d'un lot de trames. Que se passe-t-il si une erreur se produit dans un fanion d'une trame, si celle-ci est entourée d'autres trames ? Plusieurs cas sont possibles selon quel bit du fanion est en erreur.

Solutions

1. Différence transmission synchrone - asynchrone.
Dans une transmission synchrone les bits sont émis de manière régulière, sans séparation entre les caractères. Dans une transmission asynchrone les bits d'un caractère sont émis de manière régulière mais l'intervalle entre deux caractères est variable, c'est pourquoi chaque caractère est précédé d'un start-bit et est suivi d'un ou de plusieurs stop-bits. On peut aussi avoir un bit de parité.

2. QCB (Questionnaire à Choix Binaire) Transmission asynchrone :
a) non, il est variable, c'est ce qui caractérise ce type de transmission;
b) c'est vrai pour des bits d'un même caractère;
c) non, ceci n'est vrai que pendant la transmission d'un caractère;
d) vrai;

e)   non, ne serait-ce que parce que l'on transmet des informations supplémentaires (start-bit, bit de parité, stop-bit) pour chaque caractère.

3.   Vitesse effective dans une transmission asynchrone. A la transmission, un caractère se compose donc de 1 start-bit, 8 bits de données, 1 bit de parité et 2 stop-bits, ce qui donne 12 bits pour un caractère. En fait 8 bits seulement sont les informations qui nous intéressent, donc pour trouver la vitesse effective, une simple règle de trois suffit. Il faut diviser par 12 et multiplier par 8, c'est-à-dire prendre les deux tiers.

a)   Si la vitesse réelle est 300 bps, la vitesse effective est $(300 / 3) \times 2 = 200$ bps.

b)   Si la vitesse réelle est 1'200 bps, la vitesse effective est $(1'200 / 3) \times 2 = 800$ bps.

c)   Si la vitesse réelle est 9'600 bps, la vitesse effective est $(9'600 / 3) \times 2 = 6'400$ bps.

4.   Ligne physique de largeur de bande de 2'900 Hz :
a)   on applique la formule de Nyquist $C = 2\,n\,W$ ($n = \log_2 L$), ce qui donne :

$C = 2 \times 2'900 \log_2 2 = 5'800$ bps;

b)   8 phases possibles, 2 amplitudes possibles impliquent qu'il y a 16 niveaux possibles pour les signaux, donc chaque signal permet de coder $\log_2 16 = 4$ bits par signal. La vitesse du modem est donc $9'600 / 4 = 2'400$ bauds;

c)   on applique à nouveau la formule $C = 2\,n\,W$, ce qui donne :

$C = 2 \times 2'900 \log_2 (16) = 2 \times 2'900 \times 4 = 23'200$ bps;

d)   on applique la formule de Shannon $C = W \log_2 (1 + S/B)$. Donc $9'600 = 2'900 \log_2 (1 + S/B)$. On peut transformer le logarithme en base 2 en un logarithme en base 10 en utilisant les formules suivantes :
$\log_{10} (2) = 0,301$ et $\log_a (b) = \log_{10} (b) / \log_{10} (a)$.

Ainsi $9'600 = 2'900 \times \log_{10} (1 + S/B) / 0,301$

fi $9'600 \times 0,301 / 2'900 = \log_{10} (1 + S/B)$

fi $0,99 \approx 1 = \log_{10}(1 + S/B) \Rightarrow 1 + S/B = 10 \Rightarrow S/B = 9$.

5.   Ligne physique de largeur de bande de 2'200 Hz :

a)   les modems réalisent une modulation avec 2 niveaux de fréquence, 2 niveaux de phase et 2 niveaux d'amplitude, donc 8 niveaux possibles, ce qui permet de coder 3 bits par signal. La capacité de la ligne est donc $C = 2\,W = 2 \times 2'200 = 4'400$ bauds et $C = 4'400 \times 3 = 13'200$ bps;

b)   on veut atteindre une capacité de 22'000 bps. $(C =) 22'000 = 2 \times 2'200 \log_2 L \Rightarrow 10 = 2 \log_2 L \Rightarrow \log_2 L = 5 \Rightarrow L = 2^5 = 32$ niveaux. Par exemple, 8 niveaux de fréquence et 4 niveaux d'amplitude ;

c)   capacité maximale des modems = 7'308 bps.
$7'308 = 2'200 \log_2 (1 + S/B) \Rightarrow 3,3218 = \log_2 (1 + S/B) \Rightarrow 1 + S/B \approx 10 \Rightarrow S/B = 9$ (dans ce cas, on peut simplifier les calculs de logarithme en passant par la base 10).

6.   Ordinateurs reliés par une ligne physique de 1'600 Hz et protocole du type HDLC :

a)   capacité = $2 \times 1'600 = 3'200$ bauds et comme on a 8 niveaux, on a 3 bits par signal, $C = 3'200 \times 3 = 9'600$ bps;

b)   durée de la transmission. Le paquet de données se compose de 40 bits, la durée de transmission est de $40 / 9'600 = 4,166$ ms. La quittance se compose de 32 bits, la durée de transmission est de $32 / 9'600 = 3,333$ ms;

c)   le message ne pourra jamais être envoyé correctement car une erreur se produira chaque fois pendant la transmission du paquet de données et, en plus, de temps en temps pendant la transmission de la quittance.

7.   Le modèle ISO-OSI comporte 7 couches :
- la couche physique (niveau 1) permet d'envoyer des séquences de bits sur un support de transmission;
- la couche liaison (niveau 2) structure les séquences de bits et essaye de récupérer les erreurs de transmission;
- la couche réseau (niveau 3) s'occupe de l'acheminement des paquets et du contrôle de flot à travers les nœuds;
- la couche transport (niveau 4) procure une fonction constante de réseau et s'occupe des fonctions non réalisées par les couches inférieures ;
- la couche session (niveau 5) établit la connexion entre les deux processus communicants;
- la couche présentation (niveau 6) permet des conversions de format ou des encryptages;
- la couche application (niveau 7) est l'ensemble des primitives permettant d'utiliser les services offerts par le réseau.

8.   Protocole HDLC - que se passe-t-il si un bit 0, inséré après 5 bits 1, est transformé en un bit 1 ? On différencie deux cas selon la valeur du bit suivant normalement les 5 bits 1 dans le message initial :

- si le bit est un 0, alors le message initial est ...0111110..., on transmet ...01111100... (insertion d'un 0 après 5 bits 1), et finalement on reçoit ...01111110... (erreur de transmission). Cette séquence est interprétée comme un fanion et les 16 bits précédents comme le FCS. La vérification de celui-ci donne une erreur et le récepteur considère que ce message n'est pas correct. De plus, ce fanion marque le début d'un autre message dont la fin est donnée par le fanion de fin du message initial et la vérification du FCS indique certainement que ce message est aussi en erreur. Ainsi cette erreur a divisé le message en 2 messages qui sont réceptionnés tous les deux en erreur. L'erreur est donc traitée avec succès;

- si le bit est un 1, alors le message initial est ...0111111..., on transmet ...01111101..., et on reçoit ...01111111.... Cette séquence de bits à 1 (7 pour être précis) correspond à un signal d'abandon. Le récepteur rejette tous les bits qu'il a reçu depuis le dernier fanion et il ignore les bits qu'il va recevoir jusqu'au prochain fanion. Ce type d'erreur n'arrive pas seulement lorsque l'on insère un bit 0 pour empêcher la simulation d'un fanion, il peut arriver aussi si le message a la forme suivante ...01111010... ou ...011101110... et que le bit 0 du milieu est transformé en un bit 1.

9.   Protocole HDLC - Erreur dans un fanion d'une trame se trouvant dans un lot de trames. Plusieurs cas d'erreurs sont possibles, selon le bit du fanion qui est en erreur :

- un des bits 0 du fanion est transformé en un bit 1 (11111110 ou 01111111). Dans ce cas le fanion est transformé en un signal d'abandon (car séquence de 7 bit 1). Le récepteur annule le message reçu et ignore le prochain;

- le premier ou le dernier bit 1 est en erreur (00111110 ou 01111100). Dans ce cas le récepteur voit une séquence de 5 bits 1 suivi d'un bit 0, qu'il enlève naturellement et il faut attendre le fanion de fin du message suivant pour qu'il s'aperçoive d'une erreur en vérifiant le FCS;

- un des bits 1 entre le deuxième et le cinquième est en erreur (par exemple, 01110110). Le récepteur considère cette séquence comme des données et c'est quand il reçoit le fanion du message suivant qu'il détecte l'erreur.

Donc, toutes les erreurs se produisant dans un fanion sont détectées.

Chapitre **12**

Systèmes d'exploitation

12.1 Introduction au logiciel d'exploitation

Un ordinateur sans son logiciel ne sert strictement à rien. On peut affirmer que c'est le logiciel qui donne à cet amas métallique de câbles et de plaquettes de silicium la faculté de résoudre des problèmes et de traiter des informations de toutes sortes. C'est le logiciel qui exploite l'universalité de la machine et réalise son immense potentiel. L'extraordinaire souplesse des ordinateurs modernes, capables de prouesses étonnantes dans les domaines les plus variés, est due, d'une part, à la nature fondamentale des opérations logiques qu'ils peuvent exécuter, et d'autre part, aux programmes (le logiciel) qui transforment ces machines en systèmes aptes à accomplir des tâches spécifiques. C'est ainsi que l'ordinateur, grâce au logiciel, peut écrire une lettre, corriger des fautes d'orthographe, stocker ou imprimer des images, reconnaître des formes, prévoir le temps, simplifier une expression algébrique, optimiser la conception d'un circuit électronique, simuler le comportement d'une fusée ou d'une aile d'avion avant de la construire, etc.

Au fil des années, les logiciels ont évolué dans plusieurs directions. Les **logiciels d'application** servent à résoudre des problèmes spécifiques. Ils peuvent être écrits par l'utilisateur ou trouvés sur le marché comme c'est souvent le cas pour des programmes d'utilité générale tels les tableurs, les traitements de textes, les logiciels de gestion et de comptabilité, les logiciels pour la conception assistée par ordinateur, les didacticiels, etc.

Les **logiciels utilitaires** aident à développer les applications; ce sont les compilateurs, les assembleurs, les éditeurs de liens, les chargeurs et les débogueurs. Ils comprennent aussi d'autres outils tels que des outils graphiques, des outils de communication, etc.

Au cœur de l'ordinateur se trouve un ensemble de programmes que l'on nomme **système d'exploitation** [*operating system*]. Ce logiciel, qui est à la base de toute exploitation de l'ordinateur, coordonne l'ensemble des tâches essentielles à la bonne marche du complexe matériel et assure la gestion de ses ressources. Il facilite aussi le travail de l'utilisateur en se chargeant de toutes les tâches fastidieuses ou compliquées, comme le contrôle des périphériques ou le stockage et la gestion des fichiers. Il permet l'interaction directe entre l'homme et la machine, en offrant une interface convenable et en organisant le traitement et le stockage des programmes et des données.

12.1.1 Système d'exploitation

C'est du système d'exploitation que dépendent la qualité de la gestion des ressources (CPU, mémoires centrale et auxiliaire, équipements d'entrée/sortie, liaisons à d'autres systèmes, etc.) et la convivialité de l'utilisation de l'ordinateur. Les tâches d'un système d'exploitation ayant augmenté considérablement au fil des années, cet ensemble de programmes n'a cessé de croître. Il s'agit donc de logiciels volumineux nécessitant de gros efforts de programmation. Naguère, on utilisait surtout l'assembleur, mais aujourd'hui on écrit ces programmes dits **de système** à l'aide de langages évolués, adaptés à la réalisation de ce type de logiciel. Un système d'exploitation moderne est constitué de centaines de milliers, voire de millions de lignes de code, requérant des milliers d'homme-années de travail. On dit généralement qu'*un éléphant c'est une souris avec son système d'exploitation*.

Des exemples de systèmes d'exploitation bien connus des utilisateurs de microordinateurs sont le DOS (MS-DOS la version de Microsoft et PC DOS la version IBM), OS/2, MacOS, Windows NT, Openstep (anciennement Nextstep), etc.

Le système Unix, développé par Ritchie et Thompson aux laboratoires Bell de ATT, connaît un grand succès et est implanté sur une vaste gamme de machines allant des micros aux superordinateurs. Des versions d'Unix, telles Xenix, Ultrix, AIX, Unicos (sur Cray), Solaris (sur Sun) et Linux (freeware) sont offertes par tous les grands constructeurs et témoignent du succès et de l'universalité de l'approche Unix. En effet, Unix est l'un des rares systèmes installés sur des machines disparates, ce qui permet de réaliser la portabilité d'applications complexes. On assiste à un certain effort de normalisation autour du système Unix. Les autres systèmes ont tendance aussi à couvrir des gammes de produits toujours plus étendues. Actuellement, la tendance est de se conformer aux systèmes existants plutôt que d'en développer des nouveaux.

Le système d'exploitation n'existait pas dans les machines de la première génération, où toute forme de programmation était l'affaire de l'utilisateur. Aujourd'hui, le système d'exploitation est devenu l'intermédiaire obligatoire entre l'utilisateur et la machine.

Le **système d'exploitation** est l'ensemble des programmes qui se chargent de tous les problèmes relatifs à l'exploitation de l'ordinateur.

Si cette définition est imprécise, cela est dû, en partie, à l'ambivalence d'un tel système. En effet, le système d'exploitation a deux buts bien distincts :

- faciliter la tâche de l'utilisateur en lui présentant une machine (virtuelle) plus simple à exploiter que la machine réelle et en assurant un service fiable;
- assurer l'exploitation efficace et économique des ressources critiques de l'ordinateur.

On peut donc considérer le système d'exploitation comme une machine virtuelle, extension de la machine réelle, ou comme un gestionnaire des ressources physiques disponibles.

12.2 Evolution des systèmes d'exploitation

12.2.1 Préhistoire

Les machines de la première génération étaient dépourvues de tout logiciel. Elles étaient programmées en binaire et les programmes étaient chargés en mémoire, exécutés et mis au point depuis un pupitre de commande.

L'arrivée de l'assembleur facilita la tâche d'écriture des programmes mais ne modifia pas la procédure d'utilisation de la machine qui consistait à allouer des tranches de temps directement aux utilisateurs. On parlait d'exploitation self service, ou porte ouverte [*open shop*]. Chaque utilisateur était le maître unique de la machine pour la durée de sa tranche de temps qui pouvait être de quelques minutes ou de quelques heures selon le type de travail et la disponibilité de l'ordinateur.

Un passage en machine nécessitait un ensemble d'opérations longues et assez compliquées, comme le chargement de l'assembleur (disponible sous forme d'un paquet de cartes), l'assemblage et l'exécution du programme de l'utilisateur, la détection des erreurs au pupitre, l'impression des listages et des résultats, etc. Pour réduire le gaspillage de temps-machine, on organisa l'exploitation autour d'un opérateur [*closed shop*]. Cette évolution est illustrée dans la figure 12.1.

Les ordinateurs des années 50 étaient très chers et seules quelques grandes entreprises et organisations gouvernementales pouvaient se permettre un centre de calcul doté d'ordinateur. Malgré des progrès indéniables au niveau de l'unité centrale, ces machines étaient très pauvres en périphériques. Typiquement, les dispositifs d'entrée/sortie étaient réduits à un lecteur de cartes et à une imprimante, très lents par rapport au CPU et à la mémoire. Comme les machines de cette époque ne pouvaient exécuter qu'un seul job à la fois, chaque unité passait la plupart de son temps à attendre qu'une autre unité ait terminé son travail.

A la fin des années 50, avec l'amélioration des performances, le coût relatif du temps perdu était devenu prohibitif. C'est pourquoi, avec l'arrivée des machines de la deuxième génération, on chercha à réduire les temps morts en automatisant les opérations manuelles et en améliorant l'exploitation des différentes unités.

Ainsi naquit le **moniteur**, ou exécutif, programme chargé d'assurer la bonne marche des opérations. Il s'occupait du séquencement des travaux des utilisateurs et de la continuité des opérations.

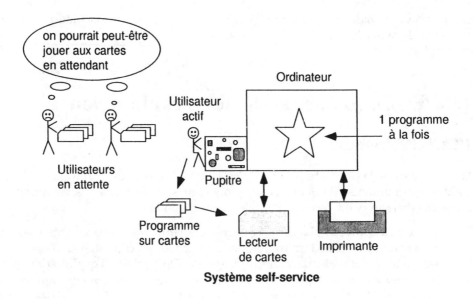

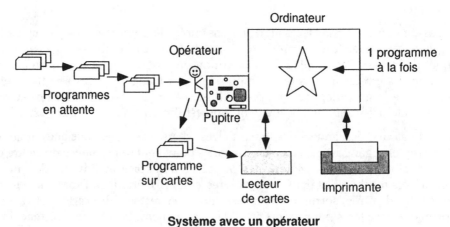

Figure 12.1 : Modes d'exploitation : préhistoire

12.2.2 Moniteur

Le **moniteur** des années 60 est le précurseur du système d'exploitation moderne. Pendant un quart de siècle, le système d'exploitation et le matériel ont évolués en parallèle, en s'influençant mutuellement. On peut constater que les étapes marquantes, dans le chemin parcouru par le système d'exploitation, correspondent à l'introduction de nouveaux dispositifs, souvent développés pour les besoins de ces logiciels système en pleine expansion.

Nous essayerons de montrer les étapes principales de cette évolution et de mettre en évidence les concepts fondamentaux, qui sont à la base des systèmes actuels.

12.2.3 Systèmes par lots

Les **systèmes par lots ou par trains** [*batch*] sont des systèmes mono-utilisateur, apparus à la fin des années 50 avec l'introduction des premières machines à transistors dotées d'unités de bandes magnétiques. A cette époque, la programmation était en forte expansion grâce à l'arrivée du langage Fortran et les centres de calcul commençaient à subir les pressions des usagers exigeant un service rapide.

L'idée vint alors de séparer les fonctions d'entrée/sortie et de traitement en confiant la gestion du lecteur/perforateur de cartes et de l'imprimante à un petit ordinateur auxiliaire. Les jobs, présentés à l'opérateur sous forme de paquets de cartes, étaient recopiés sur bande magnétique par l'ordinateur auxiliaire. La bande, contenant un lot [*batch*] de jobs, était présentée en lecture à l'ordinateur principal qui exécutait les travaux dans l'ordre de présentation. Les résultats étaient écrits sur bande pour être imprimés ensuite [*off-line*] par l'ordinateur de service. Ce mode d'exploitation nécessitait deux machines dont la plus puissante était réservée aux calculs et l'autre, moins chère, s'occupait des périphériques lents.

La figure 12.2 schématise ce système. Les gains de temps étaient considérables du fait que les informations entraient et sortaient beaucoup plus rapidement par l'intermédiaire des bandes magnétiques et que les jobs se succédaient automatiquement, pendant que les échanges à basse vitesse étaient réalisés de façon asynchrone.

Malgré ces améliorations, beaucoup de temps était perdu pendant que les opérateurs allaient chercher, aux quatre coins de la salle machines, les bandes contenant les lots de jobs, les données des utilisateurs, les résultats à imprimer, l'assembleur, le compilateur, l'éditeur de liens, le chargeur, etc.

12.2.4 Vers l'indépendance des entrées/sorties

Une autre étape importante est franchie au milieu des années 60, elle suit une série de développements fondamentaux dans le domaine des entrées/sorties.

D'abord, arrivent sur le marché des unités de disques et des tambours magnétiques à des prix abordables; ils offrent l'accès aléatoire et des capacités importantes, ce qui permet le stockage de tout programme d'application ou de système dans ces mémoires auxiliaires rapides. Ensuite, l'introduction des canaux et du système d'interruption élimine la dépendance des E/S qui peuvent désormais procéder en parallèle avec les traitements. Le petit ordinateur affecté aux unités lentes devient inutile.

Les jobs sont lus et stockés sur disque au fur et à mesure de leur soumission aux opérateurs. Cette opération prend le nom de **spooling**, dérivé de SPOOL [*Simultaneous Peripheral Operation On-Line*]. Elle consiste à créer des fichiers-disque qui correspondent aux jobs soumis et qui sont utilisés par le moniteur au moment de l'exécution à la place des supports d'information lents tels les cartes perforées et le papier des imprimantes. Cette notion de spooling subsiste dans les systèmes d'exploitation modernes. Elle est présentée dans la figure 12.2.

Comme l'accès est aléatoire, le moniteur peut choisir l'ordre d'exécution des travaux. A l'intérieur de chaque job, des **cartes de contrôle**, destinées au moniteur, permettent au programmeur de spécifier les services demandés au système, par exemple : compilation d'un programme Fortran, assemblage d'une procédure, édition des liens et chargement, exécution, etc.

Le progrès est évident : plus de préparation séparée de bandes de jobs à exécuter dans l'ordre, mais entrée et stockage continus et traitement selon un système de priorités. Le moniteur peut choisir l'ordre d'exécution sur la base de critères d'exploitation qui tiennent compte des impératifs de développement et de production et des priorités de l'installation.

On voit apparaître à l'intérieur du moniteur un nouveau module, le **planificateur** [*scheduler*], qui s'occupe de la planification du travail de la machine.

Les moniteurs batch de l'époque exécutent toujours un seul job à la fois, ils gèrent un seul flot de travaux [*single stream batch monitors*]. A tout instant, un seul programme se trouve en mémoire et peut donc exploiter le CPU. Si ce programme a besoin de lire des données d'une bande magnétique pour poursuivre ses calculs, ou s'il doit faire un quelconque échange avant de continuer le traitement, le CPU ne peut qu'attendre la fin de l'opération d'entrée/sortie.

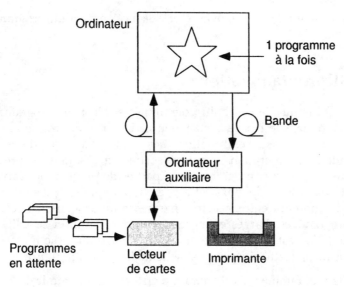

Système batch

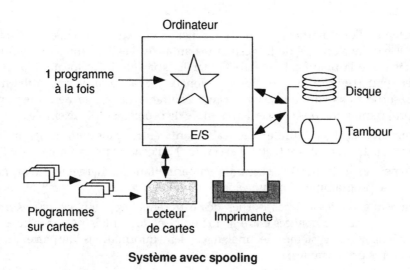

Système avec spooling

Figure 12.2 : Exploitation par lots

Pour éviter ces temps d'attente, qui deviennent de plus en plus embarrassants à cause de la vitesse toujours croissante de l'unité de traitement, il faudrait pouvoir préparer en mémoire un deuxième programme [*background program*] capable d'utiliser le CPU dès qu'il est disponible. Les développements dans cette direction nous amènent à l'étape suivante et à la notion de **multiprogrammation** [*multiprogramming*].

12.2.5 Multiprogrammation

On dit d'une machine qu'elle est multiprogrammée si plusieurs programmes sont chargés en mémoire dans le but de partager le CPU. La multiprogrammation est donc une technique qui vise l'élimination des temps d'attente de l'unité de traitement pendant les opérations d'entrée/sortie. En assurant la présence en mémoire centrale de plusieurs programmes ou parties de programmes capables de profiter de tout cycle CPU disponible, elle cherche à exploiter plus efficacement l'ordinateur. La différence entre systèmes mono et multiprogrammés réside dans le nombre de programmes chargés en mémoire et prêts à utiliser le CPU. Un tel système d'exploitation est aussi appelé moniteur batch à multiple flots [*multiple streams batch monitor*]. Cette situation est schématisée dans la figure 12.3.

Normalement, le programme qui est en train d'être exécuté garde le CPU jusqu'au moment où il doit faire une opération d'entrée/sortie. Dès que le CPU déclenche une telle opération en la confiant à un dispositif indépendant (canal ou DMA), le moniteur décide d'allouer le CPU à l'un des programmes en attente dans la mémoire.

Le système d'exploitation s'enrichit ainsi d'un autre module, l'**allocateur** [*dispatcher*], qui s'occupe de la gestion instantanée du CPU en tenant compte des priorités et de la planification établies par le [*scheduler*]. L'allocateur peut aussi décider d'interrompre une exécution prolongée [*pre-emption*], sans attendre une entrée/sortie, dans l'optique d'un partage équitable de l'unité de traitement. La multiprogrammation pose un certain nombre de problèmes, par exemple :

- comment partager l'unité de traitement entre plusieurs programmes et sauvegarder le contexte (l'état d'exécution) de chaque programme;
- comment gérer la mémoire centrale en permettant le chargement d'un nombre élevé de programmes dans un espace-mémoire limité;
- comment gérer les entrées/sorties des différents programmes, en assurant un trafic ordonné de données entre la mémoire et les unités périphériques et en empêchant le système de mélanger les informations appartenant aux différents programmes;
- comment protéger les programmes et les données stockés dans la mémoire centrale et sur disque, des erreurs éventuelles (des programmes, du système et de la machine) qui pourraient avoir des conséquences graves sur le déroulement des opérations.

On reprendra ces problèmes par la suite et on entrera dans les détails de certaines solutions, pour mieux comprendre le fonctionnement et la complexité des systèmes d'exploitation modernes. Mais il faut d'abord compléter l'évolution historique des systèmes d'exploitation, avec le franchissement d'une autre étape importante amenant à l'utilisation simultanée de l'ordinateur par plusieurs usagers.

12.2.6 Temps partagé

Les **systèmes à temps-partagé** [*time-sharing*], dits aussi multi-accès ou multi-utilisateurs, sont une variante des systèmes multiprogrammés où le temps CPU est distribué par petites tranches égales à un grand nombre d'utilisateurs interactifs connectés à l'ordinateur par l'intermédiaire de leur terminal. Le système d'exploitation partage les ressources de traitement entre les différents jobs, de telle sorte que chaque utilisateur a l'impression de disposer de la machine pour lui tout seul. Ce mode d'exploitation est illustré dans la figure 12.3.

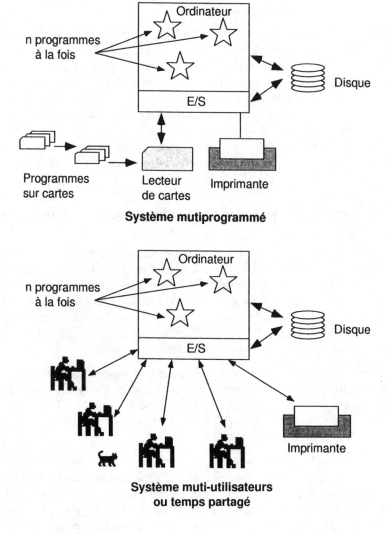

Figure 12.3 : Multiprogrammation et time-sharing

Les systèmes actuels combinent les traitements batch et time-sharing. Dans un système à temps-partagé, tout job soumis à partir d'un terminal peut être contrôlé directement par l'utilisateur. Il peut, par exemple, décider de corriger des erreurs, recompiler et resoumettre le job pour exécution. Ce mode d'exploitation est particulièrement adapté à la phase de mise au point d'un programme, tandis que le mode batch est généralement utilisé pour des travaux de production et pour d'autres tâches non interactives.

Les premiers systèmes multi-accès furent développés pendant les années 60, notamment CTSS [*Compatible Time-Sharing System*] et Multics (MIT). Mais il fallut attendre les machines de la troisième génération, dotées de dispositifs pour la protection et de terminaux bon marché, pour voir le mode time-sharing s'affirmer et devenir vraiment populaire.

Le succès des systèmes interactifs dépend de leur **temps de réponse**. En effet, pour permettre à l'utilisateur de dialoguer avec le système, le temps de réponse de la machine doit être raisonnablement court (de l'ordre de deux ou trois secondes). Le processeur étant multiplexé entre plusieurs utilisateurs, il faut trouver un équilibre entre la puissance du CPU et le nombre d'utilisateurs travaillant simultanément. Si le nombre de terminaux actifs en même temps est trop grand, le temps de réponse devient inacceptable et le service se dégrade rapidement. L'équilibre peut être rétabli au prix, soit d'une restriction du nombre d'utilisateurs actifs, soit d'une augmentation des ressources de traitement.

12.3 Caractéristiques des systèmes d'exploitation

Aujourd'hui, le matériel informatique est toujours accompagné par un système d'exploitation, qu'il s'agisse de superordinateurs ou d'ordinateurs personnels. La tendance à connecter les ordinateurs en réseau a poussé les systèmes d'exploitation à se doter de **modules de communications** [*Network Operating Systems*]. On a développé des **systèmes distribués** [*Distributed Operating Systems*] qui exploitent les ressources de plusieurs machines, tout en donnant l'impression à l'utilisateur de dialoguer avec un seul ordinateur.

Les ordinateurs haut-de-gamme sont des multi-processeurs (plusieurs unités de traitement) multiprogrammés et exploités dans les modes batch et multi-accès. Ils servent simultanément plusieurs centaines d'utilisateurs et ils accomplissent les tâches les plus variées (édition de textes, compilation, petits travaux de mise au point, grands jobs de production, etc.).

La plupart des ordinateurs personnels sont gérés par des systèmes mono-utilisateur. Le but essentiel est de faciliter l'exploitation de la machine. Ces systèmes offrent un langage de commande (interface utilisateur/système) facile à utiliser, un système de gestion des fichiers aussi simple que possible et des facilités d'entrée/sortie permettant l'utilisation aisée du clavier, de l'écran et des unités de disques.

On trouve aussi des systèmes spécialisés dans la conduite d'appareillage industriel ou dans la commande de processus [*process control*] où le temps joue un rôle critique. Ils sont souvent appelés **systèmes temps réel** [*real-time*]. Les systèmes bancaires et ceux utilisés pour la réservation des places d'avion sont des exemples de systèmes transactionnels caractérisés par de grandes bases de données mises à jour continuellement. Un axe de développement s'oriente vers des systèmes spécialisés, pendant que l'on observe aussi une tendance consistant à développer des systèmes généralistes où l'on retrouve les caractéristiques de plusieurs types de systèmes d'exploitation.

On exige toujours plus de services et une convivialité accrue des systèmes modernes. Il n'est donc pas surprenant de voir leur taille s'accroître et leur complexité augmenter continuellement. D'autre part, avec près d'un demi siècle de développement rapide et tellement d'expériences plus ou moins concluantes, on commence à identifier les fonctions de base de tout système d'exploitation et à entrevoir une certaine structure hiérarchisée. On observe une convergence des idées et des structures, bien que les réalisations restent pour la plupart très différentes et incompatibles. Il est désormais possible d'envisager la description structurée d'un système d'exploitation.

Nous allons nous concentrer sur l'ordinateur exploité en multipro-grammation et nous essayerons de dégager les caractéristiques essentielles d'un tel système.

12.3.1 Exploitation des ressources

Un des aspects fondamentaux des systèmes d'exploitation est la mise en œuvre du parallélisme entre activités, qui est l'un des moyens d'augmenter la performance d'un ordinateur. Citons, par exemple, la coexistence de plusieurs programmes en mémoire, la simultanéité des traitements avec les opérations d'entrée/sortie et le travail en parallèle de plusieurs terminaux interactifs. Tout se passe comme si plusieurs programmes s'exécutaient en même temps. Pourtant la machine n'effectue qu'une opération à la fois. Ce mélange de parallélisme réel et apparent ne peut pas être décrit convenablement sur la base de ce qui se passe au niveau du CPU. Il nous faudra introduire la notion de processus concurrents pour mieux comprendre la progression des activités dans un ordinateur multiprogrammé.

Un autre aspect essentiel est le partage des ressources et des informations. C'est le système d'exploitation qui doit assurer la gestion des différentes unités fonctionnelles de la machine (CPU, mémoire centrale et auxiliaire, dispositifs d'entrée/sortie, etc.) et qui doit permettre l'accès simultané aux données communes (bases de données, fichiers, etc.) et à certains programmes (utilitaires, bibliothèques, etc.). Tout cela ne va pas sans problèmes : comment protéger une activité contre les erreurs des autres activités ? Comment passer continuellement d'une activité à une autre en préservant l'intégrité des informations ? Comment réaliser tout cela sans dépenser, pour les activités du système, toutes les ressources épargnées sur les applications ?

Tout système d'exploitation s'occupe naturellement de l'organisation du travail de l'ordinateur et assure des fonctions telles que la prise en charge des jobs, la gestion des processus, des interruptions, des entrées/sorties, des erreurs, la protection des informations, la comptabilité et les statistiques concernant l'utilisation des ressources, etc. Cependant, la distinction entre les fonctions du système et celles qui n'en font pas partie n'est pas évidente. Par exemple, le compilateur ou l'éditeur de texte sont considérés comme des programmes utilitaires en dehors du système proprement dit. Dans le système Unix, le programme de gestion des fichiers est traité comme une application quelconque.

Une caractéristique de comportement, qui apparaît avec ces systèmes, est le non-déterminisme des opérations. Si, au niveau de l'application, les exécutions répétées avec les mêmes données produisent toujours les mêmes résultats, au niveau du système, le déroulement des activités ne suit pas forcément le même chemin. Le système d'exploitation doit, en effet, réagir à des situations non-reproductibles, à des événements aléatoires survenant dans n'importe quel ordre, comme, par exemple, des interruptions générées par des dispositifs d'entrée/sortie, des transferts de données répétés à la suite d'erreurs détectées lors de vérifications de parité, des incidents de fonctionnement, ou tout simplement des interactions homme-machine par terminal interposé.

12.3.2 Virtualisation de la machine

L'autre tâche essentielle du système d'exploitation est de présenter à l'utilisateur une machine virtuelle plus facile à programmer que la machine réelle.

Le **langage de commande** permet à l'utilisateur de formuler ses requêtes au système. Un job est constitué de plusieurs activités à exécuter dans un certain ordre avec l'aide du système. Le langage de commande fournit le moyen de communiquer au système toutes les informations nécessaires à la réalisation des différentes étapes du travail.

Il y a une certaine ressemblance entre les langages de commande et les langages de programmation. Du point de vue syntaxique, il s'agit dans les deux cas de phrases spécifiant de façon non ambiguë des actions à accomplir. Cependant, les instructions d'un langage évolué de programmation sont normalement exécutées par le CPU après avoir été traitées par un compilateur, tandis que les commandes d'un langage de commande sont interprétées par le système d'exploitation.

L'interface homme/machine est donc, dans une large mesure, constituée par le langage de commande et la convivialité du système dépend de sa richesse et de sa simplicité. Les premières manifestations de la notion de langage de commande furent les **cartes de contrôle** interprétées par les moniteurs batch. Insérées dans les paquets de cartes perforées, elles indiquaient au système la séquence des traitements à effectuer. Il s'agit là d'une sorte de programmation à un niveau supérieur : on programme le système d'exploitation. On peut entrevoir la généralisation de la notion de processeur : matériel ou logiciel capable d'interpréter des ordres et de faire exécuter les traitements correspondants. On peut aussi remarquer l'existence de plusieurs niveaux de traitement.

La **machine virtuelle**, présentée par le système, cache à l'utilisateur tous les détails concernant, par exemple, une opération d'entrée/sortie, ou une manipulation de fichiers. Elle accepte des instructions très simples qui, par exemple, l'amènent à compiler et à exécuter un programme, sans se soucier de l'énorme quantité de bits qu'il faut détailler au niveau de la machine physique pour qu'une telle suite de traitements puisse se produire. Si le système d'exploitation doit nous rendre tous ces services, il n'est pas étonnant qu'un pourcentage de plus en plus important des cycles CPU soit absorbé par ses activités.

12.3.3 Dispositifs pour systèmes multiprogrammés

La fonctionnalité des systèmes contemporains trouve ses racines dans un matériel toujours plus performant où des dispositifs spécifiques ont été conçus à l'intention du système d'exploitation.

Il va sans dire que des dispositifs tels les canaux d'E/S, le système d'interruption, les mémoires auxiliaires comme les unités de disque et les terminaux interactifs ont joué un rôle déterminant dans l'évolution des concepts fondamentaux des systèmes d'exploitation. Cependant, d'autres dispositifs, créés, par exemple, pour la protection des programmes et des données, pour la relocation dynamique des programmes ou pour la gestion de la mémoire virtuelle, sont indiscutablement à la base de tout système moderne, dans la mesure où ils aident à réaliser efficacement des concepts essentiels.

12.3.4 Machine à deux états

L'idée à la base du fonctionnement du système est de voir l'ordinateur comme une machine ayant deux états distincts, l'**état superviseur**, réservé au système d'exploitation, et l'**état utilisateur**, dans lequel tournent les programmes d'application.

Cette conception permet de doter la machine d'un jeu d'instructions de base, exécutables dans les deux états, et de quelques instructions supplémentaires, dites **instructions privilégiées**, exécutables seulement en mode superviseur.

Le mécanisme réalisant cette idée est très simple : un indicateur (par exemple, un bit du registre d'états), reflétant l'état de la machine, est testé par le CPU (au niveau du séquenceur) avant de déclencher l'exécution d'une instruction privilégiée.

Seul le système d'exploitation a le droit de manipuler cet indicateur. Dans certains cas, l'indicateur d'état passe automatiquement dans l'état superviseur, par exemple s'il y a une interruption, ou en cas d'erreur, ou, en général, à la suite de tout événement nécessitant l'intervention du système.

L'interface entre les deux états, ou modes d'exécution, est assurée par l'existence d'une instruction non-privilégiée, appelée requête au superviseur, qui permet de faire appel au pouvoir du système pour effectuer des opérations interdites en mode utilisateur.

C'est le cas notamment des opérations d'entrée/sortie, strictement réservées au système d'exploitation, pour la bonne raison qu'il serait trop difficile et trop risqué de les laisser effectuer par les utilisateurs. Dès que l'utilisateur doit faire une opération d'entrée/sortie, il fait appel à un ensemble de procédures spéciales fournies par le système d'exploitation [*system calls*] (ou API [*Application programming Interface*]). Ces procédures, tout en simplifiant la programmation des E/S, contiennent une requête au superviseur qui provoque le passage à l'état superviseur, permettant ainsi au système d'effectuer toute opération délicate ou dangereuse, sous sa responsabilité.

12.3.5 Notions de programme, processeur et processus

Avant d'affronter la description d'un système d'exploitation moderne, il faut préciser certains concepts de base, comme ceux de programme, de processeur et de processus.

Un **programme** est une suite statique d'instructions.

Un **processeur** est l'agent qui exécute les instructions d'un programme.

Un **processus** est une action, une séquence d'opérations qui se déroule pour réaliser une tâche déterminée; bref, c'est un programme en exécution.

Par opposition à la staticité du programme, on introduit, avec le processus, une entité dynamique.

On a déjà vu qu'un processeur peut être câblé (hardware) ou programmé (software), bien que ce terme soit normalement utilisé pour indiquer une unité de traitement physique.

La notion de processus est une abstraction très utile pour décrire le déroulement des opérations dans un ordinateur multiprogrammé et géré par un système d'exploitation. Dans ce contexte, le processus est l'unité de travail du système. On peut imaginer l'exploitation d'un ordinateur comme étant un ensemble de processus s'exécutant en parallèle. On peut étudier le déroulement d'un calcul complexe en le décomposant en processus, par exemple : un processus d'entrée des données, un autre pour un traitement déterminé, etc. Dans cette optique, l'activité à un terminal interactif est aussi un processus, ce qui permet de visualiser l'activité d'un système d'exploitation comme un ensemble de processus concurrents.

La simultanéité peut être considérée comme l'activation de plusieurs processus, bien que dans la réalité elle soit réalisée par l'exécution de plusieurs programmes en alternance sur un seul processeur. La fréquence des passages d'une activité à l'autre donne une impression de simultanéité.

En généralisant, on peut inclure dans la définition de processus, les processus-systèmes et les processus-utilisateurs, ainsi que les processus-canaux et les processus-terminaux, etc. Cette définition englobe ainsi les simultanéités apparente et réelle.

En conclusion, on peut résumer ainsi ces trois notions :

Un **programme** spécifie l'exécution séquentielle d'une liste d'instructions par un agent dit **processeur**. On appelle **processus** cette exécution.

Actuellement, on utilise de plus en plus des **threads** (fils). Les threads sont un moyen de rafiner et de diviser le travail normalement associés à un processus.

Un thread est une unité de travail associée à un processus que l'on va appeler : processus poids lourd. Le thread, que l'on peut qualifier de processus poids plume, utilise plusieurs des ressources du processus poids lourd, spécialement le code du programme du processus. Il s'exécute dans l'espace adresse du processus auquel il est associé mais comme une unité de travail indépendante. Le thread utilise ses propres états et, éventuellement, ses propres données.

 Supposons qu'un système de fenêtrage soit construit à l'aide d'un gestionnaire d'écran poids lourd avec plusieurs threads d'écrans virtuels. Chaque thread exécute le même code et tous partagent le même écran physique, cependant chaque thread gère une seule fenêtre parmi l'ensemble des fenêtres affichées.

12.3.6 Structure d'un système d'exploitation moderne

En examinant les fonctions d'un système d'exploitation, on s'aperçoit qu'elles ne sont pas toutes d'un même niveau. Le système de gestion des fichiers fait appel, par exemple, aux services du système de gestion des entrées/sorties, qui, à son tour, utilise le module de traitement des interruptions, etc.

On peut donc faire un modèle de système basé sur une superposition de couches fonctionnelles, les couches les plus basses étant celles qui sont en interaction directe avec le matériel, et les plus hautes, celles qui servent d'interface avec l'utilisateur. Chaque couche utilise les fonctions définies par les couches inférieures. C'est à peu près l'approche adoptée lors de la définition des niveaux fonctionnels concernant les protocoles de communications dans un réseau (modèle OSI).

Cet ensemble de couches fonctionnelles de logiciel forment une succession de machines virtuelles superposées, comme illustré dans la figure 12.4.

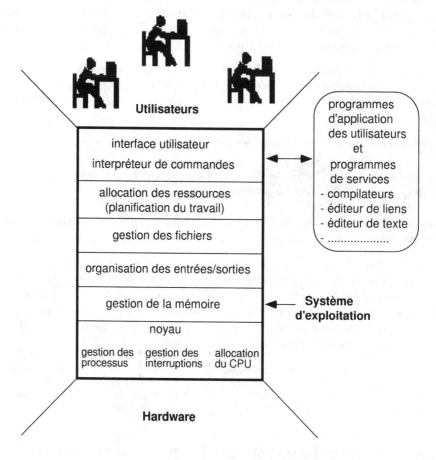

Figure 12.4 : Structure du système d'exploitation

On mettra en bas les fonctions fournies par le matériel. En parcourant les couches vers le haut, on trouve d'abord le **noyau**, interface entre le matériel et le logiciel. Le but de cette première couche est de gérer le CPU, les interruptions et les processus. On rencontre ensuite le module de gestion de la mémoire, suivi par la gestion des entrées/sorties, la gestion des fichiers, l'allocation des ressources ou la planification du travail, et enfin, l'interface utilisateur avec l'interpréteur de commandes.

Ce modèle stratifié décrit l'organisation d'ensemble d'un ordinateur géré en multiprogrammation. Les différentes fonctions sont groupées sur sept niveaux, dont six définissent des fonctions logicielles typiques d'un système d'exploitation moderne.

Il faut noter que, dans ce modèle, des programmes tels les compilateurs, les assembleurs, les éditeurs de liens, les interpréteurs, les éditeurs de texte, ne font pas partie des fonctions de base du système d'exploitation. Ils sont considérés comme des programmes d'application particuliers, intégrant les services du système, sans en faire vraiment partie.

Nous allons examiner chaque niveau en partant du noyau et en procédant vers le haut. L'exploration de cette structure hiérarchisée devrait donner une idée de la complexité d'un système d'exploitation et fournir des éléments pour comprendre le fonctionnement d'un ordinateur contemporain. Mais cette étude devrait surtout mettre en évidence le fait que, dans un système informatique moderne, le matériel et le logiciel-système sont intimement liés et forment ensemble une véritable machine virtuelle.

Aujourd'hui, lors de l'achat d'un ordinateur, on vérifie d'abord s'il supporte le ou les systèmes d'exploitation préférés par les utilisateurs, car un changement de système implique des changements importants au niveau des applications ainsi que dans les habitudes et dans le style de travail des utilisateurs. L'évolution des systèmes ne semble pas vouloir s'arrêter et des améliorations sont apportées continuellement aux systèmes existants. Il ne suffit plus de donner le nom du système, mais il faut encore spécifier sa version et, peut-être, les options désirées. Par exemple, VM/CMS SP/HPO 5 et VM/CMS XA/SP Release 2 sont deux membres de la famille VM (systèmes IBM), suffisamment différents pour justifier un effort considérable lors du passage de l'un à l'autre. Effort du côté du constructeur d'abord et du côté de l'installation ensuite; effort aussi de la part de l'utilisateur qui doit s'adapter aux particularités du nouveau système.

12.4 Noyau

Les fonctions principales du **noyau** [*kernel*] sont :
- l'allocation du CPU;
- la gestion des interruptions;
- le support de l'environnement des processus.

Le noyau est la seule partie du système qui doit entièrement résider en mémoire centrale. Ses fonctions impliquent des interventions fréquentes et rapides. On ne saurait attendre un module stocké sur disque pour répondre à une disponibilité soudaine du CPU ou pour réagir à une interruption.

Pour les mêmes raisons, et à cause de l'occupation permanente d'une partie de la mémoire, le codage du noyau doit être particulièrement soigné. C'est, en effet, la couche du système la plus sollicitée et qui est donc souvent codée en assembleur, le reste étant codé en langage évolué orienté système.

12.4.1 Allocation du CPU

L'**allocateur** [*dispatcher*] est responsable de la répartition du temps disponible de l'unité de traitement (ou des unités de traitement dans le cas d'une architecture multi-processeurs) entre les différents processus.

Sa tâche implique la gestion d'une file d'attente dans laquelle les processus prêts à utiliser le CPU sont classés par ordre de priorité. La priorité d'un processus est attribuée par le **planificateur** [*scheduler*] selon l'urgence du traitement et les ressources requises; elle est ensuite modifiée dynamiquement sur la base du temps d'attente entre deux exécutions partielles. Le dispatcher se contente d'allouer le CPU au processus qui se trouve en tête de la queue au moment où le CPU devient disponible.

L'allocateur doit aussi sauvegarder l'état (synonymes : contexte, environnement, etc.) du processus dont l'exécution s'interrompt et doit fournir au CPU les éléments de l'environnement du processus désigné comme successeur.

Où sont sauvegardées les informations concernant l'état des processus? On associe à chaque processus une zone mémoire contenant toutes les informations essentielles telles que son identificateur, sa priorité, son contexte, son statut (par exemple actif, s'il est maître du CPU; prêt, s'il est chargé en mémoire et s'il a toutes les ressources sauf le CPU; en attente, s'il est sur disque dans l'attente d'être en possession des périphériques et de l'espace mémoire nécessaires; suspendu, terminé, etc.), ses besoins en ressources, etc. On appelle ce bloc d'informations **vecteur d'état**, ou descripteur, ou image du processus. Ces descripteurs sont regroupés dans une structure de données et peuvent être atteints par pointeur à partir d'une table centrale. Cette structure est naturellement accessible aux programmes du noyau.

Dans quels cas fait-on appel au dispatcher? Dans tous les cas où il faut changer le processus maître du CPU. Par exemple, lorsque le processus exécutant déclenche une opération d'entrée/sortie, ou lorsqu'une interruption d'horloge signale que la tranche de temps allouée s'est écoulée et qu'il faut suspendre l'exécution [*preemption*], il faut alors attribuer le CPU à un autre processus. Le dispatcher sera aussi activé dès qu'une interruption externe modifie l'état du processus maître du CPU, ou le rend momentanément inopérant (par exemple, traitement d'une erreur).

12.4.2 Gestion des interruptions

La tâche de ce module est de déterminer la source de l'interruption et d'activer la procédure de service, ou de réponse, correspondante.

Parmi les interruptions qu'il faut traiter à ce niveau, il faut inclure les interruptions internes provoquées, par exemple, par la détection d'une erreur, ou par une action requérant le passage à l'état superviseur, ainsi que toutes les interruptions externes.

Comme exemples d'actions causant le passage à l'état superviseur, on peut citer le cas d'un utilisateur essayant d'exécuter une instruction privilégiée ou cherchant à accéder à une information protégée, etc. Si l'interruption implique un changement d'allocation du processeur, ce module du noyau activera le dispatcher.

12.4.3 Support de l'environnement des processus

On a dit que les processus se déroulaient en parallèle, se recouvrant dans le temps et réalisant une simultanéité réelle ou apparente. Cependant, les processus ne sont pas totalement indépendants : parfois ils doivent coopérer à l'accomplissement d'une même tâche et parfois ils sont en compétition pour le partage de certaines ressources (CPU, mémoire, périphériques, fichiers, etc.). Il est donc nécessaire de coordonner leur progression.

Des méthodes ont été développées, qui permettent la synchronisation et la communication entre processus évoluant de manière asynchrone. C'est la responsabilité d'un module du noyau de pourvoir à ces mécanismes.

Dans le domaine de la **synchronisation** on peut citer le problème posé par deux processus se trouvant dans une relation producteur/consommateur : l'un produit des résultats qui doivent être traités par l'autre. Bien que les vitesses d'avancement des deux processus ne soient pas prévisibles, on doit éviter que le deuxième processus ne consomme plus vite que le premier ne peut produire. On dit que ces deux processus sont en compétition pour une ressource partageable et qu'ils se trouvent dans une situation de course de vitesse [*race condition*].

Il faut aussi éviter que deux processus compétitifs puissent accéder simultanément à une même ressource non partageable qu'ils convoitent. L'exemple typique est celui des agences de voyage essayant de réserver simultanément la même place d'avion sur le même vol. C'est le cas dit de l'**exclusion mutuelle** et la solution consiste à s'assurer que les ressources non partageables ne sont accessibles que par un processus à la fois.

Enfin, on peut citer la possibilité de tomber dans des situations de blocage (appelées étreinte fatale) [*deadlock*] où plusieurs processus cherchant à obtenir une même ressource n'arrivent plus à sortir d'une situation d'impasse. Le système d'exploitation doit prévenir et éviter ces blocages et, le cas échéant, intervenir pour débloquer la situation.

Parmi les mécanismes de synchronisation et de communication entre processus utilisés dans les systèmes d'exploitation, on peut citer les **sémaphores**, proposés par Dijkstra en 1965, les **moniteurs** (Hoare, 1974), etc.

Pour donner une idée de ces méthodes nous introduisons brièvement le concept de sémaphore : un **sémaphore** est une variable entière positive (un compteur, prenant les valeurs 0,1,2...*n*) pouvant être modifiée seulement par deux opérations primitives, appelées *Wait* et *Signal*.

L'opérateur *Signal (S)* incrémente le sémaphore *S* d'une unité. L'opérateur *Wait (S)* décrémente *S* d'une unité, à condition que le résultat ne devienne pas négatif. Cela signifie que si *S* = 0 l'opération *Wait (S)* ne peut pas être effectuée; par conséquent elle doit attendre que le sémaphore *S* devienne positif (à la suite d'une opération *Signal (S)* effectuée par un autre processus). Nous allons voir, à l'aide de quelques exemples, comment l'application de ces deux opérateurs peut aider à résoudre des problèmes de synchronisation de processus.

On veut empêcher un processus *A* d'exécuter l'instruction *I* avant qu'un autre processus *B* n'ait exécuté son instruction *J*. On peut résoudre ce problème en plaçant une opération *Wait (S)* avant l'instruction *I* du processus *A*, une opération *Signal (S)* après l'instruction *J* du processus *B* et en initialisant *S* à 0. L'opération *Wait (S)* ne pourra pas s'effectuer avant que *S* ait été incrémenté par *Signal (S)*, ce qui obligera le processus *A* d'attendre que *B* ait dépassé l'instruction *J*.

On peut empêcher l'accès simultané de plusieurs processus à certaines ressources non partageables, telles que fichiers ou périphériques, en réalisant l'exclusion mutuelle à l'aide de sémaphores.

Supposons que plusieurs processus *A, B, C ... N* soient en compétition pour l'accès à un fichier *F* déclaré ressource non partageable. Comment réaliser l'exclusion mutuelle et donc éviter que deux processus puissent accéder simultanément au fichier ? Une solution possible consiste à définir un sémaphore *S* et à l'initialiser à 1. On entoure chaque portion du code de chaque processus demandant l'accès au fichier d'une paire *Wait (S)* et *Signal (S)*, *Wait* précédant et *Signal* suivant la partie critique du code. On constate que l'exclusion mutuelle est assurée, car un seul processus peut exécuter *Wait (S)* avant qu'un autre n'exécute *Signal (S)*, à cause de la valeur de *S*=1.

Un sémaphore suffit pour gérer un ensemble de ressources du même type. Voyons comment partager une ressource limitée entre un grand nombre de processus en compétition.

Considérons le problème suivant : on dispose de trois imprimantes pouvant être demandées par un nombre imprécisé de processus. Comment exploiter les imprimantes et gérer une file d'attente à l'aide de sémaphores ? Solution : on initialise un sémaphore *S* à 3 (nombre des imprimantes). Sa valeur indique, à tout instant, le nombre d'imprimantes disponibles. Si *S*=0, toutes les ressources sont occupées. L'opération *Wait(S)* est exécutée par les processus demandeurs. Dès que la valeur de *S* tombe à 0, tout processus exécutant *Wait (S)* aura son statut changé de prêt à en attente et le système le placera dans une queue. L'opération *Signal (S)* sera exécutée dès qu'un processus aura terminé son travail d'impression. Le système détectera le passage de *S* de 0 à 1 en exécutant à son tour une opération *Wait (S)*. Il pourra ainsi placer le processus venant en tête de la queue dans l'état prêt et lui accorder l'accès à l'imprimante disponible.

Le rôle du noyau dans la synchronisation des processus est généralement limité à l'implémentation des deux primitives *Wait* et *Signal* utilisées par les niveaux supérieurs du système. Essentiellement, ces deux opérateurs maintiennent un compteur et assurent la suspension et la réactivation des processus.

12.5 Gestion de la mémoire centrale

Les programmes ont besoin de mémoire pour leur exécution (pour le stockage des instructions et des données). Seules les instructions stockées en mémoire centrale peuvent être exécutées par le CPU.

Si l'ordinateur est exploité en monoprogrammation, le problème se réduit au partage de la mémoire entre le programme d'application à exécuter et la partie du système résidant en mémoire. Ce dernier occupe normalement une zone d'adresses à partir de l'adresse 0, que l'on appelle souvent partie basse de la mémoire. Si le système occupe la zone allant de l'adresse 0 à N, le programme utilisateur aura à disposition l'espace des adresses de $N+1$ à l'extrémité supérieure de la mémoire. Si le programme utilisateur a une taille plus grande que l'espace disponible, le programmeur doit découper le programme en modules [*overlays*] qui puissent se succéder dans la zone mémoire mise à leur disposition. Le système n'est pas nécessairement stocké en mémoire RAM; dans certains cas, on préfère utiliser une mémoire ROM séparée, pour des raisons de protection et de non-volatilité.

La mémoire centrale est une ressource coûteuse, par conséquent elle est limitée et devient facilement un élément critique dans la performance d'un ordinateur. La taille des mémoires a augmenté considérablement avec l'adoption des mémoires électroniques, mais la taille des programmes a suivi une tendance semblable. Il faut donc gérer l'espace mémoire efficacement. La deuxième couche du logiciel d'exploitation est chargée du partage de la mémoire entre les processus en attente.

12.5.1 Partitions de taille fixe

Comment partitionner la mémoire afin qu'elle puisse contenir un nombre maximum de programmes ? Au fil des années, des techniques ont été développées, allant des plus simples aux plus sophistiquées.

L'idée la plus simple consiste à découper la mémoire physique disponible en **partitions fixes**, mais pas nécessairement de tailles identiques, fixées à la génération du système.

Ces partitions étant fixées à l'avance et une fois pour toutes, leur allocation présente quelques problèmes. Il faut d'abord gérer plusieurs queues de processus en attente, en triant les processus selon leur taille. Il y aura certainement gaspillage de mémoire, à cause des différences entre les tailles des jobs et celles des partitions. L'utilisation de la mémoire est forcément inefficace car on ne peut pas prévoir la taille des jobs à exécuter et l'on trouvera rarement un processus dont la taille correspond exactement à l'une des partitions établies à l'avance. Cette situation est illustrée dans la figure 12.5.

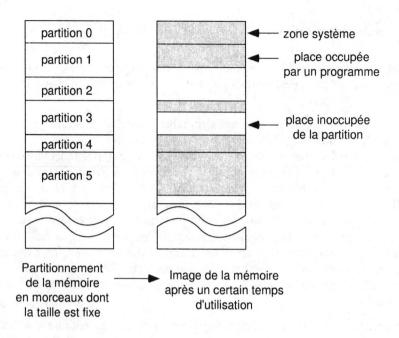

Figure 12.5 : Partitions de taille fixe

12.5.2 Partitions de taille variable

L'inévitable gaspillage de mémoire des systèmes à partitions fixes conduisit à l a conception de partitions adaptables à la taille des programmes. Ainsi naquit l a **partition de taille variable**. La figure 12.6 illustre cette idée qui résoud l e problème seulement dans la phase initiale des opérations, lors du remplissage de la mémoire par un premier lot de programmes. En effet, on peut facilement charger dans l'espace mémoire réservé aux utilisateurs une première série de programmes *A, B, C, D, E, F, G, H*, sans laisser d'espaces vides entre eux, sauf, peut être, dans la dernière partition, à l'extrémité supérieure de la mémoire.

Les problèmes commencent dès qu'un programme termine son exécution. Le système, en sortant ce programme, crée un *trou*, qui ne correspond pas nécessairement à l a taille d'un processus en attente. De plus, après un certain temps de fonctionnement du système, plusieurs trous se seront formés en mémoire.

La solution consiste naturellement dans la possibilité de déplacer les programmes en mémoire. De temps en temps le système suspend les exécutions et effectue un compactage. Cela permet de retasser la mémoire émiettée et de faire place aux programmes en attente. La figure 12.6 démontre cette situation.

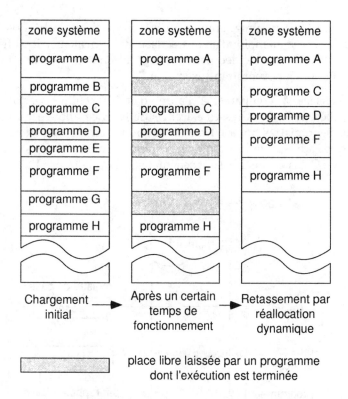

Figure 12.6 : Partitions de taille variable

Pour réaliser cette opération de retassement, ou compactage, on doit disposer d'une technique pour déplacer correctement les programmes, afin qu'ils puissent continuer leur exécution. On appelle cette technique, la **relocation** (réallocation) ou translation dynamique [*dynamic relocation*]. Elle est réalisée à l'aide des registres de base et du dispositif calculant, au moment de l'exécution, l'adresse effective.

Adresse effective = adresse de base + adresse relative au début du programme [*offset*].

La réallocation dynamique de l'espace mémoire peut ainsi être réalisée en déplaçant le programme et en modifiant le contenu du registre de base associé. L'exécution s'effectuera correctement, les adresses étant calculées à l'exécution en fonction de l'adresse contenue dans le registre de base.

12.5.3 Translation dynamique et protection

Dans les systèmes multiprogrammés, il faut protéger chaque programme contre les fautes éventuelles des autres usagers. Les fautes susceptibles de mettre en danger

l'exécution correcte d'un programme d'autrui sont liées à la possibilité de
déborder dans la zone mémoire d'un autre usager. En principe, il suffit donc de
vérifier que toute adresse calculée pendant l'exécution soit interne à l'intervalle
des adresses allouées au programme exécutant.

La solution consiste à comparer, à l'aide d'un dispositif spécial, l'adresse
effective calculée avec les adresses extrêmes de la zone allouée au programme,
stockées dans des **registres bornes**. Dans la pratique, un seul registre borne suffit,
étant donné que l'adresse de la première location de mémoire est stockée dans le
registre de base. Ces mécanismes sont schématisés dans la figure 12.7.

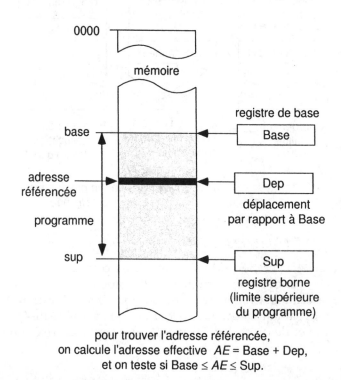

pour trouver l'adresse référencée,
on calcule l'adresse effective AE = Base + Dep,
et on teste si Base $\leq AE \leq$ Sup.

Figure 12.7 : Protection par registre borne

Bien sûr, seul le système d'exploitation a le droit de changer le contenu des
registres de base et des registres bornes, ce qui implique des instructions
privilégiées ne pouvant être exécutées qu'en mode superviseur.

Si un programme référence une adresse à l'extérieur de ses bornes, le dispositif de
vérification génère une interruption alertant le système d'exploitation. On force
donc chaque processus à n'utiliser que les positions de mémoire qui lui sont
allouées.

Pour réallouer dynamiquement la mémoire et la partager entre plusieurs processus
convenablement protégés, on fait usage des dispositifs suivants :

- registre de base ;
- registre borne ;
- dispositif de calcul de l'adresse effective lors de toute référence à la mémoire ;
- dispositif de vérification d'appartenance de l'adresse effective à la zone mémoire du processus.

Grâce à ces dispositifs, le système peut décider le déplacement d'un programme et peut effectuer de temps en temps un retassement de la mémoire. Des processus, devenant temporairement inactifs, peuvent être mis en attente sur disque et remplacés en mémoire par d'autres processus [*swapping*]. Les faiblesses principales de cette technique sont :

- le temps non négligeable passé à retasser la mémoire ;
- l'exigence d'allouer à chaque processus une zone mémoire d'un seul tenant, ce qui est souvent une condition difficile à satisfaire.

Dans l'évolution conceptuelle des systèmes de gestion de la mémoire, l'étape suivante consiste à chercher des méthodes de fractionnement des programmes et de partitionnement de la mémoire, telles qu'un programme puisse être chargé dans des zones mémoire non contiguës.

12.5.4 Segmentation

Une technique offrant une solution à ce problème est la segmentation. Elle concerne la division du programme en modules, ou segments, chaque segment correspondant à une entité logique, telle une procédure ou un bloc de données, indépendante des autres segments.

La **segmentation** permet au programmeur de définir plusieurs espaces d'adresses séparés. Par exemple, le concepteur d'un compilateur pourrait envisager des segments correspondant aux différentes phases de la compilation. Les données seraient aussi associées à des segments séparés (texte source, code objet, table des symboles, arbre syntaxique, etc.), ce qui aurait l'avantage d'éviter les débordements et donc le recouvrement de tables.

On peut considérer la segmentation comme une alternative au retassement, les segments se prêtant mieux à l'occupation de l'espace mémoire fragmenté. Le système d'exploitation se charge de placer en mémoire les segments nécessaires à l'exécution des programmes prêts à utiliser le CPU. C'est le système qui doit savoir où sont stockés les différents segments. Pour cela, il organise et il gère un ensemble de **tables de segments** [*segment tables*], une table par job, contenant les adresses de chargement des segments de chaque programme.

L'adresse est structurée et contient deux champs : le numéro du segment et le déplacement [*offset*] à l'intérieur du segment (l'adresse relative au début du segment). Chaque processus est associé à une table de segments, organisée comme dans la figure 12.8. Le calcul de l'adresse effective est réalisé, comme d'habitude, à l'aide d'un dispositif spécial, en ajoutant l'offset à l'adresse de chargement du segment, qui est stockée dans la table des segments.

La protection peut être assurée au niveau de la table des segments, en y ajoutant la taille de chaque segment ou la dernière adresse du segment. Ces informations sont utilisées pour vérifier que l'adresse calculée ne tombe pas en dehors de la portion de mémoire occupée par le segment.

Comme on peut le constater, le programmeur doit se soucier de moins en moins des limitations imposées par la taille et l'organisation de la mémoire principale. Le problème de l'économie de l'espace mémoire, qui avait affligé la première vague d'utilisateurs, devient moins obsédant; c'est le système d'exploitation qui s'en occupe. Pour franchir une nouvelle étape dans cette direction, il devient maintenant nécessaire d'introduire la notion fondamentale d'adresse virtuelle et d'espace des adresses virtuelles.

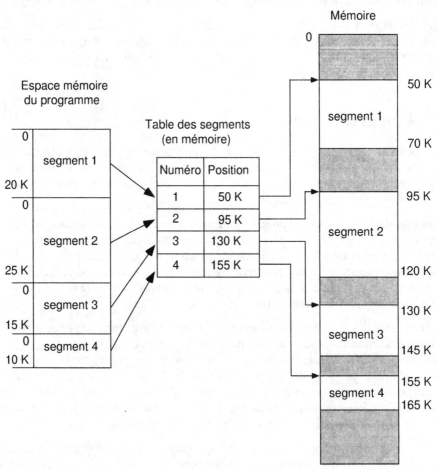

Figure 12.8 : Segmentation d'un programme

12.5.5 Notion de mémoire virtuelle

L'idée de **mémoire virtuelle** [*virtual memory*] est simple et élégante. Elle consiste à traiter séparément les adresses référencées par un programme (adresses virtuelles) et les adresses de la mémoire physique (adresses réelles).

L'ensemble des adresses virtuelles utilisées dans un programme est indépendant de l'implantation du programme en mémoire physique. C'est un espace mémoire virtuel qui n'existe donc pas, mais qui peut être utilisé par le programmeur comme modèle de mémoire centrale à sa disposition. Tout se passe comme si l'utilisateur avait accès à une mémoire ayant 2^n locations adressables (les adresses allant de 0 à 2^{n-1}), n étant le nombre de bits utilisés pour les adresses du programme.

Ce nombre n peut être naturellement beaucoup plus grand que le nombre m déterminant la taille de la mémoire physique. Une table de correspondance, dite topographie de mémoire ou table des pages [*page table*], gérée par le système, met en relation ces deux espaces d'adresses. Un dispositif matériel assure la transformation d'une adresse virtuelle en adresse réelle.

Un processus utilisera donc une partie de l'espace des adresses virtuelles à sa disposition, notamment celle déterminée par l'éditeur de liens et constituée des adresses comprises entre 0 et une adresse extrême correspondant à la taille du programme prêt au chargement [*load module*]. L'allocation de mémoire réelle à un tel processus sera traitée par le système d'exploitation sans tenir compte de la taille du programme dans l'espace virtuel. L'idée est de libérer le programmeur de toute contrainte imposée par la taille de la mémoire physique.

Par exemple, un champ adresse de 32 bits permet d'adresser un espace virtuel de 4 Gmots (4 milliards de mots). Si la mémoire réelle est de taille beaucoup plus petite (par exemple, 16 Mmots, correspondant à des adresses réelles de 24 bits), le programmeur ne doit pas s'en soucier. Des mécanismes transparents, gérés par le système d'exploitation, assurent la correspondance entre adresses virtuelles et adresses réelles, donnant ainsi la possibilité d'exécuter tout programme contenu dans les limites de l'espace virtuel. Pour réaliser un tel miracle, le système sera amené à utiliser des mémoires auxiliaires (disques, tambours, mémoires électroniques d'appui, etc.) comme extensions de la mémoire centrale.

Le concept de mémoire virtuelle, développé pendant les années 60, fut à la base de nombreux projets de recherche avant de devenir une réalité. Au début des années 70, la plupart des gros ordinateurs étaient dotés de mémoire virtuelle. La technique qui permit la réalisation du concept de mémoire virtuelle, est appelée **pagination** [*paging*].

 Certains ordinateurs (par exemple, les microordinateurs) utilisent encore aujourd'hui les techniques de partitionnement de la mémoire et de relocation dynamique.

12.5.6 Pagination

Pour réaliser une mémoire virtuelle, il faut d'abord avoir suffisamment de mémoire secondaire pour y stocker le programme tout entier et ses données. A l'exécution, des fragments du programme seront chargés en mémoire par le système d'exploitation. Il s'agit, bien sûr, de copies des fragments originaux, qui resteront sur disque ou sur d'autres supports auxiliaires et qui ne seront modifiés qu'en cas de changements effectués sur la copie en mémoire principale. Pour éviter des complications inutiles, il convient de définir une taille fixe et unique pour tous ces fragments de programme, qu'on appelle des pages. Le concept de **pagination** consiste à découper les deux espaces adresses en pages de la même taille et à mettre en œuvre un mécanisme de transfert de pages entre la mémoire virtuelle et la mémoire réelle.

L'espace des adresses virtuelles est donc divisé en pages de taille fixe, par exemple, 1'024 ou 2'048 mots (la taille des pages étant toujours une puissance de 2). La mémoire réelle est aussi divisée en **pages réelles** [*page frames*] de la même taille. Les pages réelles sont allouées par le système d'exploitation aux processus en attente. A tout instant, un programme prêt à l'exécution n'aura que quelques copies de ses pages en mémoire, opportunément choisies pour permettre à l'exécution d'avancer.

Plusieurs problèmes se posent au système d'une machine exploitée en multiprogrammation et dotée d'un mécanisme de pagination :

- comment savoir si une certaine page du programme se trouve déjà en mémoire et où elle se trouve exactement;
- comment convertir les adresses du programme, qui sont des adresses virtuelles, en adresses réelles;
- quelle page remplacer pour faire place à une nouvelle page devant être chargée en mémoire;
- comment savoir si la page sortant a été modifiée et doit donc être recopiée en mémoire auxiliaire.

Table des pages

Le mécanisme essentiel aidant à répondre à ces questions est la **table des pages** [*page table*]; elle est gérée par le système d'exploitation et représentée dans la figure 12.9.

La table des pages fait correspondre à chaque page virtuelle toute une série d'informations mises à jour par le système et concernant son emplacement sur disque et, le cas échéant, en mémoire. Un bit indicateur signale la présence (ou l'absence) de la page en mémoire principale. Si la page est en mémoire centrale, le numéro de la page réelle correspondante est inscrit dans la table. Un autre bit indique si la page a été modifiée pendant l'exécution et doit donc être recopiée en mémoire auxiliaire.

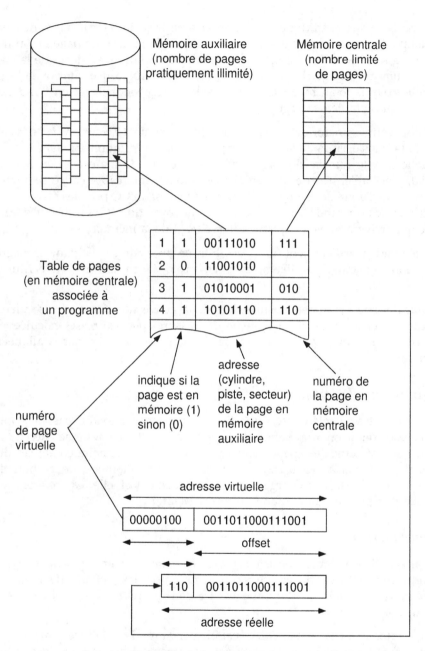

Calcul de l'adresse réelle à partir de l'adresse virtuelle

Figure 12.9 : Table de pages

Le mécanisme de transformation des adresses est très simple : il suffit de diviser le champ adresse en deux parties, l'une contenant le numéro de page et l'autre la position à l'intérieur de la page [*offset*] (l'adresse relative au début de la page). Seul le numéro de page change. Il suffit donc de remplacer le numéro de la page virtuelle par le numéro de la page réelle correspondante selon l'indication stockée dans la table des pages.

Qui fait cette transformation et à quel moment de l'exécution ? Le système d'exploitation s'occupe de la table des pages et la substitution du numéro de page virtuelle par le numéro de page réelle est l'œuvre du matériel. Un dispositif spécial, placé à l'entrée de la mémoire principale, intercepte l'adresse virtuelle provenant de l'unité de commande (plus précisément du CO pour les instructions ou du RI pour les opérandes) et effectue la transformation. C'est donc une adresse réelle qui arrivera dans le registre adresse (RA) de la mémoire.

La table des pages contient aussi des **bits de protection** spécifiant le degré de protection demandé, par exemple, page protégée en lecture, en écriture, en exécution, etc.

La table des pages, qui est consultée lors de la conversion d'une adresse virtuelle en adresse réelle, permet au système de s'assurer que l'adresse calculée est à l'intérieur d'une page réelle faisant partie de l'ensemble des pages allouées au programme.

Pagination à la demande

Lorsqu'une adresse référencée appartient à une page n'ayant pas de copie en mémoire, on dit qu'on a un **défaut de page** [*page fault*]. Le système cherche alors sur disque une copie de la page demandée, la charge en mémoire en déplaçant une autre page et met à jour la table des pages. Cette méthode de gestion de la mémoire, qui consiste à charger une page seulement si elle est référencée, est appelée **pagination à la demande** [*demand paging*].

Espace de travail

Une alternative valable consiste à placer en mémoire un petit nombre de pages, opportunément sélectionnées, de façon à minimiser les défauts de page, cause évidente d'inefficacité. On appelle **espace de travail** [*working set*] cet ensemble de pages.

Cette stratégie est basée sur l'observation suivante : les références mémoire d'un processus restent groupées et évoluent lentement dans l'espace des adresses virtuelles (principe de localisation des références mémoire). Il suffit de choisir les pages du working set à l'instant *t*, comme celles ayant été régulièrement référencées dans un intervalle de temps déterminé précédant l'instant *t*.

Cette approche implique parfois le chargement des pages du working set avant qu'elles ne soient référencées pour éviter les défauts de page. C'est ce qui se passe dans un système à temps partagé lorsque l'on reprend l'exécution d'un programme.

Souvent, dans un tel système, on sort les pages d'un processus qui vient d'utiliser sa tranche de temps pour faire place aux pages des processus s'apprêtant à exploiter leur tour de CPU. Les pages du working set d'un processus qui peut reprendre son avancement sont chargées en mémoire avant le démarrage de l'exécution.

Remplacement des pages

Ce même principe de localisation des références peut suggérer des techniques de rotation des pages. En effet, parmi les stratégies adoptées pour le choix des pages à remplacer, la plus efficace est celle consistant à sortir la page la moins récemment utilisée [LRU = *Least Recently Used*] et qui a donc une bonne probabilité de ne plus faire partie du working set.

L'idéal serait de remplacer les pages qui ne seront plus utilisées, au moins pendant un temps assez long; mais le système ne peut pas prévoir le déroulement futur des processus.

Si l'espace de travail nécessaire est plus grand que le nombre de pages réelles allouées, les défauts de pages seront fréquents. Lorsqu'un processus provoque des défauts de page trop fréquents, on dit qu'il s'écroule.

Si plusieurs processus s'écroulent en même temps, le système ne fait plus que du transfert de pages entre les disques et la mémoire [*thrashing*], ce qu'il faut éviter à tout prix en intervenant, par exemple, manuellement au pupitre pour sortir les programmes responsables de cette dégradation ou en permettant une évolution du nombre de pages réelles allouées à un processus.

Le programme idéal possède un espace de travail raisonnablement petit et évoluant lentement. Un tel programme, même s'il occupe un énorme espace virtuel, ne pose pas trop de problèmes aux ressources réelles du système.

Il peut s'avérer utile, voir nécessaire, de verrouiller des pages en mémoire pour éviter qu'elles ne soient éjectées par le système. C'est le cas notamment pour des pages critiques d'un processus temps-réel ou pour des pages participant à une opération d'entrée/sortie. On peut donner au système des directives dans ce sens, dans un but d'efficacité ou pour éviter une situation d'écroulement.

Taille des pages

La taille des pages est souvent fixée par le constructeur; cependant, elle peut être changée par le système d'exploitation. Les tailles communément utilisées varient entre 512 et 4'096 mots ou octets. La question qui se pose est de savoir s'il est préférable de choisir une petite ou une grande taille.

Une petite taille a l'avantage de réduire le gaspillage de mémoire, étant donné qu'il y aura toujours quelques pages d'instructions et de données remplies seulement partiellement. Le désavantage d'un grand nombre de petites pages réside dans la taille de la table des pages (augmentation du temps de traitement, mises à jour plus fréquentes, etc.).

Pour ce qui concerne les défauts de page, tout dépend de l'organisation du programme et des données. On peut donner des exemples de programmes où l'espace de travail est formé de petites régions distantes dans l'espace virtuel et qui seraient mieux servis par un grand nombre de petites pages. On peut aussi imaginer des processus ayant intérêt à avoir quelques pages de taille relativement importante.

L'expérience nous apprend qu'il ne faut exagérer ni dans un sens ni dans l'autre. Chaque installation choisira la taille qui donnera le moins de problèmes et assurera une performance globale satisfaisante. Ce choix dépend de l'architecture de la machine, du système d'exploitation et du mélange de programmes d'application fréquemment exécutés.

Pagination et antémémoire

L'antémémoire est une mémoire relativement petite mais très rapide, rattachée au CPU dans le but d'augmenter la performance de l'ordinateur. Si l'instruction ou la donnée cherchée se trouve dans l'antémémoire, elle sera immédiatement transférée à l'unité de commande ou à l'UAL, sans attendre le temps, beaucoup plus long, d'un accès à la mémoire.

Si le CPU est doté d'une antémémoire, dite aussi **cache** [*cache memory*], les instructions et les données d'un programme peuvent être stockées sur trois niveaux : la mémoire auxiliaire, où se trouve le programme tout entier; la mémoire principale, où se trouve un petit ensemble de pages du programme; le cache, où se trouve une partie (lignes ou blocs) des pages chargées en mémoire centrale.

Il faut donc diviser le cache en blocs de taille inférieure à celle d'une page (quelques dizaines de mots). Pour qu'un tel système puisse fonctionner, il faut que le cache contienne les blocs les plus fréquemment référencés. Il faut aussi des mécanismes pour remplacer les blocs, vérifier si un bloc est déjà stocké dans le cache, etc.

Les transferts de blocs entre la mémoire centrale et le cache se font beaucoup plus rapidement qu'entre la mémoire et les disques. Il n'est donc pas question d'adopter la même stratégie. Dans le cas d'un défaut de page, le système change l'affectation du CPU, car il faut des dizaines de millisecondes pour aller chercher la page demandée sur disque. Dans le cas d'un défaut de bloc dans le cache [*cache miss*], l'attente du bloc désiré se calculant en fractions de microsecondes, il est préférable de continuer avec le même programme (sauf si le bloc cherché fait partie d'une page n'ayant pas de copie en mémoire).

Le cache contient des blocs d'instructions et de données d'un seul processus, celui qui est en exécution. Si le dispatcher décide de changer de contexte [*context switching*], le contenu du cache est effacé [*cache flushing*]. Le remplissage du cache est essentiellement réalisé par blocs chargés **à la demande**. A un instant donné, on devrait trouver dans le cache toute information récemment référencée.

L'antémémoire fonctionne donc selon les concepts du working set et de la pagination à la demande.

Lorsqu'un programme fait une référence dans son espace d'adressage, il présente une adresse virtuelle au matériel, au niveau de l'unité de commande. L'antémémoire capte cette adresse et un dispositif vérifie si le bloc contenant cette adresse est présent dans le cache. Si c'est le cas, l'instruction est exécutée directement, sinon, le bloc demandé est automatiquement transféré de la mémoire centrale à l'antémémoire. On réalise un tel dispositif à l'aide d'une mémoire associative (adressable par le contenu), c'est-à-dire une mémoire dont les mots sont divisés en deux parties, l'une contenant la clé, et l'autre, l'information associée.

Dans une première phase, on consulte une table organisée comme une mémoire associative contenant des paires d'adresses virtuelles et réelles récemment utilisées : on présente comme clé l'adresse virtuelle et l'on obtient l'adresse réelle correspondante. Si l'information cherchée se trouve déjà dans le cache, elle a été forcément référencée. Ses adresses (virtuelle et réelle) doivent donc former une paire présente dans cette table. Si ce n'est pas le cas, il faut en déduire que le bloc n'est pas dans le cache [*cache miss*].

Dès que l'on a l'adresse réelle de l'information cherchée (son adresse en mémoire principale), on l'utilise comme clé de recherche dans une mémoire associative qui fournit l'instruction ou la donnée stockée à cette adresse. Cette mémoire associative n'est que le cache où sont stockées des paires {adresse réelle, information stockée à cette adresse} chargées de la mémoire principale.

On peut considérer cette approche comme une pagination sur deux niveaux : entre mémoire auxiliaire et principale d'abord, et entre mémoire principale et antémémoire ensuite. On peut aussi généraliser et voir les différents niveaux de mémoire d'un ordinateur comme une hiérarchie de mémoires virtuelles emboîtées, échangeant des paquets d'informations entre elles, prenant le nom de lignes (blocs), pages ou volumes selon le niveau. Ce modèle est présenté dans la figure 12.10.

Les problèmes qui se posent dans les échanges entre mémoire principale et cache ressemblent à ceux que l'on rencontre dans la pagination. Comment effacer une ligne pour faire place à une nouvelle ligne demandée ? Comment assurer la mise à jour de l'original en mémoire ? Comment garantir l'intégrité des informations qui pourraient se trouver simultanément dans deux caches d'un système multi-traitements ? Les solutions sont souvent les mêmes que celles adoptées pour la pagination, à la différence près qu'au niveau de l'antémémoire tout doit aller très vite. La réalisation des techniques de gestion du cache est essentiellement basée sur le matériel et sur le microcode. Dans certains ordinateurs, le système d'exploitation ne voit même pas qu'il y a une antémémoire.

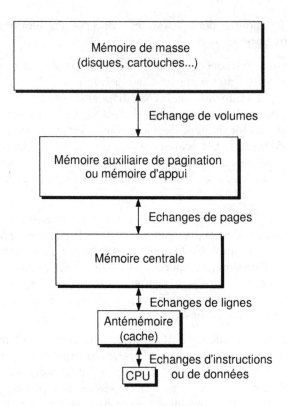

Figure 12.10 : Echanges entre les mémoires

Pagination et segmentation

Certaines architectures permettent de combiner la segmentation et la pagination. L'espace des adresses virtuelles est segmenté et les segments sont découpés en pages. La structure de l'adresse doit alors prévoir trois champs contenant respectivement :

- le numéro du segment;
- le numéro de la page du segment;
- le déplacement [*offset*] dans la page (l'adresse relative au début de la page).

Chaque processus a sa table des segments. A chaque segment correspond une table des pages. Le calcul des adresses devient plus compliqué, comme le montre la figure 12.11.

Dès qu'une adresse virtuelle est présentée au matériel, elle est d'abord utilisée comme clé de recherche dans une mémoire associative contenant des paires (adresse virtuelle, adresse réelle correspondante récemment calculée). On ne calculera l'adresse réelle que si elle n'est pas dans cette mémoire associative.

Pour ce calcul, il faut considérer chaque segment comme un espace virtuel indépendant. Grâce à la table des segments, on obtient la table de pages concernée qui fournira le numéro de la page réelle cherchée. L'adresse réelle sera formée de ce numéro de page réelle et de l'offset qui demeure inchangé.

Chaque processus a sa table des segments et ses tables des pages. Il ne peut donc pas générer des adresses en dehors de ses pages de mémoire. La protection est assurée au niveau de la topographie de mémoire. Le type de protection souhaitée (écriture, lecture, exécution, etc.) peut être spécifié, à l'aide de bits indicateurs, dans la table des segments.

La segmentation étant une division logique de l'espace des adresses du programme, c'est au programmeur de définir les segments. La pagination est l'affaire du matériel et du système d'exploitation : elle est donc transparente pour le programmeur. La combinaison de ces deux techniques peut s'avérer très puissante.

numéro du segment	numéro de la page	déplacement ou offset (adresse dans la page)

Structure du champ adresse

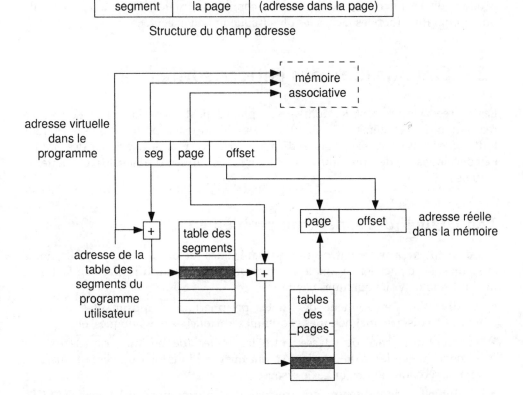

Figure 12.11 : Calcul des adresses pour une mémoire paginée et segmentée

Pagination du système d'exploitation

Le système d'exploitation est un programme, même s'il n'est pas tout à fait comme les autres (instructions privilégiées, mode superviseur, etc.). Est-il paginé au même titre que les programmes des utilisateurs ?

La majeure partie du système est effectivement soumise à la pagination. A cause de sa taille, le système d'exploitation ne peut pas être entièrement stocké en mémoire principale. Seuls font exception le noyau et une partie des programmes de gestion de la mémoire et des entrées/sorties (par exemple, ceux qui s'occupent de la pagination).

Les programmes de service, tels les compilateurs, les éditeurs de texte, etc, sont aussi paginés et traités de la même manière que les programmes utilisateurs. En règle générale, les programmes qui s'exécutent dans un système multiprogrammé moderne n'ont que quelques pages en mémoire centrale.

Les tendances actuelles sont, d'un côté, de traiter la plupart des fonctions du système d'exploitation comme des processus utilisateurs et, d'un autre côté, de profiter de la micro-électronique pour confier au matériel ou au niveau de microprogrammation les tâches les plus fréquemment exécutées.

12.6 Organisation des entrées/sorties

Les entrées/sorties sont le domaine le plus délicat dans la conception et la réalisation d'un système d'exploitation. Leur importance est fondamentale, mais toute généralisation est rendue difficile par la grande variété des unités périphériques et des procédures d'entrée/sortie utilisées dans les ordinateurs actuels.

12.6.1 Quelques aspects du problème

Les difficultés proviennent de causes matérielles et de facteurs objectifs, mais aussi du souci de gestion optimale des ressources et de simplification de la tâche de l'utilisateur. Voici quelques exemples :

- la diversité fonctionnelle des unités périphériques (imprimantes à laser, unités de disques magnétiques et optiques, cartouches magnétiques, etc.);
- l'énorme différence de vitesse entre les unités (de quelques caractères par seconde du clavier d'un terminal, à quelques millions de caractères transférés en une seconde par une unité de disques);
- la diversité de codage et de structure des informations échangées (ASCII, EBCDIC, binaire; mots, octets, blocs);

- la différence entre les méthodes d'accès aux unités (accès séquentiel ou aléatoire; adressage complètement différent des unités de bande, de disques, ou des grandes mémoires d'archivage);

- la différence des conditions de partage des périphériques (une unité de disques peut être utilisée en même temps par plusieurs processus; l'écran d'un terminal peut être partagé entre les processus d'un même utilisateur; tandis qu'une imprimante ne peut être partagée que dans le temps et par jobs entiers);

- la grande diversité des conditions d'erreur (erreur de parité ou de checksum, imprimante sans papier, erreur de positionnement d'une tête de lecture/écriture sur disque, unité déconnectée, erreurs d'adressage ou de format, etc.);

- la complexité des systèmes de liaison entre périphériques et unité centrale (DMA, canaux, bus, unités de commande, unités de télécommunications, etc.);

- le haut degré de parallélisme des opérations;

- la nécessité de protéger les utilisateurs et de leur cacher les détails des opérations d'entrée/sortie, les idiosyncrasies (les réactions individuelles propres à chaque homme) des unités périphériques et les incidents de parcours;

- la nécessité de rendre les programmes le plus possible indépendant des types de périphériques concernés (le même programme devrait pouvoir recevoir des données d'une disquette, d'un disque dur ou d'une unité de bande; il devrait pouvoir envoyer ses résultats sur l'écran d'un terminal ou à l'imprimante).

12.6.2 Une approche répandue

Le système d'exploitation réalise ces objectifs en s'efforçant de traiter tous les périphériques de la même manière (périphériques virtuels, codification interne standard des caractères, etc.) et en confinant tous les traitements particuliers dans des modules spécialisés, appelés gestionnaires d'unité périphérique (pilotes) [*device handlers*, device *drivers*].

On peut entrevoir une structure interne à ce niveau du système s'occupant de la gestion des entrées/sorties. En procédant de l'extérieur vers l'intérieur, on peut identifier quatre sous-niveaux de logiciel, soit :

- des procédures standard (programmes de bibliothèque) utilisées par les applications et contenant des requêtes au superviseur provoquant le passage en mode privilégié;

- un logiciel d'entrée/sortie indépendant des unités périphériques;

- des drivers, commandant chaque unité dans le détail;

- des programmes de service des interruptions agissant en collaboration avec les fonctions du noyau.

L'utilisateur dispose d'un jeu d'instructions d'entrées/sorties virtuelles (API [*Application Programming Interface*]). Elles s'opposent aux instructions E/S machine, qui ne sont utilisées que par le système d'exploitation. Une instruction

E/S virtuelle se présente, selon le langage de programmation utilisé, sous la forme d'un appel de procédure système (Read, Write, Print, etc.), contenant les arguments nécessaires (noms des variables ou des fichiers, taille, format, unité logique, etc.).

Au niveau de la compilation, ces instructions sont remplacées par les procédures système correspondantes, contenant des instructions privilégiées.

A l'exécution, le système d'exploitation est invoqué par l'activation d'une requête au superviseur. Cette demande n'est pas nécessairement traitable immédiatement, le chemin d'accès à l'unité désirée pouvant être occupé par un autre transfert de données. Le système gère des files d'attente pour chaque type de ressource. A ce niveau, les entrées/sorties ne concernent pas encore des ressources physiques. On parle, par exemple, de canal logique, pour indiquer un processus exécutable par un canal physique.

Dès que le périphérique demandé est libre, et que l'on dispose d'une voie d'accès (canal, bus, contrôleur, etc.), le module spécifique à l'unité concernée [*handler*] est activé. Le *handler* est chargé des échanges avec ce type de périphérique. Il y aura un *handler* par type de contrôleur de périphérique. Il s'occupe de l'initialisation, de la supervision (vérification de parité, traitement des erreurs, etc.) et de la terminaison correcte d'un transfert.

Dans certains cas, le système empêche l'accès direct à une unité. Par exemple, l'accès à des périphériques lents, tels les lecteurs de cartes ou les imprimantes, ne peut se faire que par l'intermédiaire de fichiers disques servant de tampons (technique de spooling).

Il y a aussi des questions de protection au niveau des entrées/sorties. Le système doit vérifier, par exemple, que les adresses virtuelles concernées par un échange sont converties en adresses réelles au moment de l'initialisation. Il doit aussi s'assurer que l'attribution de ces adresses en mémoire n'est pas modifiée avant la fin de l'opération d'entrée/sortie (par exemple, en verrouillant les pages concernées).

12.7 Gestion de fichiers

Un fichier, dans l'environnement informatique, est une collection de données, d'informations enregistrées de façon à être lues et traitées par ordinateur, et qui représente une entité pour l'utilisateur. Un fichier est donc un programme source, un programme objet, des données, des résultats, un texte, une collection d'images, de sons, etc.

Jadis, les fichiers étaient gardés dans des tiroirs de cartes perforées. L'utilisateur s'occupait de leur gestion et de leur protection. Avec l'arrivée des bandes magnétiques on recopia la plupart des tiroirs sur ce support et l'on confia aux opérateurs la gestion des bandothèques.

Dans les années 70, avec l'introduction des systèmes interactifs, il devint de plus en plus attrayant de stocker les fichiers sur des supports reliés en permanence à l'ordinateur. Les unités de disques, qui offraient en plus un accès quasi aléatoire, devinrent le lieu privilégié de stockage des fichiers.

12.7.1 Pourquoi un système de fichiers ?

Ce fut une véritable révolution dans les habitudes de travail des utilisateurs. En peu de temps, toutes les autres formes de fichiers, traditionnellement conservées sur papier, telles que la correspondance, les dessins mécaniques ou électriques, les projets d'architecte, les plans de circuits intégrés, les documents techniques et administratifs, furent convertis, ou directement établis, dans des formats se prêtant au traitement par ordinateur et trouvèrent leur place sur disque ou autre mémoire de masse.

Aujourd'hui, on garde sur disque ou disquette les adresses des amis, les recettes de cuisine, le portefeuille de papiers-valeurs, etc. Le texte et les images de cet ouvrage sont des fichiers. Les banques gèrent des fichiers contenant l'état de nos finances. Nos données personnelles sont conservées dans d'innombrables fichiers entretenus par les administrations publiques concernées par notre état civil, notre sécurité sociale, notre position fiscale, etc. La plupart des informations se référant à notre existence sont gardées dans des fichiers stockés dans des mémoires de masse et disponibles en ligne [*on-line*] pour tout traitement à l'aide d'un ordinateur.

La question de l'utilité d'un système de gestion des fichiers ne se pose plus. De toute évidence, on ne peut pas se passer des services du système de fichiers [*file system*] qui, pour l'utilisateur, constitue la partie la plus visible du système d'exploitation. On exige d'un bon système d'exploitation qu'il soit doté d'un système de fichiers aussi simple, sûr et fiable que possible.

Victime de son succès, la gestion des fichiers est devenue la partie la plus exposée du système. En confiant de plus en plus d'informations aux systèmes d'exploitation régissant des ordinateurs connectés en réseau, on s'expose aux attaques des intrus, pirates et autres *hackers*, cherchant à accéder aux données confidentielles d'une entreprise, d'une banque, d'une organisation civile ou militaire, etc. C'est pourquoi une quantité de techniques et d'outils ont été mis au point pour mieux protéger les données comme, par exemple, des méthodes d'autentification des utilisateurs (allant du simple mot de passe à des techniques plus sophistiquées), l'encryptage des informations, etc. Beaucoup reste encore à faire pour rendre les systèmes informatiques moins vulnérables.

Nous allons maintenant examiner les problèmes qui se posent aux concepteurs de systèmes de fichiers et les approches adoptées pour les résoudre.

12.7.2 Objectifs

Du point de vue de l'utilisateur, les aspects les plus importants de tout système de fichiers concernent son apparence et sa fonctionnalité. Ce qui compte surtout, c'est ce qu'il permet de faire. On s'attend, bien sûr, à ce que l'interface soit simple et conviviale et que les fichiers soient protégés et leur intégrité assurée.

Ce que l'utilisateur attend du système peut être résumé comme suit. Il doit :

- permettre la création et la destruction de fichiers;
- permettre à l'utilisateur de donner un nom symbolique à un fichier et de l'appeler ensuite par ce nom;
- assurer ou empêcher l'accès aux fichiers selon les directives de ceux qui les ont créés;
- offrir des méthodes d'accès efficaces et adaptées aux différentes applications (par exemple, accès séquentiel, direct, séquentiel indexé);
- permettre le partage des fichiers;
- distinguer entre protection en lecture, écriture, exécution, etc.;
- protéger les fichiers contre toute défaillance du matériel ou du logiciel;
- faciliter la manipulation d'un fichier en supportant une variété d'opérations telles que la fusion, la concaténation, la subdivision, la reproduction, etc.

Du point de vue du concepteur/réalisateur, d'autres aspects du système sont extrêmement importants, par exemple :

- la gestion efficace de l'espace disque;
- le choix et l'implantation d'un système de catalogage;
- la manipulation des fichiers physiques de façon transparente pour l'utilisateur travaillant sur des fichiers logiques;
- la mise en œuvre d'un système de sauvegarde acceptable, pour assurer l'intégrité des données;
- la réalisation d'une certaine indépendance du matériel spécifique;
- l'efficacité et la rapidité du système;
- la protection des fichiers contre les erreurs des utilisateurs et du système et envers les accès non autorisés.

Nous allons donner un aperçu des approches adoptées pour atteindre ces objectifs.

12.7.3 Enregistrements logiques et physiques

Un **enregistrement logique** [*logical record*] est un ensemble de données ayant un sens pour l'utilisateur. Un **fichier** est une suite d'enregistrements logiques. L'utilisateur arrange ses données en enregistrements et en fichiers de dimensions arbitraires. La notion d'enregistrement logique est indépendante du dispositif physique sur lequel est stocké le fichier. Le système d'exploitation est responsable de l'organisation des fichiers, de leur stockage sur un support matériel (disque) et de l'accès aux informations contenues dans les enregistrements.

Le système de fichiers doit donc établir un lien entre le modèle logique des données, avec lequel travaille le programmeur, et la réalité physique des dispositifs de stockage.

Un **enregistrement physique**, appelé aussi **bloc**, est l'unité de stockage manipulée par le système. On peut définir un enregistrement physique comme la quantité d'information d'un fichier transférée entre la mémoire principale et son support de stockage permanent. A cause de la nature et de la structure du support matériel, les fichiers sont découpés en blocs de longueur fixe, correspondant généralement à la taille d'un secteur (par exemple, 512, 1'024 ou 2'048 caractères), ou à un multiple de cette taille.

Les blocs peuvent être plus grands ou plus petits que les enregistrements logiques décidés par le programmeur. Le système peut stocker plusieurs enregistrements logiques dans un seul bloc; parfois il doit utiliser plusieurs blocs pour stocker un enregistrement logique de grande taille, comme illustré dans la figure 12.12. Les modules de gestion des périphériques doivent adapter, à l'aide de mémoires tampons, les enregistrements logiques à la taille des enregistrements physiques.

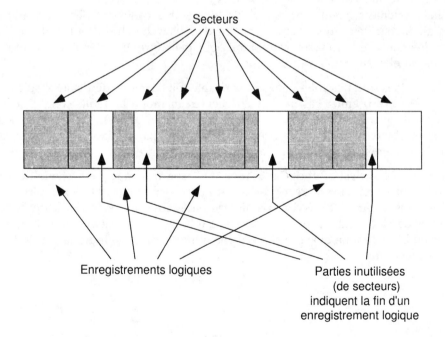

Figure 12.12 : Enregistrements logiques et physiques

Ces blocs physiques sont numérotés par le système et forment la base de toute structure de fichiers. Si le bloc est l'unité de stockage, le caractère (octet, byte) est, dans la plupart des cas, la plus petite quantité d'information manipulée par le système. Vu par le système, un fichier est donc un ensemble de blocs de taille fixe, chaque bloc étant une suite de caractères.

12.7.4 Gestion des ressources disques

Si le système voit un fichier comme une suite de blocs, il doit s'organiser pour connaître l'emplacement sur disque (numéro de cylindre, piste et secteur) de chaque bloc.

La première idée qui vient à l'esprit est de placer le fichier dans des blocs consécutifs. Malheureusement, l'expérience nous apprend que les fichiers ont tendance à changer et à s'accroître, ce qui demande une structure de stockage plus souple.

On peut gagner en flexibilité, si l'on adopte une structure de blocs, selon le modèle des listes chaînées : chaque bloc contient un pointeur indiquant l'emplacement du bloc suivant. Cette approche facilite les modifications et l'accroissement, mais alourdit la recherche d'un enregistrement qui devient pratiquement séquentielle.

Pour éviter d'aller chercher sur disque tous les blocs qui précèdent le bloc désiré, certains systèmes gèrent une table de pointeurs, contenant les indications nécessaires pour déterminer l'emplacement d'un bloc cherché. Il suffit de suivre l'enchaînement des blocs sur cette table qui peut être transférée en mémoire centrale où elle est traitée rapidement.

Deux stratégies sont possibles : on gère une table soit par unité de disques, soit par fichier. Dans le premier cas, il faut charger en mémoire la table contenant les pointeurs de tous les fichiers stockés dans une unité de disques, même si un seul fichier est ouvert. Dans le deuxième cas, adopté par Unix, on transfère en mémoire seulement la table des pointeurs du fichier concerné.

Un autre problème est celui de l'allocation de l'espace disque. Le système tient à jour des tables facilitant la recherche de secteurs disponibles. Des exemples sont montrés dans la figure 12.13. Un premier type de table donne des indications sur les suites de blocs contigus disponibles sur une unité. Un deuxième type de table associe un bit à chaque bloc physique d'une unité de disques, indiquant si le bloc est libre ou occupé.

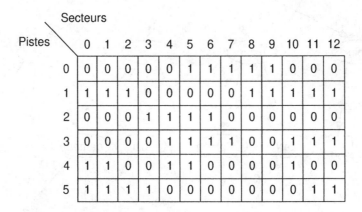

Figure 12.13 : Tables pour la gestion de l'espace disque

12.7.5 Catalogues

Le lien entre le nom d'un fichier et sa localisation sur disque est réalisé à l'aide d'une table de correspondance, appelée **catalogue** ou **répertoire des fichiers** [*file directory*].

On peut concevoir des catalogues sur un seul niveau, contenant donc les noms de tous les fichiers gérés par le système, ou sur deux niveaux, c'est-à-dire un catalogue système contenant des pointeurs vers les catalogues utilisateurs. Une structure mieux adaptée aux exigences actuelles est celle prévoyant plusieurs niveaux, permettant ainsi à chaque utilisateur d'organiser ses fichiers de façon hiérarchique.

Le système Unix permet une organisation arborescente des fichiers et des catalogues. Ces derniers sont considérés comme les autres fichiers. L'inconvénient d'un tel système est la longueur du chemin d'accès à un fichier particulier.

Par exemple, pour référencer le fichier *figure14*, faisant partie du sous-catalogue *chapitre12*, catalogué dans *atoIII*, à son tour répertorié dans *usr*, il faudra donner le chemin suivant : */usr/atoIII/chapitre12/figure14*. Pour simplifier les références, on permet, dans certains systèmes, de définir un catalogue courant [*current directory*]. Si, dans l'exemple ci-dessus, on indique */usr/atoIII/chapitre12* comme catalogue courant, alors la référence *figure14* suffit pour accéder au fichier désiré.

La structure hiérarchique des fichiers (selon le système Unix) est illustrée dans la figure 12.14.

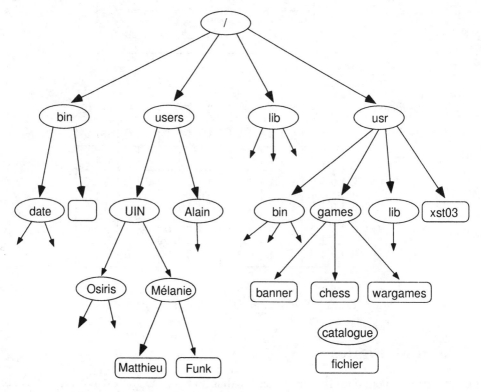

Figure 12.14 : Hiérarchie des fichiers selon Unix

Quelles sont les informations contenues dans un catalogue des fichiers ? En général, on garde dans le catalogue utilisateur le nom de tous les fichiers qui lui appartiennent et pour chaque fichier on inscrit les informations suivantes :

- son nom symbolique;
- le type du fichier (caractère, binaire, exécutable, etc.);
- les bits de protection d'accès (lecture, écriture, exécution, etc.);
- la taille en blocs;

- l'adresse du fichier sur disque; cette information dépend du système de stockage (adresse du premier bloc pour les listes, adresse de la table des pointeurs, etc.);
- la date de création et celle de la dernière manipulation.

Où est conservé le catalogue des fichiers ? Le catalogue est lui-même un fichier, stocké sur disque, accessible aux utilisateurs seulement en lecture et mis à jour par le système.

Dans les systèmes arborescents, les catalogues peuvent être éclatés sur plusieurs niveaux, mais leur fonction et leurs restrictions d'accès ne changent pratiquement pas.

12.7.6 Méthodes d'accès

Parmi les méthodes d'accès aux fichiers, les plus communément utilisées sont :

- l'**accès séquentiel** qui est caractéristique des fichiers implantés sur bande magnétique et des fichiers chaînés; il faut lire tous les blocs précédant un bloc donné avant de pouvoir le traiter;
- l'**accès direct** ou **aléatoire** qui permet d'obtenir un enregistrement logique quelconque, indépendamment des autres enregistrements; on peut donc consulter directement n'importe quel enregistrement quel que soit son emplacement sur disque; le temps d'accès ne varie pas;
- l'**accès séquentiel indexé** où l'on associe une clé à chaque enregistrement et où l'on organise une table de correspondance (index) entre les clés et les numéros d'enregistrement (qui peuvent être les adresses physiques des blocs); une recherche sur l'index des clés permet de trouver l'adresse de l'enregistrement.

Il est important de noter que, en principe, ces méthodes d'accès sont indépendantes de l'organisation physique des fichiers. Un système peut organiser les fichiers par chaînage de blocs et offrir aux utilisateurs l'accès direct. La notion d'accès aléatoire est liée à la perception de l'utilisateur, à ce qu'il doit faire pour pouvoir consulter un enregistrement donné. Naturellement, si l'on veut des accès efficaces et économiques, il faudra organiser les fichiers de façon à faciliter les fonctions d'accès souhaitées.

12.7.7 Intégrité et sauvegarde

L'utilisateur dépend totalement du système de fichiers pour tout ce qui concerne son travail et ses données, il est donc essentiel que le système soit doté de mécanismes de sauvegarde, permettant l'éventuelle reconstitution des fichiers perdus lors d'un accident du matériel ou du logiciel.

Parmi les méthodes communément utilisées, citons :

- la **sauvegarde complète** [*backup*], consistant à recopier sur bande magnétique les fichiers disque tous les deux ou trois jours. En cas d'accident, on peut reconstituer les fichiers tels qu'ils étaient au moment du dernier backup;
- la **sauvegarde incrémentale**, permettant de recopier seulement les informations modifiées depuis le dernier backup. Cette approche permet de réduire la fréquence des backups massifs (par exemple une fois par semaine ou par mois). Mais, en cas de problème, les procédures de reconstruction de fichiers sont plus complexes;
- le **doublement systématique des fichiers sur disque**, consistant à garder toujours deux copies de chaque fichier sur deux unités de disques différentes. Cette méthode exige moins d'interventions de la part des opérateurs, mais implique que l'espace disque disponible soit doublé.

Avec la croissance spectaculaire de la capacité disque, le problème de la sauvegarde des fichiers est devenu très important et très complexe. Les ordinateurs passent un temps considérable à faire des copies des informations qui leur sont confiées. Même si la fiabilité du matériel s'accroît continuellement et que les pannes se font de plus en plus rares, on n'est pas à l'abri d'une mauvaise surprise. Il arrive qu'une tête de lecture/écriture touche la surface du disque [*head crash*] et l'abîme irrémédiablement, ou qu'un **bogue** [*bug*] dans le système provoque la destruction d'un catalogue. Il faut éviter à tout prix que des données irremplaçables ou des années de travail ne soient perdues. Actuellement les serveurs de fichiers, les systèmes d'archivage sur cassettes magnétiques ou disques optiques et les logiciels adaptés permettent de résoudre ce problème de façon plus simple, plus économique et plus automatique.

12.7.8 Performance

L'accès aux disques est beaucoup plus lent que l'accès à la mémoire centrale. Pour lire ou écrire un mot en mémoire, il faut quelques dizaines ou centaines de nanosecondes. Pour effectuer la même opération sur disque il faut compter des dizaines de millisecondes, ce qui fait 100'000 fois plus de temps. Il est donc important de minimiser le nombre d'accès disques nécessaires au traitement d'un fichier.

On peut accroître la performance du système si les blocs d'un fichier sont stockés dans des secteurs consécutifs d'une même piste ou, au moins, d'un même cylindre.

Pour des blocs fréquemment référencés, on utilise une technique, dite bloc cache, consistant à garder quelques blocs dans une zone mémoire utilisée de façon semblable au cache du CPU, avec, bien sûr, tous les problèmes que cela comporte.

12.7.9 Serveurs de fichiers

Une approche moderne, très populaire grâce à l'essor de l'informatique distribuée, consiste à confier à un ordinateur indépendant toute la gestion des fichiers d'une communauté d'utilisateurs connectés à un réseau local. On appelle **serveur de fichiers** un tel ordinateur. Dans une telle architecture, la majeure partie de l'espace disque est concentrée autour du serveur, les autres machines du réseau n'ont pas besoin de capacité disque locale pour leurs fichiers.

Un autre développement récent, dû à l'intégration toujours plus poussée des ordinateurs et des réseaux, est celui des systèmes de fichiers dispersés dans un réseau [*network file system*]. L'utilisateur d'un tel système ne sait pas, et n'a pas besoin de savoir, dans quel ordinateur sont stockés ses fichiers : le système s'en occupe. Dès qu'une requête d'accès parvient au système de fichiers, celui-ci détermine la position du fichier cherché et, en utilisant les services du réseau, en fait parvenir une copie au demandeur.

12.8 Allocation des ressources

D'une façon générale, on peut définir une ressource comme un élément nécessaire à un processus pour mener à bien son exécution.

Les ressources matérielles d'un système informatique (CPU, mémoires, dispositifs d'entrée/sortie, etc.), sont disponibles en quantité limitée et doivent être partagées entre les différents processus. Des logiciels ou des fichiers, dans la mesure où ils peuvent être partagés, font aussi partie des ressources que le système doit gérer.

Les mécanismes d'allocation d'une ressource particulière sont réalisés dans les différentes couches du système d'exploitation. Par exemple, le dispatcher décide de l'allocation du CPU; l'allocation d'un fichier à un processus est implantée au niveau de la gestion des fichiers.

Mais la stratégie de répartition et d'allocation des ressources doit être déterminée globalement pour tout le système. Au niveau du système où nous nous trouvons, on prend des décisions quant à la planification globale du travail à exécuter. On décide, par exemple, de créer de nouveaux processus ou d'attendre, sur la base des ressources disponibles. On décide du niveau de priorité d'un job.

Les objectifs de cette couche du système peuvent être ainsi résumés :

- assurer une bonne utilisation des ressources. Comptabiliser et fournir des statistiques sur l'exploitation des ressources principales;
- créer de nouveaux processus et leur attribuer le niveau de priorité approprié. Permettre à chaque processus existant dans le système d'obtenir les ressources nécessaires dans des limites de temps raisonnables;

- exclure mutuellement les processus qui demandent une même ressource non-partageable et éviter les situations de blocage (attente sans fin d'une ressource par plusieurs processus).

Le processus système qui s'occupe de tous ces problèmes s'appelle planificateur [*scheduler*]. Le scheduler détermine l'ordre d'exécution des jobs soumis par les utilisateurs; il choisit le moment pour lancer une exécution et il refuse l'accès à un utilisateur interactif si le nombre d'utilisateurs connectés est tel que l'on peut craindre une dégradation inacceptable du temps de réponse; il refuse aussi l'accès à un utilisateur non autorisé. Son but est d'assurer une exploitation équilibrée et, par conséquent, un service satisfaisant à tous les usagers.

12.9 Interface utilisateur

La communication entre utilisateur et système d'exploitation s'effectue par l'intermédiaire d'un langage appelé **langage de commande** [*command language*]. La nature de ce langage dépend du système concerné.

Les systèmes batch sont dotés d'un langage [*job control language*], relativement souple et puissant, permettant à l'utilisateur de spécifier à l'avance la suite des traitements à réaliser en tenant compte de toutes les alternatives possibles.

Les systèmes interactifs offrent des interfaces plus simples. L'utilisateur peut suivre le déroulement de son job et décider de la suite des opérations au fur et à mesure que les alternatives se présentent.

Dans la plupart des systèmes contemporains, les modes batch et multi-accès coexistent. Le langage de commande, adapté au dialogue par terminal interposé, est alors le résultat d'un compromis entre ces exigences extrêmes. La tendance actuelle est de simplifier la tâche de l'utilisateur en proposant un répertoire de commandes faciles à utiliser.

Ces commandes prennent la forme de mots-clé (Login, Logout, Edit, Fortran, Run, File, Copy, Help, etc.) suivis par des paramètres. Il est normalement possible d'abréger les commandes (*fl* au lieu de *file list*) et de les grouper dans des fichiers exécutables, sortes de macro-commandes, pour éviter d'entrer toujours les mêmes suites de commandes. On peut, par exemple, remplacer la séquence Compile, Link, Load, Run, par la procédure Execute.

Les directives que l'utilisateur donne au système à l'aide du langage de commande sont interprétées par l'interpréteur de commandes [*command interpreter*]. Celui-ci lit les commandes provenant du terminal et, après les avoir interprétées, fait parvenir les requêtes aux services appropriés. C'est ainsi que, si l'utilisateur commande une compilation, l'interpréteur en informe le scheduler qui va créer un processus utilisant le compilateur demandé.

Comme il s'agit d'un dialogue, le système doit signaler qu'il est à l'écoute et prêt à recevoir les instructions de l'utilisateur. Il le fait en répondant aux commandes et en communiquant sa disponibilité par l'affichage sur l'écran d'un caractère spécial [*prompt*], invitant l'utilisateur à soumettre de nouvelles requêtes.

Les commandes que nous envoyons au système ne sont qu'une forme de requêtes au superviseur [*system calls*]. Seulement, au lieu de venir d'un programme ou d'une procédure de bibliothèque, ces commandes sont directement communiquées au système par l'utilisateur (terminal, interface, interpréteur de commandes).

La plupart des langages de commande reflètent la structure interne du système d'exploitation. Ils ne peuvent que difficilement être changés. Cependant, dans le cas de Unix, l'interface constituée par l'interpréteur de commandes, appelée **shell**, peut être modifiée ou même remplacée par l'utilisateur qui peut ainsi communiquer par un langage de son choix. En effet, l'interpréteur ou **shell** ne fait pas partie du système d'exploitation Unix, comme d'ailleurs les éditeurs, assembleurs, compilateurs, éditeur de liens, débogueur, ainsi que le système de fichiers. Tous ces programmes de service, aussi importants qu'ils soient, sont traités comme des programmes utilisateurs.

Le **shell** interprète les commandes provenant d'un terminal ou d'un fichier [*shell script*] et possède des structures de contrôle puissantes, permettant l'exécution conditionnelle ou répétée de suites de commandes. Avec l'approche **shell**, il est facile de combiner des procédures existantes et des outils de programmation; on utilise souvent le **shell** pour éviter d'écrire des nouveaux programmes.

Interface utilisateur graphique

Jusqu'au début des années 80, toutes les interfaces utilisateur étaient basées sur des langages de commande tels que le **shell** de Unix. Pour chaque action à effectuer, l'utilisateur devait connaître le nom de la commande et la taper sur un clavier. Généralement les commandes portent sur des fichiers dont il faut taper le nom, ce qui peut donner quelque chose comme :

action -sdf /directory1/directory2/directory3/directory4/monfichier.

A partir de travaux effectués dans les laboratoires de Xerox Park, un nouveau type d'interface utilisateur est né, celui des **interfaces graphiques** [*GUI : Graphical User Interface*] basées sur l'utilisation d'un écran graphique et non plus seulement d'un écran alphanumérique. De nouveaux concepts sont apparus, les principaux étant ceux de fenêtres, d'icônes, de menus déroulants, de souris, etc. Il n'est plus nécessaire de connaître le nom des commandes et de les taper, il suffit de choisir dans les menus la commande désirée.

Ce type d'interface a été rendu populaire par le Macintosh de Apple. La figure 12.15 montre un exemple de contenu d'un écran Macintosh. De telles interfaces sont maintenant proposées pour la plupart des machines.

L'introduction du graphisme dans les interfaces utilisateur a révolutionné le monde de l'informatique, principalement en permettant à un large public d'utiliser les ordinateurs par l'image sans avoir à connaître un jargon spécifique.

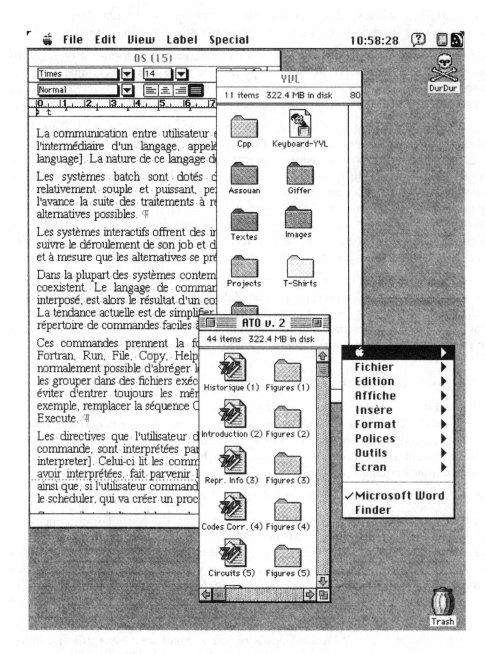

Figure 12.15 : Exemple d'interface utilisateur graphique

Après la révolution de l'image, attendons celle du son. En effet, la reconnaissance vocale pourrait aussi révolutionner les interfaces homme-machine.

12.10 Systèmes actuels

Les systèmes d'exploitation se rangent parmi deux catégories : les **systèmes propriétaires** et les **systèmes ouverts**. Les systèmes propriétaires sont des systèmes spécifiques à une machine ou une gamme de machine d'un certain constructeur, tels que VMS développé par DEC pour la gamme VAX, DOS pour les microordinateurs basés sur les microprocesseurs d'Intel, MVS et VM pour les gros ordinateurs IBM, MacOS pour les Macintosh d'Apple, etc. Les systèmes ouverts, quant à eux, sont des systèmes portables sur différentes machines. Le système Unix est l'exemple type d'un système ouvert, il a été implanté sur des machines très diverses allant des différents types de microordinateurs jusqu'aux superordinateurs tels que les Cray. Les systèmes propriétaires ont tendance à disparaître au profit de systèmes ouverts standards.

Une nouvelle génération de systèmes d'exploitation est en train d'apparaître, tels que le système Windows NT de Microsoft qui est un système ouvert multitâche, multiutilisateur, avec une interface utilisateur graphique et intégrant les possibilités offertes par les réseaux.

Exemples de systèmes de microordinateurs

Un certain nombre de systèmes d'exploitation existent pour les microordinateurs dont les plus importants sont le DOS, Windows NT, Unix, Linux (une version gratuite de Unix), MacOS, OS/2, Openstep, etc.

DOS [*Disk Operating System*] est certainement le plus répandu. Comme son nom l'indique, son but initial était de gérer les fichiers sur disque. Evidemment il ne gère qu'une seule tâche d'un seul utilisateur. Il a évolué en même temps que les microordinateurs, mais il comporte toujours des limitations importantes telle que la limitation de l'espace mémoire adressable. Pour suivre l'évolution des interfaces, il s'est doté d'une interface utilisateur graphique, appelée Windows. Malgré cela, il n'est pas capable de gérer pleinement les capacités des machines actuelles. Depuis 1995, Windows 95 (et les versions suivantes), qui n'intégre plus qu'un petit noyau DOS, tend à le remplacer définitivement.

Le système Unix a été un précurseur des système ouverts. Il est multitâche, multiutilisateur, il dispose de la mémoire virtuelle et de possibilités de communication inter-processus. Il est le standard de fait pour les stations de travail et une norme standard, appelé OSF1 a été développée par l'organisme OSF [*Open Software Foundation*]. Il s'est doté d'interfaces utilisateur graphiques telles que l'interface OSF/Motif basée sur le système de fenêtres X.

Le système MacOS du Macintosh mérite d'être mentionné comme le précurseur des interfaces graphiques. C'est une référence en matière de cohérence de l'interface, mais d'autres fonctionnalités lui font défaut telles qu'un vrai multitâche.

Le système Windows NT [*New Technology*], développé par Microsoft, est le premier d'une nouvelle génération de systèmes qui sache tirer profit des capacités

des machines actuelles et des réseaux. Ses principales caractéristiques sont les suivantes :
- système ouvert;
- mémoire virtuelle;
- multiutilisateur;
- multitâche;
- interface utilisateur graphique (similaire à celle de Windows);
- intégration des aspects réseaux.

Il a été conçu comme un système ouvert, pour pouvoir être installé facilement sur différentes machines RISC et CISC, ainsi que sur des machines multiprocesseurs. Pour cela, il limite le nombre de fonctions directement dépendantes du système et les groupe dans un noyau. Le portage à une nouvelle machine se résume à l'implantation de ce noyau sur la nouvelle machine. Toutes les fonctions du système, basées sur ce noyau, ne nécessitent aucune modification et sont directement portables.

La capacité d'adressage est limitée par celle de la machine, mais les adresses doivent avoir au minimum 32 bits. Il supporte la mémoire virtuelle.

C'est un système multitâche et multiutilisateur, c'est-à-dire que plusieurs utilisateurs peuvent effectuer plusieurs tâches simultanément, des tranches de temps étant allouées périodiquement par le système à chaque processus. D'autres systèmes tels que le Macintosh sont définis comme multitâches mais il s'agit d'un multitâche non-préemptif, ce qui implique qu'il n'y a pas répartition de tranches de temps aux différents processus. Ainsi, lorsque l'on formate une disquette il est impossible de faire autre chose. De plus Windows NT est prévu pour tirer parti des configurations multiprocesseurs, en distribuant les tâches aux différents processeurs.

Exercices

1. Quelles sont les deux fonctions principales d'un système d'exploitation ?

2. Qu'est-ce qu'un processus ?

3. Quelle est la différence entre un enregistrement logique et un enregistrement physique ?

4. Pourquoi les catalogues ne sont-ils pas stockés en permanence en mémoire centrale ?

5. En quoi consiste l'idée de mémoire virtuelle ?

6. Supposons qu'une adresse en mémoire virtuelle paginée, nécessite 20 bits organisés de la façon suivante : page offset
   19 ... 12 11 ... 0

a) Quelle est la taille de cette mémoire virtuelle, exprimée en nombre de mots et de pages ?

b) Quelle est l'adresse octale du 970e mot de la page 213 ?

c) A quel mot, de quelle page correspond l'adresse hexadécimale suivante : *ABCDE* ? Donner les résultats en décimal.

7. Supposons qu'une adresse en mémoire virtuelle segmentée et paginée nécessite 24 bits organisés de la manière suivante :

$$\text{segment} \quad \text{page} \quad \text{offset}$$
$$23 \dots 18 \quad 17 \dots 8 \quad 7 \dots 0$$

a) Quelle est la taille en segments, en pages et en mots de cette mémoire virtuelle ?

b) Quelle est l'adresse octale du 145ème mot de la page 111 du 32e segment ?

c) A quel mot, de quelle page et de quel segment (valeurs décimales) correspond l'adresse octale suivante : 41'032'567 ?

8. Dans un système à mémoire virtuelle, est-ce que le CO contient une adresse réelle ou virtuelle ?

9. Quel mécanisme est utilisé pour convertir les adresses virtuelles en adresses réelles ?

10. A quoi sert la segmentation ?

11. Le système d'exploitation est-il lui-même paginé ?

12. Quelles sont les trois fonctions essentielles du noyau ?

13. Qu'est-ce qu'une instruction privilégiée ?

Solutions

1. Les deux fonctions principales d'un système d'exploitation sont : la gestion efficace des ressources de l'ordinateur et la présentation aux utilisateurs d'une machine virtuelle plus facile à programmer que la machine réelle.

2. Un processus est une abstraction utile pour décrire le déroulement des activités dans un système multiprogrammé. Contrairement à la notion de programme, indiquant une suite statique d'instructions, la notion de processus met l'accent sur l'aspect dynamique de l'exécution. L'exécution d'un programme utilisateur est un processus. Le système d'exploitation crée continuellement des processus. Par exemple, l'interpréteur de commandes est lui-même un processus qui génère les processus correspondant aux commandes de l'utilisateur (compiler, lister, éditer, se connecter à l'ordinateur, etc.).

3. Un fichier est une collection d'enregistrements. Un utilisateur structure ses fichiers en enregistrements logiques, qui représentent son modèle de données. Le système de fichiers s'arrange pour répartir les enregistrements logiques dans des enregistrements physiques adaptés à la structure du matériel.

4.   Si les catalogues étaient stockés en mémoire centrale, alors n'importe quel petit incident comme une coupure de courant les effacerait et rendrait ainsi impossible l'accès aux fichiers.

5.   L'idée de la mémoire virtuelle consiste à libérer les utilisateurs des contraintes liées à la taille de la mémoire centrale. On réalise cette virtualisation en utilisant des mémoires auxiliaires comme les disques, et en appliquant la technique de pagination. Cette technique consiste à découper en pages les espaces d'adresses réelles et virtuelles et à établir une correspondance entre elles par l'intermédiaire d'une table de pages.

6.   Mémoire virtuelle paginée.

   a)   La taille de la mémoire virtuelle est de : 2^{20} mots et de 2^8 pages.

   b)   Adresse octale du 970ème mot de la page 213 = 3251711.

          (213 = 11010101 en binaire, le 970e mot correspond au mot numéro 969 = 001111001001 en binaire, donc l'adresse virtuelle complète est 11010101001111001001 = 3251711 en octal).

   c)   L'adresse hexadécimale ABCDE = 10101011110011011110 en binaire. Le numéro de la page = 10101011 = 171 (décimal) et le numéro du mot dans la page = 110011011110 = 3294.

   Attention : le énième élément se trouve à l'adresse $n{-}1$, puisque l'on compte à partir de zéro.

7.   Mémoire virtuelle segmentée et paginée.
   a)   La taille de cette mémoire est de : $2^6 = 64$ segments,
          $2^6 2^{10} = 2^{16} = 65536$ pages, et $2^{24} = 16777216$ mots.
   b)   Adresse octale du 145ème mot de la page 111 du 32e segment.
          mot 144   :   10010000
          page 111   :   0001101111
          segment 31   :   011111
          Ce qui donne en octal : 37067620.
   c)   La valeur octale 41032567 = 100001000011010101110111 (binaire), le numéro de segment = 100001 = 33 (décimal), la page = 0000110101 = 53, et l'offset = 01110111 = 119.

8.   Dans un système à mémoire virtuelle, le CO contient toujours une adresse virtuelle. La conversion en adresse réelle s'effectue dans le parcours entre le CO et le RA.

9.   La conversion d'une adresse virtuelle en une adresse réelle est réalisée à l'aide de la table de pages. Dans la conversion, seule la partie de l'adresse spécifiant la page doit être remplacée, l'offset ne change pas.

10.   La segmentation est un découpage logique du programme, décidé par le programmeur. Elle complète le découpage en pages effectué automatiquement par le système d'exploitation.

11.   Oui, la majeure partie du système d'exploitation est paginée à l'exception du noyau et du module de pagination qui doivent être résidents en mémoire.

12.   Les trois fonctions essentielles du noyau sont : la gestion (synchronisation et communication) des processus, la gestion des interruptions et l'allocation du CPU.

13.   Une instruction privilégiée est une instruction exécutable uniquement en mode superviseur, par le système d'exploitation.

Chapitre **13**

Assembleur

13.1 Langage machine

Le **logiciel** [*software*] est le terme employé pour caractériser tous les programmes qui sont exécutés par un ordinateur. Ce terme s'oppose à celui de **matériel** [*hardware*] qui recouvre le matériel physique composant un ordinateur.

L'exécution d'un programme consiste à donner à la machine une séquence d'instructions directement interprétables par elle. Obligatoirement, les premiers programmes étaient écrits en binaire. C'était une tâche difficile et exposée aux erreurs car il fallait aligner des séquences de bits, dont la signification n'est pas évidente. Pour comprendre le sens d'une séquence de bits, il convenait de compulser une table décrivant toutes les opérations possibles et leur représentation binaire. C'était l'époque du **langage machine**.

Par la suite, pour faciliter le travail, les programmes ont été écrits en donnant directement les noms (abrégés) des opérations. On les a appelés les codes mnémoniques, car on pouvait facilement les mémoriser (par exemple ADD, DIV, SUB, MOVE, etc.). Les adresses des instructions et des variables pouvaient aussi être données sous forme symbolique. Pour pouvoir utiliser effectivement tous ces symboles, il fallait trouver le moyen de les convertir en langage machine; ce fut réalisé par un programme : l'assembleur. Les codes mnémoniques et la notation symbolique pour les variables et les étiquettes ont donné naissance au **langage d'assemblage**, plus fréquemment appelé **assembleur**. Par extension, le terme assembleur signifie aussi bien le langage que le traducteur qui le convertit en langage machine. Le langage d'assemblage est toujours utilisé, car c'est le seul langage qui permette d'exploiter au maximum les ressources de la machine.

L'écriture de programmes en langage d'assemblage reste une tâche fastidieuse et de tels programmes dépendent de la machine pour laquelle ils ont été conçus. Les langages évolués, tels que Fortran ou Pascal, ont apporté une solution (partielle) à ces problèmes. Comme les langages d'assemblage (un par type de machine), les programmes écrits en langages évolués doivent être convertis en langage machine pour être exécutés. La conversion peut s'effectuer de deux façons : par traduction ou par interprétation.

13.2 Traduction et interprétation

L'exécution d'un programme source s'effectue en une ou deux étapes selon que l'on procède par interprétation ou par traduction.

L'**interprétation** effectue la conversion et l'exécution d'un programme en une seule étape : les instructions sont lues les unes après les autres et sont converties immédiatement en langage machine par les soins de l'interpréteur qui les fait exécuter au fur et à mesure. Tout se passe comme si le langage source était accepté tel quel par la machine.

La **traduction** consiste à générer un programme équivalent au programme source, mais codé dans le langage binaire de l'ordinateur. Dans cette première étape, on traduit un programme écrit en langage source en un programme écrit en langage machine. Si l'on veut exécuter le programme, une deuxième étape est donc nécessaire. Elle consiste simplement à charger le nouveau programme avant de pouvoir l'exécuter.

La traduction est un procédé qui, à partir d'un programme source, génère un programme objet alors que dans le cas de l'interprétation, il n'y a pas de programme objet : les instructions d'un programme source sont exécutées les unes après les autres immédiatement après leur conversion. La traduction permet d'obtenir un programme qui peut être exécuté rapidement et efficacement autant de fois que nécessaire, puisque le programme objet est assimilable par la machine.

Dans le cas de l'interprétation, on doit refaire le travail de traduction des instructions à chaque exécution. Par contre, elle est mieux adaptée à la mise au point de programmes car l'exécution commence tout de suite. Dans le cas de la traduction, le programme source n'intervient pas lors de l'exécution du programme objet, seul le code objet est pris en compte : l'exécution est donc plus rapide qu'avec un interpréteur.

Le meilleur compromis est d'utiliser un interpréteur pendant le développement des programmes et un traducteur pour l'exploitation de ces programmes. Les langages évolués disposent, généralement, d'un traducteur (appelé compilateur), mais peuvent aussi disposer d'un interpréteur (par exemple, le langage Pascal).

 Les traducteurs de langages évolués ne génèrent pas forcément du code machine mais souvent du code intermédiaire qui est ensuite interprété par un logiciel s'appuyant sur le niveau de microprogrammation. Ce qui simplifie les compilateurs et favorise leur portabilité.

Les traducteurs sont de deux types : les assembleurs et les compilateurs. Les **assembleurs** sont des traducteurs dont le langage source n'est qu'une variante symbolique (le langage d'assemblage) du langage machine et le code objet est du code machine. Les **compilateurs** sont des traducteurs dont le langage source est un langage évolué et le code objet est de plus bas niveau tel que le langage machine.

13.3 Langage d'assemblage

Bien que remplacé par les langages évolués et relégué au deuxième plan, le langage d'assemblage reste un langage important. Il est encore utilisé aujourd'hui dans certains cas par des spécialistes, généralement dans un but d'optimisation. Par exemple, lorsque l'on veut tirer parti de l'architecture de la machine, on est obligé de coder des parties d'un programme en assembleur.

Un autre exemple caractéristique est celui du diagnostic d'erreurs (software et hardware). Ainsi, pour détecter certaines erreurs subtiles, on est obligé d'examiner le contenu de la mémoire, ce qui consiste à examiner des millions de bits, à partir desquels on essaye de reconstruire pas à pas l'évolution du programme et ses effets sur le contenu des registres et de la mémoire. Pour cela, il faut avoir une connaissance précise de l'architecture de la machine et de son fonctionnement au niveau des opérations élémentaires.

Le langage machine se compose d'instructions binaires, telles qu'on les trouve dans la mémoire au moment de l'exécution du programme. Le langage d'assemblage n'est qu'une variante symbolique du langage machine : il a donc le même jeu d'instructions. En conséquence, le langage d'assemblage est propre à chaque type de machine. Il facilite le travail du programmeur en lui permettant d'utiliser des codes opérations mnémoniques, des étiquettes (adresses symboliques), des littéraux (constantes numériques) et des directives (réservation d'espace mémoire, déclaration d'une macro).

Contrairement aux langages évolués, le langage d'assemblage permet d'accéder à toutes les ressources (registres) et aux facilités de traitement de la machine (opérations détaillées comme un décalage). Il ne cache rien au programmeur, ce qui est un avantage dans certains cas mais peut devenir fastidieux dans d'autres cas.

Une instruction, en langage d'assemblage, est divisée en champs. Voici la structure typique d'une instruction assembleur.

étiquette	code opération (mnémonique)	opérandes

Les différents champs d'une instruction sont généralement séparés par un ou plusieurs espaces. Le nombre d'opérandes du troisième champ varie d'une machine à l'autre de 0 à 3. Après ce champ, il est souhaitable d'ajouter des commentaires.

 Exemple d'instructions

```
donnees1:   DS        1
adresse1:   MOVE      A1,donnees1
            ADD       A1,A2
            JUMP      adresse2
```

La première instruction (une directive à l'assembleur) permet de définir la variable *donnees1* et de lui réserver 1 mot-mémoire. La deuxième instruction, portant l'étiquette *adresse1*, transfère le contenu du registre *A1* dans la variable *donnees1*.

La troisième instruction effectue une addition entre deux registres et stocke le résultat dans le deuxième registre. La dernière instruction effectue un saut inconditionnel à l'adresse *adresse2* qui se trouve quelque part dans le programme.

13.3.1 Codes opérations mnémoniques

Il est évidemment plus facile de retenir les termes ADD ou SUB que de se rappeler des codes binaires correspondants (101101, 001001 par exemple), mais les machines actuelles permettent plusieurs variantes de la même opération : ainsi, on peut avoir plusieurs types d'addition selon la nature des opérandes. Le code opération est donc lié au type des opérandes qui le suivent. Le jeu d'instructions peut ainsi devenir complexe (architecture Cisc). On est souvent obligé de consulter la table des codes mnémoniques pour écrire un programme en assembleur.

13.3.2 Opérandes et étiquettes

Contrairement au langage machine, le langage d'assemblage permet de donner des noms alphanumériques aux **variables** et aux **étiquettes** (adresses des instructions), ce qui facilite grandement la programmation.

Par exemple, supposons que l'on désire effectuer un branchement. En langage machine, on doit donner en binaire la position mémoire exacte où se trouve l'instruction à laquelle on veut se brancher. Dans le langage d'assemblage, il suffit de faire précéder l'instruction (où l'on veut se brancher) d'une étiquette symbolique et de donner cette étiquette comme opérande de l'opération de branchement.

De la même façon, pour les opérandes, on n'est plus obligé de donner l'adresse binaire exacte. Les opérandes ont un nom qui permet de les référencer. En outre, chaque registre possède un nom reconnu par l'assembleur.

 Exemples d'opérandes et d'étiquettes

Tab	DS	1	Définition d'une variable Tab de 1 mot (DS = Define Storage).
Dix	DC	10	Définition d'une constante Dix qui a la valeur 10 (DC = Define Constant)
Boucle:	MOVE	Dix, A1	Transfert de la valeur 10, stockée à l'adresse Dix, dans le registre A1.
	MOVE	A2, Tab	Transfert de la valeur du registre A2 dans la variable Tab.
	JUMP	Boucle	Saut inconditionnel à l'adresse définie par l'étiquette Boucle.

13.3.3 Littéraux

En langage machine, toute constante doit être codée en binaire. Le langage d'assemblage permet de définir des valeurs entières ou réelles dans différentes bases (2, 8, 10 ou 16) ainsi que des chaînes de caractères. C'est toujours l'assembleur qui s'occupe de leur conversion. L'indication de la base s'effectue en plaçant un caractère particulier au début de chaque donnée. Ainsi, dans l'assembleur du microprocesseur Motorola MC68000, une donnée binaire est précédée par un %, une donnée hexadécimale par un $. S'il n'y a pas de caractère particulier, c'est une donnée décimale. Les chaînes de caractères sont entourées du signe '.

 Exemples de littéraux

```
'A'   65    $41    %01000001
'01'  12337 $3031  %0011000000110001
```

13.3.4 Directives

Les **directives**, ou pseudo-instructions, sont des instructions non exécutables qui n'ont pas de code machine équivalent. Ce sont des directives données à l'assembleur qui lui fournissent des indications pour traduire le programme. Comme pour les instructions exécutables, on utilise les directives en les référençant par leur code mnémonique.

Il y a différentes sortes de directives. Prenons, par exemple, les variables et les constantes. Les variables sont des données que l'on peut modifier, alors que les constantes sont des données que l'on ne peut pas modifier. Les directives de définition de symboles permettent d'assigner sa valeur à une constante ou de réserver la place mémoire d'une variable.

 Exemples de directives

```
            TTL   'Titre du programme'
Vecteur  DS    50        Définition de la variable Vecteur
                         et réservation de 50 mots.
Zéro     DC    0         Définition de la constante Zéro
                         qui a la valeur 0.
         PLEN  50        50 lignes par page (PLEN = Page Length).
         END             Fin du programme.
```

13.3.5 Expressions arithmétiques

Contrairement aux langages évolués, les **expressions arithmétiques** utilisées pour calculer la valeur d'une variable, comme par exemple dans l'assignation suivante $A = B + C / D$, ne sont pas admises dans les langages d'assemblage. Elles doivent être programmées en utilisant plusieurs instructions. Néanmoins, l'assembleur permet l'utilisation d'expressions arithmétiques simples comme adresses d'opérandes ou comme étiquettes : par exemple, pour parcourir les positions mémoire d'un bloc réservé (TABLEAU + 3 ou TABLEAU + I, I pouvant varier). Il est fort utile de pouvoir référencer l'adresse de l'instruction courante. Pour cela, on utilise le symbole *, largement répandu dans les langages d'assemblage. Ainsi, * + 3 correspond à l'adresse de la troisième instruction après l'instruction courante.

13.3.6 Macros et sous-programmes

Certains assembleurs permettent de structurer les programmes, ils offrent généralement la possibilité de grouper une séquence d'instructions sous la forme d'un sous-programme ou d'une macroinstruction. Ces deux structures ont pour but de modulariser le programme et d'éviter l'écriture répétée de groupes d'instructions fréquemment utilisés.

Macros

L'idée d'une **macroinstruction**, ou plus simplement d'une **macro**, consiste à isoler l a séquence d'instructions que l'on veut éviter de répéter et à lui attribuer un nom symbolique par lequel on peut lui faire référence. Chaque fois que, dans le programme, on fait référence à ce nom, l'assembleur le remplace par la séquence d'instructions correspondante. Un assembleur qui autorise l'utilisation de macros est appelé un **macro-assembleur**. Presque tous les assembleurs actuels offrent cette possibilité.

L'utilisation des macros présente plusieurs avantages. Elle permet d'abord d'étendre le jeu d'instructions de la machine, car chaque macro peut être utilisée comme toute autre instruction. Ensuite, les programmes source sont plus courts, plus structurés et ainsi plus faciles à comprendre et à modifier. Leur qualité s'en trouve augmentée, car lorsqu'une macro fonctionne correctement, on est assuré que ce sera toujours le cas. Leur utilisation permet aussi d'épargner du temps de programmation, mais pas de l'espace mémoire (pour le programme en code machine). Les instructions qui servent à définir et à délimiter une macro (par exemple, MACRO et ENDM) sont des cas typiques de directives; lors de l'assemblage, chaque appel à une macro est remplacé par le corps de la macro et ces deux pseudo-instructions sont éliminées.

☞   *Calcul du cube d'un nombre*

```
MACRO CUBE (valeur, valeurcube)
      MOVE    valeur,D1
      MOVE    valeur,D2
      MUL     D1,D2         (D2:= D1 x D2)
      MUL     D1,D2
      MOVE    D2,valeurcube
ENDM
```

Sous-programmes

Les **sous-programmes** sont définis comme les macros : ils ont aussi pour but d'éviter d'avoir à répéter des séquences d'instructions que l'on veut utiliser à plusieurs reprises. Une différence essentielle avec les macros réside dans le fait que les instructions qui composent un sous-programme constituent une entité bien séparée du programme principal. Cette séparation existe toujours après la traduction; ainsi, le sous-programme ne se trouve qu'une seule fois en mémoire et c'est seulement à l'exécution que toute référence à un sous-programme provoque un branchement à ce sous-programme (figure 13.1).

Cette manière de procéder offre les mêmes avantages que les macros mais, en plus, elle permet de minimiser la taille du code exécutable, ce qui n'est pas le cas des macros. Par contre, elle pose de nouveaux problèmes : il faut connaître les adresses des sous-programmes; il faut aussi penser à sauvegarder l'adresse de retour lors de l'exécution d'un sous-programme. L'adresse de retour est l'adresse de l'instruction qui suit l'instruction d'appel au sous-programme. Il faut souligner aussi que, dans certains langages comme Fortran, les sous-programmes peuvent être traduits séparément et utilisés par différents programmes.

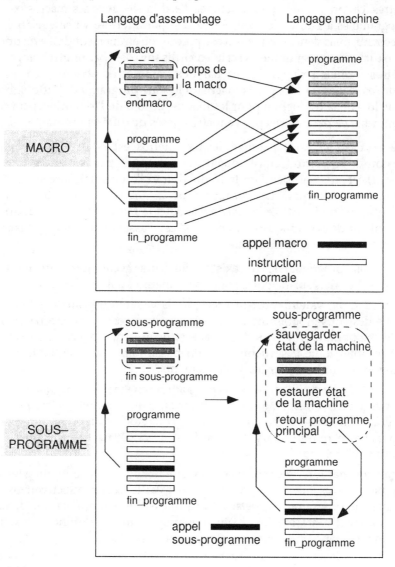

Figure 13.1 : Différence entre macro et sous-programme

Pour résumer la principale différence entre macro et sous-programme, on peut dire que les appels à une macro sont remplacés par le corps de la macro pendant la traduction alors que les appels à un sous-programme sont traités lors de l'exécution. La figure 13.1 illustre cette différence.

Passage de paramètres

Une autre différence entre macros et sous-programmes réside dans le passage des paramètres. Un programme peut échanger des données avec ses macros ou avec ses sous-programmes à l'aide de paramètres. Un **paramètre** est une variable dont le nom est connu, mais dont le contenu n'est précisé qu'au moment de l'exécution. Une macro, ou un sous-programme, s'écrit en utilisant des paramètres formels. Ces paramètres formels sont remplacés par des paramètres effectifs, correspondant aux données réelles traitées par la macro ou le sous-programme. Cette substitution s'effectue lors de la traduction pour les macros et lors de l'exécution pour les sous-programmes. Les paramètres peuvent être passés de différentes manières.

Dans le cas des macros, le passage des paramètres est relativement simple, car l'expansion de la macro (remplacement de son appel par les instructions qui la composent) est effectuée pendant la traduction et l'on connaît forcément l'adresse des paramètres effectifs. La définition de la macro contient des paramètres formels (par exemple, *valeur* et *valeurcube* dans la macro cube) et tout appel à la macro contient des paramètres effectifs. C'est l'assembleur qui se charge de la substitution pendant la traduction.

Pour les sous-programmes, il existe plusieurs techniques de passage des paramètres. Les deux principales sont : par valeur et par adresse :

- Le **passage par valeur** consiste à recopier la valeur à transmettre dans une zone connue des sous-programmes, qui peut être une zone mémoire ou un registre. Cette méthode n'est pas adaptée aux structures de données complexes car il faut recopier toute la structure. Si l'on passe par valeur un tableau de 1'000 éléments, il faut recopier les 1'000 éléments.

  Avec ce type de passage, les sous-programmes ne travaillent que sur une copie des paramètres et, ainsi, toute modification d'un paramètre n'est possible qu'à l'intérieur des sous-programmes. Dès que l'on retourne au programme appelant, le paramètre retrouve sa valeur initiale. Ceci permet une certaine protection des paramètres.

- Le **passage par référence** consiste à transmettre au sous-programme les adresses des paramètres. Le sous-programme travaille donc effectivement sur les données du programme appelant. Dans ce cas, toute modification de la valeur d'un paramètre à l'intérieur d'un sous-programme détermine la valeur de ce paramètre quand on retourne au programme appelant.

Sauvegarde de l'état de la machine

La sauvegarde de l'état de la machine consiste à conserver l'état des registres du cpu (dans des registres du cpu prévus à cet effet ou en mémoire centrale) pour permettre d'exécuter un autre programme et, à la fin de celui-ci, de poursuivre l'exécution du premier. Lors de l'utilisation de macros, il n'y a pas de sauvegarde de l'état de la machine car il n'y a plus d'appels de macros au moment de l'exécution : ils ont été remplacés par l'assembleur.

Par contre, dans le cas des sous-programmes, il est nécessaire de sauvegarder l'état de la machine lorsque l'on se branche à un sous-programme (au moment de l'exécution). En effet, l'appel à un sous-programme consiste à passer le contrôle du cpu à ce sous-programme, qui se comporte comme un programme indépendant et qui doit être capable de redonner le contrôle au programme appelant à la fin de son exécution. Les premières instructions d'un sous-programme servent à sauvegarder l'état des différents registres et les dernières instructions servent à restituer ces valeurs. Il ne faut pas oublier que la dernière instruction est le branchement à l'adresse de retour. Dans les langages évolués, c'est le compilateur qui s'occupe de tout cela, tandis qu'au niveau assembleur, c'est au programmeur de faire attention à ne pas perdre les valeurs qui lui seront utiles par la suite. Donc, à chaque définition d'un sous-programme, on est obligé d'ajouter un certain nombre d'instructions, qui augmentent quelque peu le temps d'exécution, ce qui n'est pas le cas pour les macros.

Récursivité

Un sous-programme est **récursif** s'il peut s'appeler lui-même (directement ou indirectement). Certains langages évolués disposent de compilateurs qui permettent la récursivité (par exemple, le langage Pascal). Avec l'assembleur, c'est au programmeur de gérer la récursivité.

Un sous-programme récursif caractéristique est le calcul de la factorielle d'un nombre. L'exemple suivant nous montre le sous-programme correspondant, écrit en Pascal.

 Programme calculant la factorielle d'un nombre entier

```
FUNCTION Factorielle (N:INTEGER):INTEGER;
   BEGIN
      IF N = 1 THEN Factorielle:= 1
              ELSE Factorielle:= N * Factorielle (N-1);
   END;
```

Il ne faut pas abuser de la récursivité car elle est gourmande en ressources et cela peut aboutir à des programmes illisibles. Le problème d'un sous-programme récursif est que, lors de chaque appel, il faut sauvegarder l'état de la machine comme lorsque l'on appelle un sous-programme normal. Mais on ne peut pas utiliser la même zone mémoire puisqu'à chaque sauvegarde on efface les données précédemment sauvegardées. La solution consiste à utiliser une pile LIFO [*Last In First Out*] dans laquelle on sauvegarde l'état de la machine (registres) au fur et à mesure des appels récursifs. Evidemment, il faut qu'il y ait une condition de fin qui stoppe les appels récursifs. Le compilateur Pascal s'occupe de tout, tandis qu'en assembleur, on doit habituellement gérer cette pile soi-même.

Re-entrance

Un même programme, ou sous-programme, dont le code ne se trouve qu'une seule fois en mémoire peut être utilisé par plusieurs programmes lors de leur exécution. On parle de **re-entrance** si ce programme peut être interrompu à n'importe quel moment de son exécution et utilisé par un autre processus.

Pour qu'un programme soit re-entrant, il faut que toutes les données qu'il traite soient propres au processus appelant et extérieures au programme re-entrant. Il faut aussi qu'aucune instruction ne soit modifiée pendant l'exécution.

Un exemple typique de programme re-entrant est celui d'un éditeur de texte. Plusieurs utilisateurs peuvent l'employer simultanément pour manipuler des textes différents et pourtant il n'y a aucun mélange. L'éditeur travaille avec les données (le texte) de chacun.

13.4 Fonctionnement de l'assembleur

L'**assembleur** est un programme qui traduit le code source (langage d'assemblage) en code objet (langage machine).

Le programme source est une séquence d'instructions symboliques correspondant aux codes binaires de la machine. On peut envisager d'effectuer la traduction en une seule passe en traduisant ligne par ligne. Malheureusement, il y a le problème des **références en avant** [*forward references*], c'est-à-dire des références à des symboles ou à des étiquettes non encore connus de l'assembleur.

 Référence en avant : on effectue un saut [jump] à l'adresse Boucle *qui n'est pas encore connue lors du saut.*

étiquette	code op.	opérande	commentaire
	----		instruction quelconque

	JUMP	Boucle	

Boucle:	----		

La traduction en une passe n'est pas impossible, mais l'assembleur devient plus complexe et il nécessite beaucoup d'espace mémoire. Une solution plus simple, largement répandue, consiste à utiliser deux passes. Chaque passe effectue une lecture complète du texte.

La fonction principale de la première passe est de construire la table des symboles qui contient les caractéristiques de tous les symboles (leur nom, type et adresse numérique correspondante). Cette table doit être d'un accès aisé pour ne pas trop pénaliser le temps d'exécution de l'assembleur. Une autre fonction de cette première passe est d'allouer une adresse à chaque instruction. Comme on ne sait pas où sera chargé le programme en mémoire, on fait comme s'il allait l'être à l'adresse 0 (la première instruction se trouve à l'adresse 0). Ensuite, c'est le chargeur qui s'occupera de modifier les adresses pour pouvoir stocker le programme à une certaine place de la mémoire centrale.

Dans cette première passe, on identifie les références extérieures, c'est-à-dire les références à des sous-programmes (de librairie par exemple) extérieurs au programme et on les stocke dans la table des références extérieures. C'est l'éditeur de liens qui se chargera de mettre ensemble le programme et les sous-programmes utilisés et de résoudre les références extérieures.

La fonction principale de la deuxième passe est de générer les instructions en code machine. Pour cela, il faut évaluer les expressions arithmétiques (pouvant utiliser des symboles intervenant dans le calcul des adresses des variables) et il faut remplacer chaque étiquette par sa valeur et chaque code opération par le code binaire correspondant. Lors de cette deuxième passe, on procède aussi à l'impression du **listage** [*listing*] du programme.

13.4.1 Macroassembleur et cross-assembleur

L'utilisation de macros peut simplifier et enrichir l'écriture de programmes en langage d'assemblage. Un **macroassembleur** moderne doit offrir les fonctionnalités suivantes :
* définition, utilisation d'une macro et expansion lors de l'assemblage;
* utilisation de paramètres dans les macros;
* assemblage conditionnel selon la valeur d'une variable ou le résultat d'un test arithmétique; ce qui permet de prendre des décisions lors de l'assemblage;
* imbrication de macros, c'est-à-dire possibilité d'appeler une macro à l'intérieur d'une autre macro.

Avec ces différentes possibilités, on peut pratiquement changer le jeu d'instructions et se construire une machine virtuelle macroprogrammable. Il suffit de définir une librairie de macros que l'on utilise ensuite.

L'assemblage conditionnel permet au programmeur d'inclure ou d'exclure un segment de code source au moment de l'assemblage. Les instructions qui permettent l'assemblage conditionnel constituent un bon exemple de directives. Ces directives permettent d'écrire des programmes très généraux comportant un grand nombre d'options, et, au moment de l'assemblage, de déterminer quelles options doivent être prises en considération par l'assembleur. Lors de l'assemblage, l'utilisateur doit donner à l'assembleur les valeurs des paramètres qui permettent de choisir les options désirées.

 Extrait d'un programme écrit en assembleur utilisant l'assemblage conditionnel

```
VALEUR    EQU     0              le paramètre VALEUR vaut 0.
          IFEQ    VALEUR         si VALEUR = 0 (c'est le cas)
```

```
            - - -                      alors on assemble ces instructions.
            ENDC                       fin assemblage conditionnel.
```

Les directives IFEQ et ENDC délimitent les instructions dont l'assemblage est conditionnel. Le contrôle de cet assemblage est détenu par l'instruction EQU qui associe une valeur à un symbole. Selon cette valeur, l'assemblage aura lieu ou non.

L'assembleur travaille sur des chaînes de caractères sans se soucier de leur signification. Il n'est pas obligatoire d'effectuer la traduction sur la machine qui doit exécuter le programme objet. Si l'assembleur fonctionne sur la machine où est exécuté le code, c'est un assembleur résident, ce qui représente la majorité des cas. Si ce n'est pas le cas, on parle de cross-assembleur. Le **cross-assembleur** traduit un programme source en un programme objet pour une certaine machine, alors que le travail de traduction est effectué sur une autre machine.

13.5 Développement d'un programme

Le développement d'un programme, depuis l'analyse du problème jusqu'à sa mise au point, nécessite de nombreux outils logiciels qui constituent un environnement de programmation. Pour fonctionner, ces outils utilisent les services du système d'exploitation, en particulier le gestionnaire de fichiers. La figure 13.2 donne le schéma d'un environnement de programmation contenant un nombre minimum d'outils. Les outils classiques d'un environnement sont les suivants : **éditeur de texte**, **traducteur** (compilateur, assembleur), **éditeur de liens**, **chargeur** et **débogueur**.

Ces outils sont liés à la programmation, mais le développement d'un projet ne consiste pas uniquement à programmer, il faut aussi concevoir le programme à partir du problème posé. Un environnement moderne doit donc aussi disposer d'outils adaptés à la phase de conception (au sens large du terme).

13.5.1 Editeur de texte

Un **éditeur de texte** [*text editor*] est un logiciel interactif qui permet de saisir du texte à partir d'un clavier et de le stocker dans un fichier. Les informations contenues dans le fichier sont du type texte, c'est-à-dire un ensemble de caractères. Généralement, ces caractères sont structurés en lignes. Les principales fonctions d'un éditeur sont : la visualisation d'une partie du texte sur l'écran, le déplacement et le positionnement (du curseur qui indique la position courante) n'importe où dans le fichier, la modification du texte par insertion, suppression ou remplacement et la recherche de chaînes de caractères particulières. L'éditeur est utilisé pour taper le texte source d'un programme mais il peut être utilisé aussi pour entrer les données nécessaires à ce programme.

On distingue plusieurs types d'éditeurs. Un éditeur syntaxique est un éditeur adapté au traitement des programmes source, il vérifie la syntaxe des programmes au fur et à mesure qu'on les tape dans le fichier. Il permet aussi de générer automatiquement les structures syntaxiques propres au langage utilisé pour écrire le programme.

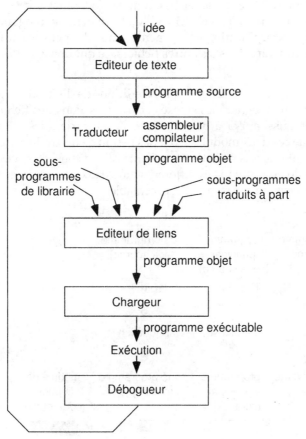

Figure 13.2 : Environnement de programmation

Il existe un autre type d'éditeur de texte qui n'est pas destiné à la programmation mais au **traitement de texte**. Ce type d'éditeur offre des fonctionnalités beaucoup plus poussées pour la manipulation des caractères. Il permet, entre autres, d'avoir des lettres accentuées, d'utiliser des fontes différentes (c'est-à-dire différents jeux de caractères), de pouvoir justifier le texte (ajuster à gauche, à droite, centrer, etc) pour écrire des lettres par exemple, d'insérer des dessins, etc. Plus généralement, on peut dire que ces éditeurs permettent de faire de la mise en page pour l'écriture d'une lettre, d'un article ou d'un livre.

13.5.2 Editeur de liens

Un **éditeur de liens** [*linker, linkage editor*] est un logiciel qui permet de combiner plusieurs programmes objet en un seul.

Pour pouvoir développer de gros programmes, on structure ceux-ci en modules que l'on traduit indépendamment. Ainsi, un programme peut être constitué de plusieurs fichiers dans lesquels se trouvent un (ou plusieurs) sous-programmes (figure 13.3). Un des fichiers contient obligatoirement le programme principal. Tous ces fichiers sont traduits séparément, mais ils peuvent utiliser les sous-programmes se trouvant dans les autres fichiers, ce qui donne lieu à des **références extérieures**.

La figure 13.3 nous montre un exemple d'édition de liens d'un programme qui comprend deux sous-programmes stockés et traduits dans des fichiers à part. Ce programme fait aussi appel à deux modules de librairie (des sous-programmes). On remarque que ces deux modules n'ont pas besoin d'être traduits, car les modules de librairie le sont une fois pour toutes et sont ensuite conservés sous forme de code objet. L'éditeur de liens prend ces différents morceaux de programme et les groupe pour former un programme complet et exécutable.

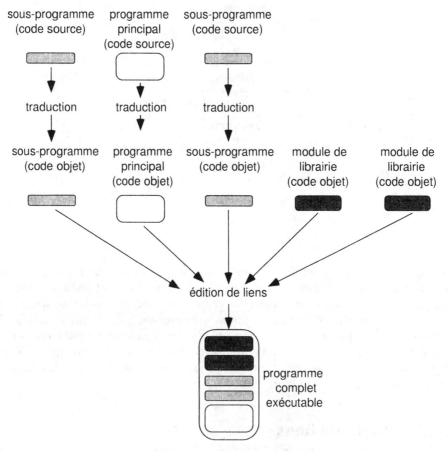

Figure 13.3   Edition de liens d'un programme type

Des directives particulières permettent d'annoncer à l'assembleur qu'une certaine adresse symbolique est extérieure au module, c'est-à-dire qu'elle est dans un autre module. L'exemple le plus fréquent est l'appel de sous-programmes de librairie qui se trouvent dans d'autres fichiers. Un autre type de directive permet de signaler à l'assembleur que telle adresse est susceptible d'être appelée depuis l'extérieur.

Les références extérieures posent un problème à l'assembleur : il ne peut pas remplacer ces références par les adresses correspondantes puisqu'il ne les connaît pas. Il se contente de faire la liste de toutes les références extérieures et de l'ajouter au fichier objet qu'il génère. En fait, il délègue le travail à l'éditeur de liens qui dispose de toutes les informations nécessaires. Le programme objet généré à l'assemblage contient donc le code machine de toutes les instructions et la liste des références extérieures, mais il contient aussi la liste des adresses potentiellement référençables depuis l'extérieur du module.

L'éditeur de liens est un programme complexe comparable en taille à l'assembleur. Il joue aussi un rôle très important. Quand il groupe les différents sous-programmes, il doit s'occuper aussi de gérer les adresses à l'intérieur de chacun d'eux. Après la traduction, chaque sous-programme commence à l'adresse 0. L'éditeur de liens ordonne les sous-programmes et le programme appelant, modifie les adresses de chacun d'eux et produit un module final dont l'origine est à l'adresse 0.

13.5.3 Chargeur

Le programme objet, obtenu après l'édition de liens, doit encore être chargé en mémoire centrale pour être exécuté. Le **chargeur** [*loader*] s'occupe de cette tâche. Il est habituellement couplé à l'éditeur de liens. Dans la plupart des systèmes modernes multiprogrammés, on décide au dernier moment à quelle adresse charger le programme. Dans les premiers temps, les ordinateurs n'avaient qu'un programme en mémoire centrale et il suffisait donc de fixer à l'avance les adresses d'un programme et ensuite de le charger à l'endroit préfixé. Ce type de chargeur est appelé **chargeur absolu**.

Maintenant, les chargeurs s'occupent aussi de reloger le programme en mémoire centrale, ce sont des chargeurs relogeables. Le principe en est simple : comme le programme commence à l'adresse 0 et que toutes les instructions sont numérotées par rapport à cette origine, il suffit d'ajouter à toutes les adresses (des instructions et des données) le déplacement par rapport à l'adresse 0.

 Si l'on veut charger le programme à partir de l'adresse 2'000, la première instruction est chargée à l'adresse 2'000 et on ajoute 2'000 à toutes les adresses se trouvant dans le programme.

Donc, le chargeur doit ajouter la valeur du déplacement à l'adresse de chargement de chaque instruction, ce qui est facile, et il doit modifier chaque référence (adresse) à une instruction ou à une donnée, ce qui est moins facile. Où est la difficulté ? Supposons que l'instruction suivante, représentée en octal, fasse partie d'un programme que le chargeur place en mémoire centrale à partir de l'adresse 2'000. Le chargeur peut facilement ajouter la valeur 2'000 à l'adresse 00'043, ce qui va placer l'instruction à sa place correcte dans la mémoire. Mais maintenant, le problème est de savoir si le chargeur doit modifier le contenu de l'instruction. Le contenu du champ opérande se prête à plusieurs interprétations possibles. L'opérande peut être un nombre entier, un nombre réel, une séquence de caractères, une référence à un opérande stocké dans la zone de données ou une adresse de branchement. Il est évident que, seulement dans les deux derniers cas, il faut modifier le contenu de l'instruction en ajoutant la valeur 2'000 du déplacement à l'adresse de l'opérande. Le problème est que le chargeur ne peut pas savoir laquelle de ces interprétations est la bonne. C'est l'assembleur qui va l'aider. Dans le programme objet qu'il génère, l'assembleur va indiquer si le contenu de l'instruction doit être relogé.

    Instruction d'un programme relogeable

Adresse de l'instruction	Contenu de l'instruction	Indicateur de relocation
00043	171600000012	1

Une autre façon d'effectuer la relocation est d'utiliser un registre de base. Evidemment, il faut que la machine en possède, ce qui est le cas dans la majorité des machines actuelles. La technique de relocation consiste alors à :

- assembler le programme par rapport à l'adresse 0, et faire l'édition de liens;
- choisir un registre de base parmi ceux dont dispose l'ordinateur;
- ranger dans ce registre de base l'adresse de base (origine absolue du programme);
- charger en mémoire le programme à partir de l'adresse de base, sans modifier les adresses du programme.

Lors de l'exécution, à chaque référence à une adresse, la machine effectue le calcul suivant :

$$\text{adresse effective} \ = \ \text{adresse de base} \ + \ \text{adresse référencée.}$$

Un tel programme est relogeable très facilement sans devoir modifier les adresses à l'intérieur du programme. Pour cela, il suffit de modifier le contenu du registre de base. Evidemment, il faut éviter toute modification intempestive de ce registre de base car elle serait fatale au programme.

On se rend compte que le chargeur est un programme indispensable pour charger les programmes en mémoire et ainsi pouvoir les exécuter. On peut se demander comment se réalise le démarrage d'une machine vide, c'est-à-dire comment charger le chargeur ? Il y a trois méthodes de démarrage possibles.

La technique, ancienne, du **bootstrapping** consistait à lire quelques instructions, sur cartes ou bandes perforées, dont l'exécution permet de lire un morceau de programme plus important, qui, à son tour, peut charger le chargeur. La première lecture peut s'effectuer manuellement à la console en introduisant trois ou quatre instructions dans la mémoire à l'adresse 0 et en transférant le contrôle à la première instruction. Cette méthode n'a plus cours.

Une deuxième technique, en vigueur actuellement, utilise une mémoire morte non volatile. On garde un programme amorce dans cette mémoire morte. Si cette mémoire est liée à une unité de traitement, le programme peut être directement exécuté. Autrement, il doit être transféré en mémoire centrale à l'aide d'un petit microprogramme ou de quelques instructions câblées.

Une troisième technique utilise les disquettes (ou un disque dur) comme système de démarrage. On conserve un programme amorce sur une zone inaccessible de la disquette (piste 0, secteur 0). On charge ce programme amorce grâce à un petit programme câblé qui passe ensuite le contrôle au programme amorce. Ce système est utilisé notamment dans les microordinateurs.

13.5.4 Débogueur

Le **débogueur** [*debugger*] est un logiciel qui facilite la mise au point de programmes (détection et correction des erreurs, ou **bogues** [*bugs*]). Il permet d'examiner le contenu de la mémoire ainsi que le contenu des différents registres. Ainsi, on peut suivre l'exécution d'un programme pas à pas, c'est-à-dire instruction après instruction. Ceci permet de comprendre ce qui se passe lors de l'exécution. Les premiers débogueurs fournissaient l'information sous forme de séquences de bits ou de digits octaux. Aujourd'hui, les débogueurs symboliques manipulent directement les variables, les étiquettes et les instructions. Il n'est plus nécessaire d'interpréter les séquences de bits, le débogueur s'en charge.

Exercices

1. Voici la description d'un ordinateur virtuel :
   - machine à 1 adresse;
   - mots de 16 bits;
   - un accumulateur (ACC) de 16 bits;
   - adresses sur 12 bits, la capacité de la mémoire centrale est donc de 4096 mots de 16 bits;
   - format d'une instruction :   15 ... 12   11 0
     code opération   adresse

- le jeu d'instructions est le suivant :

code op. mnémonique adresse opération

. instructions arithmétiques

```
01      ADD     XXXX    ACC <- ACC + (XXXX)
02      SUB     XXXX    ACC <- ACC - (XXXX)
```

. instruc. de transfert entre accumulateur et mémoire

```
04      LDA     XXXX    ACC <- (XXXX)
05      STA     XXXX    XXXX <- ACC
```

. instructions d'entrée/sortie

```
06      INP             ACC <- valeur lue sur le clavier
07      OUT             imprime valeur dans ACC
```

. instructions de branchement

```
08      JMP     XXXX    branchement à l'adresse XXXX
09      JSP     XXXX    branchement au sous-programme
                        situé à l'adresse XXXX. L'adresse de retour
                        est sauvée dans l'accumulateur.
10      RET             retour de sous-programme,
                        branchement à l'adresse
                        stockée dans l'accumulateur.
11      JZ      XXXX    branchement à l'adresse XXXX
                        si la valeur de l'acc. = 0.
12      HLT             arrêt de l'exécution du
                        programme
```

. autres instructions

```
13      START           début du programme
14      END             fin du programme
15      SHR             décalage à droite d'une position
16      RES N           réservation de N mots mémoire
```

- La mémoire contient les informations suivantes :

adresse (décimale)	information (hexadécimale)
64	43E8
65	13E9
66	53E8
67	43EA
68	23EB
69	53EA
70	B048
71	8040
72	43E8
73	C000
1000	0000
1001	0007
1002	0002
1003	0001

Le programme s'exécute à partir de l'adresse 64 (décimale), une fois que l'exécution est terminée, donner le contenu de l'accumulateur, du compteur ordinal et des positions mémoire 1000, 1001, 1002 et 1003.

2.   A l'aide du langage décrit dans l'exercice précédent, écrire un programme qui calcule la moyenne de deux nombres lus au clavier et imprime le résultat. Si l'une des deux valeurs est nulle, alors on arrête l'exécution.

3.   Quelles sont les implications sur le temps d'exécution et l'espace mémoire de l'utilisation d'une macro ou d'un sous-programme ?

4.   A quoi sert la table des symboles ?

5.   A quoi sert l'éditeur de liens ?

6.   Qu'est-ce qu'un environnement de programmation ?

7.   Quelles sont les principales fonctionnalités d'un macroassembleur ?

Solutions

1.   Contenu de la mémoire après exécution du programme stocké à partir de l'adresse 64 en mémoire centrale. Il faut commencer par décoder les informations. Pour cela, il faut convertir le premier digit hexadécimal en décimal pour obtenir le code opération et convertir ensuite les trois autres digits hexadécimaux en décimal pour obtenir l'adresse associée au code opération.

mémoire	contenu (hexa)	code-op. (décimal)	adresse (décimale)
64	43E8	04	1000
65	13E9	01	1001
66	53E8	05	1000
67	43E8	04	1002
68	23EB	02	1003
69	53EA	05	1002
70	B048	11	72
71	8040	08	64
72	43E8	04	1000
73	C000	12	0000

Attention, ce programme réalise une boucle. A la fin de l'exécution, on a les valeurs suivantes :

1000	14	
1001	7	
1002	0	
1003	1	
ACC	14	
CO	74	(prochaine instruction !)

2.   Calcul de la moyenne de deux nombres et impression.

```
          START
VAL1      RES       1
VAL2      RES       1
MOYEN     RES       1
          INP                 lecture 1ère valeur
          STA       VAL1      stockage dans VAL1
          JZ        FIN       si valeur=0, alors fin
          INP                 lecture 2ème valeur
          STA       VAL2      stockage dans VAL2
          JZ        FIN
```

```
          ADD      VAL1
          SHR                  décalage à droite = division par deux
          STA      MOYEN       stockage du résultat
          LDA      VAL1
          OUT
          LDA      VAL2
          OUT
          LDA      MOYEN
          OUT
     FIN  HLT
          END
```

3.   Quand on utilise une macro, le programme objet a la même taille et prend le même temps que le programme équivalent sans macro. On économise seulement du temps et de l'espace mémoire pour l'écriture et le stockage du texte source. Dans le cas d'un sous-programme, on économise de l'espace mémoire puisque le sous-programme ne se trouve qu'une seule fois en mémoire (même s'il est appelé plusieurs fois), par contre le temps d'exécution augmente légèrement puisqu'il faut sauvegarder l'état de la machine au début de l'exécution du sous-programme et le restituer à la fin de son exécution.

4.   Le travail de l'assembleur s'effectue généralement en deux passes. Dans la première passe il remplit la table des symboles, c'est-à-dire : à chaque fois qu'il rencontre un symbole, il le met dans la table avec son adresse; lors de la deuxième passe, il remplace toute référence à un symbole par sa valeur.

5.   Dans un programme, on peut utiliser des sous-programmes extérieurs, c'est-à-dire traduits indépendamment du programme en question. Le traducteur ne travaille que sur le programme qu'on lui donne à traduire, il ne peut donc pas remplacer les références extérieures par leur valeur. Il laisse cette tâche à l'éditeur de liens, qui prend tous les modules dont il a besoin et qui satisfait toutes les références extérieures.

6.   Un environnement de programmation est un ensemble d'outils qui facilitent le développement d'un projet. Les outils les plus répandus sont le compilateur, l'éditeur de liens, le chargeur, l'éditeur de texte et le débogueur, mais on trouve aussi des outils moins classiques comme, par exemple, un outil de gestion des différentes versions d'un logiciel.

7.   Les principales fonctionnalités d'un macroassembleur sont les suivantes :
   - définition, utilisation d'une macro et expansion lors de l'assemblage ;
   - assemblage conditionnel ;
   - utilisation de paramètres ;
   - imbrication de macros.

Chapitre **14**

Développement de programmes

14.1 Génie logiciel

14.1.1 Cycle de vie du logiciel

Le développement d'une grande application est une affaire extrêmement complexe. La première conférence, ayant pour thème le génie logiciel, eut lieu en 1968 pour essayer d'apporter une solution à ce qui était appelé la crise du logiciel. Cette crise était due au fait que la taille des logiciels augmente considérablement : elle se compte dorénavant en centaines de milliers ou en millions de lignes de code qui demandent des milliers d'homme/années, alors que les outils et les méthodes de programmation n'ont pas évolué aussi rapidement. On se trouve donc devant la situation suivante : on doit développer de grands logiciels et on ne dispose pas d'outils adéquats. La qualité des logiciels s'en ressent beaucoup; leur fiabilité n'est pas parfaite, ils comportent toujours un certain nombre d'erreurs.

Le **génie logiciel** [*software engineering*] est caractérisé par l'ensemble des méthodes qui permettent de maîtriser le développement du logiciel. Le développement d'un programme ne consiste pas uniquement à programmer, au sens strict du terme, mais aussi à effectuer un certain nombre d'étapes qui permettent d'arriver jusqu'à la programmation. L'ensemble de ces étapes constitue ce que l'on appelle le **cycle de vie du logiciel**. De plus, un grand projet est développé par des équipes de programmeurs, ce qui oblige à décomposer le problème en sous-problèmes pour les répartir entre les différentes équipes, à gérer la communication entre les équipes, à contrôler l'avancement du projet et à contrôler la qualité du logiciel produit.

Le cycle de vie (figure 14.1) se compose des phases suivantes :

- l'**analyse** et la compréhension du problème consistent à établir les fonctionnalités, les contraintes et les objectifs du projet en accord avec le client/utilisateur. Le principal problème de cette phase réside dans la communication entre le concepteur et le client;

- la **spécification** consiste à déterminer les fonctionnalités détaillées du logiciel à produire sans s'occuper de savoir comment elles seront implantées effectivement;

- la **conception** est une phase de définition de la structure modulaire du logiciel et des algorithmes à utiliser, ainsi que du choix des langages;

- la **programmation** consiste à implanter effectivement les différents modules qui composent le logiciel;

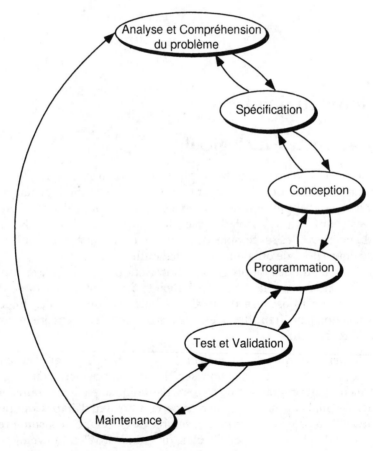

Figure 14.1 : Cycle de vie du logiciel

- les **tests** et la **validation** consistent à rechercher les erreurs de conception et de programmation et à s'assurer que le logiciel produit répond bien aux exigences initiales;

- la **maintenance** est la phase la plus longue du cycle de vie du logiciel, car elle dure pendant toute la période d'exploitation du logiciel. Pendant cette phase, on répond aux demandes des utilisateurs du logiciel, soit en corrigeant des erreurs, soit en effectuant des modifications, soit en ajoutant de nouvelles fonctionnalités;

- la **documentation** consiste à regrouper toutes les informations produites pendant le cycle de vie. Elle n'est donc pas une phase propre du cycle de vie, mais elle doit s'effectuer lors de chaque phase en parallèle avec leur déroulement. C'est une erreur de réaliser une phase de documentation à la fin du cycle de vie, lorsque le logiciel est terminé, car alors, on ne se souvient plus de toutes les décisions qui ont été prises et la documentation n'est pas complète. La documentation doit permettre de comprendre et de modifier facilement un logiciel. Elle doit être tenue à jour en même temps que le logiciel.

Lors de la conception, on décompose et on structure le logiciel en un certain nombre de modules, afin d'en réduire la complexité. Au sens strict du mot, un module peut être un **package** du langage Ada, un **module** de Modula-2 ou une **classe d'objets** dans un langage orienté objet tel que C++. Dans un sens plus large, on peut considérer qu'une **procédure** des langages Pascal ou Fortran constitue un module. Un module peut utiliser un ou plusieurs autres modules, ou, bien sûr, être utilisé par d'autres modules. L'ensemble des liens entre les modules crée une structure. Cette structure doit être définie lors de la phase de conception et il faut essayer de minimiser le nombre et la complexité des interconnexions la composant.

Le passage d'une phase du cycle de vie à la suivante est rarement définitif, il arrive fréquemment que l'on soit obligé de revenir à une phase antérieure pour apporter un certain nombre de modifications. En effet, il est très difficile de tout prévoir. De plus lors de la phase de maintenance, des modifications importantes tel qu'une nouvelle version impliquent un développement complet à partir de la phase de spécification (figure 14.1). De cet aspect découle la notion de cycle.

14.1.2 Environnements de programmation

Les environnements de programmation, ou plus généralement les ateliers de génie logiciel, ont pour but de supporter et de guider le développement du logiciel. Pour satisfaire cette exigence, ils offrent à l'utilisateur un ensemble de méthodes et d'outils (compilateur, éditeur de liens, débogueur, méthode d'analyse, programmation structurée, décomposition modulaire, etc.). Le terme de développement doit être pris au sens large, c'est-à-dire de la création du logiciel jusqu'à l'arrêt de sa maintenance. Un environnement doit permettre de diminuer le coût de développement du logiciel, d'en améliorer la qualité et d'en maîtriser la complexité.

Un environnement moderne se compose de trois classes de composants : l'interface utilisateur, les outils et la base de données centrale. La base de données centrale sert à grouper et à stocker toutes les informations associées à un logiciel (les différentes versions, les dépendances entre les modules, les modules, la documentation, les personnes qui travaillent sur un projet, etc.). Les outils accèdent à cette base de données, qui n'a pas d'autres voies d'accès, ce qui garantit la cohérence des informations stockées. Les utilisateurs accèdent aux outils uniquement à travers l'interface utilisateur, ce qui permet d'avoir une interface uniforme pour tous les outils.

Un environnement doit être intégré pour que les outils travaillent conjointement sur les mêmes éléments et qu'ils présentent la même interface utilisateur. Mais il doit être aussi extensible pour permettre l'adjonction de nouveaux outils.

Les environnements de programmation devraient théoriquement offrir des outils pour toutes les phases du cycle de vie. Concrètement, ils sont généralement centrés autour d'un langage de programmation et les outils permettent principalement de supporter la phase de programmation. Les autres phases sont généralement supportées partiellement. Au niveau de la terminologie, on parle d'outils **CASE** [*Computer Aided Software Engineering*].

Méthodes de conception

Il y a différentes manières distinctes de concevoir le développement d'un logiciel : la conception implicite dans laquelle les différentes phases sont considérées comme une seule activité, approche traditionnelle lors du développement d'un petit projet, et la conception explicite dans laquelle les phases sont considérées comme des activités distinctes, ce qui est toujours nécessaire lors du développement d'un grand projet. La plupart des méthodes de conception reposent sur la notion de décomposition suivant différents critères tels que la décomposition fonctionnelle (figure 14.2), les flots de données ou la structuration des données. Dans ce contexte, le terme **conception** a un sens large et englobe toutes les phases en amont de la phase de programmation dans le cycle de vie.

Dans la décomposition fonctionnelle, on divise un problème en sous-problèmes et on recommence jusqu'à ce que les problèmes terminaux soient relativement simples et que l'on ait résolu l'ensemble des problèmes. Chaque niveau prend en compte plus de détails. Différents critères de décomposition sont possibles tels que le temps ou l'accès aux ressources. La méthode basée sur le flot de données est un cas particulier de la décomposition fonctionnelle où le critère de décomposition est celui du flot de données. Dans ce cas on s'intéresse aux données initiales et finales et comment elles sont transformées. La structuration des données est une décomposition où l'on tient compte d'abord des données mais où l'accent est mis sur leur structure. C'est ce type de méthode qui est à la base de l'approche orientée objet.

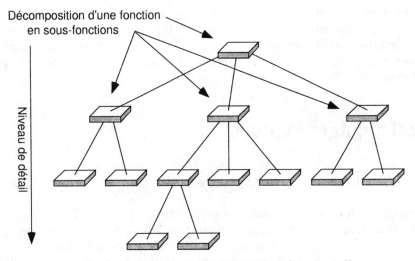

Figure 14.2 : Schéma de décomposition fonctionnelle

Méthode SADT

Voici un exemple d'une méthode classique semi-formelle : la méthode **SADT** [*Structured Analysis Design Technique*]. C'est une méthode de conception, au sens large, qui permet : de développer des projets complexes, de communiquer les résultats obtenus dans une notation claire et précise, de contrôler l'exactitude et la cohérence et de travailler en équipes. C'est une méthode générale, applicable à une grande variété de problèmes non limités à l'informatique. SADT consiste en trois éléments : une méthode pour la compréhension de problèmes complexes, un langage graphique pour communiquer le résultat de son travail et un ensemble de considérations pour guider et contrôler l'utilisation des méthodes et du langage.

La méthode SADT est basée principalement sur le concept de décomposition fonctionnelle. Le langage graphique utilise des boîtes et des flèches pour former des actigrammes et des datagrammes (voir figure 14.3).

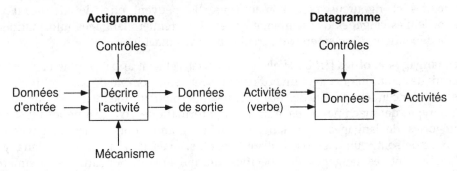

Figure 14.3 : Langage graphique de la méthode SADT

Les actigrammes décrivent des activités et les données qui transitent entre elles, en mettant l'accent sur les activités alors que les datagrammes synthétisent une vue inverse, ils mettent l'accent sur les données. Les deux types de diagrammes se développent parallèlement et servent à vérifier la consistence de la décomposition.

14.2 Langages évolués

14.2.1 Définition d'un langage

Un langage est une façon d'exprimer sa pensée et de la communiquer. Il existe une multitude de langages : les langages oraux, les langages écrits, les langages de signes (par exemple le langage des sourds-muets) et bien d'autres langages utilisant divers modes de transmission (par exemple, le langage des abeilles).

De manière informelle, on peut définir un langage écrit comme un ensemble de mots, ayant une signification, construits à partir de symboles alphabétiques. Nos langages naturels, tels le français ou l'anglais, comptent des dizaines de milliers de mots, alors que les langages propres à l'informatique, tels que les langages de programmation ou les langages de commande ont un nombre beaucoup plus restreint de mots prédéfinis. Evidemment, si l'on tient compte des noms possibles de variables, d'opérandes et d'étiquettes, on obtient alors un nombre pratiquement infini de mots.

Un **langage informatique** comprend :
- un **alphabet** : ensemble de symboles élémentaires disponibles;
- des **noms** ou **identificateurs** : groupes de symboles de l'alphabet (formés au gré du programmeur dans les langages de programmation et sujets à certaines contraintes comme le nombre de caractères, le type du premier caractère, etc.);
- des **phrases** ou **instructions** : séquences de noms et de symboles de ponctuation qui respectent les aspects syntaxique et sémantique du langage.

Les langages naturels sont souvent ambigus. Les langages informatiques sont structurés et rigoureusement non-ambigus. Ils peuvent être définis de façon formelle. Les langages d'assemblage ont été les premiers langages informatiques et ils dépendent directement de l'architecture des machines.

Les **langages évolués** [*HLL : High Level Languages*] sont apparus plus tard et ont permis de communiquer avec un ordinateur, sans tenir compte de son architecture. Ils sont donc indépendants des ordinateurs et permettent une meilleure portabilité d'un type de machine à un autre. En informatique, on distingue plusieurs catégories de langages : les langages de programmation et les langages de commande sont ceux que nous utilisons le plus, mais il y a aussi les langages d'analyse et les langages de spécification qui aident pendant les premières phases de développement des logiciels.

L'écriture d'un programme s'effectue en utilisant les symboles des langages de programmation pour constituer des phrases ou des instructions. Ces phrases doivent respecter la **syntaxe** du langage, c'est-à-dire la position des symboles les uns par rapport aux autres. Il y a deux façons de représenter la syntaxe d'un langage : soit on utilise la notation classique de Backus, la **BNF** [*Backus-Naur Form*], soit on utilise des diagrammes syntaxiques. Ces deux méthodes donnent une description formelle d'un langage.

Voici un exemple de syntaxe d'un langage très simple permettant de définir des identificateurs (commençant toujours par une lettre), des entiers non signés, des expressions arithmétiques simples et des affectations. L'exemple suivant montre la BNF correspondante à ce langage alors que la figure 14.4 nous montre les diagrammes syntaxiques équivalents. Le signe | indique une alternative, les signes < et > entourent les objets du langage, le signe ::= permet de définir des objets du langage et le signe := indique une assignation.

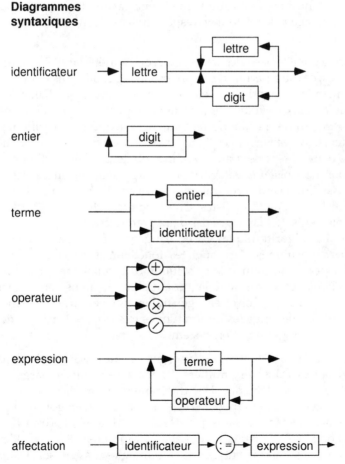

Figure 14.4 : Syntaxe d'un langage de programmation sous forme de diagrammes

☞ ` Syntaxe d'un langage sous forme de BNF

<lettre>	::= a | b | c | d ... y | z
<digit>	::= 0 | 1 | 2 | 3 | 4 | 5 | 6 | 7 | 8 | 9
<identificateur>	::= <lettre> | <identificateur> <lettre>
	| <identificateur> <digit>
<entier>	::= <digit> | <entier> <digit>
<terme>	::= <entier> | <identificateur>
<opérateur>	::= + | – | × | /
<expression>	::= <terme> | <terme> <opérateur> <expression>
<affectation>	::= <identificateur> := <expression>

14.2.2 Concepts de base des langages évolués

L'écriture de programmes en langage machine est une tâche difficile et le nombre d'erreurs augmente rapidement en fonction de la taille du problème. Les langages évolués permettent de rendre cette tâche moins fastidieuse en se rapprochant un peu de notre langage naturel, tout en respectant les exigences de rigueur et de non-ambiguïté.

Le premier concept à la base des langages évolués a été l'indépendance vis-à-vis des ordinateurs, ce qui a permis de disposer d'instructions plus évoluées possédant un niveau sémantique supérieur à celui des instructions assembleur. Trois grandes catégories de langages évolués se sont développées. La première, basée sur les concepts d'**algorithme** et de traitement des données scientifiques, a donné naissance aux langages Fortran et Algol. La deuxième s'est souciée du traitement des données, dans le sens de grands volumes de données de gestion et a abouti au langage Cobol. La troisième catégorie s'est largement distancée des deux autres. Elle s'est aussi éloignée des contraintes d'efficacité et a donné lieu au langage Lisp, basé sur le traitement de listes. Une **liste** (voir chapitre 14) est une séquence ordonnée d'éléments. Les langages des deux premières catégories sont des langages procéduraux ou algorithmiques. Ces langages fournissent une description détaillée des algorithmes. Les langages fonctionnels de la troisième catégorie soulignent l'aspect fonctionnel de la solution d'un problème sans entrer dans les détails. Ces langages simplifient la programmation, mais compliquent la tâche des compilateurs. Le code objet est, généralement, peu efficace. On peut encore citer d'autres types de langages informatiques tels que les langages de commande et les langages de programmation système.

Après cette première génération de langages évolués, une multitude de langages ont été développés (plusieurs milliers !), mais peu ont été largement utilisés (quelques dizaines seulement). Les différentes approches adoptées par les premiers langages ont été perpétuées et ainsi, l'approche algorithmique a permis le développement de langages tels que Algol 60, Algol 68, Fortran II, Fortran IV, Fortran 66, Fortran 77, Fortran 90, Pascal, C, Modula-2, Ada, C++ et Java. Ces différents langages fournissent des méthodologies basées sur les concepts de programmation structurée, abstraction, modularité, etc. La deuxième approche, basée sur le traitement des données est restée fidèle au langage Cobol mais en évoluant un peu. Cette approche a donné naissance aux systèmes de gestion de bases de données qui permettent de résoudre les problèmes spécifiques des bases de données. Le langage Prolog est issu de la troisième approche. Il apporte, en plus du traitement de listes, un mécanisme d'inférence très utile pour la réalisation de systèmes experts. Ce type de langage est un outil de base dans le domaine de l'**intelligence artificielle**.

On assiste maintenant à une certaine convergence entre les approches qui a donné naissance, par exemple, aux langages orientés objet et aux bases de connaissances. Cette convergence permet de grouper et d'unifier les concepts à la base des différentes approches, mais il n'y aura pas forcément de langage universel. Il y a eu quelques tentatives dans ce sens qui n'ont jamais abouti aux résultats escomptés, par exemple, PL/I et Ada. Plus récemment, le langage **Java** (hérité du C++) correspond à une nouvelle tentative de conception d'un langage universel.

L'évolution des langages de programmation est schématisée dans la figure 14.5.

14.2.3 Exemples de langages évolués

Il existe un grand nombre de langages évolués de programmation. En voici quelques noms : Fortran, Lisp, Snobol, Apl, Setl, Basic, Cobol, PL/I, Logo, Algol, Smalltalk, Pascal, Edison, Simone, Ada, Modula-2, Modula-3, Portal, Simula, Clu, Euclid, Alphard, Mesa, Gypsy, Peral, Bcpl, B, C, C++, Java, Objective C, Bliss, Corall, Jovial, Prolog, Epsimone, Forth, Apt, Rtl-2, Mumps, Gpss, Tutor, Oberon, Eiffel, Sac...

Nous donnons ici une brève description de quelques langages parmi les plus utilisés :

- **Fortran** [*FORmula TRANslator*] est le premier des langages algorithmiques. Il produit un code efficace et est utilisé principalement par les scientifiques. Il existe une grande quantité de librairies de sous-programmes mathématiques pour ce langage, ce qui constitue une raison majeure à son utilisation actuelle. Il a introduit des concepts importants, tels que la structuration des expressions arithmétiques, les sous-programmes et la compilation indépendante de ces sous-programmes. Malgré sa simplicité, sa sécurité et sa lisibilité sont faibles. Il a beaucoup évolué, récemment il a donnée lieu à une nouvelle version : Fortran 90. Il reste le langage le plus utilisé dans le domaine scientifique et technique. Par exemple, les super-ordinateurs exécutent presque exclusivement du code produit par les compilateurs Fortran.

- **Cobol** [*COmmon Business Oriented Language*] est le langage le plus utilisé dans le monde. Il est adapté aux applications de gestion et permet un accès aisé aux fichiers et aux bases de données. Les inconvénients proviennent de l'écriture verbeuse et de la difficulté de structuration des programmes.

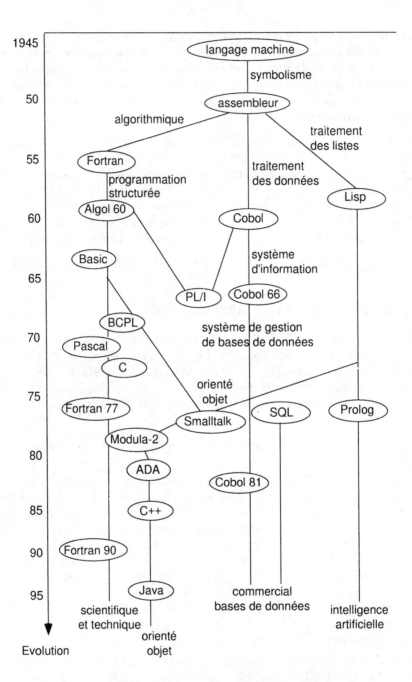

Figure 14.5 : Evolution schématique des langages

- **Algol** [*ALGorithmic Oriented Language*] est un langage qui a eu une influence primordiale sur les langages actuels. Défini pour des applications scientifiques, il n'a pu s'imposer à cause de sa complexité, de la faiblesse de ses entrées/sorties et de son manque d'efficacité. Cependant, c'est lui qui a introduit le concept de structuration avec les structures de blocs, les structures de contrôle, les procédures et la récursivité. C'est le premier langage à avoir été défini à l'aide de la BNF. Il a évolué en Algol 60, Algol 68 et Algol W, mais il n'est jamais sorti de l'environnement académique.

- **Lisp** [*LISt Processing*] a été conçu pour la manipulation d'expressions et de fonctions symboliques. Ses caractéristiques sont : sa capacité de traiter les listes, un petit nombre d'opérateurs de base, un grand nombre de parenthèses et la récursivité qui joue un grand rôle dans le parcours des listes. Il est couramment utilisé en intelligence artificielle. Pour pallier à son manque d'efficacité sur les machines traditionnelles, certains constructeurs ont développé des machines Lisp, qui acceptent directement ce langage comme langage machine. Leur architecture est particulière, basée sur la notion de pile.

- **Basic** [*Beginner's All-purpose Symbolic Instruction Code*] est un langage très rudimentaire qui a été développé uniquement dans un but didactique. Il est, hélas, devenu un langage très répandu à cause du développement des microordinateurs, qui n'avaient, à leurs débuts, pas la capacité d'utiliser d'autres langages. Cette époque est révolue, les microordinateurs offrent des capacités largement suffisantes pour supporter des langages plus évolués.

- **PL/I** [*Programming Language number I*] est un langage ambitieux qui avait pour but de devenir un langage universel et de remplacer les langages Fortran, Algol et Cobol utilisés à l'époque. Ce but n'a pas été atteint à cause de sa complexité, de son manque d'homogénéité et de son manque de rigueur. L'universalité de ce langage permet, en principe de tout faire, mais en pratique pose des problèmes dans la programmation. Sa diffusion est limitée aux ordinateurs IBM.

- **Pascal**, qui porte le nom du mathématicien français créateur d'une des premières machines arithmétiques au XVIIe siècle, a été développé par un helvète : Niklaus Wirth. Ce langage est issu d'Algol dont il reprend les concepts. Basé sur la simplicité au lieu de la généralité, il est destiné avant tout à l'enseignement de la programmation. Il connaît un très grand succès.

- **Modula-2** est encore un langage développé par Wirth. C'est un fidèle descendant de Pascal auquel il ajoute la notion de modularité permettant la compilation séparée. Ce langage est resté académique.

- **Smalltalk** est un langage orienté objet qui caractérise une nouvelle tendance de programmation basée sur le concept d'objet (un objet est une entité logique propre au problème à résoudre, les objets sont implantés indépendamment les uns des autres). L'interaction graphique est importante dans ce langage, elle utilise les fenêtres et les menus, ce qui constitue une innovation certaine.

- **Prolog** (PROgrammation LOGique) est un langage (développé à Marseille en 1972 par Colmeraurer) qui reprend les concepts de Lisp, en y ajoutant un mécanisme d'inférence, ce qui permet le développement aisé de systèmes experts. Après avoir fondé beaucoup d'espoir dans ce langage pour leur grand projet d'ordinateurs de la cinquième génération, les japonais ont finalement renoncé.

- **C** est un successeur des langages BCPL et B, développé aux Laboratoires Bell. C'est un langage orienté programmation système. Son succès est issu du fait qu'il a été le langage utilisé pour le développement du système d'exploitation Unix. C'est un langage relativement simple au niveau des concepts, le code généré par les compilateurs est efficace, mais la syntaxe permet d'écrire en une ligne des instructions très complexes qui deviennent quasiment illisibles.

- **Ada**, dont le nom rend hommage à Ada Byron (XIXe siècle) considérée comme la première informaticienne, est un langage conçu par une équipe française pour le département de la défense [*DOD*] des Etats-Unis. Il reprend les concepts de Pascal et Modula-2, tout en apportant des concepts de temps réel, de parallélisme, de généricité et de gestion d'exceptions. Il est d'usage général mais il a été conçu pour être d'une grande fiabilité, car il est utilisé pour les ordinateurs embarqués dans les avions, les fusées, les sous-marins et autres engins. Son utilisation déborde le cadre universitaire et son succès est assuré par le soutien du gouvernement des USA. C'est un langage relativement complexe : les compilateurs sont aussi sophistiqués et volumineux.

- **C++** est un digne successeur du langage C, développé aussi aux Laboratoires Bell par Bjarne Stroustrup au début des années 80. Ce langage peut être vu comme une évolution naturelle du langage C, d'où son nom C++, ++ étant l'opérateur d'incrémentation de C. Il reprend les concepts du langage C, plus un certain nombre liés à la programmation objet tels que la notion de classe d'objets et d'héritage entre les classes. Au niveau de la syntaxe, il est plus strict que C ce qui assure une meilleure qualité du code.

- **Java** est le langage qui s'impose pour le développement d'applications sur Internet. Il dérive directement du langage C++ dont il reprend les concepts. Il s'accompagne d'une collection de librairies qui sont normalement disponibles sur toutes les plate-formes existantes, ce qui doit garantir une portabilité parfaite des applications. De plus, des petites applications, appelées applets, peuvent être téléchargées facilement à travers Internet.

14.2.4 Approche orientée objet

L'évolution de la programmation classique peut se résumer comme suit :

- **Programmation procédurale** [*procedural programming*] : l'accent est mis sur les algorithmes, le code étant répartis dans des procédures. Les structures de données ne sont pas considérées. C'est le cas des langages comme Fortran ou C.

- **Encapsulation et abstraction des données** [*data hiding and abstraction*] : la notion de module apparaît, qui permet de décomposer le code en différents modules. Les données sont cachées à l'intérieur des modules, c'est ce qu'on appelle des **types de données abstraits** [*ADT : Abstract Data Type*]. De manière pratique, un ADT peut être vu comme une boîte noire où une interface permet de définir quels sont les services offerts c'est-à-dire quelles sont les méthodes qui interagissent avec cette boîte noire. Le problème est que ces boîtes noires sont peu réutilisables. C'est le cas des langages comme Modula-2 et Ada.

- **Programmation orientée objet** [*object oriented programming*] : reprend les concepts des types abstraits de données mais cette fois en insistant sur la notion de réutilisation. Selon cette approche, il ne faut pas s'attacher à la fonctionnalité du système, mais aux objets qui le composent. On détermine d'abord quels sont les principaux modèles de données dont on a besoin, que l'on appelle des classes d'objets, et ensuite quelles méthodes manipuleront ces modèles. Un programme se compose donc d'un ensemble d'objets qui interagissent entre eux en s'envoyant des messages qui activent les méthodes spécifiques à chaque classe d'objets. C'est le cas des langages comme Smalltalk, Eiffel , C++, Objective-C, Java.

Types abstraits de données

Un type abstrait de données permet de décrire une classe de structures de données non pas par son implantation, mais par la liste des fonctions disponibles sur ces structures de données. En langage programmation-objet, les fonctions sont appelées **méthodes**.

 Le type abstrait PILE est caractérisé seulement par les fonctions EMPILER et DEPILER, on ne connait pas les structures de données utilisées pour l'implantation.

Classes et objets

Une **classe d'objets** correspond à l'implantation d'un type abstrait. La définition d'une classe décrit le comportement du type abstrait sous-jacent en donnant la définition de l'interface de toutes les opérations (méthodes) qui peuvent être appliquées sur le type abstrait. La définition d'une classe comporte aussi certains détails propres à l'implantation tels que structures de données ou code source implantant des méthodes. Ces détails sont généralement privés à la classe. Une classe est un moule pour créer des objets.

Un **objet** [*object*] est une variable dont le type est une classe. Il représente une instance de cette classe. Des actions peuvent être appliquées sur cet objet en invoquant les méthodes définies dans la classe. Le processus d'invocation d'une méthode est appelé envoi d'un message à l'objet.

Les classes sont des éléments définis dans le code source d'un programme, elles décrivent de manière statique un ensemble d'objets possibles (elles peuvent être considérées comme des types de données), alors que les objets sont des éléments dynamiques qui n'existent qu'à l'exécution : ils correspondent à des instances de classes.

Message

Les objets communiquent en s'envoyant des messages. Un **message** est une requête envoyée à un objet pour demander d'effectuer une certaine opération sur cet objet. L'ensemble des types de messages propres à un objet correspond à son interface (définie lors de la définition de la classe).

Polymorphisme

Le **polymorphisme** permet d'effectuer une action par l'envoi d'un message à un objet pour lequel plusieurs instances d'exécution sont possibles. Cette capacité devient importante quand le même message peut être accompli de différentes manières par différents types d'objets.

Quand on envoie un message à un objet, on attend que celui-ci effectue une certaine action en retour, mais on ne s'occupe pas de savoir comment est implantée l'action déterminée par le message.

Les langages orientés objet permettent d'envoyer des messages identiques à des objets appartenant à des classes différentes (mais dérivées de la même classe de base).

Le polymorphisme consiste donc à pouvoir associer plusieurs implantations à un même message et c'est le système qui sait quelle implantation est la bonne. Cette décision (consistant à relier un appel de fonction avec l'implantation appropriée que nous appellerons liaison) peut s'effectuer soit à la compilation [*early or static binding*], soit à l'exécution [*late or dynamic binding*]. La liaison dynamique offre une plus grande flexibilité, puisque l'on retarde la décision jusqu'au moment de l'exécution.

Héritage et hiérarchie de sous-classes

Par le mécanisme d'**héritage** [*inheritance*], la programmation orientée objet permet de définir des sous-classes. Une sous-classe, appelée aussi classe dérivée, permet de caractériser le comportement d'un ensemble d'objets qui héritent des caractéristiques de leur classe parent, mais qui peuvent aussi acquérir des caractéristiques particulières qui leur sont propres et que leur parent ne possède pas.

L'utilisation de sous-classes permet de diminuer le coût et la complexité du développement de programmes. En effet, les sous-classes facilitent la réutilisation de classes existantes tout en permettant leur modification (restriction ou extension) par la création de classes dérivées.

Un programme comporte normalement un certain nombre de classes. Celles-ci ne sont pas toutes héritées les unes des autres. En effet, les classes peuvent être connectées par deux types de relations :
- **client**,
- **descendant** (héritage).

L'héritage est une relation particulière qui consiste à créer des sous-classes à partir de classes de base, alors que la relation client est une relation plus normale consistant simplement à utiliser, dans une classe, des objets d'une autre classe.

Généricité

La **généricité** [*genericity*] se traduit par la capacité à définir des classes paramétrables. Par exemple, supposons que l'on ait besoin d'une pile de nombres entiers et d'une pile de nombres réels. Au lieu de définir deux classes distinctes ne différant que par le type de données, il est plus judicieux de définir une classe paramétrée appelée pile à partir de laquelle on générera les deux classes voulues. Ainsi tout le code propre à la gestion d'une pile ne sera développé et maintenu qu'une seule fois.

Comparaison entre héritage et généricité

L'héritage et la généricité correspondent à des besoins différents et donnent lieu à des structures différentes (figure 14.6). L'héritage favorise des raffinements successifs d'une même classe résultant en une structure verticale. La généricité permet de définir une classe de base paramétrée que l'on peut instancier plusieurs fois avec des types différents : il en résulte une structure horizontale.

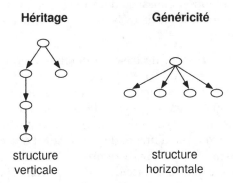

Figure 14.6 : Héritage versus généricité

14.2.5 Intelligence artificielle et systèmes experts

L'intelligence artificielle consiste à tenter de simuler sur un ordinateur les comportements dits intelligents de l'être humain. Cette activité implique les domaines de la perception, de la compréhension, de la prise de décision et encore de l'apprentissage. On aimerait utiliser un ordinateur non plus uniquement pour sa vitesse de calcul mais également pour sa capacité de raisonnement, à résoudre un problème ou à prendre des décisions. Naturellement toutes les connaissances requises sont fournies par l'homme. Cette approche est très ambitieuse, elle a donné déjà certains résultats mais le but ultime est encore très éloigné. Certains domaines d'applications sont plus propices, tels que : les jeux, la démonstration de théorèmes, la perception regroupant la reconnaissance de la parole et de la vision, la compréhension des langages naturels, la résolution de problèmes nécessitant une expertise liée à un domaine spécifique (par exemple, le diagnostic médical), les mathématiques symboliques, etc. L'intelligence artificielle devrait permettre de résoudre des problèmes pour lesquels l'approche algorithmique est inefficace ou impossible, ou encore de développer des systèmes capables d'apprentissage.

Un programme d'intelligence artificielle se différencie des programmes traditionnels par le fait qu'il manipule des symboles plutôt que des informations alphanumériques.

Système expert

Les systèmes experts constituent certainement le domaine de l'intelligence artificielle qui a connu le plus grand développement. Un **système expert** est un programme qui utilise intensivement la connaissance, afin de résoudre des problèmes nécessitant normalement l'expertise humaine.

Dans un système expert, il y a une nette séparation entre les programmes et les connaissances (les données dans la programmation traditionnelle). Les connaissances se décomposent aussi en deux catégories. L'architecture de base d'un système expert se compose donc de trois parties : la **base de faits**, la **base de règles** et le **moteur d'inférence**.

La base de faits est une sorte de base de données regroupant tous les faits et assertions concernant le problème traité. La base de règles contient la connaissance qui permet de manipuler les faits, c'est le savoir faire. Cette connaissance s'exprime sous la forme de règles de production. Une règle comporte une partie gauche exprimant une condition (*si...*) et une partie droite contenant des conclusions (*alors...*). Exemple d'une règle : *si il fait beau alors je sors*, et dans la base de faits on pourrait trouver, par exemple, l'assertion suivante : *il fait beau*. Le moteur d'inférence exploite la base de connaissances en associant faits et règles de façon à mener un raisonnement sur le problème posé. Pour cela, à partir de la base de faits, il détermine l'ensemble des règles dont la partie gauche est vérifiée, les faits contenus dans la partie droite venant alors enrichir la base de faits. Ensuite il applique ces règles (chaînage avant) pour arriver à une conclusion. Le processus s'arrête lorsqu'un passage sur toutes les règles n'a donné aucun fait nouveau. On peut aussi partir de la conclusion et les inférences se propagent dans l'autre sens (chaînage arrière). Elles déterminent de nouveaux sous-buts plus simples à vérifier jusqu'à trouver des parties gauches de règles correspondant à des faits de la base de faits.

Un certain nombre de langages (Lisp et Prolog) permettent de développer facilement des systèmes experts simples. Par exemple, Prolog contient un moteur d'inférence. En fait bon nombre de systèmes experts sont développés à l'aide de langages classiques. Un des plus célèbres systèmes experts est certainement Mycin qui permet le diagnostic des maladies infectieuses dans le sang.

14.2.6 Eléments d'un langage de programmation

Dans un langage de programmation, on trouve des données et des actions.

Les **données** sont des éléments définis dans un programme. Ces données sont caractérisées par un nom, un type, une valeur. Le nom est un identificateur par lequel on désigne l'élément, le type sert à spécifier les propriétés et les attributs de l'élément et la valeur peut être utilisée par les instructions du programme qui peuvent la modifier.

Les **actions** du langage servent à définir l'algorithme qui doit résoudre le problème posé. Les actions sont de plusieurs types :

- les assignations qui permettent d'affecter des valeurs à des variables (quantités pouvant être modifiées);
- les structures de contrôle qui se composent de trois types de base : la séquence, la boucle ou l'itération et le branchement conditionnel;
- les structures de bloc qui permettent de structurer le programme, par exemple en utilisant des modules, des procédures ou des fonctions;
- les entrées/sorties qui permettent des échanges avec les périphériques.

☞ *Simple exemple de petit programme écrit en langage Pascal :*

```
PROGRAM Exemple;
(* Commentaire: programme simple de comptage de lettres d'un texte *)
VAR nombre : INTEGRER;              (* déclaration des données *)
    lettre : CHARACTER;

    PROCEDURE LireLettre (VAR lettreLue: CHARACTER);

    BEGIN                           (* début procédure *)
       Read (lettreLue);            (* opération de lecture *)
       IF lettrelue=',' THEN lettreLue:='.';
                                    (* branchement conditionnel *)
    END;                            (* fin procédure *)

BEGIN                               (* programme principal *)
   nombre:=0;                       (* initialisations *)
   lettre:='a';
   WHILE lettre<>'.' DO BEGIN       (* boucle *)
      nombre:=nombre+1;             (* début d'une séquence *)
      LireLettre(lettre);           (* fin séquence *)
   END;                             (* fin boucle *)
   WRITE (nombre);                  (* opération d'écriture *)
END.                                (* fin du programme *)
```

14.3 Compilation

14.3.1 Structure d'un compilateur

Un compilateur traduit un programme source écrit en langage de haut niveau en un programme objet écrit en langage de bas niveau. Le compilateur lui-même est un programme important et volumineux. Sa taille dépend de la nature du langage traité, de son degré de sophistication et du degré d'optimisation du code produit. Après avoir été compilé, un programme doit passer par l'éditeur de liens et le chargeur, avant de pouvoir être exécuté.

Le travail du compilateur (figure 14.7) se divise en plusieurs phases : l'analyse lexicale, l'analyse syntaxique, l'analyse sémantique, la génération de code intermédiaire, l'optimisation du code et la génération de code objet. Les différentes phases se regroupent logiquement en deux grandes parties : une partie analyse et une partie synthèse.

Pendant les phases de la partie d'analyse, le compilateur doit prévoir la détection et le traitement des erreurs.

14.3.2 Analyse lexicale

L'analyse lexicale est la première phase de la compilation. Son rôle majeur consiste à lire la séquence de caractères qui constitue le programme source et à produire une séquence d'éléments (syntaxiques) du langage traités ensuite par l'analyseur syntaxique. Les éléments du langage peuvent être des nombres, des identificateurs, des opérateurs, des mots réservés, des séparateurs, etc.

Lorsque nous lisons un texte, nous effectuons aussi une analyse lexicale. Un texte n'est rien d'autre qu'une séquence de caractères. Ainsi, nous commençons toujours par rechercher et identifier les petites séquences de caractères qui constituent des mots. Les identificateurs, tels que les noms de variables ou de procédures, ainsi que leurs attributs, sont stockés dans une table des symboles. Les informations inutiles à la compilation, par exemple les commentaires, sont éliminées. L'analyseur lexical permet de détecter quelques erreurs telles que des identificateurs trop longs, des caractères n'appartenant pas au vocabulaire du langage ou encore des nombres illégaux.

14.3.3 Analyse syntaxique

L'analyseur syntaxique reçoit une liste d'éléments syntaxiques (mots réservés, noms d'identificateurs de variables, opérateurs arithmétiques, signes de ponctuation, etc.) de l'analyseur lexical. Il vérifie si cette liste est correcte par rapport à la syntaxe du langage (par exemple en Pascal, il faut un point-virgule entre deux instructions). A partir de ces éléments, l'analyseur syntaxique génère l'arbre syntaxique du programme.

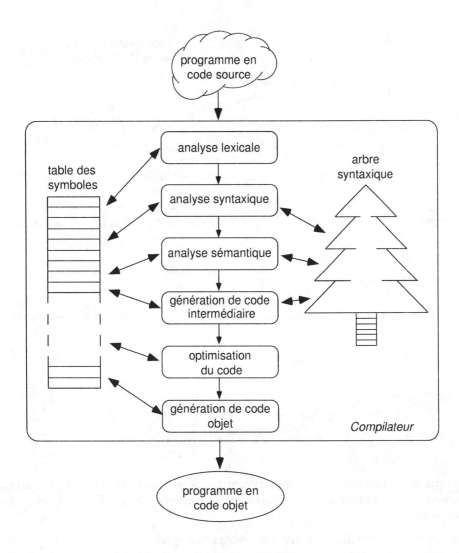

Figure 14.7 : Structure et fonctionnement d'un compilateur

L'arbre syntaxique est produit à partir de la phrase du langage à analyser (le programme) et des règles de la syntaxe. Deux approches sont possibles pour établir cet arbre. L'approche ascendante consiste à partir des éléments constituant la phrase à traiter et à trouver toutes les règles qui permettent de remonter jusqu'à la racine. L'approche descendante, au contraire, consiste à partir de la racine et à appliquer les règles qui permettent de remonter jusqu'à la phrase désirée. La figure 14.8 montre l'arbre syntaxique obtenu par cette deuxième approche sur un petit bout de programme Pascal.

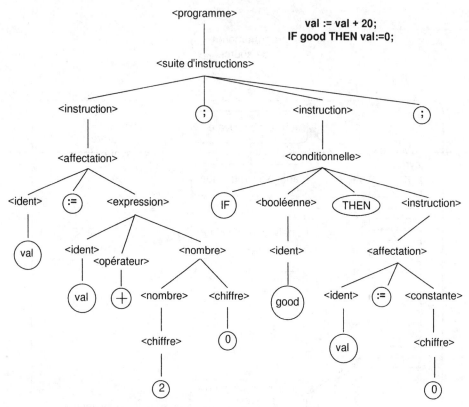

Figure 14.8 : Exemple d'arbre syntaxique

Lorsque nous lisons un texte, nous effectuons aussi une analyse syntaxique pour comprendre la structure des phrases, généralement de la forme sujet-verbe-compléments.

Lors de la compilation, l'analyseur syntaxique détecte les erreurs suivantes : parenthèses non fermées, structures de blocs ou instructions mal construites, manque de délimiteurs, etc. Ces erreurs constituent la majorité des erreurs d'un programme.

14.3.4 Analyse sémantique

L'**analyse sémantique** s'occupe de l'analyse du sens et de la signification des phrases du langage. Elle utilise l'arbre syntaxique pour identifier les opérateurs et les opérandes des instructions. Sa tâche principale est de vérifier la concordance des types, ce qui revient à vérifier que chaque opérateur travaille sur des opérandes qui sont autorisés par le langage. Pour effectuer ces vérifications, l'analyseur sémantique utilise les informations qui sont stockées dans la table des symboles.

Les erreurs détectées lors de cette phase sont les suivantes : utilisation d'identificateurs non déclarés ou déclarés plusieurs fois, incompatibilité de type entre opérateurs et opérandes, etc.

14.3.5 Génération de code intermédiaire

Après les différentes analyses, il faut procéder à la génération du programme en code objet. Une méthode assez répandue consiste à diviser cette tâche en deux étapes : la **génération de code intermédiaire** et la **génération de code objet**.

Le code intermédiaire peut se définir comme le code d'une machine abstraite. Il doit posséder deux propriétés : être facile à produire à partir de l'arbre syntaxique et être facile à traduire en code objet. Donc, à partir de l'arbre syntaxique d'un programme, le compilateur génère un flux d'instructions simples qui ressemblent à des macros. Contrairement à l'assembleur, ces instructions ne font pas de références explicites aux registres de la machine cible.

14.3.6 Optimisation de code

L'**optimisation de code** consiste à améliorer le code généré pour le rendre plus rapide à l'exécution et moins encombrant dans la mémoire. La principale technique utilisée consiste à enlever les redondances pour minimiser le nombre final d'instructions. On essaye aussi d'évaluer les expressions qui peuvent l'être, c'est-à-dire les expressions qui utilisent des constantes. L'exemple suivant illustre ces techniques.

☞ *Code généré à partir de l'arbre syntaxique du programme précédent*

```
tmp1 := 3,1415926 × 100,0  tmp : variable temporaire
tmp2 := RealToInteger (tmp1)
tmp3 := id1 + tmp2                id : identificateur
tmp4 := tmp3 × id2
id3  := tmp4
Code optimisé
tmp1 := id1 + 314
id3  := tmp1 × id2
```

L'optimisation est une phase délicate, elle demande généralement beaucoup de temps lors de la compilation. Une bonne optimisation doit tenir compte des caractéristiques de la machine cible. Par exemple, dans le cas d'un ordinateur vectoriel, l'optimisation joue un rôle important. Etant donné que l'optimisation augmente considérablement le temps de compilation, il convient d'éviter cette phase pendant le développement et la mise au point de programmes. L'optimisation de code joue un rôle déterminant pour les machines utilisant un processeur RISC. Dans ces machines, la complexité se retrouve au niveau des compilateurs qui doivent tirer profit d'un grand nombre de registres en minimisant les accès à la mémoire centrale.

14.3.7 Génération de code objet

La **génération de code objet** est la phase finale de la compilation : elle génère du code objet relogeable, c'est-à-dire relatif à l'origine 0. Elle traduit chaque instruction du code intermédiaire en une séquence d'instructions en code objet propre à la machine cible. Elle attribue des positions en mémoire pour les données et les instructions du programme. Un point important est l'allocation des registres du cpu. Cette phase de génération est l'une des plus complexes et la plus coûteuse du compilateur. Le code produit doit être correct et de bonne qualité, car il doit optimiser la gestion des ressources (par exemple, des registres) de la machine cible.

14.3.8 Table des symboles

Pendant la compilation, il est nécessaire d'avoir à disposition la description des identificateurs et de leurs caractéristiques. La **table des symboles** permet de grouper toutes ces informations et de les mettre à la disposition des différents éléments du compilateur. Dans cette table, on trouve des noms de variables, de constantes et de procédures. A chaque entrée dans la table, on associe un enregistrement contenant le nom de l'objet considéré et les caractéristiques qui lui sont propres (son type, son adresse numérique, le nombre et le type de ses paramètres, etc.). Toutes les phases de la compilation peuvent utiliser cette table des symboles. L'accès doit y être très rapide.

14.3.9 Traitement des erreurs

Si un compilateur devait traduire uniquement des programmes corrects, sa conception et son implantation seraient beaucoup plus simples. Mais il est difficile d'écrire directement des programmes sans erreurs, en conséquence de quoi la première version d'un programme en contient toujours un certain nombre (fortement proportionnel à la taille du programme). Un bon compilateur doit aider à détecter et à corriger ces erreurs. A la fin de la compilation, le compilateur doit établir un rapport des erreurs trouvées, essayer d'en donner la cause et leur position dans le texte source.

Un programme peut contenir des erreurs de nature différente :

- **lexicale** (fautes d'orthographes dans un identificateur ou dans un mot réservé, caractères illégaux, etc.);
- **syntaxique** (défaut de parenthèse dans une expression arithmétique, erreurs de structures de blocs, manque de séparateurs, etc.);
- **sémantique** (identificateur non déclaré, incompatibilité entre opérateurs et opérandes, etc.);

- **logique** (erreurs arithmétiques telles que division par zéro, racine carrée d'un nombre négatif, dépassement des limites d'un tableau, boucle infinie, branchement à une mauvaise adresse, etc.).

Les erreurs des trois premiers types sont détectées par le compilateur lors des analyses du même nom (analyse lexicale, analyse syntaxique et analyse sémantique). Elles sont faciles à corriger puisque le compilateur nous les indique. Par contre, les erreurs de logique ne sont visibles qu'à l'exécution : soit le programme s'arrête, soit il n'effectue pas ce que l'on attendait de lui. Ce sont les erreurs les plus difficiles à détecter et à corriger, car il n'est pas toujours aisé d'en trouver la cause (il faut procéder à de nombreux tests) et à chaque tentative de correction, il faut effectuer à nouveau le cycle : compilation - exécution - tests.

Des erreurs peuvent être détectées seulement après des mois ou des années d'utilisation d'un programme. Le coût de leur correction augmente énormément avec le temps qui s'écoule par rapport au cycle de vie. Il faut donc faire tout ce que l'on peut pour détecter et corriger les erreurs le plus tôt possible. Mais on n'est jamais complètement sûr de les avoir toutes trouvées. Il n'y a pas de méthode qui le garantisse. Généralement, on effectue un grand nombre de tests qui permettent de valider le programme pour un certain nombre de cas.

14.3.10 Passes d'un compilateur

Il ne faut pas confondre les phases et les passes d'un compilateur. Une **passe** consiste à lire un fichier d'entrée et à écrire un fichier de sortie. La compilation peut s'effectuer en une ou plusieurs passes. Une passe consiste en une ou plusieurs phases. Il est préférable d'avoir un petit nombre de passes car les opérations de lecture et d'écriture des fichiers sont coûteuses en temps. Les différentes passes avaient leur raison d'être quand les machines ne disposaient pas suffisamment d'espace mémoire pour permettre le stockage de toutes les informations nécessaires à la compilation. Néanmoins, une compilation en deux passes a des avantages : par exemple, elle simplifie le problème des références en avant.

14.3.11 Portabilité des programmes

Le développement d'un compilateur est une tâche importante qui nécessite le travail de nombreux homme-années. Le compilateur est lui-même un programme et il doit être écrit au moyen d'un langage de programmation. Les premiers compilateurs étaient écrits en langage assembleur. Maintenant, on utilise des langages de haut niveau.

Un désir primordial des utilisateurs est de pouvoir échanger des programmes et de les faire fonctionner sur les machines dont ils disposent. Etant donné le grand nombre de langages (L) et de machines (M) existants, ce désir est difficilement réalisable. Plusieurs approches sont possibles pour atteindre ce but, en voici quelques exemples :

- Développer des traducteurs pour tous les langages sur toutes les machines.
  Dans ce cas, il faut $L \times M$ traducteurs pour satisfaire tout un chacun. Cette approche est quand même partiellement suivie puisque l'on trouve une bonne dizaine de langages supportés par la plupart des ordinateurs.

- Développer un langage de programmation universel. Ainsi, il suffit d'avoir un compilateur par machine ($L=1$) et la portabilité est totale si l'on dispose des M compilateurs nécessaires. Malheureusement, cette approche est assez irréalisable, car le langage universel est une utopie. Les programmeurs veulent des langages adaptés à leurs besoins (un physicien n'a pas les mêmes besoins qu'un gestionnaire). Pourtant, dans la réalité, cette approche est quand même suivie puisque l'on a un petit nombre de langages largement répandus tels que Fortran, Cobol et Pascal, ou qui tendent à le devenir tel que Ada, qui sont presque des langages universels.

- Définir un langage intermédiaire universel plus proche du langage machine que du langage source. Tous les langages sont traduits dans ce langage intermédiaire, qui est à son tour traduit ou interprété par les différents ordinateurs. Avec ce principe, la traduction s'effectue en deux étapes et le nombre de traducteurs nécessaires est de $L + M$. Cette approche a été adoptée par les grands constructeurs, mais le langage intermédiaire est évidemment spécifique aux familles de machines de chacun d'entre eux. Au sein d'un grand laboratoire tel que le CERN, on a été amené à définir un tel langage pour éviter la prolifération des formats des codes objet pour les différents microprocesseurs utilisés.

- Doter toute nouvelle machine de deux microprogrammes : l'un interprétant le code machine du nouvel ordinateur, l'autre (l'émulateur) interprétant le code machine des anciens ordinateurs. Cette approche est utile pendant la migration d'un ordinateur à l'autre.

Si l'on doit échanger de gros programmes d'application, il est indispensable de les coder dans un langage standardisé. Mais la portabilité des codes source n'est pas tout ! Aujourd'hui, on doit affronter le problème de l'indépendance du système d'exploitation, des systèmes de communication... Il n'y a donc pas de solution idéale au problème de la portabilité, mais un compromis judicieux entre ces différentes approches permet de simplifier les choses.

14.3.12 Cross-compilation

Dans certains cas, il est utile de développer des programmes sur d'autres machines que celles où ils seront exécutés.

Par exemple, supposons que des applications soient destinées à des microprocesseurs ne possédant pas toute l'infrastructure nécessaire au développement des programmes. Ces microprocesseurs n'ont ni clavier ni écran : ils sont entièrement dédiés à une application précise. Il est donc plus simple de développer les programmes qui leur sont destinés sur un autre ordinateur disposant de tout le confort nécessaire, comme un environnement de programmation.

Cross-assembleurs et cross-compilateurs font partie de ces outils qui s'exécutent sur une machine et qui aident à produire du code pour une autre machine. Un **cross-compilateur** est un compilateur qui génère du code objet pour un autre ordinateur que celui où il se trouve et s'exécute.

Exercices

1. Donner, sous forme de BNF et de diagrammes syntaxiques, la syntaxe des trois langages simples composés des éléments suivants :
   - les nombres entiers signés;
   - les nombres réels;
   - les mots commençant toujours par une majuscule.

2. Citer une dizaine de langages de programmation appartenant aux trois différentes classes.

3. Citer les différentes phases qui composent le cycle de vie du logiciel et expliquer leur rôle.

4. Quelles sont les différentes phases d'un compilateur ?

5. Qu'est-ce qu'un cross-compilateur ?

6. A quel moment sont détectées les erreurs de programmation suivantes : mauvais type d'opérande dans une expression, caractère illégal, division par zéro, manque d'une parenthèse droite, manque d'un séparateur, boucle infinie et erreur de branchement ?

7. Quel est le plus ancien des langages évolués et quand fut-il conçu ?

8. En quoi consiste la portabilité d'un programme ?

Solutions

1. BNF et diagrammes syntaxiques.
   - les nombres entiers signés

   ```
   <digit>        ::= 0|1|2|3|4|5|6|7|8|9
   <entier>       ::= <digit> | <entier> <digit>
   <signe>        ::= +|-
   <entiersigné>  ::= <signe> <entier>
   ```
   - les nombres réels

   ```
   <réel>         ::= <signe> <entier> . <entier>
   ```
   - les mots commençant toujours par une majuscule (motmin correspond à un mot formé uniquement de minuscules)

```
<majuscule>        ::= A|B|C|D ... Y|Z
<lettre>           ::= a|b|c|d ... y|z|majuscule
<motmin>           ::= <lettre> | <motmin> <lettre>
<mot>              ::= <majuscule> | <majuscule> <motmin>
```

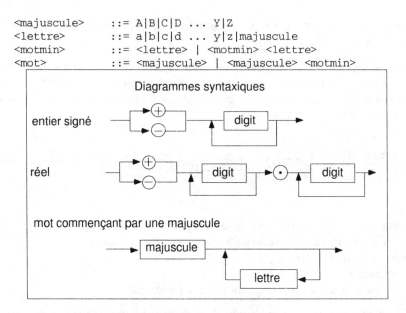

Diagrammes syntaxiques

entier signé

réel

mot commençant par une majuscule

2 . Voici une douzaine de langages : Cobol, Lisp, Prolog, Pascal, Fortran, Basic, Modula-2, Ada, PL/I, Algol, C, Smalltalk. Le premier est un langage de traitement des données, les deux suivants sont des langages d'intelligence artificielle, les huit suivants sont des langages algorithmiques et le dernier est un langage orienté objet (correspondant à une convergence entre les différentes approches).

3 . Le cycle de vie du logiciel se compose des phases suivantes : l'analyse et la compréhension du problème consistent à établir les fonctionnalités, les contraintes et les objectifs du projet en accord avec le client. La spécification consiste à déterminer les fonctionnalités détaillées du logiciel à produire sans s'occuper de la façon dont elles seront implantées effectivement. La conception est une phase de définition de la structure modulaire du logiciel et des algorithmes à utiliser. La programmation consiste à implanter effectivement les différents modules qui composent le logiciel. Le test et la validation consistent à rechercher les erreurs de conception et de programmation et à s'assurer que le logiciel produit répond bien aux exigences initiales. La maintenance consiste à répondre aux demandes des utilisateurs du logiciel, soit en corrigeant des erreurs, soit en effectuant de petites modifications.

4 . Les phases d'un compilateur sont : l'analyse lexicale qui s'occupe de trouver les mots du langage, l'analyse syntaxique qui s'occupe de l'agencement des mots entre eux (la syntaxe) et qui forme des phrases, l'analyse sémantique qui s'occupe du sens des phrases, la génération de code intermédiaire, l'optimisation de code et la génération de code objet.

5 . Un cross-compilateur est un compilateur qui génère du code pour une autre machine que celle où le compilateur s'exécute.

6 . Phase pendant laquelle sont détectées les erreurs suivantes : caractère illégal lors de l'analyse lexicale, manque d'une parenthèse droite ou manque d'un séparateur lors de l'analyse syntaxique, mauvais type d'opérande dans une expression lors de l'analyse sémantique, division par zéro, boucle infinie et erreur de branchement à l'exécution.

7 . C'est le langage Fortran vers 1957.

8 . Un programme est portable si l'on peut le compiler et l'exécuter sur différentes machines. Il faut que les différentes machines aient un compilateur du langage dans lequel est écrit le programme.

Chapitre **15**

Structures de données

15.1 Types et structures

On programme l'ordinateur pour traiter des informations. En effet, un programme est un ensemble d'instructions et de données. Nous avons introduit dans les chapitres précédents les concepts essentiels de la programmation, des instructions machine aux langages de programmation. Le présent chapitre concerne les données. Nous verrons comment les informations, qui doivent faire l'objet de traitements, sont organisées dans la mémoire principale et dans les mémoires auxiliaires.

L'ordinateur définit au niveau matériel :
• un jeu d'instructions élémentaires;
• quelques représentations de données élémentaires.

Le matériel ne supporte, en règle générale, que des données élémentaires, donc non structurées. Nous pouvons définir une donnée structurée comme étant une collection organisée de données élémentaires. On appelle aussi une telle collection, une **structure de données**. Une structure de données est une manière d'organiser et de représenter des informations en mémoire centrale et dans les mémoires auxiliaires.

Les structures de données apparaissent au niveau des langages de programmation évolués. Ces langages définissent des structures abstraites construites sur les instructions, par exemple des macros, des procédures, des fonctions, des sous-programmes, etc. Ils définissent aussi des structures de données, telles que les variables double-précision, les nombres complexes, les vecteurs, les chaînes de caractères, etc.

Ces structures de données sont construites à partir de données élémentaires, réalisées au niveau machine. L'utilisateur peut ainsi travailler avec des informations plus complexes, donc à un niveau d'abstraction supérieur, sans se rendre compte des détails de la réalisation physique de ces structures qui lui sont cachés par le langage de programmation et le logiciel associé (traducteur, interpréteur, etc.).

L'utilisateur peut définir des structures abstraites encore plus complexes (arbres, tables, listes, etc.), et les réaliser en utilisant les données structurées, supportées au niveau du langage de programmation. Des exemples de structures de données supportées aux différents niveaux, sont montrés dans la figure 15.1.

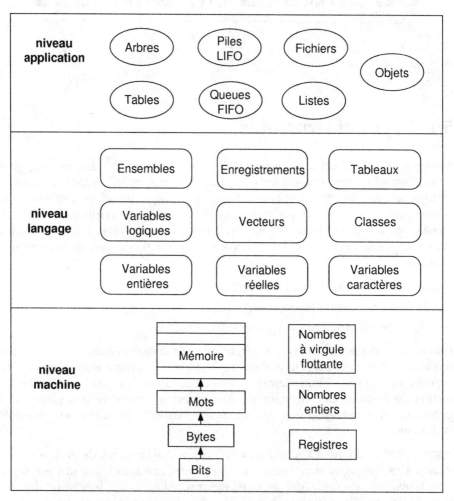

Figure 15.1 : Différents niveaux de structures de données

Pour introduire une nouvelle structure abstraite, on procède ainsi :
- on définit la structure de l'information;
- on définit les opérations applicables à cette structure;

- on travaille avec cette information structurée, à ce niveau d'abstraction, sans se soucier des détails de l'implantation physique.

Quant à la réalisation physique, on bâtit la structure abstraite à l'aide de structures plus simples, définies à un niveau inférieur (par exemple au niveau du langage de programmation ou du matériel). Les opérations associées à la structure sont réalisées par l'écriture d'un ensemble de procédures dédiées, construites aussi sur un niveau inférieur.

Une structure de données contient deux types de renseignements :
- les informations à stocker;
- les liens entre ces informations.

Les liens peuvent être soit implicites (l'adresse de l'information est calculée en fonction de l'emplacement physique de l'information en mémoire centrale), soit explicites (le lien est alors un pointeur). Ces liens vont permettre de parcourir la structure pour réaliser des opérations élémentaires comme : défilement (traitement de chaque élément), recherche, insertion, suppression, tri, fusion, etc.

Le choix d'une structure plutôt que d'une autre dépend, en grande partie, des opérations à réaliser sur les informations. Certaines structures sont plus adaptées que d'autres à certaines opérations.

Il existe un grand nombre de structures de données. Nous allons en présenter quelques unes parmi les plus utilisées : les vecteurs, les tableaux, les listes, les arbres, les queues, les piles et les tables.

15.1.1 Vecteurs

Les **vecteurs** [*vectors*] sont des structures fort utiles supportées par la plupart des langages de programmation (les processeurs vectoriels supportent les vecteurs au niveau du matériel). Un vecteur est un ensemble fini et ordonné d'éléments, tous d'un même type. Un vecteur est défini par le nombre d'éléments qui le composent (c'est une structure statique), ainsi que par le type et la taille de ces éléments. Chaque élément est repéré par un indice. La structure d'un vecteur est schématisée dans la figure 15.2.

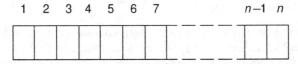

Figure 15.2 : Structure d'un vecteur

Les éléments d'un vecteur sont stockés dans des cases contiguës en mémoire, le lien entre les éléments est donc implicite. Dans ce cas, la correspondance entre structure abstraite et organisation en mémoire est immédiate.

 Un type de données définit l'ensemble des valeurs que pourra prendre une variable. Le type détermine aussi les opérations que l'on pourra appliquer à la variable.

15.1.2 Tableaux

Un **tableau** [*array*] est une collection multi-dimensionnelle d'objets d'un même type. Un tableau à une seule dimension est un vecteur. Une grille de mots croisés ou de bataille navale est un tableau à deux dimensions. Chaque élément est repéré par un jeu d'indices [*subscripts*], l'accès à un élément quelconque d'un tableau est donc immédiat (aléatoire). Une déclaration suffit pour spécifier les dimensions d'un tableau. La figure 15.3 montre la structure abstraite d'un tableau à trois dimensions. La réalisation d'un tableau multi-dimensionnel utilise naturellement des vecteurs.

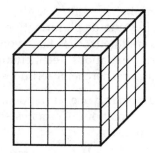

Figure 15.3 : Tableau tri-dimensionnel

Les tableaux se prêtent bien aux opérations de défilement, de tri, de recherche. On les utilise pour stocker des informations relativement permanentes. Mais, si le nombre et l'organisation des informations doit constamment être modifié (suppressions, ajouts, déplacements) on choisira une structure dynamique.

15.1.3 Listes

Les **listes** [*lists*] sont des structures souples capables d'accueillir un nombre indéterminé d'éléments, ce sont des structures dynamiques. Chaque élément d'une liste se compose d'une partie contenant l'information et d'au moins un pointeur. Dans les listes, le lien est explicite.

Dans les listes liées ou chaînées [*linked list*] chaque élément est accessible par celui qui le précède grâce à un pointeur (qui contient l'adresse de l'élément suivant). Le dernier noeud porte une adresse de fin. L'accès à la liste se fait par un lien vers le premier élément. Pour atteindre un des éléments de la liste, on est obligé de parcourir la liste depuis le début. A partir d'un élément quelconque, on ne peut atteindre que le suivant. Un exemple d'une telle structure est montré dans la figure 15.4.

Il existe aussi des listes doublement chaînées qui peuvent être parcourues dans les deux sens. Chaque élément est composé de l'information et de deux pointeurs. L'un des pointeurs contient l'adresse de l'élément suivant, l'autre celle de l'élément précédent.

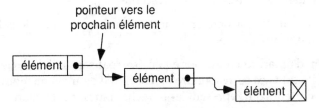

Figure 15.4 : Liste chaînée

Evidemment, la réalisation d'une telle structure est basée sur la notion de pointeur. On dit qu'un pointeur chaîne les éléments ou pointe sur un élément. Le pointeur n'est qu'une variable dont la valeur correspond à une adresse. En changeant un pointeur, on peut facilement insérer un nouvel élément dans une liste. De la même manière, on peut aisément supprimer des éléments par simple modification de pointeurs. Par contre, on ne peut pas atteindre immédiatement un élément quelconque de la liste.

15.1.4 Arbres

L'**arbre** est une structure constituée de noeuds reliés par des arcs. Chaque noeud contient un élément d'information. L'arbre est une structure hiérarchique (figure 15.5).

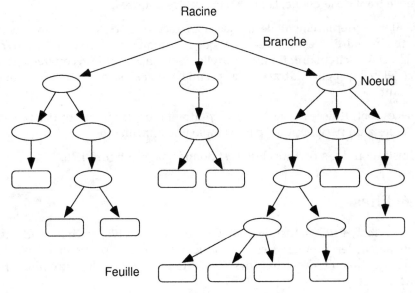

Figure 15.5 : Structure d'arbre

Au sommet, il y a un noeud, appelé **racine**, d'où partent des arcs, appelés **branches**, vers des **noeuds** d'un niveau inférieur. On appelle **feuilles** les noeuds terminaux. La figure 15.5 illustre une structure arborescente.

L'arbre binaire est un cas particulier; chaque noeud a, au plus, deux branches vers deux noeuds du niveau inférieur.

L'implantation d'un arbre en mémoire peut se réaliser à l'aide de pointeurs. A chaque noeud il faut faire correspondre un ensemble de mots mémoire contenant l a donnée et les pointeurs qui représent les branches partant du noeud.

L'arbre étant une structure hiérarchique il est donc utilisable pour des informations qui ont aussi des relations hiérarchiques entre elles. Par exemple, un livre peut être représenté sous forme d'un arbre; on a vu que pour établir le code de Huffman on utilisait un arbre binaire. La structure d'arbre est adaptée aux opérations de défilement (parcours, exploration de l'arbre); les recherches dans un arbre sont généralement plus rapides que les recherches séquentielles; les insertions et suppressions d'éléments sont faciles; enfin le tri d'un arbre est rapide.

15.1.5 Queues

Une **queue** est une **file d'attente** [*FIFO = First In First Out*] (premier arrivé, premier sorti). Les insertions se font à une extrémité (en queue, en fin de liste), les suppressions à l'autre (en tête, en début de liste). Le rôle d'une queue est de permettre la mise en attente d'informations dans le but de les récupérer plus tard en respectant l'ordre d'arrivée. On peut réaliser une queue à l'aide d'un vecteur et de deux pointeurs : l'un pointe sur l'arrière, là où l'on ajoute des données, l'autre indique le front de la queue, là où l'on extrait les données.

Pour éviter le déplacement de la queue en mémoire, on peut définir une zone mémoire circulaire, c'est-à-dire telle que la première adresse suit la dernière. Dans la version circulaire, il faut naturellement empêcher le recouvrement, car le dernier élément peut rattraper le premier si l'espace mémoire alloué est insuffisant.

Les queues sont utilisées pour la mise en attente de programmes pour exécution, pour l'accès à un périphérique, par exemple une imprimante.

Une illustration des structures FIFO est donnée dans la figure 15.6.

15.1.6 Piles

Une **pile** [*stack, LIFO = Last In First Out*] (dernier arrivé, premier sorti, ou : les derniers seront les premiers) est une structure linéaire particulière où il n'est possible d'ajouter ou de retirer des éléments qu'à une seule extrémité appelée sommet.

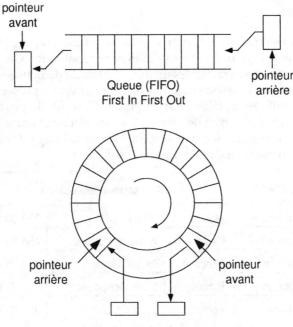

Figure 15.6 : Queues

Une pile permet la mise en attente d'informations dans le but de les récupérer plus tard, dans l'ordre inverse d'arrivée. C'est l'une des structures les plus importantes et les plus utilisées (récursivité, interruptions multi-niveaux, machine à zéro adresse, etc.). On peut implanter une pile en mémoire à l'aide d'un vecteur et d'un pointeur indiquant le sommet de la pile. Le schéma d'une pile est présenté dans l a figure 15.7.

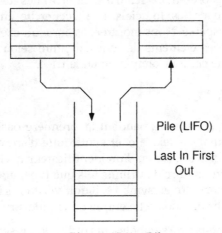

Figure 15.7 : Pile

15.1.7 Tables

On a vu que les assembleurs et les compilateurs faisaient usage de nombreuses tables pour ranger les symboles et les valeurs correspondantes. On peut définir une **table** comme une structure non nécessairement ordonnée de données du même type, où, à chaque donnée, on associe une information unique, appelée **clé**, qui sert à identifier l'élément de la table. Par exemple, il suffit de penser à l'annuaire téléphonique : la clé est le nom de l'abonné, et les informations associées à la clé sont l'adresse et le numéro de téléphone de l'abonné. L'organisation des données d'une table est schématisée dans la figure 15.8.

Clé	Informations associées		
Dupont	Marcel	13, av. Scholz	793 90 57
Durant	Cathy	7, rue des Bains	454 76 02
Duchmol	Gustave	54, av. Grole	734 28 45
Dupond	Riquet	5, av. Schpountz	772 47 63
Durdur	Aglae	32, av. Mollo	327 63 87
Dupinard	Germaine	67, rue des Pâquis	434 54 21

Figure 15.8 : Structure de table

On accède à un objet en présentant la clé à la table. On appelle une telle opération recherche d'un élément de la table. Plusieurs méthodes on été mises au point pour faciliter la recherche en tables. Il n'y a pas de technique optimale et universelle, le choix dépend du type et de la taille des tables, ainsi que de l'utilisation que l'on veut en faire. Nous présentons ici trois algorithmes de recherche en tables utilisés fréquemment dans les logiciels : la recherche linéaire, la recherche binaire et l'adressage dispersé. Nous montrerons aussi un exemple de tri de table, permettant d'ordonner les éléments de cette structure selon les valeurs des clés. L'annuaire téléphonique est un exemple de table triée.

Recherche linéaire

Les tables de symboles, construites pendant la première passe d'un assembleur et pendant les phases d'analyse lexicale et syntaxique d'un compilateur, associent au nom symbolique d'une variable ou d'un identificateur quelconque utilisé comme clé de la table un certain nombre d'attributs tels que type, adresse, protection, etc. Lorsque le traducteur rencontre un symbole, il doit vérifier s'il existe déjà dans la table, sinon il doit établir une nouvelle entrée dans cette structure.

Etant donné que ni le nombre de symboles, ni l'ordre de présentation ne sont connus à l'avance, le traducteur entre les données dans la table au fur et à mesure qu'il rencontre de nouveaux symboles dans le programme source. La table n'est donc pas triée.

Pour trouver un élément dans une telle table, on peut utiliser la méthode de **recherche linéaire**. C'est la méthode la plus simple à réaliser, mais la moins performante. Elle consiste à parcourir la table à partir du premier élément, en comparant chaque nom avec la clé que l'on cherche. La recherche s'arrête dès que l'on trouve le nom spécifié. Avec une table de N éléments, le temps moyen de recherche est proportionnnel à $N/2$.

Le désavantage d'une telle méthode est donc le nombre de comparaisons très élevé. Les avantages sont la facilité de réalisation, l'application à des tables non triées (trier une table prend beaucoup de temps) et le fait que l'on puisse effectuer des recherches pendant que l'on remplit la table. La recherche linéaire est présentée dans la figure 15.9, en comparaison avec la recherche binaire expliquée plus loin.

Certains assembleurs utilisent cette technique de recherche pendant la première passe, au fur et à mesure qu'ils accumulent les symboles. La première passe terminée, ils trient la table et ils appliquent ensuite des techniques plus rapides.

Recherche binaire

Parmi les techniques rapides, mais demandant une table triée, on peut citer la **recherche binaire** ou **dichotomique** [*binary search*]. Les éléments doivent être rangés dans un ordre déterminé et non ambigu, par exemple, par ordre alphabétique des clés (en s'assurant que la représentation interne des caractères est telle que les clés sont placées dans l'ordre numérique croissant ou décroissant).

L'idée consiste à considérer les clés comme uniformément distribuées et, par conséquent, à commencer la recherche en comparant la clé donnée avec celle placée au milieu de la table. Cette comparaison permet d'éliminer d'un seul coup la moitié de la table. On peut continuer de la même façon en appliquant la méthode aux éléments restants et ainsi de suite. La méthode converge rapidement et la durée de la recherche est proportionnelle à $\log_2 N$.

L'avantage de cette technique réside dans le nombre réduit de comparaisons nécessaires pour trouver l'objet désiré. Pour une table de 1'000 données, la recherche binaire trouvera n'importe quelle clé avec 10 comparaisons. La recherche linéaire nécessiterait en moyenne 500 comparaisons. La figure 15.9 montre la progression des deux recherches.

Tri de tables

Il existe des centaines d'**algorithmes de tri** [*sorting*] adaptés à toutes les circonstances (tables très longues ou très courtes, compromis entre occupation de la mémoire et temps CPU, etc.). Il n'y a pas de technique miracle, il faut choisir celle qui est la mieux adaptée au problème à résoudre (quicksort, bubble sort, etc.).

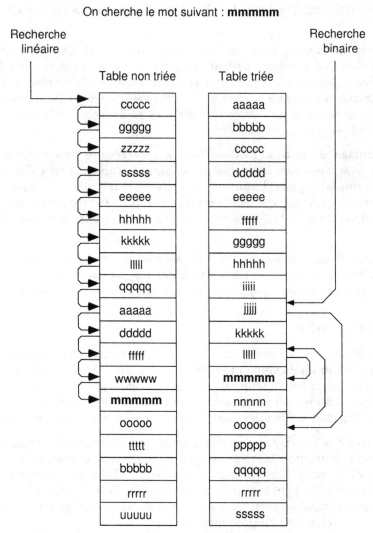

Figure 15.9 : Recherches en tables (linéaire et binaire)

Pour donner une idée de ces méthodes, nous présentons brièvement l'algorithme dit de Shell, du nom de son auteur, car il est très simple et il n'a pas besoin de mémoire supplémentaire. Il part de l'idée que si deux objets de la table ne sont pas dans le bon ordre, en les permutant on fait un pas dans la bonne direction.

La tactique la plus naturelle consiste à comparer les deux premiers éléments et à les permuter si nécessaire. On compare ensuite le deuxième et le troisième, le troisième et le quatrième et ainsi de suite. Supposons que l'on trie les clés par ordre croissant, à la fin de cette première passe, l'élément le plus grand se trouvera en position *N*, donc à sa place définitive. La deuxième passe se limite à comparer les $N-1$ éléments restants. Il faut N passes pour trier la table, le nombre de comparaisons est égal à $N(N-1)/2$. Si le nombre d'objets double, le temps de tri sera quatre fois plus grand. Cette technique est appelée tri bulle [*bubble sort*], car l'élément *monte* à sa place comme une bulle dans un verre.

L'algorithme de Shell est une amélioration du bubble sort. Dans le tri de Shell, pour gagner du temps, on commence par comparer des objets distants, ce qui permet de faire des progrès plus importants pendant les premières passes. Par la suite, on réduit la distance entre les éléments à comparer. En général, on peut trouver des stratégies adaptées au problème particulier et diminuer considérablement le nombre de comparaisons. Il faut néanmoins accepter que toute opération de tri coûte cher en ressources quelle que soit la méthode choisie.

Adressage dispersé

L'idéal serait un mécanisme de recherche rapide n'exigeant pas une table spécialement triée. On peut naturellement faire appel à une mémoire associative qui réalise une recherche parallèle sur toutes les clés. Pour rester dans les solutions basées sur le logiciel et qui simulent le comportement (accès aléatoire) d'une mémoire associative, nous citerons la méthode de l'**adressage dispersé** [*hashing, hash code*].

Cette technique est très utilisée. Elle consiste en la mise en oeuvre d'une fonction de hashcode (ou de hachage), qui, appliquée à la clé, fournit une adresse ou un indice dans la table associée. Tout dépend du choix de cette fonction, elle doit être facile et rapide à calculer et surtout minimiser le nombre de collisions en fournissant des adresses assez uniformément distribuées dans l'intervalle des adresses disponibles. On parle de collision si l'application de la fonction de hashcode à deux noms de symboles choisis comme clés donne le même résultat, c'est-à-dire que les deux objets devraient être placés à la même adresse.

On ne peut pas garantir l'unicité des adresses. Une bonne fonction de hashcode doit donner lieu à un nombre minimum de collisions. Il est clair aussi qu'il faut prévoir un espace d'adresses suffisant dans la table pour contenir tous les objets plus un certain nombre de positions non adressées par la fonction de hashing. Il faut aussi prévoir des emplacements pour les objets donnant lieu à des collisions. Par exemple, on pourrait indiquer cet emplacement (une petite table linéaire extérieure) par un pointeur stocké à l'adresse commune calculée pour deux ou plusieurs objets, on parle alors de chaînage. Une stratégie alternative consiste à répéter le calcul de l'adresse avec une deuxième fonction de hashing. Ou encore, on pourrait décider de placer tout objet trouvant sa place déjà occupée à l'adresse suivante, ou à la première adresse disponible suivant l'adresse calculée. Cette dernière approche implique une table généreusement dimensionnée. Elle implique aussi une recherche linéaire quand il y a une collision. La figure 15.10 montre le remplissage d'une table dans ce cas.

Dans l'exemple de la figure 15.10, on veut réaliser une table contenant quatorze personnages identifiés par leur nom. On réserve 19 positions numérotées de 1 à 19.

La fonction de hashcode choisie est égale à 1 plus la somme des valeurs des caractères composant le nom clé ($A=1$, $B=2$, ..., $Z=26$), calculée modulo 19. On constate que plusieurs collisions sont générées par cette fonction. Par exemple, Laverdure et Kador produisent la même adresse (12), ainsi que Natacha et Obelix (11).

Table de hashing
(adressage dispersé)

Ordre de
remplissage
de la table

Nom	H (nom)
Natacha	11
Laverdure	12
Jeremiah	13
Kador	12
Corto	15
Jonathan	8
Obelix	11
Comanche	6
Asterix	2
Idefix	1
Talon	6
Bidochon	14
McCoy	3
ǝɟɟɐƃɐ˥	1

	Nom	Informations
1	Idefix	————
2	Asterix	————
3	McCoy	————
4	ǝɟɟɐƃɐ˥	————
5		
6	Comanche	————
7	Talon	————
8	Jonathan	————
9		
10		
11	Natacha	————
12	Laverdure	————
13	Jeremiah	————
14	Kador	————
15	Corto	————
16	Obelix	————
17	Bidochon	————
18		
19		

$$H \text{ (Kador)} = (11 + 1 + 4 + 15 + 18) \text{ modulo } 19 + 1$$
$$= 49 \text{ modulo } 19 + 1 = 12$$

Figure 15.10 : Exemple d'adressage dispersé

Il faut noter que l'ordre d'entrée des éléments dans la table est important. Dans notre exemple :

- Natacha est introduite en premier, elle prend la place 11.
- Laverdure est introduit en second, il prend la place 12.
- Jeremiah est introduit en troisième, il prend la place 13.
- Kador est introduit en troisième, il devrait prendre la place 12, mais elle est occupée par Laverdure ! La place suivante, 13, est elle aussi déjà occupée par Jeremiah. La place suivante, 14, est libre, Kador est donc introduit à cette place.

Lors d'une recherche dans la table, il faudra 3 comparaisons pour retrouver Kador et 6 pour retouver Obelix.

Le calcul de la fonction de hashing doit être aussi simple que possible. En général, le temps CPU dépensé pour ce calcul est nettement inférieur au temps de comparaison de chaînes de caractères. Une fonction n'est plus efficace qu'une autre que pour certaines distributions des clés. L'idée de base d'une fonction de hashcode est de traiter les bits de la clé pour en faire une adresse. La fonction choisie dans notre exemple était égale à 1 plus la somme des valeurs des caractères composant la clé (A=1, B=2, ..., Z=26), calculée modulo 19. Mais on peut aussi multiplier par elle-même la représentation binaire de la clé et choisir comme adresse calculée une séquence de bits à partir d'une position fixée au milieu du résultat.

La méthode de l'adressage dispersé permet d'établir une relation fonctionnelle clé/adresse. Dès lors, la recherche en tables se limite à une seule comparaison (sauf en cas de collision) selon le calcul de l'adresse à l'aide de la fonction de hashcode.

15.2 Fichiers

Les structures de données que nous venons d'examiner sont adaptées à l'organisation de la mémoire centrale, adressable par mots ou bytes. Les **fichiers** sont une structure adaptée aux mémoires auxiliaires (unités de bandes et disques magnétiques).

Un fichier est une collection de données représentant une entité pour l'utilisateur. On a de nombreux exemples de fichiers dans la vie de tous les jours : le fichier des employés d'une entreprise, des citoyens d'une commune, des contribuables du fisc, des étudiants de l'université, des clients d'un hôtel, etc.

Dans l'environnement informatique, les données d'un fichier sont enregistrées de façon à se prêter à la lecture et au traitement par ordinateur. Dans ce contexte, un fichier est donc une collection de données, de résultats, un texte, un programme source, un programme binaire exécutable, etc. Il est utile de concevoir un fichier comme une collection d'enregistrements.

15.2.1 Notion d'enregistrement

Comme on peut le constater dans les exemples donnés ci-dessus, les fichiers sont des collections d'éléments constitués d'un certain nombre d'informations concernant des entités (personnes ou objets) bien définies. Par exemple, le fichier des étudiants de l'université est composé d'un ensemble d'informations concernant chaque étudiant (nom, prénom, date de naissance, adresse, diplôme d'études supérieures, immatriculation, etc.). Avant l'ère informatique, les fichiers étaient des collections de fiches, préparées et classées manuellement. Aujourd'hui, on écrit les fiches sur bande ou sur disque magnétique et on les appelle **enregistrements**. L'enregistrement est la plus petite unité accessible dans un fichier. Un enregistrement est généralement formé d'une suite de **champs** [*fields*], chaque champ pouvant contenir un élément d'information. Par exemple, chaque enregistrement du fichier des étudiants de l'université contient un champ dans lequel est stocké le nom, un champ dans lequel est stocké le prénom, un champ dans lequel est stockée la date de naissance, un champ dans lequel est stockée l'adresse, et ainsi de suite.

 Un enregistrement est formé de champs qui peuvent contenir des données de types différents. Un fichier est formé d'enregistrements contenant tous la même suite de champs.

Du point de vue de l'utilisateur, un fichier est une collection d'enregistrements, que l'on dit **logiques**, car ils ne correspondent pas nécessairement aux enregistrements sur le support matériel que l'on appelle naturellement enregistrements **physiques**. L'utilisateur travaille avec son modèle de fichier (logique). Le programmeur doit se soucier de l'organisation des enregistrements et des méthodes d'accès à l'information stockée dans les mémoires auxiliaires.

15.2.2 Types de fichiers

On peut distinguer différents types de fichiers selon l'accès qu'ils offrent aux utilisateurs.

Les **fichiers séquentiels** sont des suites d'enregistrements accessibles seulement les uns après les autres comme dans le cas des bandes magnétiques. Pour accéder à un certain enregistrement, il faut parcourir tous ceux qui le précèdent.

Les **fichiers à accès direct** (ou **accès aléatoire**) permettent l'accès à n'importe quel enregistrement, directement, quel que soit son numéro.

Les **fichiers séquentiels indexés** offrent la possibilité d'associer une clé à chaque enregistrement. Un index des clés, faisant partie du fichier, établit une correspondance entre la clé et l'emplacement de l'enregistrement correspondant. Pour accéder à une information, on effectue d'abord une recherche linéaire sur les clés et, par l'adresse ainsi obtenue, on accède directement au bloc cherché.

15.3 Bases de données

15.3.1 Définition

Une **base de données** est un ensemble structuré d'informations stockées de manière permanente. Les informations contenues dans la base constituent une **banque de données**. Donc, la base de données correspond au **contenant** et la banque de données au **contenu**. Une base de données contient aussi la définition de la structure des données (dictionnaire).

Une base de données permet de regrouper et de centraliser les informations nécessaires à diverses applications, en vue d'une meilleure diffusion. Une base de données est en fait un système de classement à critères de choix multiples.

D'un point de vue logique, une base de données (BD) [*data base*] est constituée de l'ensemble des informations relatives à un sujet donné. Cet ensemble doit respecter les critères suivants : **exhaustivité, non-redondance** et **structure**. L'exhaustivité implique que l'on dispose de toutes les informations relatives au sujet donné. La non-redondance implique l'unicité des informations dans la base de données. Dans certains cas, par exemple pour faciliter les accès ou pour garantir une meilleure sécurité, on duplifie certaines données. En général, on essaie d'éviter la duplication des données car cela pose des problèmes de cohérence lors des mises à jour de ces données. Pour pouvoir gérer une base de données, les informations contenues doivent être structurées.

D'un point de vue physique, une base de données est une virtualisation de la notion de fichier. Généralement, les bases de données sont stockées sur disques magnétiques, et leur gestion s'effectue directement sur les disques. Une base de données est implantée avec des fichiers, mais cela est transparent aux utilisateurs. Le stockage physique d'une base de données consiste en un ensemble d'enregistrements physiques organisés à l'aide de listes, de pointeurs et de différentes méthodes d'indexation.

Sur une base de données, on doit pouvoir effectuer les opérations suivantes :

- interrogation ou consultation;
- mise-à-jour;
- insertion;
- destruction.

Pour effectuer toutes ces opérations, il faut disposer des programmes adéquats. L'ensemble de ces programmes s'appelle un **système de gestion de base de données** (SGBD) [*DBMS : Data Base Management System*]. Avant d'accéder à une base de données, il faut la constituer. C'est le SGBD qui permet de décrire l'organisation logique des données et qui se charge de l'implantation physique. Un SGBD doit permettre d'assurer l'intégrité des données, leur confidentialité, il doit aussi gérer les accès concurrents à l'informations (plusieurs utilisateurs peuvent accéder en même temps à la base) et assurer la sécurité de fonctionnement de la base.

Un aspect important des bases de données actuelles est l'indépendance des données vis-à-vis des applications. C'est le principal objectif des bases de données. Celles-ci doivent être accessibles à tout le monde de manière simple. Pour cela, on sépare les problèmes de stockage et d'entretien des problèmes de traitement par les utilisateurs. Il y a donc indépendance entre les données et les méthodes d'accès. L'utilisateur travaille avec un modèle logique ou abstrait des données alors que celles-ci sont stockées sur disque selon des techniques qui tiennent compte des caractéristiques du matériel. La figure 15.11 illustre l'architecture simplifiée d'un SGBD.

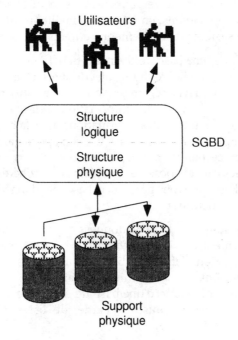

Figure 15.11 : Architecture d'un SGBD

L'annuaire téléphonique est un exemple de base de données relativement simple. Il regroupe le nom, le métier, l'adresse et le numéro de téléphone de tous les abonnés d'une région. L'accès à cette base de données s'effectue par une recherche sur le nom d'une personne. D'autres recherches, comme chercher le nom d'une personne à partir de son téléphone, sont quasiment impossibles. La base de données n'a pas été prévue pour cela. Cet exemple permet d'aborder un des principaux problèmes des bases de données : l'accès. Lors de la construction des premières bases de données, il fallait prévoir les interrogations que l'on effectuerait, donc déterminer les clés d'accès, et organiser la base en conséquence. Ainsi, dans le cas de l'annuaire téléphonique, la seule clé d'accès possible est le nom. Les pages jaunes complètent l'annuaire en permettant un accès par le métier.

Pour simplifier ces problèmes d'accès, plusieurs modèles logiques de bases de données et de SGBD ont vu le jour. Ce sont, par ordre chronologique, le modèle hiérarchique, le modèle réseau, le modèle relationnel et le modèle à objets.

Nous allons examiner ces différents modèles plus en détail en nous basant sur un exemple simple de base de données : la gestion des vols dans une compagnie aérienne. Nous prendrons en considération les éléments suivants : type d'avion, trajet, équipage et passagers. Les structures physiques sont propres à l'implantation de chaque système.

15.3.2 Modèle hiérarchique

Le **modèle hiérarchique**, historiquement le premier, consiste à organiser les données de façon arborescente, ce qui constitue une structure facile à gérer. Cette structure est une hiérarchie où chaque élément n'a qu'un supérieur. Le nombre de connexions est limité : il n'y en a pas entre les branches du même niveau (figure 15.12).

Ce modèle de BD permet des interrogations simples comme, par exemple, quel est l'équipage du vol 7023 ou quelle est la liste des passagers du vol 845, mais il n'est pas aisé de savoir sur quel vol est inscrit le passager Emile Glinglin. Une telle interrogation nécessite de parcourir tous les vols pour déterminer si le passager donné est présent. Pour éviter ces problèmes de hiérarchie, on a inventé des modèles plus souples, qui facilitent les interrogations.

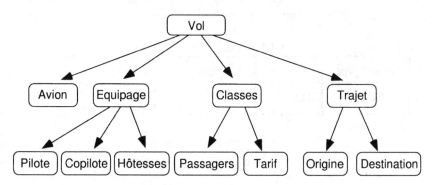

Figure 15.12 : Base de données hiérarchique

15.3.3 Modèle réseau

Le **modèle réseau** est une extension du modèle précédent : il permet d'établir des connexions entre les différents éléments. De cette manière, on dispose d'un plus grand nombre d'interrogations possibles, mais elles doivent être toujours prévues lors de la construction de la base de données. Dans cette classe de SGBD, le modèle CODASYL est l'un des plus répandus.

15.3.4 Modèle relationnel

Le **modèle relationnel** (comme les SGBD Ingres, SQL/DS, Oracle, etc.) permet de se libérer de la contrainte suivante : connaître à l'avance les interrogations que l'on effectuera. Les données sont stockées sous la forme de relations dans des tables (figure 15.13). Chaque table est constituée de plusieurs colonnes (attributs), ainsi la relation *équipage* comprend quatre attributs (*numéro_vol, pilote, copilote, hôtesses*). Dans la relation *équipage*, on remarque que l'attribut *hotesses* est multivalué, ce qui n'est pas acceptable. Il faudrait donc soit prier les compagnies aériennes de n'embarquer qu'une seule hotesse par vol, soit éclater la relation *équipage* en plusieurs relations.

Cette structure de tables, de relations, permet d'établir des connexions au moment de l'exécution. On pourra donc effectuer toutes sortes d'interrogations plus ou moins complexes.

Relation Vol

Numéro_Vol	Avion	Origine	Heure départ	Destination	Heure arrivée
SZ 325	Airpuce 530	Paris	10h52	Genève	20h45

Relation Avion

Avion	Capacité	Mise en service	Heures de vol	Nombre d'accidents
Airpuce 530	1024	1912	36 375	3904

Relation Equipage

Numéro_Vol	Pilote	Copilote	Hôtesses
SZ 325	Gaston	Lagaffe	Natacha, M'oiselle Jeanne

Relation Passager

Numéro_Vol	Nom	Prénom	Classe
SZ 325	Glinglin	Emile	4

Figure 15.13 : Base de données relationnelle

Le modèle relationnel est basé sur l'algèbre relationnelle. L'accès aux bases de données relationnelles s'effectue en appliquant pricipalement les trois opérations suivantes : la sélection, la projection et la jointure (ou composition).

La **sélection** consiste à extraire d'une relation les éléments satisfaisant une condition. Dans notre exemple, on pourrait demander la liste des passagers en première classe.

La **projection** permet d'isoler un certain nombre de colonnes désirées dans le but de limiter le champ de recherche. Par exemple, si l'on veut établir des statistiques sur le nombre d'accidents par heure de vol, on peut faire une projection sur la relation *avion* en ne gardant que les colonnes *avion*, *heures de vol* et *nombre d'accidents*.

La **jointure** produit de nouvelles tables (relations) à partir des tables existantes. Par exemple, on peut effectuer une jointure des relations *vol* et *équipage* pour établir la liste des hôtesses embarquées pour Genève en indiquant le numéro du vol et l'heure d'arrivée. En combinant ces différentes opérations, on peut effectuer simplement des interrogations complexes. Par exemple, on peut demander la liste des passagers voyageant en quatrième classe sur tous les vols à destination de Genève dont l'avion est un Airpuce 530, totalisant plus de 30'000 heures de vol.

Les bases de données permettent donc de définir une structure logique au dessus de la structure physique qui n'est guère adaptée à la manipulation des données. Avec le modèle relationnel, une base de données correspond à une série de tables. Chaque table comporte un certain nombre de champs, chaque champ étant un type simple de données tel qu'un entier ou une chaîne de caractères. Il est nécessaire de convertir les données d'une application sous forme de tables et vice versa. L'interface entre une application et une base de données est effectuée à l'aide de langages spécifiques, dont le plus connu est **SQL** (figure 15.14). Le langage SQL [*Structured Query Language*] est un langage standard de définition et de manipulation des données des bases de données relationnelles.

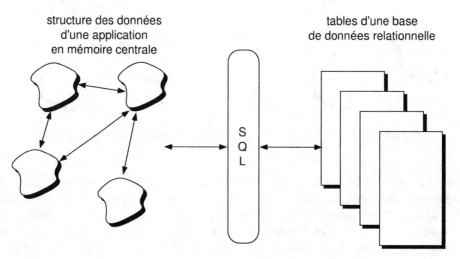

structure des données
d'une application
en mémoire centrale

tables d'une base
de données relationnelle

S
Q
L

Figure 15.14 : Interface entre application et base de données relationnelle

Dans les modèles hiérarchique et réseau, le niveau utilisateur (la structure logique) reflète la manière dont les données sont organisées et stockées sur le support physique (la structure physique). Les différentes interrogations doivent être prévues lors de la construction de la base de données. Dans ces modèles on ne manipule qu'un enregistrement à la fois; lors d'une interrogation, on navigue d'information en information. Dans le modèle relationnel le niveau physique est complètement transparent pour l'utilisateur. Il ne voit qu'une représentation logique : une série de tables. Les interrogations se font au travers du langage SQL au gré des besoins des l'utilisateurs.

15.3.5 Modèle à objets

Le concept d'objet, apparu à la fin des années 80, a été introduit dans de nombreux domaines tels que les langages de programmation (voir chapitre 14), les systèmes d'exploitation et les bases de données. L'application du **modèle à objets** aux bases de données a conduit aux bases de données orientées objet [*object oriented databases, OODB*] et aux bases de données orientées objet distribuées [*distributed object oriented databases, DOODB*]. Les bases de données orientées objet combinent les caractéristiques de la modélisation orientée objet et les fonctionnalités des bases de données (figure 15.15).

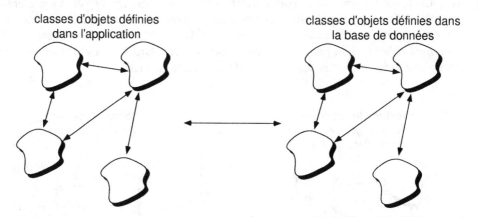

classes d'objets définies
dans l'application

classes d'objets définies dans
la base de données

Figure 15.15 : Interface entre application et base de données à objets

Le principe de ce nouveau modèle est relativement simple, il consiste à utiliser les mêmes structures de données dans l'application que dans la base de données. Ainsi il y une correspondance directe entre l'application et la base de données. Ces structures de données sont des classes d'objets et la base de données est une base d'objets. Les objets de la base de données sont ainsi des objets persistants, ils ne sont pas détruits lorsque l'on quitte l'application, ce qui est le cas des objets de l'application. On bénéficie des principes des classes d'objets, tels que l'abstraction des données, l'héritage et le polymorphisme, ce qui garantit une bonne flexibilité. Ce modèle autorise ainsi une meilleure gestion des objets complexes et de leurs relations que le modèle relationel. L'interrogation de la base est navigationnelle, on passe d'objet en objet. Une seule requête peut contenir des transactions multiples.

Le modélisation orientée objet permet une représentation et une modélisation plus directe des problèmes réels. Grâce à cette modélisation, les utilisateurs peuvent cacher les détails de la réalisation de leurs modules, partager des objets de référence et étendre leurs systèmes par l'entremise de modules spécialisés préexistants. Les fonctionnalités des bases de données permettent quant à elles, d'assurer la persistance et le partage des informations lors d'interrogations concurrentes. Grâce aux bases de données les utilisateurs peuvent avoir l'assurance que les objets persistent et sont mis-à-jour.

Les OODB sont de plus en plus utilisées, notamment dans les applications client/serveur faisant appel à des bases de données, qui de nos jours se tournent de plus en plus vers des architecture orientée objet. Les OODB s'adaptent également bien au multimédia en permettant de stocker, sous forme d'objets, des données non structurées comme le son, les images fixes et vidéo, ce qui ne pouvait se faire que difficilement avec le modèle relationel.

Les différents modèles que nous avons décrits reflètent bien l'évolution des bases de données. Les deux premiers modèles, bien que largement dépassés au niveau des fonctionnalités et de la flexibilité, sont encore utilisés de nos jours, car ils sont encore très efficaces et le transport d'une base de données dans un autre modèle est une tâche relativement complexe. Le modèle relationnel a apporté beaucoup de souplesse concernant la définition et l'interrogation des bases de données mais i l est pénalisé par ses performances et son manque de flexibilité. Le récent modèle à objets permet de conjuguer les avantages des autres modèles, c'est-à-dire performance, flexibilité et bonnes fonctionnalités. Actuellement plusieurs SGBD relationnels s'enrichissent de fonctionnalités orientées objets en proposant une interface de programmation pour les principaux langages orientés objet utilisés : C++ , Java et Smalltalk.

☞   Il est utile de souligner qu'il ne suffit pas d'acheter un SGBD pour créer une base de données. Une longue étude de l'information et de ses utilisations est nécessaire avant de pouvoir implanter une base de données.

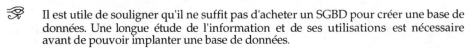

Exercices

1.   Donner quelques exemples de structures de données aux niveaux machine, langage et application.

2.   Comparer la recherche linéaire à la recherche binaire.

3 .   Quelles sont les principales méthodes d'accès aux fichiers ?

4 .   Expliquer la notion de base de données.

Solutions

1 .   Le byte et la virgule flottante sont des structures supportées par la machine, les chaînes de caractères et les vecteurs sont des exemples de structures supportées par les langages, et les listes et les arbres sont des exemples du niveau application.

2 .   La recherche linéaire est une technique permettant de rechercher des éléments dans une table non triée. Pour cela, on parcourt séquentiellement la table, jusqu'à ce que l'on trouve l'élément désiré. La recherche binaire s'adresse à une table triée et optimise le nombre de comparaisons nécessaires. Au lieu de parcourir tous les éléments de la table, on compare l'élément cherché avec l'élément du milieu, ce qui permet d'éliminer la moitié de la table. On continue de la même façon, en divisant chaque fois en 2 l'ensemble ordonné des éléments restants.

3 .   Les principales méthodes d'accès aux fichiers sont : l'accès séquentiel, l'accès direct et l'accès séquentiel indexé.

4 .   Une base de données permet de regrouper et de centraliser des informations qui étaient disséminées dans divers fichiers. Ces informations sont accessibles aux applications, mais leur organisation stable est indépendante de ces applications.

Chapitre **16**

Multimédia

16.1 Définition

Un **média** est défini comme tout support de diffusion de l'information (radio, télévision, presse, livre, publicité, Internet, etc.) constituant à la fois un moyen d'expression et un intermédiaire transmettant un message à l'intention d'un groupe.

Le terme multimédia se rapporte à tout ce qui touche ou concerne plusieurs médias.

> Un **ordinateur multimédia** est un ordinateur capable de gérer (acquérir, stocker, manipuler, restituer) les informations suivantes :
> * **textes,**
> * **images fixes** (dessins, photographies),
> * **images animées** (vidéo),
> * **sons** (voix, musique).

Figure 16.1 : Ordinateur multimédia

Dans le monde de l'informatique, la notion d'ordinateur multimédia a explosé ces dernières années. Au départ, la notion d'ordinateur multimédia était simplement conditionnée par la présence d'un lecteur de CD-ROM. Actuellement, cette notion s'est étendue au domaine du son et de l'image (figure 16.1). D'autres médias ou sens sont encore à intégrer. Les sensations tactiles sont en passe d'être maîtrisées grâce à l'utilisation de gants spéciaux munis de cristaux piézo-électriques qui enregistrent ou exercent des pressions. A quand la maîtrise de l'odorat et du goût ?

16.2 Audionumérique

L'**audionumérique** consiste à transformer un signal audio analogique (comme celui qui vient d'un microphone ou qui est envoyé à une enceinte acoustique) en une suite de valeurs numériques. Pour cela, on utilise des convertisseurs analogique/ numérique qui échantillonnent le signal, c'est-à-dire qui mesurent le signal à intervalles réguliers en le codant sur un certain nombre de bits. La fidélité de la numérisation dépend de deux facteurs :

- la résolution (nombre de bits utilisés pour le codage d'une valeur d'échantillon),
- la fréquence d'échantillonnage (nombre de mesures par seconde).

Plus la résolution est élevée, plus on distingue de niveaux différents : la dynamique est meilleure. Plus la fréquence d'échantillonnage est grande, plus on capte les hautes fréquences du signal et plus le son est clair. En pratique, une numérisation sur 16 bits à 44,1 KHz donne une qualité hi-fi. C'est le standard utilisé pour le CD-ROM audio. L'enregistrement stéréo d'une minute de musique avec cette qualité génère un fichier d'une taille de 10 MBytes (2 canaux x 2 bytes x 60 s x 44'100 échantillons). En terme de transmission, il faut une bande passante de 1,4 Mbits/sec pour transmettre de la musique sans perte de qualité. Un CD-audio (d'une capacité de 650 MBytes) permet de stocker environ 60 min de musique. La fréquence d'échantillonnage est de 32 KHz pour une qualité d'une émission de radio en FM et de 48 KHz pour les lecteurs DAT [*Digital Audio Tape*].

Applications grand public

Le monde de l'audionumérique est moins médiatisé que celui de l'imagerie numérique. Pourtant ses applications grand public sont importantes, à commencer par le CD-audio. Les systèmes téléphoniques évoluent vers le numérique avec l'installation des lignes RNIS (Réseau Numérique à Intégration de Services). La plupart des centraux téléphoniques, des studios d'enregistrement sont numériques.

Norme MIDI

L'audionumérique sous sa forme échantillonnée permet d'enregistrer tout signal sous forme numérique. Si cette forme se prête bien à la voix, elle reste toutefois limitée en ce qui concerne la musique. En effet, une partition musicale ne s'écrit pas avec des fréquences mais avec des notes, des tonalités. Une norme (MIDI) a été créée pour favoriser le traitement numérique de la musique.

La norme **MIDI** [*Musical Instrument Digital Interface*] est un protocole de communication, un langage, qui permet l'échange de partitions musicales sous forme numérique. Elle permet de piloter des séquenceurs, des synthétiseurs et tout autre instrument MIDI. Elle permet donc la communication entre les instruments de musique électronique et les micro-ordinateurs.

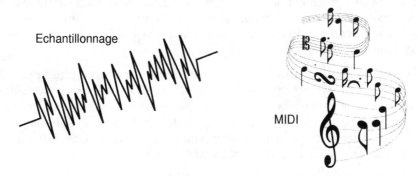

Figure 16.2 : Comparaison entre un son échantillonné et un son MIDI

Il y a différents avantages liés à l'utilisation d'un système MIDI. En premier lieu, l'espace disque nécessaire au stockage d'un morceau de musique. Nous avons vu que l'échantillonnage implique un grand volume de données (> 10 MBytes pour une minute de musique) alors que la taille d'un fichier contenant des données MIDI se limite à moins de 10 KBytes par minute. Il y a donc un facteur 1'000 de différence entre les deux systèmes. Cette différence s'explique par le fait que le fichier MIDI ne contient pas de données audio échantillonnées mais simplement les instructions nécessaires à leur synthèse. Ces instructions décrivent les notes à jouer, en précisant le ton et le volume associés. Les sons sont ensuite générés par le synthétiseur.

Il est important d'essayer de minimiser la taille des fichiers contenant les données. Une diminution du volume de données est intéressante pour le stockage mais aussi pour leur communication. Il est difficile, voire impossible, d'échanger sur de grandes distances des données à des vitesses de 80 Mbits/s (10 MBytes/s) alors qu'une capacité de 80 Kbits/s est beaucoup plus aisée à obtenir.

La norme MIDI offre d'autres avantages tels que la possibilité d'éditer facilement des partitions musicales ainsi que de modifier certains paramètres lors de la synthétisation, comme par exemple, la vitesse d'exécution (le tempo) ou le ton.

Ces deux modes : échantillonnage et MIDI (figure 16.2) ne sont pas en concurrence mais au contraire complémentaires. La tendance actuelle consiste à les combiner au sein d'un synthétiseur. Les commandes sont toujours envoyées/reçues selon l a norme MIDI, mais la synthèse utilise de courts échantillons de très haute qualité des différents instruments (piano, violon, saxophone, ...) pour améliorer l a qualité sonore du morceau synthétisé.

Voix

Il serait injuste de ne pas mentionner la voix dans ce chapitre. En effet, bien que notre organe vocal soit relativement limité, en tout cas pour la majorité d'entre nous, pour la reproduction fidèle de morceaux musicaux, il n'en constitue pas moins un indispensable moyen de communication. Un échantillonnage limité permet une restitution relativement fidèle de la voix. Ainsi, la bande passante d'une ligne téléphonique analogique est d'environ 3 KHz.

Dans l'univers du multimédia, la voix va jouer un rôle de plus en plus important en ce qui concerne l'interaction avec la machine. De nombreux systèmes de reconnaissance vocale ont été développés qui permettent diverses applications telles que la dictée vocale, la commande orale de machines. A terme, on peut imaginer un système de traduction automatique qui permettra de dialoguer avec une personne parlant une langue qui nous est étrangère.

La **reconnaissance vocale** repose sur un échantillonnage du signal vocal (environ 100 échantillons par seconde). Chaque centième de seconde du signal, c'est-à-dire chaque échantillon, est représenté sous la forme d'un vecteur de données qui décrivent les caractéristiques importantes telles que l'énergie des différentes fréquences du signal. Ensuite, le système essaie d'identifier des phonèmes. Pour cela, il utilise une librairie de phonèmes qui ont été préalablement échantillonnés.

Un problème réside dans la valeur représentative limitée des modèles. En effet, le même mot n'est pas prononcé de la même manière plusieurs fois de suite par l a même personne. Les différences de prononciation sont évidemment encore plus frappantes entre différentes personnes. C'est pourquoi la plupart des systèmes actuels nécessitent une phase d'apprentissage des futurs utilisateurs qui doivent répéter plusieurs fois différentes phrases spécifiques. Une manière de réduire l a complexité de la reconnaissance vocale consiste à limiter le vocabulaire des mots reconnus. Une autre manière consiste à parler lentement et à bien détacher les mots.

L'organe vocal devrait s'imposer comme le principal dispositif d'interaction entre l'homme et la machine, comme il l'est entre les hommes. Les systèmes futurs devraient permettre de reconnaître le discours de n'importe quelle personne, sans phase d'apprentissage et sans limitation de vocabulaire et de langue. Des applications industrielles font d'ores et déjà partie de notre quotidien telles que certaines commandes de voiture, certains jouets ou la dictée vocale d'un rapport médical.

16.3 Images

L'image, au même titre que les autres médias, joue un rôle fondamental dans notre vie courante. La télévision en est la consécration suprême. Les images se déclinent en deux grandes catégories : les images fixes (dessins, photographies) et les images animées (télévision, vidéo).

L'imagerie, en général, est dans une phase de transition importante (presque une révolution) vers le numérique. De nombreux domaines sont touchés tels que la photographie (appareils photo numériques), la télévision (TV haute définition, TV interactive), la vidéo (caméscope numérique).

Comparaison entre image et texte

Il est un adage populaire qui nous dit qu'une image vaut mieux que mille mots. On peut l'appliquer de même à la taille des fichiers qui contiennent ces données. En effet, une page de texte bien remplie contient approximativement 5'000 caractères. Chaque caractère est stocké sur un byte (octet), le fichier contenant la page de texte a donc une taille de 5 KBytes. Une image de la taille d'une page et de qualité moyenne contiendra environ 2'000 × 2'500 points. Si chaque point est codé sur un byte (256 couleurs possibles), la taille du fichier contenant cette image est de 5 MBytes. Il y a un facteur 1'000 entre la taille du fichier image et la taille du fichier texte. Ce facteur 1'000 nous donne un ordre de grandeur représentatif de la différence de taille (au sens volume de données à gérer) entre une information de type texte et une information de type image.

16.3.1 Images fixes

Image numérique

Les premières images numériques étaient des images fixes. Du fait des limitations techniques des écrans de l'époque, les images étaient limitées à deux couleurs, le noir et le blanc (les points de l'écran étaient soit allumés soit éteints). Ce type d'image binaire est appelé **bitmap** (chaque point est représenté par un bit). Depuis, les niveaux de gris et, ensuite, les couleurs ont permis de créer des images, appelées **pixmap**, plus réalistes.

Une image **pixmap** est une matrice de points nommés **pixels** (contraction de *picture element*). Elle se caractérise par sa résolution spatiale (nombre de lignes et de colonnes) et par sa dynamique (nombre d'intensités ou de couleurs différentes que peut prendre chaque pixel).

La taille (en bits) d'une image pixmap est égale au produit suivant :

$$\textbf{lignes} \times \textbf{colonnes} \times \textbf{dynamique.}$$

Une telle image est dépendante de sa résolution. Son agrandissement ou sa réduction implique de dupliquer ou d'éliminer les points qui la composent. En conséquence, un agrandissement provoque généralement certaines imprécisions telles que l'apparition d'escaliers le long des bords des objets de l'image. Cette pixélisation de l'image est due au fait qu'à chaque point de départ correspond maintenant un groupe de points identiques. Ce problème se résoud partiellement en effectuant une interpolation des points de l'image.

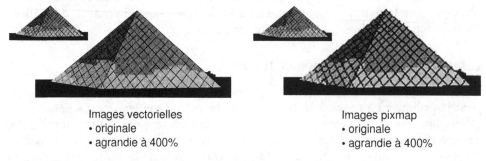

Images vectorielles
• originale
• agrandie à 400%

Images pixmap
• originale
• agrandie à 400%

Figure 16.3 : Comparaison entre image vectorielle et image pixmap

Images vectorielles

Une image **vectorielle** est constituée de vecteurs (figure 16.3). Chaque élément de l'image est un vecteur défini par ses points de contrôle. Un vecteur peut être une simple ligne droite plus ou moins longue ou une courbe définie par des points et une fonction (une fonction polynômiale, par exemple). Ce type d'images est assez limitatif, il ne permet pas de représenter des images photographiques par exemple, mais il a certains avantages tels que la taille réduite des fichiers, et la précision à l'impression à tous les facteurs d'échelle (on peut agrandir ou rétrécir une image vectorielle sans perte de qualité). Pour ces raisons, les images vectorielles sont particulièrement adaptées aux dessins techniques et, de façon plus générale, aux dessins créés à partir de formes géométriques tels que rectangles, ellipses, courbes de Bézier, etc.

Ce type d'image (images vectorielles) est très utilisé pour l'impression des caractères d'un texte. En effet, ceux-ci doivent pouvoir être imprimés à différentes tailles sans perte de qualité. Pour cela, chaque caractère est codé comme une suite de vecteurs. La norme PostScript est un format développé par la société Adobe Systems qui s'est imposé comme un standard de facto dans le monde de l'impression.

PostScript est un langage de description de page [*PDL : Page Description Language*] développé initialement pour l'impression de documents sur des imprimantes laser. Tous les éléments d'une page (dessins + textes) sont considérés comme des objets et sont définis comme des collections de formes géométriques.

Chaque caractère d'une police est décrit comme une succession de vecteurs, ce qui permet d'avoir une qualité d'impression optimale quelle que soit la taille des caractères désirée. Une imprimante non-PostScript utilise des bitmaps pour la définition des caractères, ce qui nécessite d'avoir des bitmaps pour chaque taille de caractère si l'on veut une qualité acceptable d'impression. En général, ces bitmaps ne sont définis que pour deux ou trois tailles de caractères.

Le langage PostScript est un langage de commande uniquement adapté aux imprimantes. Il n'est pas adapté au stockage et à l'échange de données. Le format **EPS** [*Encapsulated PostScript*] a été créé pour combler ce manque, il permet le stockage de données graphiques et textuelles dans un format dérivé de PostScript. Ce format est accepté par la plupart des logiciels et des machines. En principe, un fichier EPS contient aussi une image bitmap des graphiques contenus, ce qui permet de les visualiser à l'écran.

La différenciation image vectorielle / image pixmap est similaire à la différenciation sons MIDI/sons échantillonnés.

Synthèse et analyse d'images

L'imagerie au sens large se partage en deux mondes distincts : la **synthèse** d'images et l'**analyse** d'images. La **synthèse** d'images consiste à créer des images à partir d'idées ou de modèles. L'**analyse** d'images est le processus inverse qui consiste à analyser les images pour les améliorer, les modifier ou en extraire certaines informations.

La **synthèse** d'images a pour principal but de créer des images 3D (fixes et animées) qui soient les plus réalistes possibles. Les images générées sont des images vectorielles construites à partir de modèles géométriques. L'animation repose aussi sur la modélisation du mouvement des objets représentés (un animal, un véhicule, un homme,...). Une scène complexe se compose d'une multitude d'objets géométriques, chaque objet se composant lui-même d'une multitude de polygones (un polygone est une suite de vecteurs). En associant une texture, une couleur à chaque petit polygone, on peut créer des images de synthèse (figure 16.4). L'animation se réalise en faisant bouger les objets et/ou en déplaçant le point d'observation (la caméra).

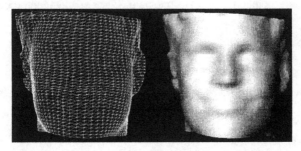

Figure 16.4 : Exemple d'une image de synthèse formée de polygones

L'**analyse** d'images travaille à partir d'images de type pixmap. Les buts sont multiples : amélioration de l'image (suppression du bruit, renforcement du contraste ou des couleurs), modification de l'image, ou encore identification/extraction de régions. C'est ce que l'on appelle généralement le traitement d'images.

Voici quelques manipulations de base en analyse d'images que l'on trouve dans le plupart des logiciels de traitement d'images : zoom, rotation, symétrie, filtrage, segmentation.

Le **zoom** correspond à la possibilité d'agrandir ou de diminuer la taille d'une image (figure 16.5). L'agrandissement peut s'effectuer avec ou sans interpolation. Sans interpolation, les points de l'image sont dupliqués, processus rapide mais qualité de l'image obtenue relativement moyenne, car on voit des *pavés*. Avec interpolation, les points de la nouvelle image sont calculés en fonction du voisinage du point d'origine, ce qui donne une meilleure qualité d'image. Par contre, ce processus demande de nombreux calculs. De même, la réduction d'une image peut s'effectuer de plusieurs manières. Par échantillonnage [*subsampling*], on prend un pixel tous les *n* pixels sur une ligne et une ligne toutes les *n* lignes. Une deuxième méthode consiste à moyenner : les pixels de la nouvelle image sont calculés comme la moyenne de plusieurs pixels de l'image originale. L'image obtenue est de meilleure qualité, elle est moins sensible au bruit de l'image originale, mais elle nécessite plus de calculs.

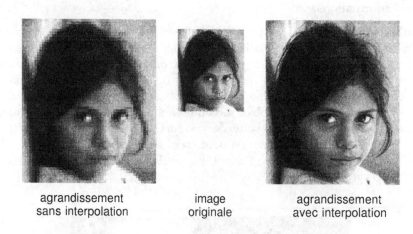

agrandissement   image   agrandissement
sans interpolation   originale   avec interpolation

Figure 16.5 : Zoom sans et avec interpolation

La **rotation** et la **symétrie** [*flip*] sont des opérations géométriques simples (figure 16.6).

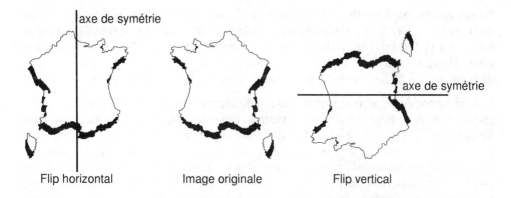

Figure 16.6 : Symétries horizontale et verticale

Le **filtrage** permet de modifier l'image selon différents effets. Le lissage remplace une valeur de pixel par une moyenne de la valeur des pixels voisins, ce qui a pour effet d'atténuer le contraste et d'éliminer le bruit. On peut aussi renforcer les contours ou donner du relief à l'image (figure 16.7).

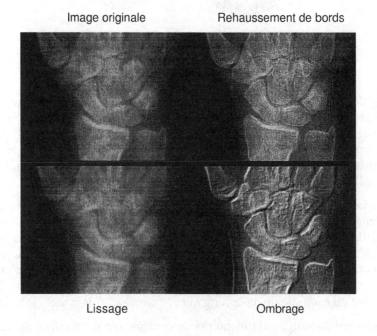

Figure 16.7 : Exemples de filtres appliqués à une image

La **segmentation** consiste à identifier ou à diviser une image en régions similaires qui correspondent à différents objets, structures ou organes. La vision humaine est adaptée à ce type d'opération alors que c'est une opération relativement complexe pour un ordinateur. Il n'y a pas une méthode standard de segmentation, mais différentes méthodes existent, adaptées à des conditions particulières.

La **croissance de région** est une technique de segmentation (figure 16.8). Elle vise à grouper un ensemble de points adjacents dont les attributs varient de façon négligeable. On cherche à identifier des zones homogènes de l'image. On regroupe itérativement des points qui ont des propriétés de connexité, en régions plus importantes suivant des critères de similitude. Typiquement, il est demandé que pour une région donnée la différence d'intensité entre un point de départ (graine) et tous les autres points de cette région soit inférieure à une certaine tolérance.

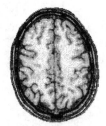 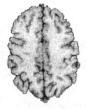

Image originale   Image obtenue par segmentation
(croissance de région)

Figure 16.8 : Segmentation d'une image

En principe, ces méthodes fournissent des régions fermées et donc des contours fermés facilement exploitables pour des mesures morphologiques. Les inconvénients sont surtout la complexité d'implémentation et le fait que l'on peut obtenir plusieurs petites régions. Cette méthode peut aussi être appliquée à des images en 3D (3 dimensions).

D'autres opérations permettent de modifier les images. C'est le cas du *warping* et du *morphing*. Le **warping** a pour but de modifier une image par distorsion. On peut ainsi modifier la face d'un personnage ou d'un animal (figure 16.9). Le **morphing** est une technique permettant de transformer une image en une autre. Cette transformation s'effectue graduellement en générant un grand nombre d'images sur lesquelles on ne voit que peu de transformations d'une image à l'autre. La figure 16.10 montre un exemple de morphing avec seulement trois images intermédiaires.

Ces deux techniques utilisent des points de contrôle qui permettent de définir des points de référence.

Figure 16.9 : Exemple de warping d'une image

image source   image source

Figure 16.10 : Séquence d'images obtenue par morphing entre deux images

Dans certains domaines, comme l'imagerie médicale, les images ont une certaine épaisseur. Ainsi, une coupe du corps humain générée par un scanner a une épaisseur de 1 ou plusieurs millimètres. On dit alors que les points de l'image sont des **voxels** [*Volume Pixel*]. Un examen scanner génère une séquence d'images qui représente une partie volumétrique du corps (figure 16.11).

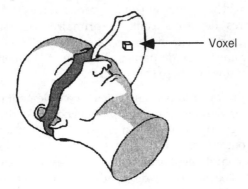

Voxel

Figure 16.11 : Voxel (élément 3D d'une image)

Image couleur

Une image couleur est une image dans laquelle chaque point peut prendre une couleur propre. Chaque couleur est définie précisément par une longueur d'onde spécifique, mais les ordinateurs utilisent des combinaisons de couleurs de base pour reproduire une vaste palette de couleurs.

Le système **RGB** [*Red, Green, Blue*] (Rouge, Vert, Bleu) est le système retenu pour les écrans d'ordinateurs. Ce sont les couleurs des trois couches de phosphore utilisées par les écrans couleur. Ces trois couleurs sont appelées couleurs primaires (figure 16.12). La couleur résultante de la combinaison de ces trois sources lumineuses sur un écran est le blanc. C'est ce qu'on appelle une synthèse additive.

Couleurs additives de base   : rouge, vert, bleu
Couleurs soustractives de base : cyan, magenta, jaune

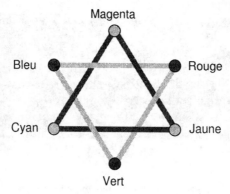

Figure 16.12 : Systèmes de couleurs additives et soustractives

D'autres systèmes de représentation des couleurs existent qui sont plus adaptés à certaines applications. Pour l'impression, le système de référence est le **CMY** [*Cyan, Magenta, Yellow*]. Ces trois couleurs sont les couleurs complémentaires du rouge, du vert et du bleu. Elles sont obtenues en les combinant deux à deux : cyan = bleu + vert, magenta = bleu + rouge et jaune = vert + rouge. Ces trois couleurs sont dites complémentaires des trois couleurs primaires. Ce sont celles qui sont utilisées dans l'imprimerie pour imiter le mieux possible les couleurs naturelles. Leur combinaison sur une feuille de papier (éclairée de lumière blanche) donnera la couleur noire. C'est une synthèse soustractive.

Chaque surface colorée va absorber ses couleurs complémentaires et ne réfléchir que celles qui nous sont visibles. Par exemple, quand on éclaire une surface verte, la couleur verte ne nous apparaît que parce que le rouge et le bleu de la lumière blanche éclairante ont été absorbés par les couleurs complémentaires du vert. Comme les couleurs complémentaires sont absorbées, cela signifie qu'elles sont soustraites du blanc d'où la notion de synthèse soustractive. Les règles de la synthèse soustractive déterminent toutes les opérations où l'on n'a pas affaire à des sources de radiations lumineuses, mais à l'application de couches d'encres de couleurs (colorants), comme c'est le cas en photographie et en imprimerie.

Il existe encore d'autres systèmes de représentation de l'espace des couleurs. Citons le système basé sur la luminosité, la saturation et la teinte. Ce système se veut plus intuitif que les précédents, il essaie de refléter le cheminement intellectuel d'un peintre. La première étape consiste à choisir une teinte de base (bleu, rouge, vert, jaune, violet). La saturation consiste à rajouter du blanc (on passe d'une couleur pure à un pastel). La luminosité consiste à rajouter du noir (couleur plus ou moins grisée). Ces deux dernières opérations reviennent à ajouter en plus ou moins grande quantité un gris plus ou moins foncé.

Comme le système de couleur utilisé pour les écrans n'est pas le même que celui utilisé par les imprimantes, il en résulte des problèmes de consistance des couleurs. Il arrive fréquemment que la couleur vue à l'écran n'est pas exactement celle que l'on obtient à l'impression. Le problème est de savoir quel est le système de référence. Ce problème est crucial dans le monde de l'édition où la précision des couleurs est très importante. C'est pourquoi on utilise des nuanciers comme système de référence. Un **nuancier** est une sorte de dictionnaire des couleurs. Chaque couleur est déclinée dans de nombreuses nuances (le support physique est une petite fiche cartonnée). Chaque nuance est référencée par un numéro et est décrite par sa composition. La firme californienne **Pantone Matching System** produit les nuanciers les plus célèbres. Les nuanciers sont utilisés pour identifier et définir la couleur des encres et des papiers mais aussi celle des pigments pour les céramiques.

Formats de fichiers d'images

Il existe un grand nombre de format de fichiers dédiés aux images. Les plus utilisés sont les suivants : PICT, TIFF, GIF, EPS (vu plus haut dans ce chapitre), JPEG (voir chapitre 4 sur l'encodage des données), BMP, PNG.

Le format **PICT** est le plus utilisé dans le monde Macintosh. Il gère aussi bien des images vectorielles que des images pixmaps. Le format **TIFF** [*Tagged Image File Format*] est un format multiplateforme pour les images pixmap. Il offre une multitude d'options pour le codage des images, ce qui en fait un format complexe. Le format **GIF** [*Graphic Interchange Format*] est un autre format multiplateforme pour les images pixmap. Destiné initialement à la transmission d'images, il permet le stockage de plusieurs images et la compression de celles-ci à l'aide de l'algorithme LZW. De plus, l'image peut être entrelacée, ce qui permet de la visualiser avec une qualité acceptable avant qu'elle ne soit complètement transférée. Le format GIF ne gère que les images 8 bits (256 couleurs). C'est un format de choix pour la transmission d'images sur Internet. **BMP** est le format standard des fichiers d'images pixmap sur le système Microsoft Windows. Le format **PNG** [*Portable Network Graphics*] a été conçu pour remplacer le format GIF et, dans une moindre mesure, le format TIFF. Il reprend les concepts du format GIF, à savoir la compression (sans perte) et l'entrelacement (bidimensionnel), mais en utilisant des technologies plus récentes. Il supporte les images couleurs 24 bits, les images en niveaux de gris et les images 8 bits avec une table de couleurs.

16.3.2 Images animées et vidéo

L'animation d'images sur un écran d'ordinateur suit le même principe que celui de la télévision ou du cinéma. Il suffit d'afficher rapidement et successivement des images différentes. L'affichage en temps réel (sans saccades) nécessite une vitesse d'affichage d'au moins 25 images/s. Dès que l'on a l'animation des images, le son devient indispensable pour arriver à la notion de vidéo.

Comme pour tous les autres types de média, le numérique représente l'avenir de l a vidéo. Les caméscopes numériques remplacent progressivement les caméscopes analogiques, certains satellites de télévision émettent des *bouquets* de chaînes en numérique.

La numérisation d'une séquence vidéo génère un énorme volume de données, ce qui pose deux problèmes : celui de leur transmission en temps réel et celui de leur stockage.

 Prenons l'exemple de la télévision. Une image se compose de 625 lignes et la taille de l'écran a un rapport de 4:3 entre taille horizontale et taille verticale. Les images s'affichent à raison de 50 images /s. A partir de ces données, calculons la bande passante théorique nécessaire à l'affichage de ces données en temps réel et la taille d'un film de 2 h.

Le nombre de colonnes est égal à (625 / 3) × 4 = 833 colonnes. Admettons que chaque image est codée sur 8 bits. La taille d'une image est de 833 × 625 × 8 = 4,1 Mbits. Comme il y a 50 images/s, une seconde correspond à 4,1 × 50 = 205 Mbits. Il faut donc un canal de transmission de plus de 200 Mbits/s pour transmettre cette qualité d'image en temps réel.

Le stockage d'un film de 2 heures (7'200 s) nécessite une capacité de 205 × 7'200 = 1'476 Gbits = 184 GBytes ! Ces calculs ne tiennent pas compte de la bande sonore qui est d'environ 64 KBytes/s pour une bonne qualité.

 L'exemple précédent se base sur une qualité d'image proche de la télévision actuelle. Il faut remarquer que différentes variantes de qualité existent. Ainsi, la vidéo, au sens des films enregistrés sur bande VHS, correspond à une qualité nettement moindre. La télévision haute définition avait pour objectif des images d'une taille de 1'920 colonnes pour 1'080 lignes (format 16:9).

Vu le volume de données nécessaires à l'encodage d'une source vidéo, il est nécessaire de comprimer ces informations. Etant donné l'enjeu économique d'un système de télévision numérique, de nombreux groupes travaillent sur ce sujet. Malgré les différentes approches étudiées jusqu'à maintenant, un standard émerge quelque peu : le standard MPEG.

MPEG [*Motion Picture Expert Group*] est le nom donné au groupe de travail chargé de définir une norme de compression de séquences vidéo, ou plus exactement de successions d'images dans le temps accompagnées d'une bande sonore. Le but de ce groupe est de définir des méthodes de compression qui permettent de réduire considérablement le volume de données d'une séquence vidéo tout en conservant une certaine qualité d'image et de son. Le résultat doit être d'une qualité similaire à celle de la télévision. Cette norme est complètement indépendante d'un type particulier de matériel.

La compression des données doit satisfaire aux deux objectifs suivants : réduire l'espace occupé par le stockage d'une séquence vidéo et réduire la bande passante nécessaire à son transfert en temps réel sur un canal numérique. Une contrainte demeure : obtenir une qualité d'image et une qualité sonore similaire à celle de la télévision. Les données images et sons doivent être multiplexées pour permettre leur transmission simultanée. La décompression doit pouvoir s'effectuer rapidement (en temps réel) et garantir la synchronisation des images avec le signal sonore.

La norme MPEG est divisée en trois parties distinctes qui prennent en charge les éléments suivants : les images, la bande sonore et la synchronisation entre son et image.

Le grand principe du codage des images (appelé MPEG Vidéo) repose sur les redondances qui existent entre les images successives. On utilise ensuite une méthode similaire à JPEG pour leur encodage, c'est-à-dire que l'on utilise les Transformées de Cosinus Discrètes (DCT) sur des matrices 8 x 8 et que le résultat est compressé à l'aide d'un codage de Huffman (voir le chapitre 4 qui traite de l'encodage). Il est évident que la plupart des images vidéo d'une même séquence contiennent de nombreuses redondances que l'on essaie d'éliminer. Il existe trois types de codage d'une image :

- I [*Intraframe*] : codage de l'image entière, sert d'image de référence,
- P [*Predicted Frame*] : image codée à partir de l'image I ou P précédente,
- B [*Bidirectionnal Frame*] : image codée à partir de deux images I ou P, la précédente et la suivante dans le futur.

Une première étape dans le traitement de l'image consiste à la transformer dans un système de couleurs peu ordinaire basé sur la luminance (le blanc) et les chrominances (le bleu et le rouge). Ce système dérive du fait que l'œil humain est moins sensible aux informations de couleur qu'aux informations de luminosité. Une image se décompose en trois composantes : la luminance et deux chrominances. Comme les chrominances sont moins importantes, on divise leur résolution par un facteur deux.

Nous avons vu qu'une séquence vidéo contient une succession d'images contenant des redondances que l'on essaie d'éliminer. Une technique similaire consiste à identifier des blocs d'images identiques qui se déplacent d'une image à l'autre (par exemple, un objet qui se déplace tel qu'une voiture qui avance). Chaque déplacement est codé sous la forme d'un vecteur. Il suffit de connaître le bloc de départ et les vecteurs de déplacement pour reconstituer les images qui suivent.

Le codage de la bande sonore (appelé MPEG Audio) repose sur trois facteurs : la fréquence d'échantillonnage (l'oreille humaine perçoit les sons de 20 Hz à

22 KHz), la qualité d'un échantillon (8 ou 16 bits) et la décomposition en bandes de fréquences (32 bandes de 720 Hz).

Le codage tient encore compte de la sensibilité variable de l'oreille aux diffé-rentes fréquences (par exemple, l'oreille est plus sensible aux fréquences entre 1 KHz et 4 KHz qui est la bande de fréquences occupée par la voix humaine). Tout signal inaudible (ou presque) par l'oreille est éliminé. Comme pour l'image, on peut ne coder que les différences entre deux signaux de la même bande de fréquences.

MPEG se décline sous plusieurs formes numérotées de 1 à 4 qui correspondent à différentes vitesses de transmission :
- **MPEG-1** : 1,5 Mbits/s, qui la vitesse d'un lecteur de CD-ROM. En effet, cette norme est dédiée au support CD-ROM. La définition des images est de 350 × 288 × 25 Hz. Celle du son est de 44,1 KHz sur 8 bits.
- **MPEG-2** : de 2 à 15 Mbits/s, ce qui permet une meilleure qualité correspondant à celle de la télévision. La définition des images est de 468 × 480 × 25 Hz.
- **MPEG-3** : originalement prévue pour la télévision haute définition, elle a été regroupée dans le MPEG-2. La vitesse de transmission prévue était de 20 à 40 Mbits/s pour des images vidéo de 1'920 × 1'080 × 30 Hz.
- **MPEG-4** : vitesse inférieure à 64 Kbits/s, le thème de cette norme est la visiophonie, c'est-à-dire l'acheminement d'images vidéo sur des lignes téléphoniques. La définition des images est de 176 × 144 × 10 Hz. De nouvelles techniques de compression sont envisagées telles que les fractals et les ondelettes.

MPEG propose des standards de compression pour les séquences vidéo, mais ce n'est en aucun cas une application. Les principales applications de manipulation des données multimédia sont **Quicktime** développé par Apple et **Video for Windows** développé par Microsoft. Ces deux applications incluent entre autres le traitement de séquences MPEG.

Certains constructeurs proposent leur propre solution de compression/ décompression des séquences vidéo, comme par exemple Intel avec sa norme **Indeo**.

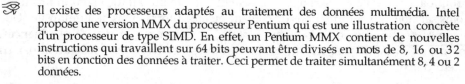

Il existe des processeurs adaptés au traitement des données multimédia. Intel propose une version MMX du processeur Pentium qui est une illustration concrète d'un processeur de type SIMD. En effet, un Pentium MMX contient de nouvelles instructions qui travaillent sur 64 bits pouvant être divisés en mots de 8, 16 ou 32 bits en fonction des données à traiter. Ceci permet de traiter simultanément 8, 4 ou 2 données.

La prochaine révolution dans le domaine de la vidéo va être l'interactivité. Fini la télévision ou la vidéo que l'on regarde passivement, la prochaine génération permettra d'influer sur le déroulement d'un film, soit par le choix d'une option de scénario, soit par le choix d'une caméra (ce qui existe déjà pour les retransmissions de matchs de football). Un comité de travail a été créé pour s'occuper des applications multimédia, c'est le **MHEG** [*Multimedia and Hypermedia Expert Group*].

16.4 Réalité virtuelle

La **réalité virtuelle** consiste à créer un environnement artificiel présenté à l'utilisateur d'une telle façon qu'il apparaisse comme un environnement réel.

Pratiquement, plusieurs interprétations de la notion de réalité virtuelle sont possibles. La première qui vient à l'esprit est liée à une technologie d'avant-garde de dispositifs qui permettent d'interagir directement avec nos sens, en particulier la vue, l'ouïe et le toucher sans oublier la possibilité de se mouvoir dans un espace tridimensionnel. Pour s'immerger dans une réalité virtuelle, l'utilisateur doit porter un équipement particulier incluant des gants spéciaux et un casque de visualisation et d'écoute qui permettent d'interagir avec le système. Le développement de ce domaine récent est surtout supporté par les applications militaires et les jeux.

Une autre interprétation, moins technologique, consiste à considérer que la réalité virtuelle est une manière de visualiser, manipuler et interagir avec des données très complexes. Ces données complexes sont des mondes virtuels qui peuvent être animés c'est-à-dire qui peuvent évoluer en fonction du temps. L'interaction à l'intérieur de ces mondes est un critère déterminant d'un monde virtuel. La réactivité du système doit être proche du temps réel. Ainsi l'observateur doit pouvoir se déplacer en temps réel dans ce monde.

Les systèmes de réalité virtuelle se caractérisent par les dispositifs d'interaction utilisés. Les systèmes les plus simples se contentent d'un ordinateur multimédia alors que les plus complexes, les systèmes immersifs, nous plongent complètement à l'intérieur du monde virtuel (le champ visuel est couvert entièrement par un écran où s'affichent des images en stéréo, les sons directionnels proviennent d'un casque d'écoute et les mouvements des yeux ou des autres parties du corps modifient en temps réel les images qui s'affichent et les sons que l'on entend). Un environnement encore plus sophistiqué consiste à isoler l'observateur dans une salle où toutes les parois servent à la projection d'images. Ainsi, l'observateur n'est plus soumis aux contraintes d'un équipement personnel. L'immersion est totale.

La génération d'images de synthèse en temps réel est l'activité qui nécessite le plus de ressources. Une interaction complexe, telle que dans les systèmes immersifs, nécessitent l'utilisation d'équipements sophistiqués de visualisation et surtout de positionnement dans l'espace. En outre, ces dispositifs doivent être capables de suivre les mouvements des yeux ou de la main. Le système doit alors réagir en temps réel, plus le temps de latence est long (temps de réaction du système), moins bonne est la perception du monde virtuel.

VRML

La réalité virtuelle n'est pas forcément synonyme d'équipements sophistiqués et onéreux, elle commence à se décliner sous des formes plus abordables pour le grand public. Une de ces formes en voie de développement et promise à un bel avenir est liée au monde Internet. Une déclinaison du langage HTML a conduit au langage VRML.

Le langage **VRML** [*Virtual Reality Modeling Language*] est un langage permettant de spécifier des scènes en trois dimensions. Les navigateurs VRML permettent de naviguer à travers ces scènes et de manipuler les objets, tout ceci en trois dimensions.

Ainsi, une scène complexe est modélisée à l'aide de formes simples ou de vecteurs. Ces données peuvent être échangées facilement à travers Internet. Les navigateurs (qui utilisent les ressources de l'ordinateur local) permettent de visualiser et de manipuler ces objets. La rapidité d'interaction ne dépend que de la puissance locale disponible, aucune information n'est plus transmise à travers le réseau pour une scène statique. Dans le cas d'une scène en mouvement, il suffit de transmettre les variations des modèles.

 La modélisation d'objets et de scènes tridimensionnelles permet de réduire considérablement le volume d'information nécessaire à la description de ceux-ci. Admettons que l'on arrive à modéliser des scènes complexes et leur évolution dans le temps. Il suffit d'envoyer le modèle à un correspondant pour que celui-ci puisse recréer la scène. De plus, ce dernier pourra interagir en temps réel, se déplacer dans la scène, changer l'éclairage et manipuler les objets. A quand un match de football cybernautique où chaque équipe joue sur son propre terrain. De manière plus réaliste, l'architecture pourrait rapidement bénéficier d'un tel système, où les plans d'une maison pourraient se discuter à travers le réseau. La difficulté majeure réside dans la capacité à modéliser des scènes complexes telles qu'un animal en mouvement ou les expressions d'un visage humain.

Il y a trois notions fondamentales dans la description d'une scène tridimensionnelle : la **position de l'observateur**, les **éléments de la scène** et les **sources lumineuses**.

Les éléments de la scène sont décrits à l'aide de formes primitives telles que cube, sphère, cône ou cylindre. Des éléments plus complexes peuvent être décrits à l'aide de vecteurs de points tridimensionnels. L'apparence d'un objet est définie par différentes propriétés :
* la nature de l'élément (matériau + texture) qui définit l'interaction avec la lumière,
* la position de l'élément dans la scène obtenue par translation et rotation,
* l'échelle qui permet d'agrandir ou de diminuer la taille de l'élément,
* les sources lumineuses qui éclairent la scène,
* la position de l'observateur.

Toutes ces propriétés peuvent être modifiées par l'observateur qui peut ainsi se *promener* dans une scène, changer l'éclairage, regarder les objets sous un autre angle ou encore changer la taille de ceux-ci.

16.5 Dispositifs d'interaction

Un ordinateur multimédia doit être capable d'acquérir et de reproduire les différents types d'information que sont le texte, le son et l'image. Pour cela, on utilise des cartes spéciales, en particulier une carte son et une carte vidéo (table 16.1).

Table 16.1 : Principaux dispositifs d'interaction multimédia

	Texte	Sons	Images fixes	Images animées
Acquisition	Numérisation + reconnaissance de caractères Clavier	Microphone Lecteur CD Chaîne hi-fi	Numérisation Appareil photo numérique	Magnétoscope Caméscope numérique
Restitution	Impression Ecran	Hauts-parleurs	Impression couleur Ecran	Ecran Vidéo

Concernant la manipulation de ces informations, les dispositifs les plus connus sont les suivants : souris, clavier, boule [*trackball*], trackpad [*trackpad*] (petite tablette sensible au doigt que l'on trouve surtout sur les ordinateurs portables), manche à balai [*joystick*], écran sensitif [*touchscreen*]. Les jeux ont favorisé le développement de manettes sophistiquées telles que les manettes qui permettent le déplacement en trois dimensions. La réalité virtuelle a quelque peu révolutionné ces dispositifs en nécessitant le développement de moyens d'interaction entièrement nouveaux tels que les casques avec écran, les gants [*dataglove*] qui permettent le suivi de mouvement et le positionnement en trois dimensions de la main et tous les capteurs qui permettent de suivre soit le mouvement des yeux, soit le mouvement d'un corps.

Chapitre **17**

Internet

Dans les chapitres précédents, nous avons pu noter l'évolution progressive, à la fois au niveau de l'architecture des ordinateurs, de leur système d'exploitation, des données qu'ils exploitent et des langages pour les programmer, d'un modèle centralisé à un modèle distribué. Cette distribution est perceptible avec l'avènement du parallélisme, la mise en réseau des machines, l'implantation de systèmes d'exploitation multiprocessus et multithread comme UNIX, l'apparition des bases de données distribuées et la gestion distribuée des fichiers (NFS par exemple), enfin au niveau programmation avec le paradigme orienté objet. Récemment, cette évolution a connu un nouveau bond en avant avec l'explosion d'Internet, l'apparition du World-Wide Web et la mise à disposition du grand public d'un média dont les potentialités commencent tout juste à se dévoiler.

17.1 Internet

Nous avons vu dans le chapitre 11 sur la téléinformatique et les réseaux qu'Internet était l'une des réponses au besoin croissant d'interconnecter des réseaux hétérogènes. **Internet** est aujourd'hui à la base du réseau mondial et connaît une exploitation exponentielle. Dans ce paragraphe, nous étudions plus en détail les différentes étapes ayant conduit à l'Internet d'aujourd'hui et à son descendant direct, qui a contribué pour beaucoup à ce succès, le World-Wide Web.

17.1.1 Origines

L'histoire d'**Internet** est relativement ancienne (comparée à sa récente médiatisation) puisqu'elle remonte à 1969. Il s'agissait, à l'instigation du Département de la Défense des Etats-Unis, de mettre sur pied un réseau d'ordinateurs qui continuerait à fonctionner même en cas de catastrophe comme dans le cas d'une guerre atomique. Réalisé comme contrat de recherche de l'Advanced Research Projects Agency (ARPA), quatre ordinateurs dans les universités du sud-ouest des Etats-Unis (UCLA à Los Angeles, Stanford Research Institute, UCSB à Santa Barbara et l'Université de l'Utah) furent tout d'abord connectés. La mise en ligne se fit en décembre 1969 (réseau Arpanet). En juin 1970, le MIT, Harvard, BBN et Systems Development Corp à Santa Monica furent ajoutés. Ils furent rejoints en janvier 1971 par Stanford, MIT's Lincoln Labs, Carnegie-Mellon et Case-Western Reserve University. A présent, Internet est un vaste réseau de réseaux recouvrant plus de 170 pays dans le monde. Sa grande caractéristique est l'hétérogénéité. Il relie des ordinateurs de types différents, exécutant des systèmes d'exploitation différents et met en contact des gens parlant des langues différentes.

 En juillet 1993, le nombre de machines estimé était de 1,7 millions pour 464'000 domaines Internet. En juillet 1997, ce nombre avoisinait les 20 millions recouvrant 1,3 millions de domaines Internet. En l'an 2'010, on estime qu'il y aura 200 millions de machines connectées au réseau et qu'elles pourront être (presque) toutes des serveurs.

17.1.2 Protocole TCP/IP

Le point commun des ordinateurs reliés par Internet est l'utilisation du **Protocole Internet** (IP) qui leur permet de communiquer. Le protocole IP permet la transmission de petits blocs d'information entre deux machines.

Le but d'Internet était de fournir un réseau de communication qui reste fonctionnel même si certains des sites connectés étaient détruits, en redirigeant le trafic sur des routes alternatives. Un protocole de communication plus évolué, **TCP/IP** a été développé dans ce sens (figure 17.1). Il s'appuie sur la transmission de données par paquets. Les informations sont divisées en petits blocs (paquets) de quelques centaines d'octets, numérotés et identifiés qui suivent des chemins indépendants en fonction du trafic sur les différentes lignes du réseau. Lorsqu'une ligne est coupée (par exemple par interruption d'une liaison satellite), les paquets qui s'y trouvent sont alors réexpédiés par un autre chemin. A l'arrivée, les paquets sont réassemblés dans le bon ordre et délivrés au destinataire.

 Le meilleur chemin pour transmettre une information d'un point à un autre n'est pas nécessairement le plus court. Il n'est pas rare de voir un courrier électronique, transmis d'une adresse en Suisse vers une adresse en France, voire même d'une adresse en France à une adresse en France, passer par les Etats-Unis.

17.1.3 Accès à Internet

Aucun gouvernement ni organisme privé ne possède réellement Internet. De nombreuses organisations et des individuels participent volontairement à des groupes de travail qui se rencontrent pour développer des standards pour les besoins technologiques. Tous les points de vue sont pris en compte lors de la mise au point de ces standards et les décisions sont prises démocratiquement par tous les participants. Les équipements (ordinateurs, câbles, routeurs...) appartiennent aux différents gouvernements et organismes privés et sont payés par les impôts et les charges utilisateur.

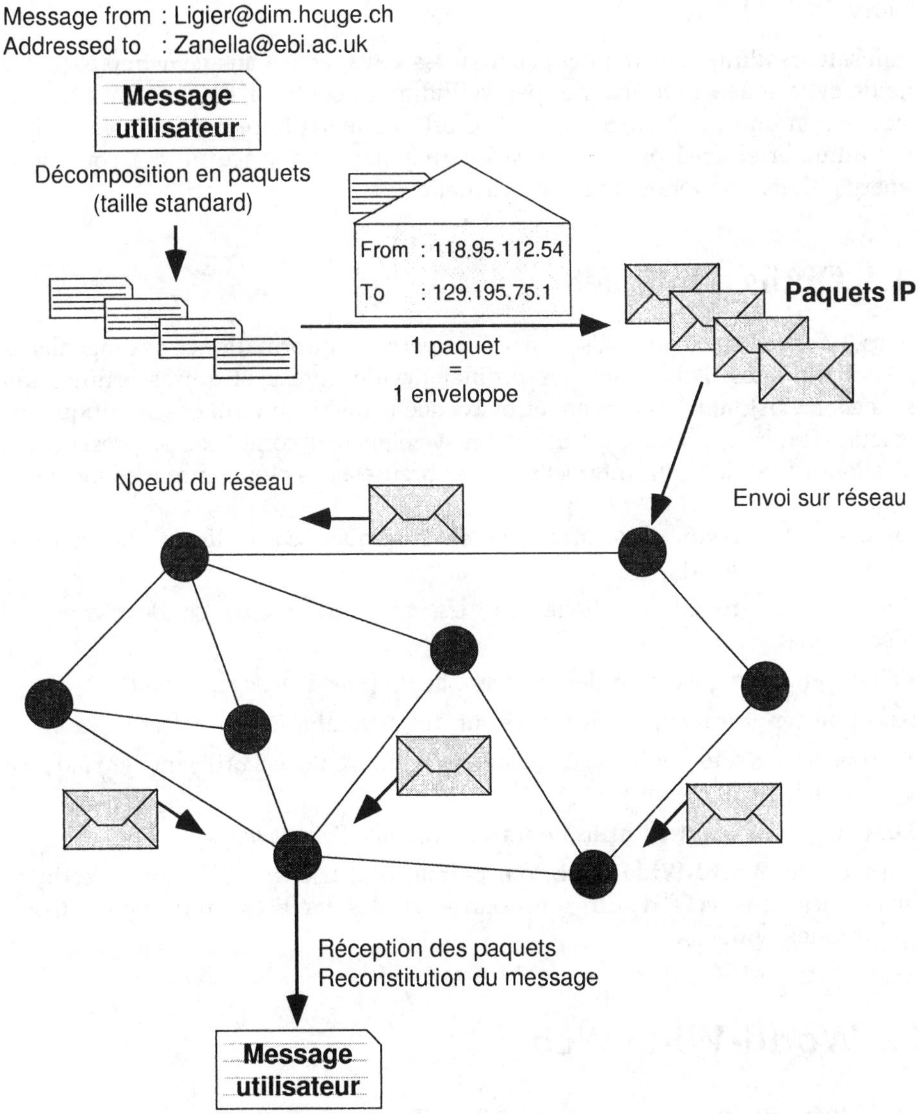

Message from : Ligier@dim.hcuge.ch
Addressed to   : Zanella@ebi.ac.uk

Message utilisateur

Décomposition en paquets
(taille standard)

From : 118.95.112.54
To   : 129.195.75.1

1 paquet
=
1 enveloppe

Paquets IP

Noeud du réseau

Envoi sur réseau

Réception des paquets
Reconstitution du message

Message utilisateur

Figure 17.1 : Protocole TCP/IP

De nos jours, l'accès à Internet est également beaucoup plus simple pour le grand public. Un utilisateur peut depuis son ordinateur personnel contacter un fournisseur d'accès (ou opérateur Internet [*Internet Service Provider*]) par modem. Ce fournisseur d'accès est lui-même connecté au réseau Internet et sert d'intermédiaire. Les différents réseaux nationaux sont connectés les uns aux autres par des liaisons à haute vitesse, les fameuses autoroutes de l'information. Des routeurs d'information s'échelonnent en différents points du réseau et sont chargés de sélectionner le meilleur chemin pour faire parvenir l'information d'un point à un autre.

Les utilisateurs d'Internet sont des cybernautes voyageant dans un **cyberspace**. Ce terme de cyberspace a été inventé par William Gibson en 1984 dans un livre de science-fiction intitulé "Neuroromance". C'est une métaphore décrivant le nouvel espace immatériel créé par le monde Internet. Le cyberspace ultime consiste à s'immerger dans un monde de réalité virtuelle.

17.1.4 Outils d'Internet

L'Internet des débuts était utilisé par des experts en informatique, des ingénieurs et des scientifiques. A l'époque, les ordinateurs de bureau et autres ordinateurs personnels n'existaient pas encore et quiconque utilisait Internet, scientifique ou ingénieur, devait apprendre à utiliser un système très complexe. A présent, les applications disponibles sur Internet sont nombreuses. Les plus communes sont :

- Envoyer et recevoir des **messages électroniques** en utilisant le courrier électronique [*Email*] ;
- Rejoindre des **forums** de discussion [*Usenet Newsgroups*] ou des listes de discussion ;
- **Echanger** des logiciels ou des fichiers par *ftp* [*File Transfer Protocol*];
- Se connecter et **travailler à distance** sur des ordinateurs avec *telnet* ;
- Se connecter à des milliers d'ordinateurs différents en utilisant *gopher*, un système à base de menus ;
- **Discuter** avec d'autres utilisateurs via *Internet Relay Chat* ;
- Explorer le **World-Wide Web**, qui permet d'utiliser tout ce qui précède et ajoute des liens vers d'autres ressources et des facilités multimédia (sons, graphiques, vidéos).

17.2 World-Wide Web

Indiscutablement, la popularité actuelle d'Internet vient de l'apparition du **World-Wide Web**. Web, en anglais, signifie toile d'araignée. Le World-Wide Web est donc la toile d'araignée qui couvre le monde entier. Ce n'est pas à proprement dit un outil, mais plutôt un ensemble de pièces logicielles qui facilitent grandement l'utilisation d'Internet (comme nous l'avons déjà mentionné le Web englobe les autres outils d'Internet) et le rendent attractif avec l'introduction du concept d'hypertexte.

17.2.1 Origines

La philosophie sous-jacente au World-Wide Web n'est pas récente. En 1945, un conseiller du président Roosevelt, Vannevar Bush publie une note intitulée "As we may think", où il imagine des toiles conceptuelles d'information. Plus récemment, en 1965, Ted Nelson invente la notion d'hypertexte qui sera exploitée un peu plus tard, avec succès, par le logiciel Hypercard d'Apple. World-Wide Web ou **WWW** ou 3W ou le **Web** tel que nous le connaissons, est un projet qui a débuté au CERN (Centre Européen pour la Recherche Nucléaire), en 1989, sous l'impulsion de Tim Berners-Lee avec comme objectif, la conception d'un système hypermédia distribué.

En pratique, le Web est un ensemble de documents hypertextes interconnectés et distribués sur le réseau mondial. Un document **hypertexte** est un document dans lequel sont présents des liens (hyperliens [*hyperlinks*]) vers d'autres documents (figure 17.2). Ces documents sont souvent rédigés par des auteurs totalement différents et forment ainsi un document global virtuel. La seconde caractéristique du Web est l'aspect hypermédia. Les documents ne contiennent plus seulement du texte mais également des graphiques et les hyperliens peuvent conduire à des images, des films vidéos ou du son (figure 17.3).

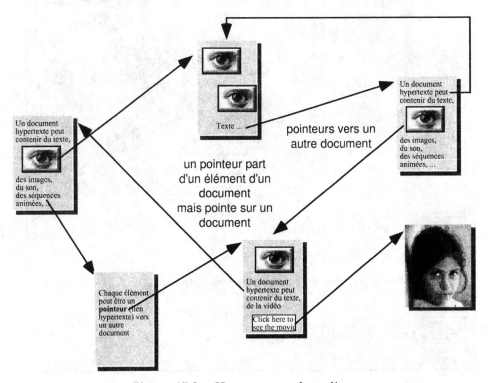

Figure 17.2 : Hypertexte et hyperliens

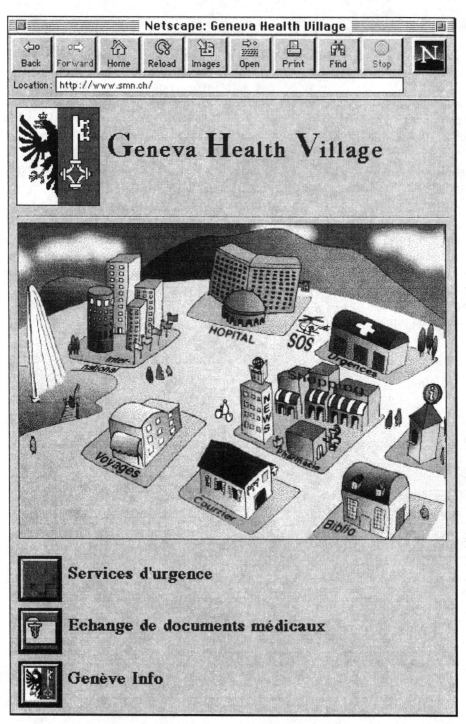

Figure 17.3 : Exemple d'une page Web (l'image est sensitive, les différents objets de l'image pointent vers un document particulier)

17.2.2 Localisateurs URL

Un document sur le Web possède donc des liens vers d'autres documents et peut lui-même être lié depuis un autre document. De la même manière qu'une station de travail possède une adresse unique, un identificateur doit être associé à chaque document. Comme nous l'avons souligné précédemment, le Web recouvre les différents types d'outils d'Internet (ftp, telnet, gopher...). Il faut donc que cet identificateur permette également de connaître le type de protocole d'accès utilisé.

L'identificateur d'un document sur le Web s'appelle une adresse URL [*Uniform Resource Locator*] et possède la structure suivante :

<service>://<user>:<password>@<host>:<port>/<url-path>

La partie <service> identifie le protocole d'accès (*ftp*, *http* ou *wais* par exemple). La partie <user>:<password> est facultative et permet d'accéder à des documents protégés par mot de passe. La partie <host>:<port> identifie la machine sur laquelle se trouve le document et le port de communication utilisé. La partie <host> peut être donnée sous forme numérique (129.195.100.204) ou alphabétique (cernvm.cern.ch). La partie <port> est en général la valeur par défaut 8000 et n'est pas spécifiée dans ce cas. Enfin, la partie <url-path> est le chemin d'accès au document.

 Un document se trouvant sur le site **www.expasy.ch** avec comme chemin d'accès **index.html** et accessible par le protocole **http** aura ainsi pour URL **http://www.expasy.ch/index.html**.

17.2.3 Langage HTML

Un document diffusé sur le Web peut être un simple texte, mais la plupart sont rédigés avec un langage qui permet de bénéficier pleinement des avantages du Web, c'est-à-dire des notions d'hypertexte et de multimédia. Le langage utilisé est le langage **HTML** [*Hyper Text Markup Language*] qui est une spécialisation du langage plus général SGML [*Standard Generalized Markup Language*]. C'est un langage à étiquette [*tag*] qui utilise des commandes sous forme d'étiquettes (par exemple : <I>Phrase en italique</I>). La figure 17.4 présente le source d'un document HTML simple (souvent appelé page Web) et la manière dont ce document est interprété par un client Web.

```
<html>
<head>
<TITLE>Welcome to the U.I.N.</TITLE>
</head>

<BODY BACKGROUND=
"/www/UIN/images/bkgd/Hieroglyph.gif">
<h1>
<AHREF="http://www.hcuge.ch">
<IMGALIGN=bottomSRC="/www/UIN/images/misc/hug.gif"
alt="H.U.G."></A>
<br>
<IMGALIGN=bottomSRC="/www/UIN/images/misc/UIN.gif"
alt="UIN logo">
</H1>
<H1>
Unit&eacute;d'ImagerieNum&eacute;rique
</H1>
<HR><H2>
Digital Imaging Unit
</H2>

<H2>University Hospital of Geneva</H2>
```

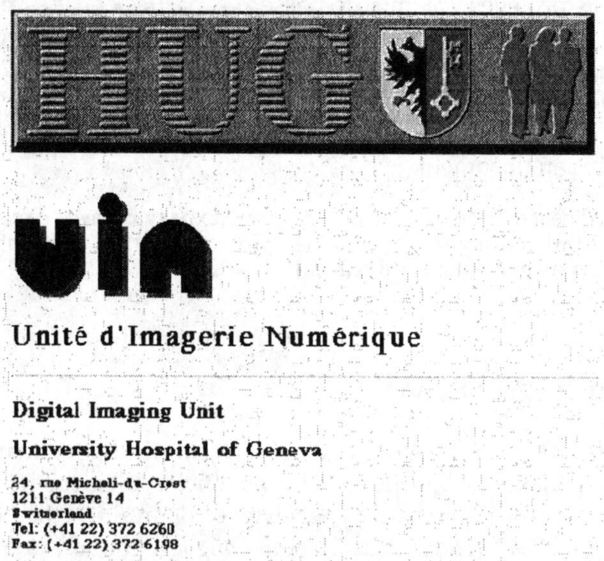

*Figure 17.4 : Source d'un document HTML
et résultat de sa visualisation par un client Web*

Les premières versions d'HTML étaient relativement simples et ne permettaient que la définition d'un titre, de titres de paragraphes, d'hyperliens vers d'autres documents ou d'hyperliens vers des images ainsi que quelques manipulations de texte comme la mise en mode gras ou souligné et le centrage. Les versions ultérieures ont introduit des fonctionnalités plus évoluées telles que les tableaux, le découpage de l'écran en sous-fenêtres, chacune d'elles pouvant servir à afficher un document HTML distinct [*frames*]. Afin de rendre la visualisation des documents moins statique, des scripts et des programmes java [*applets*] peuvent également être incorporés au document. La dernière version d'HTML (HTML 4.0) introduit la notion de forme de travail [*style sheet*], tout ceci afin de faciliter le développement des pages Web et de donner un aspect encore plus dynamique.

17.2.4 Clients et serveurs Web

L'architecture sous-jacente du Web est une architecture client / serveur. Les documents sont maintenus sur un site et sont accessibles depuis des programmes clients à travers un serveur. Clients et serveurs utilisent le protocole de communication HTTP [*Hyper Text Transfert Protocol*] écrit pour l'échange d'hypertextes.

Clients Web

Les clients Web sont les logiciels de lecture qui permettent d'accéder puis de visualiser les documents présents sur le Web en interprétant le langage HTML dans lequel ils sont écrits. Le terme préféré pour désigner ces logiciels est navigateur [*browser*] mais les termes fureteur ou butineur sont également utilisés. Le premier logiciel de lecture graphique connu du grand public fut **Mosaic** du NCSA [*National Center for Supercomputing Applications*] de l'université de l'Illinois. C'est en grande partie grâce à ce logiciel que le Web a connu le succès qu'on lui connaît.

Les clients les plus connus de nos jours sont **Netscape Communicator** proposé par Netscape Enterprise et **Internet Explorer** proposé par Microsoft. Les deux compagnies se livrent une guerre acharnée pour le contrôle du marché et cette bataille a de nombreuses conséquences sur les caractéristiques du Web (évolution du langage HTML, évolution des langages de programmation pour le Web par exemple).

Des clients textuels existent également pour accéder au Web depuis des terminaux non graphiques comme le Minitel par exemple. Le plus connu d'entre eux est **Lynx**, qui n'affiche pas les images et permet de se déplacer d'URL en URL avec la touche de tabulation.

 Les clients Web font de plus en plus appel à des composantes externes (programmes externes spécifiques) pour certaines tâches évoluées comme l'affichage de types d'images complexes comme les images médicales ou la visualisation de films vidéo. Ces composants logiciels sont appelés Plug-Ins.

Serveurs Web

Les serveurs Web sont les logiciels qui reçoivent des requêtes d'accès à des documents de la part des clients Web. C'est le serveur qui est chargé de la sécurité en limitant les accès à des clients suivant des critères tels que:

- des limitations sur les répertoires et les fichiers;
- des protections sur les fichiers par mot de passe;
- des liste de contrôle d'accès qui contiennent les informations sur les personnes, groupes et adresses IP qui ont le droit d'accès sur tout ou partie des fichiers gérés par le serveur;
- les fichiers *password* qui contiennent les mots de passe et les noms de utilisateurs qui ont accès au serveur;
- les fichiers de groupes qui contiennent les groupes d'utilisateurs qui ont le droit d'accès au serveur.

C'est également le serveur qui se charge d'exécuter d'éventuels programmes (voir la norme CGI). Il existe un grand nombre de serveurs disponibles qui peuvent se séparer en deux groupes, les serveurs commerciaux et les serveurs académiques (développés dans des universités ou des centres de recherche). Les plus utilisés sont les serveurs académiques (car diffusés gratuitement sur le réseau). Parmi ceux-ci citons le serveur **Apache** et le serveur du **NCSA**. Les serveurs commerciaux sont néanmoins de plus en plus utilisés offrant une meilleure aide à l'utilisation et à la maintenance des serveurs (interface graphique), voire une meilleure gestion de la sécurité.

 Comme dans le domaine informatique en général, le vocabulaire d'Internet est essentiellement issu de l'anglais. Les pays francophones ayant une politique de protectionnisme de la langue française, la France et surtout le Québec, ce vocabulaire possède un équivalent français. To browse ou to surf devient naviguer, un browser devient un navigateur. Cet effort de traduction peut même devenir franchement poétique ; au Québec par exemple to browse et browser deviennent butiner et butineur.

17.2.5 Norme CGI

La norme **CGI** [*Common Gateway Interface*] est le standard pour interfacer des applications externes avec les serveurs d'informations tels que les serveurs HTTP ou serveurs Web. Le texte HTML que les programmes Web accèdent est statique : un fichier de texte comme un fichier HTML ne change pas. Un programme CGI par contre est exécuté en temps réel et peut fournir en sortie de l'information dynamique. Une application typique est l'accès à une base de données depuis un client Web. Le programme CGI est dans ce cas une passerelle qui reçoit des paramètres des programmes client et serveur Web, effectue l'accès à la base de données et transmet les résultats en sortie au client (figure 17.5). Habituellement, les programmes CGI sont stockés côté serveur Web dans un répertoire, nommé cgi-bin, sous contrôle du gestionnaire de site [*webmaster*] à des fins de sécurité. N'importe quel langage de programmation peut être utilisé pour implanter un programme CGI. Les plus courants sont PERL et C/C++, mais il peut s'agir également de programmes Fortran, TCL ou Unix shell.

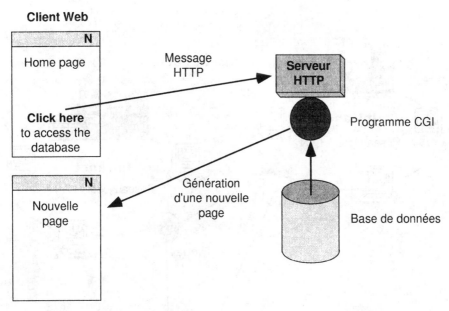

Figure 17.5 : Accès à une base de données depuis un client Web

17.2.6 Intranet

Intranet est un système Internet interne conçu pour être utilisé par exemple au sein d'une entreprise, d'une université ou d'un hôpital. Ce qui distingue Intranet d'Internet est son aspect privé. En utilisant la technologie Internet, un système Intranet résoud le problème de sécurité des accès et de partage de données distribuées sur des matériels hétérogènes au sein des organismes. Les communications internes et la collaboration en deviennent ainsi plus simples. Les Intranets utilisent TCP/IP pour transmettre les informations par l'intermédiaire du réseau interne et le langage HTML pour concevoir les documents. L'information est partagée par un ou plusieurs serveurs et on y accède à l'aide d'un navigateur classique. Bien qu'il soit utile qu'un Intranet soit relié à Internet, ce n'est pas obligatoire. Dans le cas où l'Intranet est relié à Internet (figure 17.6), bien souvent les accès sont restreints par des parois anti-feu [*firewall*] qui permettent de filtrer les communications entrantes et sortantes. La sensibilité des informations se trouvant sur le serveur d'une entreprise nécessite en effet un effort de sécurité accru.

Un système Intranet est généralement limité physiquement à un bâtiment. Certaines entreprises ou institutions internationales ont des sites répartis dans différents pays. Pour étendre les fonctions d'un Intranet à un ensemble de sites distants est apparue la notion de **Extranet** qui est l'extension de Intranet à plusieurs LAN distincts.

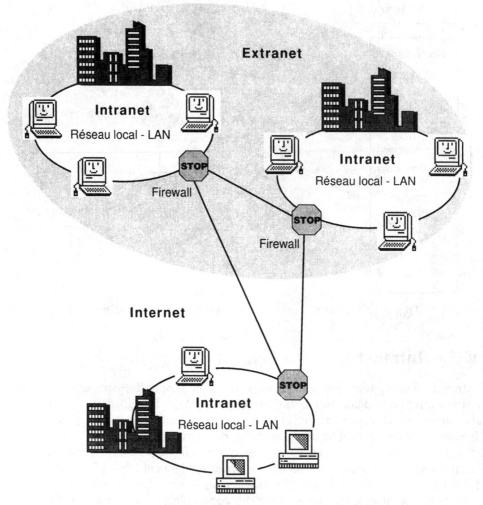

Figure 17.6 : Internet, Intranet et Extranet

17.3 Accès à l'information

Le Web met à disposition une quantité fantastique d'informations en tout genre :
articles scientifiques ou généralistes, journaux, livres, sites sportifs ou politiques,
images, sons... Mais, et c'est le revers de la médaille, c'est un média qui ne
possède pas réellement de structure comme les bases de données classiques. A
moins de suivre les pages Web de liens en liens, ce qui devient rapidement
fastidieux, il est donc difficile pour l'utilisateur de retrouver des informations
pertinentes. Des chercheurs et de simples utilisateurs, conscients de ces difficultés
ont, dès les débuts du Web, essayé de structurer ces informations afin de faciliter

l'exploration et l'exploitation du Web. Plusieurs grandes classes d'outils ont ainsi été créées.

17.3.1 Guides spécialisés

Premier pas vers la structuration de l'information sur Internet, les guides spécialisés sont des extensions des **signets** [*bookmarks*] ou listes de pages Web [*flat lists*] générées par la plupart des navigateurs. Ces guides sont maintenus par des spécialistes d'un sujet et sont une compilation des ressources importantes dans leur domaine d'expertise. De tels guides existent pour la plupart des domaines. D'autres guides proposent des collections de sites spécialisés.

Certains sites, de taille appréciable, proposent également un moteur de recherche local pour aider l'utilisateur dans son exploration. Avantage certain, les pages Web référencées sont pertinentes. Elles peuvent même être accompagnées d'une évaluation [*site review*] comme dans le site médical *AtoZ* (http://www. healthatoz.com). L'inconvénient, c'est qu'il n'y a généralement pas de vérificateur automatique de l'état de ces pages (page supprimée, redirigée vers une nouvelle adresse). L'ajout de nouvelles pages n'est pas systématique et est laissé à l'appréciation du spécialiste. Ces guides ne sont donc nullement une revue exhaustive de l'existant. Ils constituent cependant des îlots de connaissance pouvant faciliter l'exploration du Web.

17.3.2 Hiérarchies thématiques

Généralisation des guides spécialisés, les hiérarchies de sujets ou hiérarchies thématiques organisent l'information en une structure arborescente. Ces hiérarchies sont en général maintenues manuellement, les utilisateurs pouvant soumettre une adresse de page Web au responsable [*webmaster*] du site ou l'ajouter directement dans une catégorie existant ou dans une nouvelle catégorie. Pour retrouver les pages correspondant à un certain sujet, l'utilisateur doit alors parcourir cette arborescence.

Présentes dès l'origine du Web, les plus connues de ces hiérarchies, *Yahoo* (www. yahoo.com) et *Magellan*, regroupent plusieurs milliers de documents et la plupart intègrent maintenant des moteurs de recherche locaux pour faciliter le positionnement dans l'arborescence. Une requête peut même être redirigée vers un moteur de recherche général. C'est le cas de *Yahoo* qui redirige la recherche sur *Altavista* en cas d'échec d'une recherche locale. Tout comme pour les guides spécialisés, les pages Web référencées sont généralement pertinentes. L'inconvénient vient là encore de la non-exhaustivité, à laquelle se rajoute la difficulté de bien hiérarchiser des catégories et ensuite de bien choisir la catégorie dans laquelle classer une page. Ces tâches peuvent en effet conduire à des résultats différents d'un utilisateur à l'autre.

17.3.3 Moteurs de recherche

Les **moteurs de recherche** généraux sont constitués d'une base de données, résultant de l'indexation des pages Web et d'une interface permettant à l'utilisateur de saisir une liste de mots-clés spécifiant son centre d'intérêt. Le moteur de recherche parcourt alors sa base de données et retourne une liste des pages jugées pertinentes. Cette liste est habituellement triée en fonction d'un score prenant en compte la fréquence des mots et leur position dans le document.

Les premiers moteurs de recherche tels *Lycos* (http://www.lycos.com) n'indexaient que le titre, les entêtes de paragraphe, les premières lignes du texte et les liens vers d'autres documents. A présent, les pages entières sont indexées et les principaux moteurs de recherche, *Altavista* (http://altavista.digital.com), *Opentext* (http://www.opentext.com), *Excite* (http://www.excite.com), *Infoseek* (http://www.infoseek.com) ou *Hotbot* (http://www.hotbot.com) prétendent avoir exploré la plus grande partie du Web, soit entre 30 et 50 millions de documents. Face à la prolifération de moteurs de recherche, des méta-moteurs de recherche sont apparus, tels *Savvy Search* ou *Internet Sleuth* qui interrogent en parallèle les principaux moteurs cités ci-dessus et fusionnent les résultats. Avantage de ces moteurs de recherche, le rappel (nombre de documents pertinents retournés) est maximisé. En contrepartie, inconvénient majeur, la précision (nombre de documents pertinents parmi les documents retournés) a été laissée de coté.

Par exemple, en interrogeant un moteur de recherche avec la requête "*breast cancer*", un chercheur se vit retourner comme premier document, une référence sur un timbre poste (support d'une campagne de détection du cancer du sein) ! L'utilisateur doit donc formuler une requête la plus précise possible afin de réduire le nombre de documents retournés aux seuls réellement intéressants. L'interface des moteurs de recherche doit pour cela être adaptée tout en restant simple d'utilisation (nombre de nouveaux utilisateurs d'Internet étant néophytes). Chaque moteur de recherche possède donc son module de recherche avancée.

 Indexer un ensemble de document revient à construire une représentation de ces documents qui permette de retrouver rapidement ceux qui correspondent à une requête de l'utilisateur. Cette tâche a été beaucoup étudiée dans le domaine de la recherche d'information et le modèle utilisé par la plupart des moteurs de recherche est le modèle du fichier inverse [Inverted File] dans lequel pour chaque mot présent dans la collection de documents indexés, on associe les documents dans lequel ce mot est présent.

17.3.4 Agents intelligents

Face à la taille croissante du Web, certains chercheurs ont mis l'accent sur les problèmes d'extension. Ce problème d'échelle n'est pas réellement logiciel ou matériel. Qui aurait annoncé il y a deux ou trois ans que des index complets de 50 millions de pages Web seraient disponibles ? Certes les moyens mis en œuvre sont importants et les moteurs de recherche sont devenus de vraies vitrines technologiques pour les grands constructeurs. Des approches moins gourmandes sont cependant nécessaires et sont actuellement mises en œuvre. L'avenir est ainsi à des index spécialisés et distribués.

Les efforts fournis pour distribuer indexation et recherche, aussi importants soient-ils pour la réduction du gaspillage des ressources matérielles et l'accélération des accès, ne suffiront pas à résoudre le réel problème du flot d'informations noyant l'utilisateur qui a effectué une requête. Face à ce constat, de nombreuses approches impliquent des **agents intelligents** utilisant des préférences utilisateur [*user profiles*] pour filtrer des documents et assister l'utilisateur dans ses activités d'exploration du Web. Citons par exemple *Letizia*, développé au MIT, un agent qui parcourt le Web en parallèle avec l'utilisateur. *Letizia* prend note des documents que l'utilisateur a choisi et lui suggère de nouvelles pages similaires.

17.4 Programmation et Internet

Face à l'explosion du World-Wide Web et de l'utilisation d'Internet, les paradigmes de programmation et les langages de programmation ont également évolué. Le langage HTML offre un premier niveau de programmation d'applications pour le World-Wide Web. Cependant, comme nous l'avons déjà mentionné, les documents générés sont en général statiques et les applications que l'on peut développer sont limitées par cet aspect. Pour offrir un meilleur dynamisme, un premier pas a été fait avec la norme CGI qui autorise l'appel de programmes et la génération en ligne de documents. Dans ce cadre, de nombreux programmes sont utilisables, mais l'un des plus employés est ou a été le langage **Perl**. La norme CGI bien qu'autorisant plus de dynamisme n'est cependant pas la panacée. Le langage **Java** est apparu comme une meilleure solution et comme telle a connu un engouement énorme ces derniers mois. Enfin, dernière évolution, non pas directement liée au World-Wide Web mais avec le même objectif d'utiliser au mieux des ressources distribuées et reliées par Internet, il faut mentionner la norme **CORBA**.

17.4.1 Langage Java

Java est une nouvelle technologie créée par Sun Microsystems. C'est un langage de programmation orienté objet qui est issu du C++. L'idée vient des réflexions de trois chercheurs, James Gosling, William Diffle et Bill Joy qui travaillaient à la création d'un environnement pour des machines destinées au grand public tels que les assistants personnels numériques [*Personal Digital Assistant*] et la télévision interactive. En 1991, Gosling présente *Oak* qui sera renommé Java en 1995 après avoir été adapté à Internet.

En résumé, Java permet de rendre Internet encore plus interactif et intéressant en ajoutant au texte et aux images une nouvelle dimension : celle des applications qui s'exécutent en local sur la machine client. Le Web avant Java était un média assez limité. Pour écouter des sons ou visionner des images, une application locale était nécessaire (les fameux plug-ins) sur la machine client. Avec Java, le client télécharge les données mais également le programme nécessaire pour les traiter.

Le programme Java qui est inséré dans un document sur le Web est appelé une **applet**. Les applets sont programmées à partir d'un ensemble d'objets faisant partie des librairies du langage Java (Java définit des objets graphiques, des objets pour la programmation réseau, des objets de base comme les chaînes de caractères Ascii et Unicode...). Java génère un code intermédiaire [*bytecode*] qui sera interprété sur une machine virtuelle exécutée par le client. Le code généré est aussi compact que possible car il doit être distribué rapidement sur le réseau, interprété par une machine virtuelle. Il est indépendant de la plate-forme cliente. Il est aussi entièrement sécurisé au niveau du langage et au niveau de l'interpréteur (un contrôle d'intégrité après le chargement permet de vérifier si une applet a été modifiée par l'adjonction au cours du trajet sur le réseau de virus ou de *cheval de Troie*). Si la taille de l'applet change, la transmission est annulée. Aujourd'hui, Java, bien que souffrant de péchés de jeunesse, a remis au goût du jour le concept d'architecture client/serveur et, couplé à des normes de programmation telles que CORBA, il devrait apporter des réponses aux besoins croissants de solutions pour la programmation client/serveur en environnements hétérogènes des Intranets.

17.4.2 Norme CORBA

Une caractéristique importante des systèmes comme Internet et World-Wide Web ainsi que des Intranets est qu'ils sont hétérogènes. Un Intranet peut, par exemple, être constitué de serveurs Windows NT ou Unix, de stations de travail et d'ordinateurs personnels (PC ou Macintosh). Les réseaux et protocoles utilisés pour relier ces machines peuvent être aussi divers qu'Ethernet, Novell Netware ou TCP/IP. Idéalement, des systèmes ouverts et hétérogènes permettent la meilleure combinaison de matériels et logiciels pour chaque partie d'une entreprise. Malheureusement, gérer cette hétérogénéité n'est pas simple. En particulier, le développement d'applications logicielles et de composants logiciels qui exploitent au mieux cette hétérogénéité est ardu. Face à ces problèmes, l'OMG [*Object Management Group*] a été formé en 1989 pour développer, adopter et promouvoir des standards pour le développement et la diffusion d'applications dans des environnements hétérogènes distribués. C'est ainsi qu'ont été développés OMA [*Object Management Architecture*] et CORBA [*Common Object Request Broker Architecture*].

CORBA est un langage de définition d'interface objet [*IDL : Interface Definition Language*] et des interfaces de programmation d'applications [*API : Application Programming Interface*] qui autorisent l'interaction client/serveur d'objets à travers l'implantation spécifique d'un [*ORB : Object Request Broker*]. En utilisant un ORB, un client peut de manière transparente appeler une méthode d'un objet serveur sur la même machine ou à travers le réseau sur une machine distante. L'ORB intercepte l'appel et est chargé de retrouver l'objet qui peut correspondre à la requête, de lui passer les paramètres, d'invoquer la méthode sur cet objet et de retourner les résultats. Le client n'a ainsi pas à se soucier de la localisation de l'objet, du langage dans lequel il est implanté, du système d'exploitation et des autres aspects système qui ne font pas partie de l'interface de l'objet. L'ORB fournit ainsi une interopérabilité entre des applications fonctionnant sur des machines différentes dans des environnements distribués et hétérogènes.

☞ Parallèlement aux efforts mis en œuvre autour de Java et de la norme CORBA, Microsoft développe et propose ses propres solutions ActiveX/DCOM qui suivent la même philosophie. Cette guerre que se livrent ainsi les développeurs de logiciels et les différents consortiums ne débouchera vraisemblablement pas sur la victoire d'un seul. Des passerelles entre les différentes approches seront mises en place. C'est ainsi que CORBA permet l'appel des composants COM de Microsoft par exemple.

Pour conclure ce chapitre sur Internet, notons que ce domaine est en évolution constante et qu'au moment où vous lisez ces lignes, de nouvelles technologies et de nouveaux logiciels seront probablement apparus. Nous pouvons néanmoins dire que ces technologies et logiciels suivront l'évolution actuelle, à savoir l'intégration de systèmes et d'applications hétérogènes et distribuées, la programmation transparente d'applications client / serveur et l'intégration de données distribuées présentes dans des bases de données. Partie d'architectures centralisées, l'informatique s'est progressivement décentralisée avec l'apparition des réseaux et des machines parallèles, suivant ainsi l'évolution de notre société moderne. L'évolution actuelle tend à considérer ce vaste ensemble de ressources matérielles et logicielles comme une seule immense machine virtuelle, rejoignant ainsi la vision des auteurs de science fiction. Les développeurs de logiciels cherchent ainsi a créer les outils qui rendront possible la programmation d'une telle "machine" ce qui constitue le défi des prochaines années. Quoi qu'il en soit, le Web surfing est en plein développement.

Exercices

1. Quelle est l'adresse URL d'un document dont le nom de fichier est Exemple.html, situé dans le répertoire /home/users/dupond, sur la machine www.obelix.ch et accessible à travers le protocole ftp ?

2 .   Supposons qu'un programme se trouve dans un répertoire CGI sur un serveur
Web et que ce document soit accédé depuis un client comme Netscape. Citer
et expliquer les différents échanges entre le client et le serveur.

3 .   Expliquer la différence entre Internet, Intranet et Extranet.

Solutions

1 .   ftp://www.obelix.ch/home/users/dupond/Exemple.html

2 .   Un navigateur (client) permet de saisir des paramètres éventuels. En cliquant sur un
lien ou un bouton, ce client va accéder au document, en l'occurrence un programme
exécutable dans un répertoire CGI, en transmettant les paramètres éventuels. Le
serveur va exécuter le programme, les paramètres étant passés en arguments ou
décodés par le programme lui-même, la sortie écran du programme étant redirigée sur le
canal de communication entre le client et le serveur, toute écriture du coté serveur sera
transmise coté client et affichée sur le navigateur.

3.   Un Intranet est la restriction des fonctions Internet à un réseau local. Seules des
machines locales peuvent y accéder. Il peut être relié à Internet. Extranet est un super-
Intranet qui regroupe les réseaux locaux distincts d'une même institution.

Conclusion

L'ordinateur est une machine universelle, puissante et flexible, capable d'adopter la fonctionnalité dictée par le programme en exécution. La même machine peut donc instantanément traiter des données médicales ou financières, des textes ou des images, des calculs scientifiques ou des problèmes de gestion; elle peut émettre des billets d'avion ou acheter des actions en bourse, se charger des prévisions météo ou contrôler le débit du carburateur de votre voiture. Sa force est dans sa vitesse de traitement, dans sa capacité de stockage, dans sa vitesse de transmission de l'information et dans son incroyable diffusion dans tous les secteurs d'activité de la société contemporaine.

L'ordinateur est l'aboutissement de siècles de recherches et de développements. Mais son impact sur la société ne vient que de commencer. On assiste à la pénétration massive de l'ordinateur dans la fonction publique, dans les hôpitaux, dans la recherche médicale et pharmaceutique, dans l'industrie, dans le commerce, dans la vie domestique et dans l'éducation. Les nouvelles technologies de l'information ne pourront être pleinement utilisées que si les utilisateurs et les développeurs reçoivent une formation adéquate.

Quels sont les enjeux et les problèmes de l'informatique, de la technologie sous-jacente et de ses applications dans la vie pratique ? Bien que les concepts de base soient assez simples et que l'utilisation d'un PC soit à la portée de tout le monde, le déploiement de la puissance des ordinateurs dans des projets novateurs et ambitieux reste un problème complexe et, même à l'aube du XXIe siècle, ce degré de difficulté continue d'être sous-estimé. Bon nombre de grands projets finissent par coûter plus cher que prévu ou n'arrivent pas à satisfaire les attentes des utilisateurs. Malgré quelques échecs retentissants, les succès sont là pour montrer ce que nous pouvons tirer de ces merveilleuses machines ! On a la fâcheuse tendance à sous-estimer les problèmes d'intégration des ressources et des outils informatiques dans l'entreprise ou dans l'environnement social où ils doivent être utilisés. C'est un problème de vision, d'organisation et de gestion. Souvent, ce fait est aggravé par des compétences techniques limitées justement là où les décisions importantes doivent être prises.

Malgré ses problèmes d'adolescence, l'ordinateur n'a vécu qu'un demi siècle et on peut prévoir un futur prometteur à l'informatique et à ses incarnations. Peu à peu on a compris que l'informatique a des aspects créatifs, scientifiques, technologiques, gestionnels assez complexes et que l'on a besoin de chercheurs, de développeurs, d'intégrateurs de systèmes, d'ingénieurs, d'experts en télécom et réseaux, de gestionnaires de bases de données, etc. On sait que les professionnels sont toujours très recherchés. On a aussi compris que les grandes applications transcendent souvent les compétences informatiques et doivent faire appel à des équipes multidisciplinaires. Les problèmes rencontrés au niveau de la gestion de grands projets informatiques doivent se résoudre en cherchant des solutions dans la sociologie, les structures décisionnelles et dans le recrutement du savoir faire plutôt que dans la technologie elle-même.

Que sera le monde de l'informatique dans dix ou vingt ans ? Il est difficile d'imaginer le futur dans ce domaine. En effet, replongeons nous dix ans en arrière : le Web n'est pas encore né, les systèmes parallèles balbutient, les stations de travail ne connaissent pas la superscalarité ni la multimédialité, deux grands constructeurs tels que Cray Research et Digital ne s'appellent pas encore Silicon Graphics et Compaq. Le TéraFlops est un *Grand Challenge* de science fiction qui nous fait rêver et sourire, comme maintenant le PétaFlops. Remontons le temps de dix années supplémentaires : il n'y a ni PC ni Mac et l'horloge des microprocesseurs vise le MégaHertz. Les mainframes et les superordinateurs n'imaginent pas que leur futur est en danger et que le triomphe de *small is beautiful* va tout bouleverser. Réseaux et bases de données font leur début et des centaines de millions de futurs navigateurs du World Wide Web sont encore à l'école primaire.

Notre époque est dominée par des phénomènes tels que le changement permanent, la formation continue, l'accélération et la globalisation des activités humaines telles que l'économie, la finance, la production des biens, les services, la recherche, le commerce, etc. Le développement de la science et de la technologie informatique a été associée très étroitement à ces phénomènes. La révolution numérique est globale. L'âge de l'information nous entraîne à grande vitesse et nous habitue au changement. Il ne nous reste qu'à imaginer ce que nous allons encore vivre dans le futur proche. Vivre et profiter plutôt qu'attendre et subir, c'est le message optimiste que ce livre voudrait vous apporter.

Pour terminer cet ouvrage, quelques documents photographiques sont présentés dans les pages suivantes, qui permettent d'illustrer quelque peu l'évolution de l'informatique.

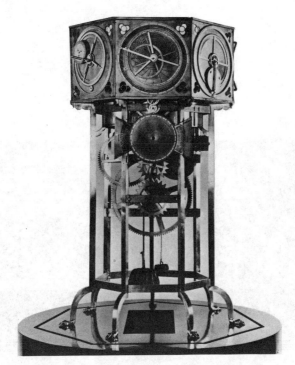

Horloge astronomique (De Dondi 1364)
Son mécanisme de roues dentées est à la base des premiers calulateurs mécaniques.

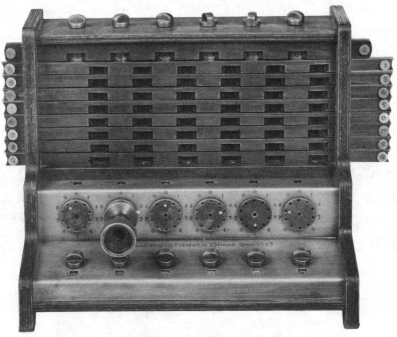

Machine à additionner mécanique de Schickard (1623)

Machine arithmétique (addition, soustraction) de Pascal (1642)

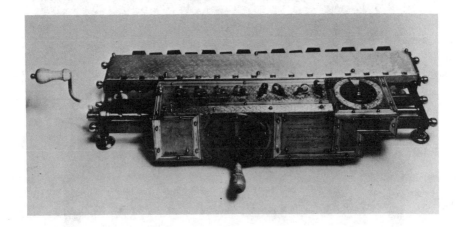

Machine arithmétique (4 opérations) de Leibniz (1673)

Métier à tisser fonctionnant avec des cartons perforés (début du XIXe)

Petite partie de la machine à différences de Babbage (1832)

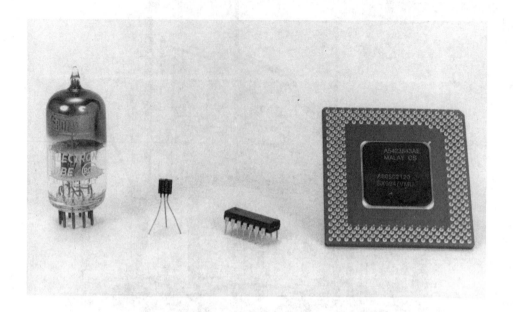

Evolution de l'électronique
Tube à vide, transistor, circuit intégré, processeur Pentium de Intel
(le Pentium contient 3,1 millions de transistors).

Evolution des différentes technologies de mémoire RAM
mémoire à tores magnétiques (64 x 64 fils, 4096 bits),
mémoires à semi-conducteurs : EPROM, SIMM (256 MBytes).

Unité de disque dur (technologie Winchester)
(une unité de disque contient un empilement de disques).

Mémoires amovibles
disquettes : 8" (128KBytes), 5"1/4 (360 KBytes), 3"1/2 (1,44 MBytes),
disque magnéto-optique 3"1/2 (128 MBytes), disque optique CD-R (650 MBytes),
disque magnétique JAZ (1GBytes), disque optique DVD (4,7 à 17 GBytes).

Ouvrages recommandés

Pour vous permettre d'approfondir vos connaissances dans les divers domaines de l'informatique, nous vous recommandons les ouvrages de référence suivants :

Aho A., Ullman J., *Concepts fondamentaux de l'informatique*, Dunod, Paris, 1993.

Aho A., Sethi R., Ullman J., *Compilateurs – Principes, techniques et outils*, InterEditions, Paris, 1989.

Aho A., Hopcroft J., Ullman J., *Structures de données et algorithmes*, InterEditions, Paris, 1987.

Delobel C., Lécluse C., Richard P., *Bases de données : des systèmes relationnels aux systèmes à objets*, InterEditions, Paris, 1991.

Ifrah G., *Histoire Universelle des Chiffres*, R. Laffont, Paris, 1994.

Khoshafian S., Abnous R., *Object Orientation : concepts, analysis & design, languages, databases, graphical user interfaces, standards*, John Wiley & Sons Inc, New York, 1995.

Krol E., *Le monde Internet, Guide & Ressources*, Editions O'Reilly International Thomson, Paris, 1995.

Lipschutz S., *Les structures de données*, McGraw-Hill, série Schaum, 1987.

Meyer B., *Conception et programmation par objets*, InterEditions, Paris, 1990.

Moreau R., *Ainsi naquit l'Informatique*, Dunod Informatique, Paris, 1981.

Nelson M., *La compression de données*, Dunod, Paris, 1993.

Nutt G., *Operating systems, a modern perspective*, Addison-Wesley, 1997.

Patterson D., Hennessy J., *Architecture de l'ordinateur – Une approche quantitative,* McGraw-Hill, Paris, 1992.

Sommerville I., *Le génie logiciel et ses applications,* InterEditions, Paris, 1988.

Strohmeier A., *Le matériel informatique : concept et principes,* Presses polytechniques romandes, 1986.

Tanenbaum A., *Architecture de l'ordinateur,* InterEditions, Paris, 1996.

Tanenbaum A., *Réseaux – Architectures, protocoles, applications,* InterEditions, Paris, 1997.

Tanenbaum A., *Les systèmes d'exploitation,* InterEditions, Paris, 1994.

Glossaire

A

Accès à distance [*remote access*] : communication entre un terminal et un ordinateur situé à distance (par exemple, à travers un réseau).

Accès à la mémoire [*memory access*] : caractérise la manière dont une mémoire peut être lue ou écrite.

Accès direct (ou aléatoire) [*direct access, random access*] : caractérise des unités de stockage sur lesquelles le temps nécessaire pour atteindre des données est indépendant de l'emplacement physique de ces données. Le temps d'accès est identique pour toutes les informations, quelle que soit leur adresse.

Accès par le contenu : accès aux informations par une clé à laquelle est associée une information (mémoire associative).

Accès semi-séquentiel : accès direct à la piste, séquentiel sur la piste (tambours magnétiques, disques magnétiques, disques optiques).

Accès séquentiel [*sequential access*] : caractérise des unités de stockage sur lesquelles on ne peut accéder à une information qu'après avoir accédé à toutes celles qui la précèdent (bandes ou cartouches magnétiques, mémoires à bulles magnétiques).

Accès séquentiel indexé : une clé est associée à chaque enregistrement; on organise une table de correspondance (index) entre les clés et les numéros d'enregistrement; une recherche sur l'index des clés permet de trouver l'adresse de l'enregistrement.

Accumulateur [*accumulator*] : registre de l'unité arithmétique et logique pris par défaut pour les calculs.

Additionneur : dispositif qui fournit, en sortie, la somme des données d'entrée.

Adressage [*addressing*] : opération consistant à fournir une information, appelée adresse, permettant de sélectionner une position de mémoire (mot, octet, etc.). Différents modes d'adressage : direct, indirect, immédiat, implicite, indexé, basé, relatif.

Adressage dispersé [*hashing, hash code*] : méthode de gestion d'une table permettant une recherche rapide.

Algèbre de Boole [*Boolean algebra*] : structure de type algébrique portant sur des variables (dites logiques) pouvant prendre deux valeurs.

Algorithme [*algorithm*] : ensemble de règles bien définies destinées à résoudre un problème en un nombre fini d'opérations.

Allocateur [*dispatcher*] : programme du système d'exploitation responsable de la répartion du temps disponible du CPU entre divers processus.

Alphanumérique [*alphanumeric*] : se dit d'un caractère appartenant à l'ensemble des caractères numériques ou alphabétiques.

Antémémoire (mémoire cache) [*cache*] : petite mémoire très rapide souvent utilisée comme tampon entre la mémoire principale et le CPU auquel elle est rattachée.

Arbre [*tree*] : structure de données constituée de nœuds reliés par des arêtes. Chaque nœud contient un objet. L'arbre est une structure hiérarchique.

Architecture : l'architecture d'un système informatique est la description des organes fonctionnels de ce système et de leurs interconnexions.

ASCII [*American Standard Code for Information Interchange*] : codage standard des caractères alphanumériques.

Assembleur [*assembler*] : programme qui traduit le langage d'assemblage en langage machine.

Automate fini [*finite automata*] : être mathématique composé d'un nombre fini d'éléments, et notamment de mémoires, et pouvant se trouver dans un nombre fini d'états.

B

Balayage cavalier [*vector display*] : l'écran est adressé point par point (pas de balayage systématique). Adapté au dessin par traits.

Balayage TV (récurrent) [*raster scan*] : le faisceau parcourt systématiquement tous les points de l'écran. L'image est formée par l'ensemble des points allumés.

Bande de fréquences [*frequency band, bandwith*] : ensemble des fréquences comprises entre deux fréquences limites.

Bande magnétique [*magnetic tape*] : support d'information constitué d'une bande de matière plastique souple, recouverte d'un oxyde magnétisable. Les bits sont enregistrés le long de pistes parallèles.

Bande passante : bande de fréquences qui est correctement transmise.

Banque de données : ensemble des informations spécifiques à un domaine, généralement regroupées dans une base de données.

Base de données [*data base*] : ensemble de structures de données, géré par un SGBD : Système de Gestion de Bases de Données.

Base de numération [*base, radix*] : nombre de digits distincts dans un système de numération.

Baud : unité de rapidité de signalisation.

BCD [*Binary Coded Decimal*].

Binaire [*binary*] : caractérise tout système offrant deux possibilités (chiffre binaire 0/1, numération binaire = base 2).

Bistable (bascule) [*flip-flop*] : automate à deux états stables pouvant servir de mémoire. Différents types : D, T, R-S, J-K.

Bit (contraction de [*BInary digiT*] digit binaire) : support élémentaire d'information qui peut prendre deux valeurs : 0 ou 1.

Bit de parité [*parity bit*] : bit de contrôle associé à une information qui indique si le nombre de bits à 1 constituant cette information est pair ou impair.

Bitmap (mémoire-image) : mémoire correspondant à un écran à balayage TV et contenant autant de bits qu'il y a de points sur l'écran; chaque bit indique si le point correspondant doit être allumé ou pas.

Bloc (enregistrement physique) [*physical record*] : unité de stockage (lecture ou écriture) en mémoire auxiliaire.

Bogue [*bug*] : signifie erreur. Un *bug* est un type d'insecte. La relation insecte/erreur daterait des ordinateurs à tubes où les insectes venaient se brûler provoquant toutes sortes de problèmes.

Bootstrapping : technique permettant de démarrer une machine, c'est-à-dire de charger le chargeur.

Bpi [*Bits Per Inch*] : mesure de densité d'enregistrement sur une piste.

Branchement [*branch*] : instruction permettant d'effectuer une rupture de séquence dans un programme.

Bruit [*noise*] : 1. signal parasite qui dégrade les performances d'une voie de télécommunication. 2. signal aléatoire dont on connaît statistiquement les caractéristiques (bruit de fond).

Bus [*bus*] : ensemble de lignes assurant la connexion des dispositifs qui y sont rattachés. Ces lignes peuvent transporter des signaux correspondant à trois types d'informations : adresses, données et commandes.

Byte (octet, caractère) : groupement de bits, généralement 8.

C

Câble coaxial : fil électrique entouré par une enveloppe métallique, les deux étant séparés par un isolant.

Calculateur analogique [*analog computer*] : calculateur traitant des grandeurs analogiques (données représentées par des fonctions ou des grandeurs physiques variant de façon continue) (analogique ≠ numérique).

Calculateur digital (calculateur numérique, ordinateur) [*digital computer*] : calculateur traitant des grandeurs numériques (variant de façon discrète).

Canal d'entrée/sortie [*input/output channel*] : processeur spécialisé pouvant exécuter des programmes d'E/S. Différents types de canaux : canal sélecteur, canal multiplexé par bytes, canal multiplexé par blocs.

Caractère : groupement de 6,7,8..., bits permettant le codage d'un caractère alphanumérique ou d'un caractère spécial.

Carte [*board*] : circuit imprimé + composants.

Carte perforée [*punched card*] : support d'information constitué d'une fiche cartonnée, de dimension normalisée et comportant 80 colonnes destinées à recevoir des perforations représentatives d'une information.

Cartouche magnétique (cassette) [*cartridge*] : boîtier contenant un rouleau de bande magnétique pouvant être manipulé automatiquement dans un système de stockage de données.

Catalogue [*file directory*] : répertoire des fichiers établissant un lien entre le nom de chaque fichier et ses caractéristiques (localisation physique, type, date de création).

Champ [*field*] : partie d'un enregistrement contenant une donnée d'un type déterminé, ou un ensemble de données liées logiquement. Exemple : dans une instruction il peut y avoir plusieurs champs; le champ code-opération, le champ-opérande, et le champ-conditions d'adressage.

Chargeur [*loader*] : programme permettant d'amener en mémoire centrale, depuis une mémoire auxiliaire, un programme, déjà traduit en langage machine, afin qu'il puisse être exécuté. Différents chargeurs : *Chargeur absolu* type de chargeur chargeant un programme dans un endroit préfixé de la mémoire. *Chargeur relogeable* type de chargeur permettant de reloger un programme en mémoire en ajoutant à toutes les adresses le déplacement par rapport à l'adresse 0.

Checksum : ensemble de bits redondants utilisés dans la vérification de l'intégrité d'un bloc de données.

Chiffre [*digit*] : caractère représentant la valeur d'un nombre réduit au seul rang des unités. Exemple : les chiffres décimaux 0,1,2,3,4,5,6,7,8,9. Vient de l'arabe *safira* = *être vide* → *sifr* = *zéro*.

Circuit imprimé [*printed circuit board*] : support isolant qui porte les liaisons conductrices nécessaires à la connexion des divers composants d'un équipement électronique.

Circuit intégré (puce) [*integrated circuit, chip*] : circuit électronique réunissant dans un même boîtier les composants (actifs ou passifs) et les connexions nécessaires à la réalisation d'une fonction.

Circuit logique (logigramme) [*logic circuit*] : circuit qui exécute des opérations sur des variables logiques, transporte et traite des signaux logiques. Un *circuit combinatoire* est un circuit dont les sorties ne dépendent que des entrées. Un *circuit séquentiel* est un circuit dont les sorties dépendent des entrées, des états et du temps de propagation des signaux.

Clavier [*keyboard*] : dispositif d'entrée permettant l'interaction avec un ordinateur.

Codage [*encoding*] : opération consistant à représenter un ensemble d'informations à l'aide d'un code. Quelques codes : *ASCII* représentation normalisée des caractères sur 7 bits. *BCD* représentation des caractères alphanumériques sur 6 bits. *EBCDIC* représentation choisie par IBM pour les caractères (8 bits).

Codes détecteurs et correcteurs d'erreurs [*error detecting and correcting codes*] : codes permettant de détecter et parfois de corriger des erreurs consécutives à la transmission ou au stockage des informations. Ils sont basés sur l'adjonction de bits dits redondants. Différents codes : code dont le bit redondant (en plus) est tel que le nombre total de bits à 1 soit pair (parité paire) ou impair (parité impaire). *Codes de Hamming* : codes autocorrecteurs basés sur les tests de parité. *CRC* [*Cyclic Redundant Coding*] *ou méthode des codes polynômiaux* : codes permettant de détecter des erreurs groupées, lors de transmissions. Ils utilisent un polynôme générateur qui génère des bits de contrôle.

Code objet [*object code*] : programme en langage machine.

Code opération [*instruction code*] : code représentant une opération de base du répertoire d'un calculateur.

Code source [*source code*] : programme en langage source (avant d'être traduit en code machine).

Codeur [*coder*] : un codeur fait correspondre à un signal sur 1 ligne en entrée, parmi 2^n, le code binaire correspondant sur n lignes de sortie.

Commutation [*switching*] : dans le contexte des réseaux, indique une opération permettant à une information de progresser dans un réseau vers son destinataire par établissement d'une liaison. Différents modes de commutations : circuits, messages, paquets.

Compilateur [*compiler*] : programme traduisant un programme écrit en langage évolué (code source) en langage machine (code objet).

Complément : *complément à 1 = complément logique = complément restreint* obtenu en remplaçant chaque bit par son opposé pour les valeurs négatives. La somme du nombre et de son complément donnant toujours une séquence de bits à 1 $(2^n - 1)$. *Complément à 2 (binaire 10) = complément arithmétique = complément vrai* : la somme du nombre et de son complément donnant une puissance de 2.

Compteur ordinal (CO, PC) [*instruction counter, program counter*] : registre situé dans l'unité de commande et qui contient l'adresse en mémoire où est stockée la prochaine instruction à exécuter.

Contrôleur de périphériques (unité de liaison, coupleur) [*peripheral control unit, controller*] : élément d'un ordinateur qui gère le fonctionnement de périphériques. Le contrôleur est une boîte à 2 faces, l'une spécifique à l'unité périphérique connectée et l'autre adaptée aux spécifications des unités d'échange utilisées.

CRC [*Cyclic Redondant Coding*] : code détecteur et correcteur d'erreurs.

Cross-assembleur [*cross-assembler*] : programme traduisant un programme écrit en langage d'assemblage en un programme objet pour une certaine machine, alors que le travail de traduction est effectué sur une autre machine.

Cross-compilateur [*cross-compiler*] : même principe que cross-assembleur; compilateur qui génère du code objet pour un autre ordinateur que celui où il se trouve et s'exécute.

Curseur [*cursor*] : marque clignotante affichée sur un écran et pouvant être déplacée pour indiquer une position particulière de l'écran.

Cycle : temps d'exécution d'une action élémentaire. Différents cycles : cycle de base ou cycle machine [*clock cycle*], cycle CPU, cycle mémoire.

Cycle de vie du logiciel [*software life cycle*] : ensemble des différentes phases du développement d'un logiciel.

Cylindre [*cylinder*] : dans une unité de disques magnétiques, ensemble des pistes ayant un rayon donné.

D

Débit [*speed, capacity*] : nombre d'informations transmises, lues, ou écrites, par seconde.

Débogueur [*debugger*] : logiciel facilitant la mise au point de programmes. Il permet d'examiner le contenu de la mémoire ainsi que le contenu des différents registres.

Décalage [*shift*] : mouvement d'une information digitale à l'intérieur d'un registre d'un certain nombre de positions vers la droite ou vers la gauche.

Décimal : système de numération en base 10 qui utilise les chiffres de 0 à 9.

Décodage [*decoding*] : analyse d'une information codée afin d'en retrouver la signification initiale.

Décodeur [*decoder*] : circuit combinatoire qui fait correspondre à un code en entrée (sur n lignes) une seule sortie active parmi les 2^n sorties possibles.

Demi-additionneur [*half-adder*] : mécanisme d'addition de deux bits ne disposant pas de prise en compte de la retenue de l'opération précédente.

Démultiplexage [*demultiplexing*] : procédé de séparation (d'éclatement) de voies de transmission d'informations, ou d'informations elles-mêmes, initialement regroupées, permettant de les orienter vers plusieurs destinataires.

Démultiplexeur (demux) [*demultiplexor*] : circuit logique qui a une seule ligne d'entrée et de nombreuses lignes de sortie. Il transmet l'entrée sur une seule ligne en sortie.

Diagramme d'états (diagramme de transitions) [*state diagram*] : diagramme représentant sous forme graphique les fonctions de transition d'un automate.

Digit [*digit*] : synonyme de chiffre.

Diode [*diode*] : composant électronique permettant le passage du courant dans un sens (passant) mais pas dans l'autre (sens bloquant).

Directive [*pseudo-instruction*] : instruction non exécutable du langage d'assemblage.

Disque magnétique [*disk, disk storage, magnetic disk*] : support d'information servant de mémoire secondaire. Il peut se présenter sous forme fixe (disque dur, disque rigide) ou amovible (disque souple, disquette) [*floppy disk*].

Disque optique [*optical disk*] : disque de grande capacité qui utilise un rayon laser pour lire ou écrire.

DMA [*Direct Memory Access*] : dispositif permettant au périphérique d'accéder à la mémoire sans passer par le CPU.

Dpi [*Dots Per Inch*] : unité pour les imprimantes ou les scanners (points par pouce).

E

Ecran, écran de visualisation [*screen, display*] : unité de visualisation, unité de sortie. Différents types d'écrans : alphanumériques, graphiques.

Editeur de liens [*linker, linkage editor*] : programme spécifique d'exploitation d'un ordinateur qui permet de constituer un programme cohérent exécutable à partir de modules ou de sous-programmes élémentaires en établissant les liaisons nécessaires entre ces diverses parties.

Editeur de texte [*text editor*] : logiciel interactif permettant de saisir et de modifier du texte à partir d'un clavier et de le stocker dans un fichier.

Enregistrement (bloc de données, fiche) [*record*] : ensemble d'informations manipulées en bloc lors d'un échange entre les différentes unités d'un ordinateur ou lors d'un traitement au sein d'un programme. Unité d'information stockée sur une mémoire auxiliaire (enregistrement logique, enregistrement physique).

Enregistrement magnétique [*recording*] : mode d'écriture des informations sur un support magnétique. Techniques d'enregistrement : RZ [*Return to Zero*], NRZ [*Non Return to Zero*], NRZI [*NRZ Inverted*], PE [*Phase Encoding*], GCR [*Group Code Recording*].

Entrée/Sortie, E/S [*Input/Output, I/O*] : ensemble des techniques, supports et unités utilisés pour réaliser des communications entre l'homme et la machine, ou entre l'unité centrale et les périphériques.

Erreur de transmission [*data communication error*] : modification involontaire d'un ou de plusieurs bits pendant leur cheminement dans une voie de transmission.

Etage d'additionneur : circuit exécutant l'addition de deux bits en tenant compte de la retenue provenant de l'étage précédent.

Etiquette [*label*] : adresse symbolique.

Expansion d'une macro [*macro expansion*] : remplacement de l'appel d'une macro par les instructions qui la composent.

Exposant [*exponent*] : puissance de la base indiquant l'ordre de grandeur d'un nombre en virgule flottante.

F

Fichier [*file*] : structure adaptée aux mémoires auxiliaires. Un fichier est une collection de données représentant une entité pour l'utilisateur.

Firmware : cf. Microprogramme.

Formatage [*formatting*] : opération de préparation d'un support physique (disque, bande) en vue de lui permettre de recevoir une information découpée selon un format donné.

G

Gap : zone non magnétisée séparant des blocs d'information sur une bande magnétique.

Génie logiciel [*software engineering*] : ensemble des méthodes qui permettent de maîtriser le développement du logiciel.

H

Hardware : cf. Matériel.

Hexadécimal : système de numération à base 16 dans lequel on emploie les chiffres 0,1,2,3,4,5,6,7,8,9 et les lettres A,B,C,D,E,F.

Horloge [*clock*] : dispositif qui fournit des signaux périodiques.

I

Imprimante [*printer*] : unité périphérique permettant d'imprimer des caractères prédéfinis sur du papier.

Informatique [*computer science*] : vient de *information automatique*. L'informatique est la science du traitement rationnel de l'information, considérée comme le support des connaissances dans les domaines scientifiques, économiques et sociaux, notamment à l'aide de machines automatiques.

Instruction [*statement, instruction*] : élément d'un langage de programmation spécifiant la ou les opérations à exécuter par la machine.

Intelligence artificielle [*artificial intelligence*] : ensemble des techniques utilisées pour essayer de réaliser des automates adoptant une démarche proche de la pensée humaine.

Interface [*interface*] : ensemble des règles et des conventions à respecter pour que deux systèmes donnés puissent échanger des informations. Gestion câblée ou programmée du lien entre deux systèmes ou unités.

Interpréteur [*interpreter*] : programme effectuant l'interprétation, c'est-à-dire la traduction et l'exécution, ligne par ligne, d'un programme source.

Interruption [*interrupt*] : signal électronique généré par une unité fonctionnelle et qui est envoyé au CPU pour provoquer une rupture de séquence afin d'exécuter un programme prioritaire traitant la cause de l'interruption.

J

Jonction p-n : paroi séparant deux blocs contigus de silicium dopés n et p.

K

Karnaugh, Table et diagramme de... ([*Karnaugh map*] : méthode de représentation graphique des combinaisons possibles d'un ensemble de variables booléennes, à l'aide d'une matrice carrée ou rectangulaire. Utilisée pour arriver à une expression simplifiée des fonctions logiques d'un circuit.

L

Langage d'assemblage (assembleur) [*assembly language*] : langage formé par les instructions d'un ordinateur écrites sous forme symbolique (mnémonique). Le langage d'assemblage est propre à chaque type de machine.

Langage de commande [*control, command language*] : langage permettant à l'utilisateur de formuler ses requêtes au système d'exploitation.

Langage de programmation [*programming language*] : ensemble de caractères, d'instructions et de règles syntaxiques permettant l'écriture de programmes.

Langage évolué (ou de haut niveau) [*High Level Language - HLL*] : langage conçu en fonction du type d'application auquel il est destiné et qui est indépendant du type d'ordinateur utilisé. Les programmes écrits en langage évolué doivent être traduits ou interprétés pour être compris par la machine. Quelques langages évolués : ADA, ALGOL, FORTRAN, LISP, MODULA-2, PASCAL, PROLOG...

Langage machine [*machine language*] : langage composé d'instructions codées en binaire qui sont directement exécutables par la machine. Le langage machine est propre à chaque type de machine.

Listage [*listing*] : impression du code source d'un programme.

Liste [*list*] : structure de données. Une liste est une structure souple capable d'accueillir un nombre indéterminé d'objets. *Liste liée* (chaînée) [*linked list*] : liste dans laquelle chaque objet est accessible par celui qui le précède grâce à un pointeur. *Liste doublement chaînée* : liste pouvant être parcourue dans les deux sens. Chaque élément est composé de l'objet et de deux pointeurs.

Littéral : définition d'une constante en langage d'assemblage.

Logiciel [*software*] : par opposition au matériel [*hardware*], le logiciel comprend tout ce qui est programme.

Logigramme (circuit logique) [*logic circuit*] : représentation graphique d'un circuit logique réalisant une fonction donnée.

Logique [*logic*] : la logique est à la base de toute l'informatique. Dans le domaine du hardware la logique désigne plus particulièrement l'étude des circuits logiques en s'opposant à leur technologie.

Lots, Fonctionnement par ... [*batch*] : l'ordinateur exécute séquentiellement les programmes qu'il doit traiter, et l'utilisateur n'a aucune interaction possible pendant leur exécution.

M

Machine virtuelle [*virtual machine*] : simulation par programme d'une machine fictive, afin d'étendre les possibilités d'une machine réelle. On peut l'utiliser même si elle n'existe pas dans la réalité physique.

Macro [*macro-instruction*] : structure permettant de grouper une séquence d'instructions que l'on veut éviter de répéter et de lui attribuer un nom symbolique par lequel on peut lui faire référence.

Macro-assembleur [*macro-assembler*] : assembleur permettant l'utilisation de macros.

Maintenance : ensemble des activités d'entretien du matériel informatique et du logiciel.

Mantisse [*mantissa*] : partie fractionnaire d'un nombre en virgule flottante.

Matériel [*hardware*] : ensemble des éléments physiques composant un ordinateur. S'oppose au logiciel [*software*].

Mémoire [*memory, storage*] : dispositif capable d'enregistrer, de conserver et de restituer des informations (codées en binaire dans un ordinateur).

Mémoire associative : mémoire adressable par le contenu. Mémoire dans laquelle la recherche porte sur une partie du contenu (la clé), et s'effectue en parallèle sur tous les mots-mémoire.

Mémoire auxiliaire (*mémoire secondaire*) [*auxiliary storage, peripheral storage*] : mémoire périphérique de grande capacité et de coût relativement faible.

Mémoire d'archivage : mémoire servant d'appui aux disques. Se dit généralement du dernier niveau de mémorisation.

Mémoire bloc-note [*scratchpad*] : petite mémoire très rapide, située dans le CPU, pouvant servir à stocker des résultats intermédiaires.

Mémoire cache : voir antémémoire.

Mémoire centrale (*mémoire principale*) [*main storage, central memory*] : organe principal de rangement des informations utilisées par le CPU.

Mémoire d'appui : mémoire intermédiaire entre la mémoire centrale et les mémoires auxiliaires.

Mémoire de masse [*mass storage*] : mémoire de très grande capacité.

Mémoire entrelacée : mémoire divisée en blocs indépendants possédant leurs propres registres d'adresse et de mot. Les mots correspondants aux adresses successives se trouvent dans des blocs différents.

Mémoire morte [*ROM : Read Only Memory*] : mémoire dans laquelle on peut lire uniquement.

Mémoire permanente (*non volatile*) [*non volatile memory*] : mémoire dont les informations ne s'effacent pas lorsque l'on coupe le courant (disques, bandes) ≠ *Mémoire volatile* [*volatile memory*] : mémoire dont le contenu est effacé lorsque l'on coupe le courant.

Mémoire RAM [*Random Access Memory*] (mémoire à accès aléatoire ou accès direct) : mémoire où le temps d'accès est indépendant du numéro de la cellule adressée. (SRAM

[*Static RAM*] *mémoire statique* : mémoire qui n'a pas besoin d'être rafraîchie, DRAM [*Dynamic RAM*] *mémoire dynamique* : mémoire nécessitant un rafraîchissement périodique pour conserver ses informations).

Mémoire ROM [*Read Only Memory*] : mémoire morte. Mémoire PROM [*Programmable ROM*] : mémoire morte programmable une seule fois par l'utilisateur et de manière irréversible. Mémoire EPROM [*Erasable Programmable ROM*] aussi appelée REPROM [*REProgrammable ROM*] : PROM pouvant être effacée un certain nombre de fois par exposition aux rayons ultra-violet. Mémoire EEROM [*Electrically Erasable ROM*] ou EAROM [*Electrically Alterable ROM*] : EPROM à effacement électrique.

Mémoire virtuelle : mémoire qui vise à augmenter l'espace des adresses de la mémoire centrale en s'appuyant sur la mémoire auxiliaire. Mémoire réalisée en découpant la mémoire principale en pages, chaque page pouvant contenir une page du programme stocké sur disque.

Mémoire vive [*RWM : Read Write Memory*] : mémoire dans laquelle on peut lire et écrire.

Message : ensemble d'informations transférées en un envoi dans une communication.

Mflops [*Millions of FLoating point Operations Per Second*] : unité de mesure de puissance des processeurs vectoriels.

Micro-instruction [*micro-instruction*] : instruction d'un microprogramme.

Microordinateur [*micro-computer*] : ordinateur construit autour d'un microprocesseur (microprocesseur + mémoire + E/S + périphériques).

Microprocesseur [*microprocessor*] : circuit intégré réalisant une unité centrale de traitement complète (unité de commande + UAL).

Microprogrammation [*microprogramming*] : niveau de programmation plus bas et plus détaillé que le niveau machine. Technique de réalisation du séquenceur d'une unité centrale, dans laquelle chaque instruction machine est décomposée en une suite de micro-instructions, l'exécution d'une instruction se faisant par le biais de l'exécution d'un microprogramme, qui définit la suite de micro-instructions à exécuter.

Microprogramme [*microprogram, firmware*] : programme destiné à faire exécuter une instruction ou une suite d'instructions de niveau machine en donnant la séquence des micro-instructions qui la composent.

Mips (Millions d'Instructions Par Seconde) : unité de mesure de puissance des processeurs scalaires.

Modem [*modem*] : modulateur-démodulateur. Dispositif qui permet de moduler et de démoduler un signal (onde porteuse) afin d'utiliser des lignes analogiques (lignes téléphoniques) pour la transmission de signaux digitaux.

Modulation (AM, FM, PM) : technique utilisée dans les modems permettant de transformer des informations digitales en informations analogiques, en modulant une onde porteuse.

Modulation d'amplitude (AM) : le signal est modulé en faisant varier l'amplitude de l'onde porteuse.

Modulation de fréquence (FM) : le signal est modulé en faisant varier la fréquence.

Modulation de phase (PM) : le signal est modulé en faisant varier la phase.

Modulation par impulsion et codage [*PCM : Pulse Code Modulation*] et *modulation delta* : techniques pour transformer des informations analogiques en informations digitales.

Moniteur [*monitor*] : programme précurseur du système d'exploitation moderne destiné à assurer l'enchaînement des différents travaux soumis à l'ordinateur.

Monoprocesseur : machine ayant un seul processeur central (CPU).

MOS, MOSFET [*Metal-Oxide-Semiconductor Field-Effect-Transistor*] : transistor unipolaire.

Mot [*word*] : groupement de bits, unité d'information adressable en mémoire centrale. La capacité d'une mémoire est exprimée en nombre de mots ou de caractères.

Multiplexage [*multiplexing*] : partage d'une voie de transmission entre plusieurs liaisons. Méthode de gestion d'un canal permettant de le diviser en sous-canaux : chacun de ces sous-canaux est raccordé à une source de données, ces sources étant susceptibles d'émettre indépendamment et simultanément. En général, méthode de gestion d'une ressource (par exemple : dans un système time-sharing, on peut dire que le CPU est multiplexé dans le temps).

Multiplexage fréquentiel [*FDM : Frequency Division Multiplexing*] : division de la bande passante de la voie de transmission en sous-bandes. Chaque sous-bande permet d'établir une liaison entre deux unités.

Multiplexage temporel [*TDM : Time Division Multiplexing*] : partage dans le temps de la voie de transmission entre plusieurs unités communicantes.

Multiplexeur (mux) [*multiplexor*] : circuit logique qui accepte plusieurs données en entrée et n'autorise qu'une seule d'entre elles en sortie.

Multiprocesseur [*multiprocessor*] : ordinateur qui possède plusieurs unités centrales de traitement.

Multiprogrammation : technique qui consiste à partager la mémoire entre plusieurs programmes (ou parties de programmes) pour mieux exploiter le CPU.

N

Nanoprogrammation : niveau de programmation encore plus détaillé que la microprogrammation.

Noyau [*kernel*] : logiciel assurant l'interface entre le matériel et le logiciel, couche la plus basse du système d'exploitation.

O

Octal : système de numération à base 8, employant les chiffres de 0 à 7.

Octet (caractère) [*byte*] : groupement de 8 bits pouvant coder $2^8 = 256$ symboles.

Offset : déplacement par rapport à une adresse de référence.

Opérande [*operand*] : argument, paramètre ou donnée entrant dans une opération arithmétique ou logique.

Opérateur logique [*operator*] : symbole qui représente une opération à effectuer sur un ou plusieurs opérandes (ET, [*AND*], OU, [*OR*], NON, [*NOT*], XOR, NAND, NOR).

Opérateur complet : opérateur capable à lui seul d'effectuer toutes les fonctions logiques d'un circuit combinatoire (par exemple, NAND, NOR).

Ordinateur [*computer*] : machine automatique, programmable, universelle, numérique (digitale), capable de faire des opérations sur des opérandes abstraits (chiffres, nombres, symboles).

Ordinateur parallèle [*parallel computer*] : ordinateur dans lequel le travail nécessaire à la solution d'un problème est distribué sur plusieurs processeurs.

P

Page : fragment de programme de taille fixe.

Pagination [*paging*] : découpage en pages du programme, effectué par le système d'exploitation. Permet la réalisation de la mémoire virtuelle.

Parallélisme : indique que plusieurs actions peuvent se dérouler en même temps [*concurrently*].

Paramètre (argument) [*parameter*] : variable permettant la communication de données entre un programme principal et ses macros ou ses sous-programmes.

Parité [*parity*] : caractéristique de ce qui est pair. En fait, en informatique, où cette caractéristique est utilisée en vue de vérifier l'intégrité des données, on parle de parité paire ou de parité impaire (en référence au nombre de bits à 1).

Passerelle [*gateway*] : dispositif permettant de relier deux réseaux entre eux, quelle que soit la nature de ces réseaux.

Périphérique [*peripheral equipment*] : cf. unité périphérique.

Pile LIFO (mémoire LIFO) [*Last In First Out, stack*] : structure de données gérée selon la méthode du dernier entré - premier sorti.

Pipelining : technique consistant à segmenter une opération complexe en séquence d'actions plus simples. Chaque action simple est réalisée par un dispositif particulier dans le but d'augmenter le débit total du système.

Piste [*track*] : ligne fictive tracée sur une bande ou un disque magnétique, lieu de stockage des informations.

Pixel [*picture element*] : élément de base d'uneimage ou d'un écran.

Pixmap : ensemble des points d'uneimage numérique.

Planificateur [*scheduler*] : programme du système d'exploitation qui planifie le travail de l'ordinateur.

Point mémoire (bit) [*memory cell*] : désigne un élément (support physique) permettant de stocker un bit dans une mémoire.

Pointeur [*pointer*] : variable définie comme l'adresse d'un objet.

Pont [*bridge*] : dispositif permettant de relier entre eux deux réseaux locaux qui utilisent les mêmes protocoles.

Portabilité : qualité d'un logiciel pouvant fonctionner sur différentes machines.

Porte [*gate*] : tout opérateur logique élémentaire utilisé dans un circuit combinatoire.

Processeur [*processor*] : ensemble matériel constituant une unité où s'exécutent les traitements. Agent qui exécute les instructions d'un programme. Dans un sens plus général, ensemble matériel ou logiciel.

Processeur scalaire [*scalar processor*] : processeur ne pouvant qu'exécuter des instructions dont l'effet se limite à des variables scalaires, c'est-à-dire des variables ayant une seule valeur.

Processeur vectoriel [*vector processor*] : processeur à haute performance (généralement organisé en pipelines) permettant d'effectuer des opérations sur des vecteurs (variables ayant plusieurs valeurs).

Processus [*process*] : action, séquence d'opérations qui se déroule pour réaliser une tâche déterminée. Par exemple : programme en cours d'exécution.

Programme [*program*] : suite d'instructions, écrites dans un langage donné, définissant un traitement exécutable sur un ordinateur.

Programme amorce [*bootstrap*] : programme permettant de démarrer une machine, c'est-à-dire de charger le chargeur.

Programme source [*source program*] : programme destiné à être traduit en vue d'une exécution. Le résultat de la traduction est le programme objet.

Protocole [*protocol*] : ensemble des règles qui doivent être respectées pour réaliser un échange d'informations entre ordinateurs, ou entre un terminal et un ordinateur, en général, entre unités communicant par un système commun de transmission de l'information (bus, réseau).

Puce (microplaquette, pastille) [*chip*] : circuit intégré.

Q

Queue FIFO [*queue*] : structure de données. Une queue est une file d'attente [*FIFO = First In First Out*]. Les insertions se font à une extrémité, les suppressions à l'autre.

R

Recherche binaire (recherche dichotomique) [*binary search*] : méthode de recherche dans une table triée et qui consiste à commencer la recherche en comparant la clé donnée avec celle placée au milieu de la table. Ce qui permet d'éliminer d'un seul coup la moitié de la table. On continue de la même façon en appliquant la méthode aux éléments restants.

Recherche linéaire [*linear search*] : méthode de recherche dans une table non triée et qui consiste à parcourir la table à partir du premier élément, en comparant chaque élément avec la clé que l'on cherche.

Récursivité [*recursion*] : propriété d'un sous-programme de s'appeler lui-même.

Re-entrance : propriété d'un programme ou sous-programme dont le code ne se trouve qu'une seule fois en mémoire et qui peut être utilisé par plusieurs processus simultanément (simultanéité apparente) (exemple : éditeur de texte).

Registre [*register*] : mémoire specialisée, de capacité limitée, affectée à des fonctions particulières pour concourir à l'exécution des opérations dans un traitement.

Registres de la mémoire :

Registre mot (RM) : registre fonct-ionnant comme tampon pour toute information lue ou écrite en mémoire.

Registre d'adresse (RA) [*memory address register*] : registre de la mémoire centrale qui contient l'adresse où stocker, ou chercher, une information.

Registres du CPU :

Compteur ordinal (CO, PC) [*program counter*] : contient l'adresse de la prochaine instruction à exécuter.

Registre d'instruction (RI) : registre recevant l'instruction qui doit être exécutée.

Registre d'état [*PSW : Program Status Word*] (registre condition) : registre dont chaque bit indique un état du fonctionnement de la machine et du programme en cours d'exécution.

Registres de base [*base registers*] : registres contenant les adresses de base (par exemple, l'origine d'un programme en mémoire centrale).

Registres d'index ou d'indice (XR) [*index registers*] : registres utilisés pour manipuler des indices, permettant d'effectuer des boucles, ou de parcourir des tableaux.

Registres généraux, banalisés [*general purpose registers*] (bloc notes) [*scratchpad*] : registres permettant de sauvegarder des informations fréquemment utilisées pendant l'exécution d'un programme ou des résultats intermédiaires.

Registre à décalage [*shift register*] : registre servant à déplacer les bits d'une donnée.

Registres bornes : registres contenant les adresses extrêmes de la zone allouée à un programme en mémoire centrale.

Accumulateur : registre utilisé par défaut dans les calculs. Il possède une extension, souvent appelée registre Q.

Relocation (réallocation, translation dynamique) [*dynamic relocation*] : technique de gestion de la mémoire centrale permettant de déplacer les programmes pour utiliser au mieux la mémoire.

Réseau [*network*] : ensemble d'ordinateurs (et d'équipements terminaux), géographiquement dispersés, reliés entre eux par un ou plusieurs liens afin de permettre des échanges d'informations. Un réseau est dit homogène si les ordinateurs sont compatibles, il est dit hétérogène si le matériel est disparate. Un *réseau étendu* ou (inter)national [*WAN : Wide Area Network*] est un réseau dont les nœuds sont géographiquement très éloignés les uns des autres (plusieurs centaines ou milliers de kms). Un *réseau local* [*LAN : Local Area Network*] est un réseau dont les nœuds se trouvent dans un même bâtiment ou dans des bâtiments voisins (ou même à quelques kms).

RNIS (Réseau Numérique à Intégration de Services) [*ISDN : Integrated Services Digital Network*].

Rupture de séquence (saut) [*jump, branch*] : instruction permettant de modifier le contenu du compteur ordinal. Passage, conditionnel ou non, d'un point d'un programme à un autre, sans respecter l'ordre séquentiel.

S

Secteur [*sector*] : partie d'une piste d'un disque, pouvant contenir un bloc de caractères.

Segmentation : découpage logique d'un programme, décidé par le programmeur. Elle complète le découpage en pages effectué automatiquement par le système d'exploitation.

Sémantique : étude du sens des mots et des phrases (instructions).

Sémaphore : variable entière positive pouvant être modifiée seulement par deux opérations primitives, appelées WAIT et SIGNAL. Utilisé dans la synchronisation et la communication entre processus.

Semi-conducteur [*semi-conductor*] : matériau, comme le silicium, dont la conductivité se situe entre celle des conducteurs et celle des isolants et varie en fonction de la concentration d'impuretés (dopage).

Séquenceur [*sequencer*] : automate générant les signaux de commande nécessaires pour actionner et contrôler les unités participant à l'exécution d'une instruction donnée. Organe de commande d'un ordinateur qui déclenche les différentes phases de l'exécution des instructions.

Séquenceur câblé : automate à logique figée. Circuit séquentiel complexe qui fait correspondre à chaque instruction exécutable un sous-circuit capable de commander son déroulement.

Séquenceur microprogrammé (micro-séquenceur) : automate à programme enregistré. Séquenceur dont les signaux de commande sont générés à partir de micro-instructions enregistrées dans une mémoire de microprogrammation incorporée dans le séquenceur.

Serveur de fichiers [*file server*] : ordinateur indépendant qui s'occupe uniquement de la gestion des fichiers d'une communauté d'utilisateurs connectés à un réseau local.

Signal [*signal*] : impulsion électrique, qui sert à transmettre un élément de donnée.

Software : cf. Logiciel.

Souris [*mouse*] : dispositif permettant de déplacer le curseur sur un écran.

Sous-programme (routine) [*subroutine*] : suite ordonnée d'instructions accomplissant une tâche déterminée, organisée en module indépendant, pouvant être exécutée à partir de n'importe quel point d'un programme.

Structure de données : collection organisée de données élémentaires. Quelques exemples de structures de données : vecteurs, tableaux, listes, arbres, queues, piles, tables.

Superordinateur [*supercomputer*] : système informatique très puissant utilisé généralement pour des applications scientifiques complexes (calculs numériques intensifs).

Syntaxe : ensemble des règles qui précisent la manière d'écrire ou de disposer les éléments d'un texte.

Système de gestion de base de données (SGBD) [*data base management system, DBMS*] : système logiciel ayant pour tâche d'assurer la gestion automatisée d'une base de données.

Système d'exploitation [*operating system*] : ensemble des programmes de base nécessaires au fonctionnement d'un ordinateur.

Système d'interruption : dispositif qui enregistre les signaux d'interruption envoyés au CPU.

T

Table [*table*] : structure, non nécessairement ordonnée, de données du même type, où, à chaque donnée on associe une information unique, appelée clé, qui sert à identifier l'élément de la table.

Table d'états (table de transition) [*transition table*] : table indiquant les transitions entre les états d'un automate fini sous l'effet de stimuli externes (entrées).

Table de vérité [*truth table*] : table définissant les états de sortie d'un circuit logique pour tous les états d'entrée possibles.

Tableau [*array*] : structure de données. Un tableau est une collection multi-dimensionnelle d'objets d'un même type. Chaque élément est repéré par un jeu d'indices.

Télécommunication [*telecommunication*] : toute transmission, émission ou réception à distance de signes, de signaux, d'écrits ou d'images, de renseignements ou de sons de toute nature, par fil, câble coaxial, ondes radio, micro-ondes, fibre optique ou autre système électromagnétique.

Téléinformatique ou télématique : informatique utilisant des moyens de transmission à distance.

Temps d'accès [*access time*] : temps nécessaire à l'écriture ou à la lecture d'un mot-mémoire. Temps qui s'écoule entre le lancement d'une opération d'accès et son accomplissement.

Temps-partagé [*time sharing*] : mode d'exploitation d'un ordinateur dans lequel chaque utilisateur se voit allouer à tour de rôle une tranche de temps permettant ainsi à un grand nombre d'utilisateurs de travailler en même temps.

Temps-réel [*real time*] : système où le temps joue un rôle important, l'ordinateur devant traiter des informations dans un temps critique relatif à l'application.

Terminal [*terminal*] : organe périphérique généralement placé à distance de l'ordinateur, permettant la communication entre l'homme et l'ordinateur.

Terminal interactif : périphérique permettant à l'usager une communication dans les deux sens avec l'ordinateur. L'entrée est un clavier, la sortie est un écran de visualisation.

Topologie d'un réseau : localisation des nœuds d'un réseau et agencement des liens entre ces nœuds.

Traceur de courbe [*plotter*] : périphérique permettant de faire des dessins au trait de bonne qualité.

Traducteur [*translator*] : programme capable de traduire un programme source en un programme objet.

Transcodeur : dispositif permettant d'effectuer un transcodage c'est-à-dire de passer d'un code à un autre code.

Transistor [*transistor*] : contraction de [*TRANsfer reSISTOR*]. Composant électronique actif, donc capable d'amplifier un signal.

Transistor bipolaire : un transistor bipolaire a deux porteurs de charges (électrons et trous). C'est un amplificateur de courant. Il est composé de trois zones : la base, le collecteur et l'émetteur.

Transistor unipolaire (à effet de champ) [*FET, Field Effect Transistor*] : un transistor est dit unipolaire car un seul porteur de charge (électrons ou trous) entre en jeu. C'est un amplificateur de tension. Un champ électrique créé par un circuit de grille induit un petit canal mettant en communication la source et le drain.

U

Unité centrale : unité centrale de traitement + mémoire centrale.

Unité centrale de traitement (processeur central) [*Central Processing Unit, CPU*] : élément de l'ordinateur qui interprète et exécute les instructions d'un programme.

Unité arithmétique et logique (UAL) [*arithmetic and logic unit*] (unité de calcul) : unité de l'unité centrale de traitement regroupant les circuits chargés d'exécuter les opérations arithmétiques et logiques commandées par le programme.

Unité de commande ou de contrôle [*control unit*] : unité du CPU qui dirige le fonctionnement de toutes les autres unités (UAL, mémoire, E/S). Ensemble de dispositifs coordonnant le fonctionnement de l'ordinateur afin de lui faire exécuter la suite d'opérations spécifiées dans les instructions du programme.

Unité d'entrée/sortie (d'échange) [*input/ output processor*] : partie d'un ordinateur qui gère les entrées/sorties.

Unité périphérique : dispositif relié à l'unité centrale par l'intermédiaire d'une unité d'échange, et servant à la communication avec le monde extérieur (dispositifs d'E/S, mémoires auxiliaires).

V

Variable logique (variable binaire, variable booléenne) : variable pouvant prendre deux valeurs : vrai ou faux, 0 ou 1.

Vecteur [*vector*] : structure de données. Tableau à une dimension. Un vecteur est un ensemble fini et ordonné d'éléments, tous de même type. Il est défini par le nombre d'éléments ainsi que par leur type et leur taille.

Virgule fixe [*fixed point*] : mode de représentation des nombres fractionnaires utilisant un nombre déterminé de positions et tel que la virgule qui sépare la partie entière de la partie fractionnaire occupe une position fixe. Le cadrage des nombres est laissé au programmeur.

Virgule flottante [*floating point*] : mode de représentation des nombres fractionnaires dans lequel la virgule qui sépare la partie entière de la partie fractionnaire occupe une position quelconque, gérée automatiquement.

Virtuel : caractérise ce que voit l'utilisateur mais qui n'existe pas...

Vol-de-cycle [*cycle stealing*] : technique permettant aux unités périphériques de voler de temps en temps un cycle mémoire au CPU afin de transférer des données.

W

Working set : ensemble des pages chargées dans la mémoire centrale (mémoire réelle) qui sont choisies sur la base de leur utilité immédiate.

Index

043801 - (II) - (2,5) - OSB 80° - RET

Achevé d'imprimer sur les presses de la
SNEL S.A.
Rue Saint-Vincent 12 – B-4020 Liège
tél. 32(0)4 344 65 60 - fax 32(0)4 343 77 50
octobre 1999 - 14451

Dépôt légal : novembre 1999
Dépôt légal de la précédente édition : 1er trimestre 1998